Schweizerische Arbeiterbewegung

Schweizerische Arbeiterbewegung

Dokumente zu Lage, Organisation und Kämpfen der Arbeiter von der Frühindustrialisierung bis zur Gegenwart

Herausgegeben und eingeleitet von der Arbeitsgruppe für Geschichte der Arbeiterbewegung Zürich
Mit einem Geleitwort von Ezio Canonica, Präsident des Schweizerischen Gewerkschaftsbundes und einer Einführung von Georges Haupt, Professor an der Ecole Pratique des Hautes Etudes (Sorbonne), Paris.

Limmat Verlag
Genossenschaft
Zürich

Autorenkollektiv

Max Bauer
Markus Bürgi
Ruedi Burger
Hans Conrad Daeniker
Nora Escher
Josef Estermann
Hans-Jürg Fehr
Annette Frei
Louis Frölicher
Walter Giger
Hanspeter Gisler
Peter Hablützel
Albert Huber
Paul Huber
Thomas Huonker
Danielle Jaggi
Margrit Juchler
Adrian Knoepfli
Mario König
Jean-Pierre Kuster
Robert Kuster
Karl Lang
Max Lemmenmeier
Steffen Lindig
Ueli Mägli
Felix Müller
Thomas Rüst
Heidi Schäppi
Thomas Schaffroth
Max Schmid
Werner Sieg
Hannes Siegrist
Heiner Spiess
Lilly Sprecher
Andreas Stettler
Ruedi Vetterli
Bernhard Wenger
Werner Werder
Peter Zweifel

Arbeitsgruppe für Geschichte der Arbeiterbewegung Zürich, Wildbachstraße 48, 8008 Zürich.
Dieses Buch erscheint als Band 2 der «Schriftenreihe der Stiftung Studienbibliothek zur Geschichte der Arbeiterbewegung».

1. Auflage April 1975
2. Auflage Juni 1975

Umschlaggestaltung: Bruno Kammerer, Atelier für visuelle Kommunikation und Gestaltung, Zürich
ISBN 3 85791 000 3

Inhaltsübersicht

Ausführliches Inhalts- und Dokumentenverzeichnis

*	Originaltitel
ACV	Allgemeiner Consumverein Basel
AHV	Alters- und Hinterbliebenenversicherung
BBC	Brown, Boveri & Cie.
BGB	Bauern-, Gewerbe- und Bürgerpartei. Heute Schweizerische Volkspartei (SVP)
CLI	Colonie Libere Italiane
CNG	Christlich-nationaler Gewerkschaftsbund
EKKI	Exekutivkomitee der Kommunistischen Internationale
EWG	Europäische Wirtschaftsgemeinschaft
GAV	Gesamtarbeitsvertrag
IAA	Internationale Arbeiterassoziation (I. Internationale)
IAH	Internationale Arbeiterhilfe
Komintern	Kommunistische Internationale (III. Internationale)
KPS	Kommunistische Partei der Schweiz
KPS-O	Kommunistische Partei der Schweiz – Opposition
LdU	Landesring der Unabhängigen
LFSA	Landesverband freier Schweizer Arbeiter
NZZ	Neue Zürcher Zeitung
OAK	Oltener Aktionskomitee
PdA	Partei der Arbeit
RGO	Revolutionäre Gewerkschaftsopposition
SAHW	Schweizerisches Arbeiterhilfswerk
SBHV	Schweizerischer Bau- und Holzarbeiterverband
SGB	Schweizerischer Gewerkschaftsbund
SKA	Schweizerische Kreditanstalt
SMUV	Schweizerischer Metall- und Uhrenarbeiterverband
SPS	Sozialdemokratische Partei der Schweiz
SSA	Schweizerisches Sozialarchiv
STB	Schweizerischer Typographenbund
SVEA	Schweizerischer Verband evangelischer Arbeitnehmer
VHTL	Verband der Handels-, Transport- und Lebensmittelarbeiter
VPOD	Verband des Personals öffentlicher Dienste

Empfehlungen zur Lektüre:

Der Dokumentenband ist nicht als reines Lesebuch konzipiert, sondern als Arbeitsmittel. Zum besseren Verständnis der Dokumente empfiehlt es sich, zuerst die Einleitungen zu den einzelnen Kapiteln zu lesen. In ihnen wird mit der Angabe der Text-Nummer (z.B. 45) auf die entsprechenden Dokumente verwiesen, die die Aussagen des Einleitungstextes illustrieren und vertiefen. Der Leser kann so auch bequem diejenigen Probleme herausgreifen, die ihn zu eingehenderem Studium reizen.

Geleitwort

Die «Arbeitsgruppe für Geschichte der Arbeiterbewegung Zürich» legt mit diesem Band ein unkonventionelles Geschichtsbuch vor. Sie unternimmt es, die wichtigsten Kapitel aus der Geschichte der schweizerischen Arbeiterbewegung in einer leicht lesbaren Form darzustellen. Die Unterteilung des Stoffes in einzelne Kapitel mit einer kurzen, flüssig geschriebenen Einleitung und der Wiedergabe dazugehörender Dokumente kommt zweifellos den Wünschen vieler Leser entgegen. Allerdings birgt gerade diese Form die Gefahr einer zu wenig differenzierten Beurteilung komplexer historischer Vorgänge in sich. Dieses historische Lesebuch verlangt demnach nach kritischen Lesern, die es zur geistigen Auseinandersetzung herausfordert.

Die Autoren schufen dieses Buch bewußt als Gegensatz zur vorherrschenden bürgerlichen Geschichtsschreibung, die den Anspruch auf eine objektive und wertneutrale Darstellung erhebt, obwohl sie in Wirklichkeit stets von einem – allerdings nicht klar ausgesprochenen – ideologischen Standpunkt ausgeht. In ihrer Überzeugung, daß die Klassengegensätze die prägende geschichtliche Kraft seien, stellen sich die Autoren «auf die Seite derjenigen Kräfte, die in ihrer historischen und aktuellen Aktivität diese Verhältnisse verändern wollen». Geschichte wird somit nicht als etwas Abgeschlossenes betrachtet, sondern stets in ihrem Bezug zur Gegenwart und als Hilfsmittel zur besseren Bewältigung der Zukunft verstanden.

Die bewußte Parteilichkeit der Autoren führt allerdings in der Beurteilung mancher wichtiger historischer Entscheidungen zu einer Überbewertung oppositioneller politischer oder gewerkschaftlicher Gruppen und zur Unterschätzung der «offiziellen» Politik der Mehrheit, die ihrerseits das Ergebnis eines intensiven, demokratischen Meinungsbildungsprozesses war. Auch ist für die ideengeschichtliche Entwicklung der schweizerischen Gewerkschaften und der Sozialdemokratie angesichts der gedrängten Darstellung zu wenig Platz verblieben.

Trotz dieser kritischen Vorbehalte leistet das Buch einen wertvollen Beitrag an die Geschichtsschreibung der schweizerischen Arbeiterbewegung. Das Buch erfüllt eine wichtige Aufgabe zur Popularisierung dieser Geschichte und kann jedermann zur Lektüre empfohlen werden. Es stellt deshalb der «offiziellen Schweiz» ein schlechtes Zeugnis aus, daß ein solches Werk bis zu seiner Drucklegung mit erheblichen Widerständen zu kämpfen hatte und von zwei namhaften Verlagen entgegen ursprünglicher Zusagen zurückgewiesen wurde. So gebührt all jenen, die schließlich doch noch zur Veröffentlichung beitrugen, unser Dank. Dieses Geschichtsbuch will nicht konsumiert werden, es bleibt der Diskussion und Kritik offen und soll ja auch als Arbeitsmittel verwendet werden. Es präsentiert Geschichte als aufbereiteten Rohstoff, als eine lebendige und faszinierende Angelegenheit, die jeden von uns betrifft.

Zürich, im Januar 1975 — Ezio Canonica

Einführung

Die Geschichte kennt Privilegierte und Unbeachtete, Helden und Stiefkinder, Berühmtheiten und Randfiguren. Seit zwei Jahrzehnten aber läßt sich eine gewichtige Strömung erkennen: Die Randfiguren bemächtigen sich der Geschichte, die Unbeachteten behaupten sich. So entsteht auch eine neue Geschichtsschreibung. Der Historiker bahnt sich einen Weg, um in die Verliese einzudringen, in die oft die bewegenden, wenn nicht die Hauptkräfte der Geschichte verbannt worden sind. «Es ist die überwiegende Mehrzahl der Menschen», um Jaurès zu zitieren, «die endlich ans Licht tritt, die mit Glanz aus dem Nichts und aus dem Schweigen hervortritt, zu dem sie verdammt war.» Diese neue Historiographie, getragen vom Bewußtsein der Gefahren, der Schwierigkeiten und der Hindernisse, die dieses Vorgehen enthält, findet am Leitfaden des Gegenwärtigen die Tiefen des Vergangenen wieder.

«Wir Historiker leben in der Tat nur von diesen gefährlichen und ergebnisreichen Konfrontationen, die zwischen unserem Geschäft und den inneren Tendenzen unserer Epoche entstehen», stellt Fernand Braudel, ein «spiritus rector» der Schule der «Annales» fest, dem diese neue Historiographie, die Sozialgeschichte, mehr verdankt, als nur sein Renommé.

Es ist nicht überraschend – das Gegenteil wäre es eher –, daß gerade die jungen Historiker mit Elan und Einsatzfreudigkeit, geprägt durch die geschärfte Sensibilität unserer Zeit, diesen Weg beschreiten. So wollen auch die Autoren des vorliegenden Werkes, eine Gruppe von jungen Zürcher Historikern, einen Platz in dieser allgemeinen Strömung einnehmen. Sie verbergen weder ihre Absichten, noch ihre Motivationen, ihre Sympathien und ihr Engagement. Sie sind sich auch der Tatsache bewußt, daß sie eine schwierige und undankbare Aufgabe in Angriff genommen haben. Denn allzu lange ist die Geschichte der Arbeiterbewegung an den Rand gedrängt oder als eine «Legitimationswissenschaft» auf «Parteigeschichte» reduziert worden. Nur langsam wird sie mit wechselndem Glück und Erfolg ihren wahren Platz in der Geschichtswissenschaft finden. Dabei könnte man leicht auf so berühmte Mentoren verweisen wie Karl Marx, Max Weber, Werner Sombart, Robert Michels, Franz Mehring, um nur die Klassiker unter ihnen zu nennen. Die Geschichte der Arbeiterbewegung befreit sich nur mühsam von der Bevormundung durch ihre mißbrauchtreibenden Erben, und sie stößt immer wieder auf den hartnäckigen Widerstand aller traditionellen Kräfte, der konservativen wie der liberalen. Die Geschichte dieses Buches bezeugt dies mit Nachdruck. Schon vor seiner Veröffentlichung zu Berühmtheit gelangt, angegriffen und geschmäht, ohne daß jene Kritiker von seinem Inhalt überhaupt Kenntnis genommen hätten, wird dieser Quellenband selbst zu einem Dokument. Die jungen Historiker, die allein und aus eigenen Mitteln dieses Wagnis auf sich genommen haben, sind nun im Namen der «Wissenschaft» und unter Umgehung der üblichen akademischen Regeln in die Rolle des Angeklagten gedrängt.

Dabei ist ihr Ziel bescheiden und anspruchsvoll zugleich. Bescheiden, weil sie der breiten Öffentlichkeit Dokumente und Texte in einem Werk von popularisierendem Charakter zugänglich machen, ohne sich dem bequemen Lauf der popularisierenden Rede zu überlassen. Anspruchsvoll, weil das Stück Geschichte, das sie uns in ihrem Werk vorstellen, bisher unverhältnismäßig wenig bekannt ist. Dies sind die Absichten. Was die Resultate betrifft, so kann man wohl sagen, daß es ihnen gelungen ist, ein ausgeklammertes Gebiet in die Diskussion einzu-

führen, eine vernachlässigte Dimension der schweizerischen Sozialgeschichte zu erhellen und somit eine Lücke in der Geschichte der internationalen Arbeiterbewegung zu schließen.

Erinnern wir daran, daß für den Historiker der Arbeiterbewegung die Schweiz vor allem als Rahmen, als Unterschlupf oder als Drehscheibe der internationalen, sozialistischen Bewegung in ihren schwierigen Stunden bekannt war. Die Schweiz zog als freie Republik seit Beginn des 19. Jahrhunderts Hunderte von Handwerkern und ausgewiesenen Deutschen an und wurde somit zu einer Wiege der deutschen Arbeiterbewegung; und das geschah zu einer Zeit, in der Schweizer Arbeiter auf ihrer Suche nach Arbeit das eigene Land verlassen mußten. Als Asylland nahm die Schweiz verfolgte Revolutionäre und politische Flüchtlinge auf und wurde somit zum bevorzugten Aktionsfeld der ersten Generation der deutschen Sozialisten und später der deutschen Sozialdemokratie während der Zeit des Sozialistengesetzes sowie der osteuropäischen Revolutionäre verschiedenster Richtungen, von Bakunin bis zu Lenin. Die Erste Internationale findet hier Unterstützung und festen Boden. Johann Philipp Becker, dessen Strahlkraft von Genf über ganz Zentraleuropa reicht, würdigt in seiner Eröffnungsrede auf dem Kongreß der IAA 1866 in Genf diese Haltung der Schweiz: «Haben ja vor mehr als 500 Jahren nur drei Männer auf dem Grütli den Grund der schweizerischen Eidgenossenschaft gelegt, zur Eidgenossenschaft, ohne welche wir wohl auf dem ganzen Festlande Europas keinen Fußbreit Erde gefunden hätten, um, so wie heute hier, frei vor aller Welt unsere Fahne zu entrollen.» Die Zweite Internationale hält hier zwei ihrer historischen Kongresse ab: In Zürich 1893 den Kongreß ihrer Konsolidierung und in Basel den Kongreß von 1912, währenddem die Glocken des Münsters die Welt vor der Gefahr eines drohenden Krieges warnten. 1914, inmitten der Wirren, die der Zusammenbruch der Zweiten Internationale auslöste, wird die Schweiz wieder Mittelpunkt internationaler Aktivitäten, und die friedlichen Dörfer von Zimmerwald und Kiental geben Ereignissen und Bewegungen ihren Namen, die heute in zeitgenössischen Geschichtsbüchern figurieren. Ein russischer Emigrant stellte dazu fest: «Das kleine Land mit seiner alten revolutionären Emigrantentradition leistete seinen letzten revolutionären Dienst in der Periode des imperialistischen Krieges.»

Eine Reihe grundlegender Werke informieren heute über das Leben und die Aktivität der verschiedenen revolutionären Emigrantengruppen in der Schweiz sowie über Grenzen der Toleranz in diesem «Asyl der Freiheit», die durch Ausweisungen, Auslieferungen, geheime Einverständnisse zwischen dem «Berner Bären und den Bären von Petersburg» (Bakunin) gekennzeichnet waren.

Der internationale Charakter der Schweiz besitzt eine Bedeutung für die internationale Arbeiterbewegung, die nicht zu unterschätzen ist. Doch überschattet er bedauerlicherweise eine andere Realität: diejenige der Entwicklung der schweizerischen Arbeiterbewegung selbst. Mit Recht verharren die jungen Autoren nicht auf jenem festgefügten Bild; sie richten vielmehr ihre Aufmerksamkeit auf die Realität, deren Existenz kontinuierlich geleugnet, auf Tätigkeiten der Verbannten beschränkt, oder gar als «rückständig und verspätet» betrachtet wurde. Aber schon 1848 bemerkte Wilhelm Liebknecht: «Man hört die Schweizer oft mit triumphierendem Blick auf das Ausland sagen: Wir haben kein Proletariat! Auch die Schweiz besitzt ihr Proletariat, nur schickt sie es in die Fremde, wenigstens zum großen Teil. Aber dieser Abfluß wird auch mit der Zeit verstopft werden.» Dieses Proletariat existierte tatsächlich, ging seinen Weg und kannte eine vielschichtige Entwicklung. Das vorliegende Werk basiert in seiner Gesamtheit auf einer *Idee und liefert den Beweis für sie: Die Arbeiterbewegung, die Klassenkonflikte sind in der Geschichte der Schweiz lebendig, auch wenn sie spezifische und oft verhüllte Formen annehmen.*

Die Quellen, die die Autoren vorlegen und der Gesichtspunkt, unter welchem sie das Thema behandeln, zeigen deutlich ihre Absichten. Sie wollen diesen Teil der Geschichte nicht auf ideologische und institutionelle Aspekte beschränken, sondern ihn als Sozialgeschichte behandeln, um die Konfiguration von schweizerischer Arbeiterklasse und -bewegung in ihren spezifischen Charakter freizulegen:

a) Die institutionelle Struktur der schweizerischen Eidgenossenschaft, welche von der Zweiten Internationale zu Recht oder zu Unrecht als «die älteste aller Demokratien und Republiken, die gegenwärtig in der Welt existieren» (Jean Longuet) bezeichnet wurde.

b) Die ausgeprägten regionalen Eigenheiten, die Abgrenzung, die ungleiche und unterschiedliche wirtschaftliche und soziale Entwicklung in den verschiedenen Kantonen, die eine je nach den verschiedenen Regionen abgestufte Entwicklung der Arbeiterbewegung zur Folge hat.

c) Die Abfolge und die spezifischen Züge der Industrialisierung, die die Zusammensetzung der Arbeiterklasse prägen und ihr spezifisches Gewicht innerhalb der gesamten Gesellschaft, in der der kleine bäuerliche Grundbesitz vorherrscht, bestimmen.

Diese inneren Voraussetzungen sind überlagert durch die internationalen Einflüsse, die als treibende Kraft wirken, jedoch auch im Gegensatz hierzu fremdenfeindliche Reaktionen innerhalb einer Arbeiterklasse hervorrufen, die sich durch den Andrang ausländischer Arbeitskräfte bedroht fühlt. Alle diese Elemente beeinflussen die Ausbildung eines Klassenbewußtseins ebenso wie eines falschen Bewußtseins, das seinen Ausdruck in spezifischen institutionellen Mechanismen, in der Verweigerung oder im Mangel eines theoretischen Interesses, in der Hartnäckigkeit vergangenheitsbezogener und traditioneller Denkschemata findet.

Um eine so umfangreiche Aufgabe, die zahlreiche Nachforschungen sowohl auf dem Gebiet der gedruckten Quellen als auch in den Archiven voraussetzte, bewältigen zu können, mußten sich die Autoren dieses Werkes zu einer Forschungsgruppe zusammenschließen. Sie haben damit eine doppelte Wette gewonnen: die gelungene Arbeit in einer Gruppe und über einen Gegenstand, der aus der Geschichtswissenschaft ausgeklammert war. Dabei vermied man die Gefahr der Heroisierung, ohne daß es allerdings immer gelungen wäre, einem gewissen Didaktismus zu entgehen. Die Autoren haben sich in beachtenswerter Weise bemüht. Dennoch nimmt man gelegentlich die Tendenz wahr, Sympathien und Mißtrauen zu folgen; dies besonders dort, wo es den Autoren darum geht, die von schweizerischen Historikern und Politologen so vernachlässigten Gebiete der Geschichte von 1920 bis zur Gegenwart zu erschließen.

Aber daß man doch vor lauter Bäumen den Wald sehe! Die gelegentliche Unbeholfenheit oder die manchmal vereinfachte Verwendung der Begriffe, wie des Begriffs des Klassenkampfes, sind gleichsam nur unbedeutende Wolken an einem in ganzen hellen Horizont.

Die Autoren haben eine reiche Vielfalt von Quellen zu bewältigen, unbekannte Texte in den wissenschaftlichen Bereich einzuführen vermocht; vor allem aber – und hierin besteht der wesentliche Erfolg des Unternehmens – gelang es, einen neuen Gesamtüberblick einer Geschichte zu geben, die den Historikern vielfältige Probleme stellt, den Theoretikern ein noch wenig erforschtes Material und den Praktikern einen Schatz an Erfahrungen liefert.

Paris, im Dezember 1974

Georges Haupt

Mit diesem Buch soll eine Lücke notdürftig gefüllt werden, die von den Verfassern der gängigen Geschichtsbücher offen gelassen wurde. Die Geschichte der Schweizerischen Arbeiterbewegung ist lediglich in der Forschung in bescheidenen Ansätzen bearbeitet worden (v.a. im lokalen und kantonalen Bereich). In den allgemeineren, übergreifenden Darstellungen erscheint sie höchstens am Rande, in den Schul- und Lehrbüchern fehlt sie fast völlig. Die Lücke gerade in den Schulbüchern erweckt den Verdacht, daß der Jugend bestimmte geschichtliche Entwicklungen verschwiegen werden sollen. Das Wenige, das in den Geschichtsbüchern geschrieben steht, erscheint zudem vielfach in der mehr oder weniger unverhüllten Absicht, gegen die Arbeiterbewegung zu polemisieren und sie zu diffamieren.

Es ist kein Versehen und kein Zufall, daß den bürgerlichen Historikern gerade die Arbeiterbewegung unter den Schreibtisch gerutscht ist. Von ihrem politischen Standpunkt aus können sie kein besonderes Interesse haben an denjenigen sozialen Bewegungen, die gegen die Herrschaft der bürgerlichen Klasse gerichtet sind. Von daher läßt sich auch die Parteinahme gegen die Arbeiterbewegung in ihrer Geschichtsschreibung verstehen. Mit dem vermehrten Einbezug von Sozial- und Wirtschaftsgeschichte ist in der bürgerlichen Geschichtsschreibung neuerdings eine zusätzliche Variante aufgetreten: Die Opposition der Arbeiterbewegung gegen das Bürgertum wird in dieser Interpretation mit Kinderkrankheiten in der Frühzeit des Gesellschaftssystems erklärt. Die heutige Gesellschaft dagegen habe den Klassencharakter verloren und die Arbeiterorganisationen hätten als «Sozialpartner» den ihnen zukommenden Platz darin gefunden.

Dieses Buch wurde von einem anderen Standpunkt aus gemacht. Ausgehend von der Überzeugung, daß Klassenverhältnisse grundsätzlich heute noch bestehen, stellen wir uns auf die Seite derjenigen Kräfte, die in ihrer historischen und aktuellen Aktivität diese Verhältnisse verändern wollen. Dieser politische Standpunkt fließt auch ein in unsere Geschichtsauffassung. Uns interessieren nicht nur vergangene Zustände, sondern v.a. deren Veränderung und die daran beteiligten gesellschaftlichen Kräfte. Es soll gezeigt werden, daß die Verhältnisse, in denen wir heute leben, nicht von naturhaften oder gar überirdischen Kräften gestaltet worden sind, denen wir hilflos ausgeliefert sind. Geschichte wird von Menschen gemacht und auch die scheinbar Machtlosen können in ihrem Sinn verändernd wirken, wenn sie ihre Interessen erkennen und gemeinsam um deren Durchsetzung kämpfen. Deshalb beschäftigen wir uns mit der Arbeiterbewegung als Bewegung der unterprivilegierten Klasse, die Herrschaft abzubauen versucht und eine gerechte Gesellschaft anstrebt. Aus diesem Grund kann für uns die Geschichte der Arbeiterbewegung ebensowenig in der isolierten Geschichte ihrer Organisationen aufgehen, wie in der Verherrlichung vergangener Kämpfe. Vielmehr sollte im Dokumentenband sichtbar gemacht werden, wie sich die Vorstellungen und Möglichkeiten der Arbeiterbewegung veränderten mit dem wirtschaftlichen, sozialen und politischen Wandel der Gesellschaft und inwiefern sie diesen Wandel selbst bewirkt hat. Die Arbeiterbewegung wird daher in der ständigen Auseinandersetzung mit ihren Gegnern, wie auch in der internen Auseinandersetzung zwischen unterschiedlichen Strömungen und Positionen, dargestellt.

«Wenn die Geschichtsschreibung sich nicht mit der Aufzählung und Schilderung der historischen Tatsachen begnügt, sondern versucht, dieselben zu erklären, indem sie ihre Ursachen und gegenseitigen Beziehungen erforscht, so gestaltet sich die Darstellung der schweizerischen Arbeiterbewegung zu einer nicht ganz leichten Aufgabe.» Dies schrieb der schweizerische Sozialist Otto Lang 1902. Auch wir sind uns dessen voll bewußt. Wir haben die Geschichte

nicht von einem strengen Parteistandpunkt aus betrachtet. Wir beanspruchen nicht, eine allgemeingültige Geschichtsinterpretation geleistet zu haben, wie das noch immer viele Geschichtsbücher vorgeben. Unser Buch, das in kritischer Absicht geschrieben wurde, möchte anregen zu erneuter Kritik, zum Weiterdenken.

Gedacht ist das vorliegende Buch als Arbeitsmittel für Schulen, Kurse in der Erwachsenenbildung, zum Selbststudium. Eine Sammlung von Dokumenten halten wir – insbesondere nach der Erprobung eines Teils der Texte in Erwachsenenbildungskursen – für die geeignetste Form. Der Leser soll nicht einen abgerundeten Text in die Hand bekommen, der sich mühelos konsumieren läßt. Er muß die Möglichkeit haben, sich aus zeitgenössischen Dokumenten eigene Erkenntnisse zu erarbeiten. Dennoch soll das Buch nicht nur eine Anhäufung von Dokumenten sein. In knappen Einleitungstexten haben wir versucht, eigene Interpretationen zu geben und Zusammenhänge anzudeuten. Die Auseinandersetzung mit solchen Interpretationen ist erfahrungsgemäß am fruchtbarsten, wenn Quellenmaterial die Möglichkeit zu kritischer Überprüfung bietet. Zusätzlich enthält das Buch deshalb auch noch Hinweise auf weitere Literatur und einen statistischen Anhang.

Auch in der Herstellung dieses Buches wurde bewußt eine alternative Arbeitsweise gewählt. Wir wollten die Vereinzelung aufbrechen, von der wir alle im täglichen Leben bedroht sind. Dieses Buch ist nicht in einer einsamen Gelehrtenstube geschrieben worden, sondern entstand aus der kollektiven Arbeit einer 40köpfigen Arbeitsgruppe. Nach der gemeinsamen Ausarbeitung des Konzeptes machten sich acht Untergruppen an die Durchforstung der Archive und legten eine Auswahl von mehr als tausend Dokumenten vor. In tagelangen, intensiven Diskussionen entschied sich die Gesamtgruppe für die hier vorgelegte Zusammenstellung. Aus Platzgründen mußte oft schweren Herzens auf wichtige Dokumente verzichtet werden. Die Einleitungstexte zu den einzelnen Kapiteln wurden ebenfalls gruppenweise entworfen und dann von der Gesamtgruppe gekürzt, ergänzt, korrigiert, umgeschrieben und in die endgültige Fassung gebracht. Dennoch dürfte aus diesen Texten eine stilistische und inhaltliche Heterogenität erkennbar werden, die auf recht unterschiedlichen Auffassungen innerhalb unserer Gruppe beruht und uns in den Wertungen oft zurückhaltend werden ließ. Darin liegt vielleicht die Stärke und zugleich Schwäche unserer Arbeit.

Das Schreiben dieses Buches war für alle Beteiligten ein Erlebnis und ein Lernprozeß. Weil für jede einzelne Seite eine Einigung erzielt werden mußte, war es nötig, solidarisches Arbeiten zu lernen und zu praktizieren.

Zum Schluß möchten wir allen herzlich danken, die zum Entstehen dieses Buches beigetragen haben: Miroslav Tucek, Georges Haupt und Theo Pinkus, die uns mit Anregung und Kritik geholfen haben; Emma Ribbe, Irène Müller, Pietro Cerutti und Fritz N. Platten, Mitarbeiter des Schweizerischen Sozialarchivs Zürich, die uns immer hilfsbereit die gewünschten Archivalien, Dokumente und Bücher bereitstellten und mancherlei Umtriebe auf sich nehmen mußten; den folgenden Bibliotheken und Archiven: Archiv der SP des Kantons Zürich, der PdA der Stadt Zürich, des SGB, des VPOD; Staatsarchiv Zürich und Luzern, Bundesarchiv Bern, Zentralbibliothek Zürich.

Zürich, den 1. Mai 1974 Arbeitsgruppe für Geschichte der Arbeiterbewegung Zürich

Nachtrag

Dieses Buch erscheint mit einem halben Jahr Verspätung. In der Zwischenzeit haben zwei Verlage – der Verlag Huber, Frauenfeld, und der Suhrkamp Verlag – die Herausgabe nach anfänglicher Zusage abgelehnt. In beiden Fällen erfolgte die Ablehnung aufgrund von Druck Außenstehender, und in beiden Fällen führte sie zur Demission der Verlagsleiter. Im «Fall Huber», wo ein rechtsgültiger Vertrag bestand und das Manuskript bereits gesetzt war, untersagte der Verwaltungsrat die Herausgabe nach der Intervention eines Professors der Universität Zürich, der das Manuskript nie gesehen hat. Im «Fall Suhrkamp» ist im Zusammenhang mit dem zurückgewiesenen Dokumentenband die erste Publikationsserie der neugegründeten Filiale Suhrkamp Zürich ins Wasser gefallen: Die ganze Verlagsbelegschaft hat gekündigt. Wie sich nachträglich herausstellte, hatten die Schweizer Kapitalgeber des Suhrkamp Verlages – Familie Reinhart, Winterthur – ihren Einfluß geltend gemacht (Balthasar Reinhart zum Tagesanzeiger Zürich: «Es haben Gespräche über dieses Buch stattgefunden.»). An dieser Stelle möchten wir Manfred Vischer, Dieter Bachmann, Anna Stolz und Hansueli Zbinden herzlich danken, daß sie sich für unser Buch bei «ihren» Verlagen vorbehaltlos und kompromißlos eingesetzt haben.

Die Möglichkeit solcher Vorfälle legt die Frage nahe, die in einem Teil der Presse verschiedentlich gestellt wurde: «Ist die Geschichte der Arbeiterbewegung so gefährlich?» – Die heutige Schweiz scheint sich auf einen Zustand hinzubewegen, in dem nicht nur soziale Emanzipationsbewegungen selbst diskriminiert werden, sondern bereits die Berichterstattung darüber Ärgernis erregt. – Die Publizität um die ganze Affäre hatte zur Folge, daß verschiedene Verlage für das Buch Interesse zeigten. Aufgrund der vorliegenden Erfahrungen haben wir für die Veröffentlichung eine Lösung gewählt, die politische Pressionen ausschließt.

Im Dezember 1974

I. Entstehung der Arbeiterklasse in der ersten Hälfte des 19. Jahrhunderts

Die industrielle Revolution und die Durchsetzung des Kapitalismus

Gegen Ende des 18. Jahrhunderts begann in Europa mit der industriellen Revolution *eine Entwicklung, welche zur grundlegenden Umgestaltung der bisherigen sozialen, wirtschaftlichen und politischen Verhältnisse führte. Ihren Anfang nahm die industrielle Revolution in England, wo hautpsächlich dank der Ausweitung des Marktes und der damit verbundenen Möglichkeit zur Vergrößerung der Produktion die Anwendung neuer, leistungsfähigerer Maschinen, Verkehrs- und Transportmittel wirtschaftlichen Erfolg versprach. Vor allem im Bereich der Textilindustrie wurden im letzten Drittel des 18. Jahrhunderts neue Spinn- und Webmaschinen eingesetzt, welche den Fabrikationsprozeß entscheidend veränderten. Die neuen Spinnmaschinen beispielsweise produzierten das Vielfache – dank der Verwendung von Wasserenergie und später der Dampfmaschine –, bald das Hundertfache eines Handarbeiters. Dadurch konnte die Produktivität (Produktion pro Arbeitskraft und Zeiteinheit) enorm gesteigert werden, und es setzte mit dem Durchbruch des industriell-technischen Fortschritts eine Vermehrung des gesellschaftlichen Reichtums in einem bisher nicht gekannten Ausmaß ein. Erstmals in der Geschichte begann sich eine Gesellschaft herauszubilden, welche die Möglichkeit hätte, genügend Güter zu produzieren, um die grundlegenden Bedürfnisse aller Menschen befriedigen zu können.*

Wesentlich für die Durchsetzung der industriellen Revolution war eine neue Form der Geld- und Gewinnverwendung: Während früher in der handwerklichen und bäuerlichen Produktionsweise die Gewinne aus dem Verkauf hauptsächlich verbraucht oder zu andern Zwecken verwendet wurden, werden sie jetzt der Produktion selbst wieder zugeführt, das heißt, zur Erneuerung und Erweiterung der Produktion investiert. Der Unternehmer kauft Maschinen, Rohstoffe und Arbeitskraft, die er unter seiner Herrschaft im Produktionsprozeß verbindet. So eingesetzt wird Geld zu Kapital, *zu einem Wert (in Waren oder in Geld), der sich ständig vergrößert.*

Durch die Konkurrenz wird der Unternehmer zu andauernder Investitionstätigkeit gezwungen. Diese wuchs beträchtlich mit der starken Ausweitung der Produktion, die dank der neuen, leistungsfähigen Maschinen möglich war. Die Konkurrenz zwingt den einzelnen Kapitalisten, seine Waren zu einem Preis auf den Markt zu bringen, mit dem er gegen die anderen Unternehmer bestehen kann. Gelingt ihm dies nicht, kann er mit den ständig neuen Fabrikationsmethoden, die die Herstellung immer größerer Mengen von besseren oder billigeren Waren erlauben, nicht mithalten, so verliert er seine Stellung als Kapitalist. Daher erfolgt die Produktion unter kapitalistischen Verhältnissen nur so lange, als sie für den Unternehmer Profite abwirft. Nur die Stärkeren können sich durchsetzen, das Kapital beginnt sich in immer weniger Händen zu konzentrieren.

Unter dem zunehmenden Konkurrenzdruck der billigen, englischen Massenproduktion begann in der Schweiz zu Beginn des 19. Jahrhunderts die Umstellung der Heimarbeit auf die mechanische Produktion. Dabei lassen sich zwei Entwicklungsphasen unterscheiden: In der ersten (1800–1820) wurde die Baumwoll-Handspinnerei durch die mechanische Spinnerei ersetzt. In der zweiten wurde die Weberei mechanisiert. Die Ersetzung der Handarbeit, die gegen 1830 begann, dauerte hier allerdings wesentlich länger und war erst gegen Ende des 19. Jahrhunderts abgeschlossen. Mit der Einführung der neuen Maschinen erfolgte weiter auch eine Zentralisation der Produktion in Fabriken. *Damit wurden Wohn- und Arbeitsort getrennt und die Arbeiter der direkten Kontrolle des Unternehmers unterworfen.*

Die Fabrikindustrie entstand in der Schweiz in den ehemaligen Heimindustriegebieten der Ostschweiz (SG, GL, AR), des Kantons Zürich und des Aargaus. Dort waren nebst den von der niedergehenden Heimindustrie freigesetzten Arbeitskräften auch die geeigneten Bäche und Flüsse zum Antrieb der Wasserräder vorhanden. Ein wesentliches Charakteristikum der schweizerischen Industrie ist deshalb ihre ländliche Ausbreitung.

Weil die ersten Maschinen relativ billig waren, konnten nebst einigen kapitalkräftigen Firmen auch kleinere Unternehmer das nötige Startkapital aufbringen. Infolge der starken Konkurrenz trat allerdings der Konzentrationsprozeß schon frühzeitig ein. Im Kanton Zürich bestanden beispielsweise 1827 106, 1836 87 und 1842 noch 69 Spinnereien. Ein markantes Beispiel einer damaligen Unternehmerkarriere liefert der Zürcher Oberländer Heinrich Kunz, welcher 1811 in Oetwil mit einigen Maschinen zu produzieren begonnen hatte. Durch rücksichtslose Härte gegenüber der Konkurrenz und hemmungslose Ausbeutung der Arbeiter stieg er innerhalb weniger Jahrzehnte zum größten Industriellen des Kontinents auf. Mitte des Jahrhunderts beschäftigte er in acht Groß-Spinnereien 2000 Arbeiter.

Bekannteste, heute noch bestehende Firmen aus jener Zeit sind die Escher, Wyss & Co. (1805) und die Rieter & Co., die 1810 ins Spinnereigeschäft einstieg. Beide Firmen begannen frühzeitig selbst Spinnmaschinen zu konstruieren und legten damit die Grundlage zur spätern Maschinenindustrie.

Initiant und Träger der kapitalistischen Produktionsweise war das aufstrebende Bürgertum, das über Kapital und Bildung verfügte. Seinen sozialen Kern bildeten die Unternehmer. Je nach der geschichtlichen Entwicklung einer Region setzte es sich aber verschieden zusammen. (In der Schweiz hauptsächlich aus Kaufleuten, Verlegern der Heimindustrie, Müllern, Gerbern und Wirten der Landschaft und aus Angehörigen freier Berufe.) Diese aufsteigende Klasse konnte sich durch ihre neue wirtschaftliche und soziale Stellung, vor allem durch den Besitz der Produktionsmittel (Fabrikationsanlagen, Maschinen, Rohmaterialien, Boden) und des Kapitals, auch im politischen Bereich gegenüber der alten aristokratischen Führung durchsetzen. Mit der bürgerlichen Revolution *(in der Schweiz: Regeneration 1830, Gründung des Bundesstaates 1848) gelang es so dem Bürgertum, seine wirtschaftliche Macht mit der politischen Herrschaft abzusichern.*

Die Durchsetzung der kapitalistischen Produktionsweise brachte nämlich nicht nur unerhörte Möglichkeiten zur Erhöhung des gesellschaftlichen Reichtums und im politischen Bereich die Abschaffung der Vorrechte der Aristokratie, sondern sie erzeugte auch ein neues Herrschaftssystem. Hatte doch der Übergang zur kapitalistischen Produktion das Vorhandensein von Arbeitskräften zur Voraussetzung, die nicht mehr wie etwa die Handwerker eigene Produktionsmittel (hier: Werkstatt, Werkzeug, Material) besaßen, sondern nur ihre Arbeitskraft. Es ist das gemeinsame Merkmal der neu entstehenden Klasse, des Proletariats, *daß es seine Arbeitskraft dem Kapitalisten verkaufen muß, um leben zu können.*

Die Arbeit wird so zu einer Ware wie jedes andere Gut auch. Der Kapitalist kauft die Arbeitskraft der Proletarier, die ihr Leben erhalten können, indem sie mit ihrem Lohn Nahrungsmittel, Kleidung, Wohnung usw. kaufen. Die Summe, die der Kapitalist durch den Verkauf seiner Waren löst, ist aber größer als der Lohn, den er dem Arbeiter auszahlt. Den Überschuß, den er für sich behält, verwendet er für die Aufrechterhaltung, Erweiterung und Verbesserung der

Produktion unter seiner Herrschaft. So liegt der Hauptwiderspruch des Kapitalismus letztlich darin, daß zwar gesellschaftlich – durch Zusammenarbeit vieler – produziert wird, der Gewinn jedoch vom Kapitalisten als Eigentümer der Produktionsmittel privat angeeignet wird. Dieser Widerspruch findet seinen gesellschaftlichen Ausdruck im Kampf zwischen den beiden neu sich bildenden Klassen, Bürgertum und Arbeiterklasse.

Die ersten Fabrikarbeiter in der Schweiz (1)

Die ersten Fabrikarbeiter in der Schweiz waren meist ehemalige Handspinner, die durch die Mechanisierung ihre Arbeit verloren hatten. Unter diesen befanden sich außerordentlich viele Frauen und Kinder. Im Kanton Zürich zum Beispiel waren 1827 von 5000 Spinnern 1450 Männer, 1150 Frauen und 2400 Kinder unter 16 Jahren (2, 3). Die Unternehmer zahlten derart schlechte Löhne, daß das Existenzminimum nur durch die Mitarbeit der gesamten Familie erreicht werden konnte. Die Arbeitsbedingungen waren brutal: Die tägliche Arbeitszeit betrug 14 bis 16 Stunden, teilweise sogar noch mehr. Auch die sozialen und hygienischen Bedingungen in der Fabrik waren äußerst schlecht. Die Lebenserwartung der Fabrikarbeiter war deshalb im Vergleich zu andern Berufsgruppen niedrig. Soziale Sicherungen (gegen Krankheit, Unfälle, Arbeitslosigkeit) bestanden in den Anfängen der Fabrikindustrie keine; Arbeitsausfälle, bedingt durch mangelnde Aufträge oder Energieknappheit (Niedrigwasserstand), wurden nicht entschädigt. Die Unternehmer führten ein äußerst hartes Regiment, dem die Arbeiter bedingungslos unterworfen waren. Fabrikordnungen sind ein beredtes Zeugnis dafür (4).

Das Proletariat, das hier entstand, lebte unter derart schlechten materiellen Verhältnissen, daß es noch kaum in seinem Vermögen lag, organisiert den Kampf gegen seine Ausbeuter aufzunehmen. Dazu war den Arbeitern auch der Zugang zur nötigen Schulung und Bildung, welche ihnen zur Einsicht in ihre Lage hätte verhelfen können, versperrt. Wichtig war weiter auch, daß die Fabrikarbeiter – im Gegensatz zu den Handwerkern – als neue Klasse über keinerlei Tradition des kollektiven Widerstands und der Selbsthilfe verfügten. In der Frühzeit kamen sie deshalb nicht über vereinzelte spontane Abwehraktionen hinaus (5). Diese fielen allerdings rasch der Repression der Unternehmer und der staatlichen Gewalt zum Opfer. Die Fabrikarbeiter benötigten noch einen jahrzehntelangen Lernprozeß, um wirkungsvolle Kampf- und Organisationsformen zu finden und zu entwickeln.

Die Heimarbeiter

In der ersten Hälfte des 19. Jahrhunderts war die Zahl der Fabrikarbeiter im Vergleich zu den Heimarbeitern und Handwerkern noch gering: 1850 waren von den etwa 350 000 Arbeitern im Industriesektor um 50% im Handwerk und Baugewerbe, gegen 40% in der Heimarbeit und nur knapp über 10% in der Fabrik beschäftigt. Die Heimarbeit blieb noch das ganze 19. Jahrhundert hindurch bedeutend: Noch im Jahr 1900 lebten 15% der Industriearbeiter von der Heimindustrie. Die meisten waren im Textilsektor, weitere in der Strohflechterei, Tabak- und Uhrenindustrie beschäftigt.

Mit der Mechanisierung setzte der Niedergang der Heimindustrie ein. Sinkende Löhne und zunehmende Arbeitslosigkeit waren für den Heimarbeiter die Konsequenzen des Umstrukturierungsprozesses. Während die Umstellung einzelner Sektoren (Stickerei, Seidentuch- und Seidenbandweberei) auf die fabrikmäßige Produktion aus technischen und wirtschaftlichen Gründen erst gegen Ende des 19. Jahrhunderts oder sogar erst im Laufe des 20. erfolgte, setzte die Ablösung der Heimarbeit in der Baumwollspinnerei und -weberei frühzeitig ein. In der Baumwollspinnerei wurde die Heimarbeit, die gegen Ende des 18. Jahrhunderts etwa 100000 Personen ganz oder teilweise beschäftigt hatte, innerhalb von zwanzig Jahren durch die Fabrikindustrie verdrängt.

In der Weberei setzte infolge der fortgeschrittenen Mechanisierung in England in den 20er Jahren ein Preisrückgang für Baumwolltuche ein. Durch Lohnkürzungen versuchten die schweizerischen Unternehmer vorerst ihre Konkurrenzfähigkeit zu erhalten: Zwischen 1820 und 1830 sanken die Reallöhne um etwa 30 bis 50 Prozent. Eine weitgehende Massenverelendung war die Folge. Als nun ab Mitte der 20er Jahre die Unternehmer in der Schweiz mit der Errichtung von mechanischen Webereien begannen, sahen die Heimarbeiter, die aus ihrer Bewußtseinslage heraus die Maschine und nicht den dahinterstehenden Unternehmer als ihren Gegner wähnten, ihre einzige Überlebenschance im Verbot der Fabrikweberei. 1830 war es den Zürcher Oberländer Heimarbeitern, die mit ihrem Massenaufmarsch an den Ustertag wesentlich zum Sturz des Restaurationsregimes beigetragen hatten, gelungen, das Verbot der mechanischen Weberei in den Forderungskatalog («Uster-Memorial») der bürgerlichen Revolutionäre einzubringen. Als nun das Bürgertum nach der Machtergreifung keineswegs daran dachte, Maßnahmen gegen das Elend der Heimarbeiter zu ergreifen, schritten die Weber, die sich betrogen sahen, zur Tat: Am Gedenktag der Revolution, am Ustertag 1832, steckten sie die Weberei Corrodi + Pfister in Oberuster in Brand (6). Die Regierung reagierte unerhört hart auf diese Verzweiflungstat der Weber, die es gewagt hatten, sich am geheiligsten Gut des Bürgertums, am Privateigentum, zu vergreifen. Mit Truppen wurde die Ruhe rasch wieder hergestellt; im anschließenden Prozeß wurden Strafen von 18 bis 24 Jahren Zwangsarbeit verhängt.

Handwerk und Gewerbe: Deutsche Arbeitervereine und Grütliverein

In vorindustrieller Zeit waren die Handwerker in Zünften organisiert, das heißt, Meister, Gesellen und Lehrlinge waren in demselben Sozialverband (Stand) zusammengeschlossen. Die Handwerkergesellen besaßen eine bis ins Mittelalter zurückreichende Tradition der Selbsthilfe *in Form von Unterstützungskassen, Arbeitsvermittlungen und Streiks, die es ihnen erlaubte, sich in beschränktem Maße gegen die Meister zu behaupten. Durch die in der Ausbildung vorgeschriebenen Wanderjahre verfügten die Gesellen über weitreichende internationale Beziehungen und Erfahrungen. Organisationserfahrung und das Wissen um die Möglichkeit eines gemeinsamen Kampfes waren also bei den lohnabhängigen Handwerkern schon seit vorindustrieller Zeit vorhanden.*

Die zunehmende Konkurrenz und der Übergang zur Massenproduktion, welche mit der Durchsetzung der kapitalistischen Produktionsweise verbunden waren, führten zu einer wachsenden Bedrohung der wirtschaftlichen Grundlagen des Handwerks. Immer mehr selbständige

Handwerker sanken in den Status des Lohnarbeiters ab. Aus diesem Grunde wurde die Masse der schlecht bezahlten, lohnabhängigen Handwerksgesellen, die sich in zunehmendem Maße durch die Ausweitung der industriellen Produktion bedroht fühlten, immer größer.

Aufgrund ihrer traditionellen Organisationserfahrung waren die Handwerksgesellen die ersten Träger von Arbeiterorganisationen, die sich gegen die neuen Produktionsverhältnisse zur Wehr setzten. Ihr Standesbewußtsein als Handwerker wandelte sich mehr und mehr zu einem Bewußtsein der Solidarität mit allen, die wie sie durch Verkauf ihrer Arbeitskraft ihren Lebensunterhalt bestritten. Als erste Träger der Agitation gegen das kapitalistische System bildeten sie die frühesten Vermittler von sozialistischem Gedankengut innerhalb der Arbeiterklasse. Als erste entwickelten sie ein Klassenbewußtsein.

Die ersten Gesellenorganisationen in der Schweiz waren die in der Zeit von 1833–36 gegründeten deutschen Handwerkervereine. 1834 schlossen sich die bestehenden Vereine unter der Führung politischer Flüchtlinge aus Deutschland unter dem Namen Junges Deutschland zu einem Geheimbund zusammen. Die ursprünglich als Bildungs- und Unterhaltungsvereine geplanten Organisationen wandelten sich nun zu politischen Klubs, deren Ziel es war, zusammen mit dem radikalen Flügel des Bürgertums ein einheitliches, republikanisches Deutschland zu schaffen. Soziale und wirtschaftliche Fragen standen vorerst noch im Hintergrund.

Mit der bekannten Flüchtlingshatz von 1836, in der alle Flüchtlinge und deutschen Handwerkergesellen ausgewiesen wurden, brachen die bestehenden Arbeiterorganisationen zusammen. Erst in der Zeit von 1839–42 begannen sich vornehmlich in der Westschweiz deutsche Gesellen erneut in Bildungs- und Lesevereinen zusammenzuschließen. 1841 erfolgte dann die Neugründung des Jungen Deutschland, das wiederum als Geheimbund organisiert, den lokalen Arbeitervereinen den Charakter einer zusammenhängenden Bewegung gab (7). In vermehrtem Maße wurden nun die Gedanken der Frühsozialisten (Fourier, Saint-Simon) aufgenommen und weitergetragen. Seit 1841 trat der Schneidergeselle Wilhelm Weitling, der bedeutendste Vertreter kommunistischer Ideen innerhalb der Handwerkerbewegung, in den deutschen Arbeitervereinen der Schweiz auf. 1843 wurde er in Zürich verhaftet, zu Gefängnis verurteilt und ausgewiesen.

Die 1848 in der Folge der Wirtschaftskrise von 1846/47 in Europa einsetzende revolutionäre Bewegung gab auch den deutschen Arbeitervereinen in der Schweiz neuen Auftrieb. Viele Mitglieder von deutschen Handwerkervereinen in der Schweiz nahmen als aktive Kämpfer an der Revolution in Deutschland teil, in der sie zusammen mit dem radikalen Bürgertum die bürgerliche Demokratie zu verwirklichen suchten. In dieser Zeit wurden unter dem Einfluß von Mitgliedern des 1847 in London gegründeten Bundes der Kommunisten vermehrt Forderungen nach einer grundlegenden Neuordnung der Verhältnisse im Sinne einer sozialistischen Gesellschaft aufgestellt. Das von Karl Marx und Friedrich Engels im Auftrag des Bundes verfaßte Kommunistische Manifest ist eines der hervorragendsten Dokumente der Arbeiterbewegung.

1848/49 wurde die Revolution in den meisten europäischen Ländern niedergeschlagen. In der Schweiz, wo sich das Bürgertum hatte behaupten können, verstärkte sich die Repression gegen die Arbeiterorganisationen ebenfalls. Als sich am 18. Februar 1850 die Vertreter der deutschen Handwerkervereine in Murten versammelten, um eine neue zentrale Organisation zu schaffen, ließ der Bundesrat die Delegierten verhaften. Einen Monat später wies er dann 558

Mitglieder deutscher Arbeitervereine aus (8). Für die deutsche Arbeiterbewegung in der Schweiz bedeutete der sogenannte Murtentag *mit der folgenden Ausweisungswelle einen schweren Rückschlag, von dem sie sich erst nach einigen Jahren wieder erholen konnte.*

Die Bedeutung der deutschen Handwerkervereine für die schweizerische Arbeiterbewegung muß trotz ihrer Ausrichtung auf Deutschland hervorgehoben werden. Sie waren die eigentlichen Pioniere des Sozialismus in der Schweiz. In ihren Organisationen wurden Schweizer mit sozialistischen Ideen vertraut und erkannten die Möglichkeiten des Kampfes gegen das kapitalistische System. Nach dem Vorbild der deutschen Handwerkervereine begannen sich auch die Schweizer Gesellen zu organisieren. 1838 wurde in Genf von dort ansäßigen Appenzellern und Glarnern, die sich regelmäßig zur Pflege des Heimatgefühls und zu Erinnerungsfeiern an die Landsgemeinde versammelten, der Grütliverein *gegründet. Bald entstanden weitere Sektionen, die sich fünf Jahre später im schweizerischen Grütliverein zusammenschlossen (9). In der Zeit von 1845–64 wuchs der Grütliverein von 7 Sektionen mit 370 Mitgliedern auf 100 Sektionen mit 3500 Mitgliedern an. Unter dem Motto:* «Durch Bildung zur Freiheit» *stand vor allem die Schulung der Mitglieder im Vordergrund. Der Verein widmete sich der «menschlichen und fachlichen Fortbildung» und sorgte für Unterhaltung durch Gesang, Theater und Lesestoff (10).*

Obwohl sich der Grütliverein nach 1848 vermehrt politischen Problemen zuwandte, blieb er immer unter dem Einfluß einer kleinbürgerlich-demokratischen Ideologie. Die Pflege des Nationalbewußtseins gehörte zu den Grundpfeilern des Vereinslebens. Der Grütliverein radikalisierte sich im Gegensatz zu den deutschen Arbeitervereinen nie; eine revolutionäre Wandlung der Gesellschaft lehnte er ab.

In seiner Gründungszeit trat der Grütliverein für eine Versöhnung aller «Stände» im demokratischen Staat ein. Unter dem Eindruck der sich verstärkt herausbildenden bürgerlichen Klassengesellschaft wandelten sich seine Zielsetzungen insofern, als nun Ideen der direkten Demokratie, verbunden mit einem staatssozialistischem Konzept an Bedeutung gewannen: Die Klassengesellschaft sollte durch einen demokratischen und interventionistischen Staat überwunden werden. Aufgrund dieser politischen und sozialen Zielsetzung spielte der Grütliverein als erste gesamtschweizerische Arbeiterorganisation eine wichtige Rolle bei der Verwirklichung der direkten Demokratie *(demokratische Bewegungen/Verfassungsrevision von 1874) und den ersten staatlichen Sozialreformen des 19. Jahrhunderts.*

Frühe politische Bewegungen

In den 40er und anfangs der 50er Jahre entstanden in den Kantonen Zürich und Bern zwei organisierte Bewegungen, welche den Anfang der politischen Aktion der schweizerischen Arbeiterklasse markieren.

In Uster gab Johann Jakob Treichler (1822–1906) in den Jahren 1845/46 das Not- und Hülfsblatt, *die erste schweizerische Arbeiterzeitung heraus. Treichler, der als Lehrer durch die Mißstände im Erziehungswesen politisiert worden war, hatte seine publizistische Tätigkeit anfangs der 40er Jahre mit heftiger Kritik an der herrschenden Schulpolitik begonnen. Aus dem Not- und Hülfsblatt ging der* Gegenseitige Hülfs- und Bildungsverein *hervor (1845). Sein Zweck war, «sich mit allen Richtungen der Zeit, die von allgemein menschlichem Interesse* sind, besonders aber mit den sozialistischen Ideen bekanntzumachen und diese einer genaueren Prüfung zu unterwerfen» (11). Im Rahmen seiner Arbeiter-Schulungstätigkeit hielt Treichler in Zürich eine Vortragsreihe über Sozialismus (1), die auf so großes Interesse in der Arbeiterschaft stieß, daß sie von der Regierung verboten wurde (12). Die politische Agitation Treichlers nahm die Regierung zum Anlaß, um das Gesetz über kommunistische Umtriebe, das sogenannte «Maulkrattengesetz» zu erlassen (13).

Die Berner Reformbewegung des Jahres 1851 suchte die politischen Bürgerrechte als Mittel zur Befreiung der Arbeiterklasse einzusetzen. Arbeiter, Kleinbauern und Landarbeiter sollten in einer eigenen politischen Bewegung organisiert werden (14). Führer der Bewegung war der jurassische Arzt Pierre Coullery (1819–1903). Seine von Louis Blanc beeinflußten Ideen legte er in der Wochenzeitung «Der Arbeiter» dar, welche 1851 erschien. Die Versammlungen der Reformbewegung fanden im ganzen Kanton großen Anklang. Als die radikale Partei die Bewegung für ihre Zwecke zu benutzen vermochte und Coullery die Herausgabe der Zeitung verunmöglicht wurde, fiel die Bewegung rasch zusammen.

1 Gibt es in der Schweiz ein Proletariat?*

Den folgenden Vortrag hielt Johann Jakob Treichler im Februar 1846 in Zürich im Rahmen seiner Vorlesungsreihe über Sozialismus. Die zürcherischen Behörden unterbanden jedoch bald die Vortragstätigkeit Treichlers mit Verordnungen und Gesetzen (12, 13).

... Wenn man behauptet, auch in der Schweiz gebe es ein Proletariat, dann hört man oft entgegnen: man läßt bei uns Niemand verhungern und erfrieren. Es gibt also Menschen, die da meinen, es müssen erst arme Leute verhungern und erfrieren, ehe man von einem Proletariat sprechen könne. Es ist wahr, bei uns verhungert man nicht, bei uns erfriert man nicht; allein kümmert es diese Christen denn gar nicht, daß sie viele Tausende von Brüdern haben, die vom Schicksale verfolgt, gegeißelt, gepeitscht werden, Brüder, denen das Elend wie ein eisern Joch auf dem Nacken sitzt, deren Leben eine große Kette von Unglück, Leiden und Trübsal ist? Muß erst das Schrecklichste geschehen, müssen wir den Gipfel des Elendes erreicht haben, ehe wir überhaupt von Elend sprechen dürfen? Müssen wir erst auf ein paar von Hunger und Kälte gemähte Leichen kommen, ehe ihr anerkennt: Ja, es gibt ein schweizerisches Proletariat?

Für uns ist die Frage nicht die: gibt es Leute in der Schweiz, die vor Hunger und Kälte sterben? Für uns ist die Frage die: gibt es nicht eine Menschenklasse, die von der Hand in den Mund lebt? die, um mich populär auszudrücken, ihre Sache auf nichts gestellt hat? gibt es mit einem Worte nicht eine Menschenklasse ohne Bildung, ohne Vermögen, ohne Besitz? Und wenn wir die Frage so fassen, so müssen wir sie unbedingt bejahen, wir müssen gestehen, daß das schweizerische Proletariat gar groß, gar furchtbar ist. ...

Es gibt Fabrikarbeiter, die einen recht ordentlichen Lohn haben, Arbeiter, die in Städten 1 Fl.[1] bis einen halben Kronthaler verdienen. Wenn man dann von der Not der Arbeiter spricht, so kommt ein Verwandter oder Associé eines solchen Fabrikherrn, etwa ein Advokat, der aus den hohen Taxen reich geworden, eine reiche Frau geheiratet und noch überdies ein fettes Pöstlein bekommen hat und schreibt in die Welt hinaus, in der und der Fabrik verdiene jeder Arbeiter durchschnittlich einen Gulden täglich. Und die Welt staunt und meint Wunder, wie gut es solche Arbeiter haben. Aber das schreibt der gute Mann nicht in die Welt hinaus, daß die Arbeiter in der fraglichen Fabrik meistens kunstgeübte Handwerker, Dreher, Schmiede, Zeichner, Mechaniker usw. sind, das schreibt er nicht in die Welt hinaus, wie er es angefangen, um bei seiner Durchschnittsrechnung 1 Fl. täglich herauszubringen, er schreibt auch nicht, daß die Krankenkasse, von der er so viel Aufhebens macht, aus dem Gelde der Arbeiter bestritten wird. Er schweigt von den unzählig vielen Fabrikarbeitern, die in den dumpfen Stuben täglich 15–18 Stunden arbeiten, von den jungen Mädchen, die in den Jahren des Wachsthums oft nicht einmal 6 Stunden schlafen können, er schweigt von ihren bleichen Gesichtern, von ihren eingefallenen Wangen und Augen, vom Baumwollenstaub und vom schrecklich kleinen Lohn. Er schweigt ferner von denen, die in folge dieser Sklavenarbeit mit 40 Jahren schon zu Greisen werden, und von denen, welche in den Blüthenjahren des menschlichen Lebens an Krankheiten sterben, die sie sich in den Fabriken geholt. Auch sagt dieser Advokat des Mammons kein Sterbenswörtchen von dem Unfug, von der Gesetzesübertretung, wie sie durch die Beschäftigung von Kindern unter 12 Jahren, sowie durch unmenschliche und ungesetzliche Verlängerung der Arbeitszeit notorisch in den Fabriken getrieben, und ferner auf so empörende Weise getrieben wird, daß ganze Reihen dieser armen Geschöpfe in den Schulen aus Ermüdung einschlafen. – Und das geschieht nicht etwa in englischen, sondern in schweizerischen, ja sogar in zürcherischen Schulen.

Doch man will ja keine poetische Schilderung von mir, man will, daß ich den Beweis mit Zahlen führe, denn es gibt gewisse Krämerseelen, die beim größten Elend ihrer Brüder an das Einmaleins und an juristische Beweise denken. Gut, ich will auch diesen Erfordernissen genügen, ich will die Zahlen sprechen lassen; ich will meine Beispiele gerade in dem Kanton suchen, der als der glücklichste bezeichnet wird, im Kanton Zürich.

Der Kanton Zürich hat 32 Quadratmeilen Umfang und circa 230000 Einwohner.

Arbeiter die 4 Franken[1] wöchentlich verdienen:

100 Blattmacher
400 Zettler und Anrüster
400 Jaquardweber
200 Färber
550 Wollenweber

also 1,650 Arbeiter die blos 4 Franken wöchentlich verdienen.

Arbeiter die 3 Frs. wöchentlich verdienen:

3,400 Spinnereiarbeiter
300 Zettler und Zettlerinen
12,000 Seidenweber

also 15,700 Arbeiter, die blos 3 Frs. wöchentlich verdienen.

Arbeiter, die blos 1 Gulden oder 60 Kreuzer wöchentlich verdienen:

17,000 Baumwollweber,
4,000 Seidenwinder

also 21,000 Arbeiter, die blos 1 Gulden wöchentlich verdienen.

Arbeiter, die blos 10 Batzen wöchentlich verdienen:
38–40,000 Spuler.

Meine Herren! Ich habe diese Zahlen nicht etwa aus der Luft gegriffen, ich habe sie dem Werke eines Liberalen, der Beschreibung des Kantons Zürich von Gerold Meyer v. Knonau entnommen[2] ...

Ein Lehrer aus dem Sternenberg, der ärmsten Gegend des Kanton's Zürich, hat mir erzählt, daß dort die Schulkinder den Schulmeister oft mit einer Miene ansehen, als ob sie ihn vor lauter Hunger mit Haut und Haar verschlucken wollten; das Morgenessen der meisten Kinder bestehe daselbst aus einem Schluck Brenz[3] und ein paar gesottenen Kartoffeln ...

Es ist einer der alltäglichsten Gemeinplätze: Wer arbeiten will, findet immer noch sein ordentliches Auskommen; es läßt sich aber nötigenfalls juristisch nachweisen, daß es Zeiten gibt, wo der Arbeiter beim redlichsten Willen keine Arbeit erhalten kann, und gesetzt auch er erhält Arbeit, was muß man für eine Frechheit haben, um zu behaupten, 3 Franken oder 1 Gulden, oder gar 1 Frk. wöchentlich für eine tägliche Arbeit von 14–16 Stunden, das sei schon ein hübsches Einkommen, damit könne man schon ordentlich, schon menschlich leben! Wenn man damit menschlich leben kann, dann ist es die größte Ungerechtigkeit, daß man die Advokatengebühren bis zur Stunde noch nicht herabgesetzt hat. Ein Advokat verdient oft in 2–3 Stunden was ein Spuhler in einem viertel Jahre. Wenn man mit einem solchen Verdienste menschlich leben kann, warum sträuben sich denn die reichen Herren so sehr gegen Progressivsteuer? Ja, erwiedert man, es ist etwas Anderes unser Einer oder so ein Weber in Sternenberg oder eine Spuhlerin am Zürichsee etc. So! haben denn die, welche so sprechen, schon wieder vergessen, daß sie Christen folglich nach den Grundsätzen des Christenthums um kein Haar besser sind, als die Weber im Kellenland, und die Spuhlerinnen am Zürichsee? Doch lasse man das nur so fortgehen; amtliche Berichte bezeugen, wie sehr sich die Zahl der Unterstützten mehrt. ...

Da nun Almosengenössige kein Stimmrecht haben, so wird die Masse des souveränen Volkes immer kleiner und am Ende kommt die wahre Republik der Radikalen zu Tage: nur die Besitzenden sind «wahl- und stimmfähig»!

Johann Jakob Treichler, Frühschriften, Hg. Dr. Adolf Streuli, Zürich 1943, S. 285ff.

[1] *1 Fl. = 1 Gulden = ca. 1.60 (alte) Franken.*
[2] *Der Canton Zürich, historisch-geographisch-statistisch geschildert, Bd. 1, St. Gallen und Bern 1844, S. 302ff.*
[3] *Branntwein.*

2 Lob der Kinderarbeit

1858 legte der Erziehungsrat des Kantons Zürich Lehrern und Schulbehörden einen Schulgesetzentwurf vor, der die Beschäftigung schulpflichtiger Kinder in Fabriken untersagte und die tägliche Arbeitsdauer für Kinder unter 16 Jahren auf 12 Stunden beschränkte. Die Schulpflege der Industriegemeinde Töß nahm dazu folgendermaßen Stellung:

Hier geht man in der That zu weit. Schon seit vielen Jahren haben unsere Kinder in den hiesigen Fabriken (bis zum Schlusse des letzten Jahres) täglich 14 Stunden gearbeitet und sind dennoch nicht bloß gesund geblieben, sondern groß und stark geworden. Vergesse man ja nicht, daß, je mehr die Menschen genießen wollen, man sie auch zu Leistungen veranlaße, ohne welche Niemand bestehen kann.

Die Kinder in den Spinnereien haben keine anstrengenden Verrichtungen zu machen, sondern müssen nur die Maschinen bedienen. – Der Landwirth muß seine Kinder bedeutend mehr anstrengen, und Niemand wird demselben befehlen wollen, seine Kinder an den Schatten zu setzen, während er arbeitet. Und wer wird gerade auch bei den Kosten für die Schulen am meisten in Anspruch genommen als derjenige, der sich etwas erspart hat, während der Liederliche leer ausgeht. – Nun will das Gesetz den Kindern in den Fabriken die Arbeitszeit noch kürzer machen; was würde in der Nebenzeit anders getrieben als Muthwille, der doch gewiß die arbeitenden übrigen Bewohner wenig befreuen müßte. Und was wäre die Folge für die Eltern dieser Kinder? Sie erhielten weniger Lohn, möglicherweise gäbe diese Maßnahme Stoff zu veränderten Einrichtungen, wodurch viele Hände weniger Verdienst erhielten.

Mittheilungen aus den Akten der züricherischen Fabrikkommission, Zusammengestellt und bearbeitet von J.J. Treichler, Bd. 1, Zürich 1858, S. 226f.

3 Leibeigenschaft im Kanton Zürich im gegenwärtigen Jahrhundert*

(Aus dem Tagebuch eines Lehrers)

«Die Volksschule soll die Kinder aller Volksklassen nach übereinstimmenden Grundsätzen zu geistig thätigen, bürgerlich brauchbaren und sittlich religiösen Menschen heranbilden», sagt der erste Paragraph des zürcherischen Schulgesetzes. Mit Begeisterung trat ich mein Amt an, um als Lehrer dieser heiligen Aufgabe zu genügen. Sind auch deine Kräfte schwach, dachte ich, der Staat hat für die Volksschule so gesorgt, daß du deiner Aufgabe durch ernstliches Streben sehr nahe kommen kannst. Wie gerecht war daher mein Erstaunen, als ich wahrnahm, daß die Kinder der zwei letzten Klassen meiner Primarschule mit wenigen Ausnahmen unter die Fabrikarbeiter gehörten, ja daß sogar Einzelne der 4. Klasse, also Kinder von 9–10 Jahren, die Fabrik besuchten. Wie dauerten mich die armen Kleinen! Da lagen sie ermattet und abgespannt, senkten den Kopf auf die Arme und schliefen, während ich neben ihnen eine Klasse unterrichtete! Hätte ich nun ein Tyrann sein und die Kinder mit dem Stocke aus dem Schlafe aufwecken sollen? Nein, so hartnäckig konnte ich nicht sein,und hätte ichs auch gekonnt, was hätte es genützt? Meine Aufgabe ist ja, die Kinder zu geistig thätigen, bürgerlich brauchbaren und sittlich religiösen Menschen heranzubilden, nicht sie zu Tode zu martern. – Auch im Übrigen sah es um diese Armen schlecht aus. Von Reinlichkeit des Körpers war keine Rede; Gesicht und Hände voll Schmutz, das Haar voll Baumwolle und Ungeziefer, und die Kleider in ähnlichem Zustande, so daß man sie kaum von Lederhosen und Lederschürzen zu unterscheiden vermochte. Bald war das Schulzimmer von Gerüchen ganz eigener Art erfüllt, man hätte geglaubt, in eine Fabrik oder in eine Seifensiederei zu treten, ein Schulzimmer wenigstens hätte da Niemand gesucht. Klagte ich bei dem Geistlichen, als Präsidenten der Schulpflege, so war die Antwort: die Leute sind arm, da kann man Nichts machen. Wandte ich mich an den visitirenden Bezirksschulpfleger, so hieß es: Bei uns ists auch so, man kann Nichts machen. Um doch wenigstens meine Pflicht zu erfüllen, hielt ich Sommer und Winter die gesetzliche Zeit Schule, und nun beklagten sich die Fabrikherren, die zugleich Schulpfleger waren, bei mir und meinten, früher sei nicht so lange Zeit Schule gehalten worden und ich müsse Rechnung tragen, die

Kinder kämen zu spät in die Fabrik. Ich berief mich auf das Gesetz und hatte die Gunst verloren. Die Kinder erhielten Abzug an ihrem Lohne und so wurden die Eltern gegen mich aufgereizt. Ich achtete dessen nicht und suchte nach besten Kräften dem Übelstande zu wehren, so gut es ging. Auch kamen oft die Weiber (auch in den Fabriken groß geworden) zu mir in die Schule, um mit mir zu zanken, oft thaten sie es sogar auf offener Straße, und drohten, mir hinter die Haare zu gerathen; woher Hülfe? Der Präsident der Schulpflege wollte nicht einschreiten, die Fabrikherren saßen in der Pflege und die Übrigen waren abhängige Leute. Auf bloße Anzeige hin nahm der Visitator keine Notiz von der Sache, und an höhere Behörden mochte ich schon deßwegen nicht durch schriftliche Klagen gelangen, weil ich keinen günstigen Erfolg voraussehen konnte, sogar fürchten mußte, von meiner Stelle vertrieben zu werden.

Der Bote von Uster, 29.8.1845.

4 Fabrikordnung der Baumwollspinnerei Blum in Oberhöri

1. Jeder Angestellte soll zur bestimmten Zeit an dem ihm angewiesenen Platze sein; wer sich nicht pünktlich eingefunden hat, wird gebüßt, Erwachsene mit vier Schilling, Unerwachsene mit zwei Schilling. Wer ohne Erlaubniß ganz wegbleibt, wird mit Abzug eines Taglohnes bestraft[1].

2. Verlangt man willigen Gehorsam für die von den Aufsehern gegebenen, und die Arbeit oder die Ordnung betreffenden Befehle.

3. Jedem Arbeiter wird von seinem Lohne an den zwei ersten Zahltagen ein Decompte eröffnet, der aus einem Wochenlohn bestehen soll, den jeder verlustig wird, der unbefugt die Fabrik verläßt, oder untreu erfunden wird.

4. Alle Arbeiter sollen sich beim Kommen oder beim Fortgehen bei Tag oder bei Nacht, eines sittlichen Wandels befleißen, keine Güterbesitzer an Feld oder Bäumen, oder auf andere Weise beschädigen; würde darüber Klage geführt, so hätten Fehlbare einen augenblicklichen ungünstigen Abschied zu gewärtigen.

5. Sollen die Arbeiter in der Fabrik gegenseitig vertragsam, friedlich und zuvorkommend sein, keinen Anlaß zu Streit geben, und sich keine Scheltworte zu Schulden kommen lassen.

6. Jedermann soll ruhig und fleißig ohne Geräusch arbeiten, auf gute Ordnung, Pünktlichkeit und die so nöthige Reinlichkeit in und außer dem Gebäude halten. Wer bei seiner Arbeit nachlässig ist, oder an den Werken, an welchen er arbeitet, oder auch um dieselben herum Unreinlichkeiten duldet, wird mit Buße oder Wegschicken bestraft.

7. Jeder Arbeiter ist für die Geräthschaften, welche ihm übergeben und anvertraut sind, verantwortlich, und wer irgend etwas beschädigt oder verderbt, soll es im wahren Werthe vergüten, so wie auch jede Beschädigung an Fenstern u. s. w., und jedes Mangelnde, worüber nicht befriedigende Auskunft gegeben werden kann.

8. Kein Arbeiter soll sich erlauben, an der ihm anvertrauten Maschine etwas zu ändern, sondern er hat das Mangelhafte auf der Stelle dem Aufseher anzuzeigen, damit geholfen werden kann.

9. Es ist Jedermann ausdrücklich untersagt, den Fabrikofen einzufeuern, oder an der Hitzeleitung etwas zu verändern, indem dieses dem eigens dazu bestimmten Arbeiter übertragen ist.

10. Das Anzünden und Auslöschen der Lichter wird durch den Aufseher besorgt, und ist jedem Arbeiter verboten.

11. Das Herumgehen mit offenem Lichte, so wie das Tabackrauchen in der Spinnerei ist bei starker Buße und Verantwortung verboten.

12. Das Beisammenstehen und Schwatzen, so wie auch das unnöthige Herumlaufen und das Besuchen der Zimmer, in welchen man nichts zu thun hat, ist untersagt.

13. Bei ein Franken Buße für die Erwachsenen und vier Batzen[1] Buße für die Unerwachsenen ist es verboten, sich während der Arbeitszeit von Verwandten oder Bekannten besuchen zu lassen, oder sie ohne Erlaubniß in die Spinnerei zu führen.

14. Alles Essen während dem Arbeiten und besonders Obst, ist, das Neune- und Abendbrod ausgenommen, gänzlich untersagt, so wie auch sich Speisen in die Fabrik bringen zu lassen, solche müssen in der zum Essen bestimmten Zeit außer der Spinnerei genossen werden. Eben so ist es auch verboten, Körbe oder andere dergleichen Sachen in die Spinnerei zu bringen, oder sich solche bringen zu lassen.

15. Der Spinner soll über die ihm zugegebenen Kinder Aufsicht führen, und ist für alle von denselben während der Arbeit gemachten Fehler verantwortlich; er soll aber weder mit Scheltworten noch mit Schlägen die Kinder zum Gehorsam zwingen, sondern im Fall sie auf seine Worte nicht hören, sich an den nächsten Aufseher wenden.

16. Die Fädenbinder und Aufstecker haben ihren Spinner als Meister zu betrachten, und sollen seine Befehle, insofern sie die Arbeit betreffen, jederzeit pünktlich und willig befolgen.

17. Die Hasplerinnen sollen das unfleissige Gewind der Drähtli anzeigen. Ferner sollen sie die Fäden anknüpfen, die Strangen mit gehörigem Fach ausfüllen und jedes Mal, ehe der Haspel abgenommen wird, das Garn genau besichtigen und die unreinen Sachen und groben Fäden wegnehmen.

18. Wer aus der Arbeit zu treten wünscht, hat vier Wochen vorher, und zwar an einem Zahltag, aufzukünden. Die Eigenthümer der Fabrik halten Gegenrecht. Denjenigen, die solches unterlassen, so wie auch denen, die eines Fehlers wegen augenblicklich weggewiesen werden, wird der Abschied verweigert und ihnen ihr allfälliges Guthaben ganz oder theilweise zurückbehalten.

19. Die Aufseher sind verpflichtet, über die Arbeiter ein wachsames Auge zu halten, und die Nachlässigen zu verzeichnen; im Unterlassungsfalle unterliegen sie der doppelten Buße.

20. Aus den Bußen soll, was nicht Entschädigung für Geräthschaften, Fenster u. s. w. ist, eine Cassa zur Unterstützung in der Spinnerei verunglückter Arbeiter gebildet werden.

21. Jeder Angestellte hat die Pflicht auf sich, ungetreue Mitarbeiter zu verzeigen, wofür er acht Franken[1] Belohnung und Verschweigung seines Namens zu erwarten hat; um etwa solche schlechte ungetreue Arbeiter entdecken zu können, behält man sich vor, zu unbestimmten Zeiten, nach Belieben, sämmtliche Arbeiter untersuchen zu lassen.

22. Wer die Abtritte verunreinigt, soll sie selbst wieder reinigen, und wird noch dazu bestraft.

23. Kein Arbeiter wird in der Fabrik gelitten, der sich nicht willig und gerne obiger Verordnung unterzieht, und jeder dagegen Fehlende hat, nach Umständen, mehr oder minder Abzug am Arbeitslohn zu gewärtigen, oder wird fortgeschickt.

Staatsarchiv Zürich, O 57.1.2c.

[1] *Der Taglohn in der Spinnerei Blum betrug – je nach Stellung im Betrieb – Fr. 0.47 (Kinder) bis Fr. 2.91. (Aufseher).*
1 Schilling = ca. 4 (alte) Rappen.
1 Batzen = 10 Rappen

5 Meuterey der Fabrikarbeiter des Herrn Gottlieb Hünerwadel in Niederlenz, in der Absicht höhern Lohn zu ertrozen*

Der erste bekannte Fabrikarbeiterstreik in der Schweiz fand in der Spinnerei Hünerwadel in Niederlenz (AG) statt. Die folgenden Dokumente schildern den Ablauf aus der Sicht des Besitzers (a) und die Reaktion der Behörden (b).

(a) Hochgeachter Herr President,
Hochgeachte Herren!

Ich nehme die Freyheit, Hochdieselben um dero Schutz und Unterstützung anzusuchen und zwar in einer Sache, wo mein Interesse gar sehr mit der allgemeinen Ordnung verbunden ist. Ich will die Ehre haben, Hochdenselben eine ganz kurze Erzählung der Sache zu machen. Sie kennen meine Spinnfabrik, wo täglich bei 150–160 Menschen, groß und klein, ihr Brod finden; beträchtlich genug, um in so klammen Zeiten die Aufmerksamkeit der Regierung auf sich zu ziehen.

Nun hat sich Samstag einer meiner Arbeiter trozig und ungebührlich aufgeführt. Ich gab Ihm den Abschied, den Er vorher schon 3 mahl erhielt und immer wieder auf sein dringendes Anhalten und Bitten zurükgenommen wurde. Gestern morgen arbeiteten alle andern; in der Mittagsstunde aber ließen Sie sich, wie es scheint, von Ihm führen – ein Fremder (Schwarzwälder), der Samstag auch schon geholfen, den ich aber noch aus Schonung mit einem Verweis entlassen, mag ein Haupttriebrad davon gewesen sein – und erklärten sogleich auf eine unanständige und ungestüme Weise, daß Sie um gleichen Lohn nicht mehr arbeiten wollen. Sie verlangten sogleich Lohn und Abschied!

Hochgeachte Herren! Wann ein Arbeiter nicht mehr dienen will, so steth es Ihm frey, sich zu erklären; allein sogar bei Handwerkern ist es angenommen und gesezlich, daß mann auf 14 Tage aufkünde. Überdies wird in allen Ländern Meuterey und Complot unter Arbeitern zum Nachtheil der Fabriken polizeylich gestraft und ein Arbeiter wird schon zum Verräther an seinem Herrn, wann Er Complote kent und Sie nicht entdekt, insonderheit, wann Er durch geschriebenen Akord Treue angelobte, wie dieses bei mir der Fall ist.

Spinnerei an der Lorze

Von allem diesem gab ich dem Hochgeachten Herrn Bez. Amtmann Anzeige und verlangte von Ihm als erste Polizey Behörde des Bezirks Hilfe. «Er ließe diese Leuthe zu sich kommen;» – was Er gethan, ist mir unbekant. Dann ich gienge sogleich nach Arau zu M. Hochgeachtem Herrn Polizey President, um Ihn von allem zu benachrichtigen.

Bei meiner nach Hausekunft mußte ich aber merken, daß Er nichts thun dorfte. Ich schriebs Ihm noch gestern Nachts um zu begehrn, daß die Arbeiter noch 14 Tage zur Arbeit angehalten werden möchten. Allein heuthe morgen, als ich meinen Sohn zu Ihm sante, um eine Antworth zu holen, ließ Er mir andeuten, daß Er ins Gericht müße und nichts zu thun wiße.

Meine kurz zusammengefaßte Bitte ist nun, daß es Ihnen zu verfügen belieben möchte, daß, da jedes Complot gesezwidrig ist, diese Arbeiter angehalten würden, noch 14 Tage zu dienen, daß unter dieser Zeit untersucht würde, wer der Aufwiegler seie. Dann möchte es vielleicht dienlich sein, andern zum Beyspiel, den Fremden mit einem Laufpaß nach Hause zu senden.

Sollten Hochdieselben! einen andern Weg einschlagen wollen, der zu einem ordnungsmäßen Zwek führte, so unterziehe ich mich gerne, dann ich darf getrost Unterstüzung entgegen sehen.

Ich habe den Lohn dieser Arbeiter beim Herrn Ammann hinterlegt und werde einstweilen weder denselben herausgeben, noch Abschied ertheilen.

Genehmigen Sie hochgeachte Herren! die Versichrung meiner vollkommenen Hochachtung, mit der ich die Ehre habe zu sein

Hochgeachte Herren!
dero gehorsamer Diener
Hünerwadel

Niederlenz, den 28. Septembris 1813

(b) Lenzburg, 30. Herbstmt. 1813

... Es kann Uns nicht gleichgültig sein, daß Fabriken und andere Anstalten, welche den Einwohnern umliegender Gegend Verdienst verschaffen und Unsern Kanton von den Industrie Erzeugnissen des Auslandes unabhängiger machen, durch solche Auftritte gehemmt, ihre Besitzer in Verlust gesetzt und zugleich Beispiele von Insubordination aufgestelt werden. Unter Zusendung eines Auszugs der besagten Vorstellung seyt Ihr daher beauftragt, dem Bittsteller anzuzeigen, daß er diejenigen Arbeiter, welche sich der Verletzung von bestehenden Akorden zu Schulden kommen lassen, vor dem betreffenden Richter zu belangen habe und daselbst gute und kurze Justiz finden werde. Gegen solche Arbeiter aber, welche sich hatten beygehen lassen, andere gegen den Fabrikherrn aufzuwiegeln und zur Teilnahme an solchen Auftritten zu verleiten, werdet Ihr von Amtswegen einschreiten, die Sache auf ...[1] amtlichem Wege untersuchen und die Schuldigen zur gebührenden Strafe ziehen lassen.

Staatsarchiv des Kantons Aargau, Regierungsakten, C Nr. 1/1813, Fasz. 6.

[1] *unleserliches Wort*

6 Der Brand von Uster

Die nachfolgende Darstellung des Usterbrandes stammt von Oberrichter und Großrat Friedrich Ludwig Keller, einem Führer des Umsturzes von 1830.

... Von 7. Uhr Morgens an kamen fortwährend Haufen von 10., 20. und mehr Männern die Straße nach Wetzikon durch den Usterwald herunter, welche indessen ruhig vorbey gingen, oder doch auf eine einfache Ermahnung sich weiter begaben. Doch äußerte schon um diese Zeit ein Einzelner, bey dem Canal stehend, zu einem der Eigenthümer der Fabrik: «Dieser Most (auf den Canal deutend) muß heute noch auf die entgegengesetzte Seite laufen;» und «sie muß auf jeden Fall noch verbrannt seyn.»

Erst ungefähr um 8½ Uhr kam neuerdings eine Schaar von derselben Seite her, und stellte sich auf der von der Straße nach der Fabrik führenden Brücke auf, unter der Äußerung, die Maschine mache ihr Unglück, sie müsse nun einmal zerstört seyn. Mit diesen ließen sich die

Abgeordneten in eine lange Unterredung ein, suchten sie auf alle Weise zu belehren und auf bessere Gedanken zu bringen, vor allem aber sie von gewaltsamen Schritten abzumahnen und auf den gesetzlichen Weg der Petition u. dgl. zu weisen. Aber sie fanden wenig Eingang. Man könne, hieß es, die Webmaschinen nicht aufkommen lassen; die Petitionen nützen nichts; wenn die Regierung nicht helfen wolle, so müsse man sich selbst helfen; das Volk habe zu Bauma die Regierung auch gezwungen, daß ein Selbstmörder nicht auf dem Kirchhof begraben werden mußte. «Wir leiden keine solche Maschinen, das sagen wir euch, und wenn ihr von der Regierung wäret, wir fragen euch nichts nach, wir sind Meister, der Kaib (die Maschine) muß hinab!» Auf die Frage: Wollt Ihr den Tag von Uster (an den 22. Nov. 1830. erinnernd) schänden? entgegnete Einer: Wir werden das Fest in Uster nicht stören, uns kümmert nicht, was dort vorgehe; hier muß geholfen seyn! Inzwischen mehrte sich die Anzahl und das Gedränge auf der Brücke; doch war den Abgeordneten die Hoffnung noch nicht geschwunden, daß die Sache mit Worten abgehen und wenigstens für jetzt Thätlichkeiten unterbleiben werden. Wirklich erscholl der Ruf: «Meinetwegen so wollen wir gehen, aber der Hagel muß Abends verbrannt seyn!» Doch siehe, in demselben Augenblick erschien eine neue kleine Schaar, 6–8. Männer, pfeifend und jauchzend, mit Bündeln von Reis und Stroh an den Stöcken auf der Schulter, hinter ihnen eine Schaar von 20–30., zum Theil betrunken, alles der Brücke zu. «Platz gemacht! mit dem muß sie verbrannt seyn!» So überschritten sie die Brücke. Alles wich zurück, es war eine allgemeine Freude; zwischen der Fabrik und der Schmiede legten sie ihre Bürde nieder. Schnell gingen H.H. Fierz und Bürgi[1] u.a. auf diese zu, thaten und sprachen alles, was Ehre, Recht und Wahrheit einem Biedermanne in solchem Momente eingeben kann. Einen Augenblick ließen sie sich beruhigen; aber plötzlich warf Einer aus dem Haufen einen Stein in ein Fenster des Hauptgebäudes. Hr. Fierz wollte den Thäter abwehren, allein jetzt war das Signal gegeben. Ein Anderer warf einen großen Sparren über die Leute hin in ein Doppelfenster, Mehrere schlugen mit Stöcken und Knitteln die untern Fenster ein, eine Menge warf mit Steinen nach den übrigen. Es mögen an diesem ersten Act der Zerstörung etwa 50. Individuen Theil genommen haben. Ganz vorzüglich zeichnete sich ein älterer Mann[2] durch seine rasende Zerstörungswuth aus. An diesen wandte sich Hr. Fierz mit den dringendsten Vorstellungen, er möge bedenken, in welches Unglück er sich und seine Haushaltung stürze, er, dessen Alter Ruhe und Überlegung erwarten lasse. Ja, entgegnete er trotzig, *ich weiß was ich thue, ich bin jetzt 51. Jahre alt, und habe Weib und Kind, und zerstört und verbrannt muß die Fabrik seyn, und wenn es nicht geschieht, so lange ihr hier seyd, so muß es doch geschehen, wir können länger hier warten als ihr!* Er fuhr fort in seinem Beginnen. Mit einem Stücke Holz drang ein Anderer auf Hrn. Fierz ein, drohend ihn niederzuschlagen, wenn er sie nicht machen lasse. Er setzte ihm seinen Muth und seine überlegene Körperkraft entgegen, für deren Entwickelung sich freylich jetzt mit jedem Augenblick die Gelegenheit mehrte.

Rasch schritt das Verbrechen vorwärts. Noch war das Einwerfen der Fenster nicht zu Ende, als schon von Mehrern die ersten Bündel Stroh und Reis durch die zerschlagenen Fenster des untersten Stockwerkes hinein geschoben wurden. Unerschrocken rissen die H.H. Fierz und Bürgi dieselben wieder heraus, und noch ein Mal staunte die feige Rotte den Muth dieser Männer an. Sie wandten sich auf eine andere Seite, und warfen hier wieder Fenster ein. Bald wurde indessen auch hier wieder Brennstoff in die Fensteröffnungen gestoßen, und noch ein Mal von Hrn. Bürgi wieder heraus gezogen. Aber die Übelthäter vermehrten sich; auf vielen Punkten zugleich wiederholte sich der Versuch; selbst aus der Scheune der unglücklichen Eigenthümer wurde Holz, Stroh und dürre Stauden geholt, und die unermüdliche Anstrengung, womit die Hrn. Fierz und Bürgi, fast ohne Hülfe, von einer Seite zur andern eilten, und den Brennstoff zu entfernen strebten, konnte nicht allenthalben mehr abwehren. Die Wuth war aufs höchste gestiegen. Hr. Dr. Sträuli, schwach von Körper, aber muthig wie seine beyden Genossen, wurde gepackt und mißhandelt. Hr. Fierz rettete ihn. Plötzlich ruft Einer ihm entgegen: «Das ist der Corrodi, haut ihn nieder!» Eine ganze Masse, an die hundert, drang auf Hrn. Fierz ein, tobend, er müsse sterben. Mit seinem Regenschirme bewaffnet, nur nach langem Kampfe, vermochte er sich durchzuschlagen. Sein erstes war, Hrn. Bürgi zu suchen, mit ihm drängte er sich wieder gegen das Gebäude. Aber es war keine Rettung mehr. Im gleichen Augenblick brach die erste Flamme aus beyden Eckfenstern des untersten Stockwerkes gegen die Schmiede und die Straße. Viele waren durch die eingeschlagenen Thüren und Fenster in die Fabrik gedrungen, und beschäftigt die Werke theils zu zerstören, theils in den Bach zu werfen. Einige erbrachen die Schmiedewerkstatt, nahmen daraus glühende Eisenstangen, und trugen das Feuer in der Fabrik herum. Bald brach die Flamme auf vielen Punkten zugleich aus, auch in dem Schmiedegebäude. Die That war vollendet.

Friedrich Ludwig Keller, Die gewaltsame Brandstiftung von Uster am 22. November 1832, Zürich 1833, S. 18ff.

[1] *Regierungsräte, die auf den 22. November zur Bewachung der Fabrik abgeordnet worden waren.*

[2] *Hans Felix Egli, im Usterbrandprozeß wurde er als angeblicher Haupttäter zu 24 Jahren Zwangsarbeit verurteilt, nachdem der Staatsanwalt die Todesstrafe beantragt hatte.*

7 Junges Deutschland – Statuten der geheimen Propaganda von 1841

§. 1. Der Bund des *jungen Deutschland* weiht sich dem Dienste der Freiheit. – Die selbstgewählte Aufgabe seiner Mitglieder ist: das Bewußtsein der Selbstständigkeit und nationaler Würde ihrer Landsleute zu wecken, und der Verwirklichung dieser Idee die besten Kräfte ihres Lebens zu widmen.

§. 2. Der Bund ist seiner Natur nach ein geheimer, seinem Wesen nach eine politische Propaganda.

§. 3. Die Art und Weise, auf das deutsche Volk zu wirken, bleibt dem Ermessen eines jeden Mitgliedes nach Ort, Zeit und Verhältnissen überlassen. Als vorzüglicher Boden seiner Thätigkeit betrachtet der Bund: volksthümliche Vereine, solche überall ins Leben zu rufen, und schon bestehende zu politischen Pflanzschulen zu gestalten. Jedes patriotische Unternehmen, das sich im Sinne des Bundes ausbeuten läßt, soll von den Mitgliedern nach Kräften unterstützt werden. Besonders soll der Bund darauf sehen, daß in jedem in der Schweiz bestehenden Handwerkervereine sich immer wenigstens ein Bundesmitglied befindet, sowie darauf, daß die bestehenden erhalten und immer neue gegründet werden. In jeder Familie[1] melden sich Freiwillige, die es sich zur Ehre anrechnen, dem Rufe der Pflicht zu folgen, wohin es auch sei.

§. 4. Grundlage zur Aufnahme ist: Erkenntnis seiner menschlichen und bürgerlichen Rechte, untadelhafter Lebenswandel, Charakterfestigkeit und Verschwiegenheit ...

A. Favre, Charles Louis Lardy, Generalbericht an den Staatsrat von Neuchâtel über die geheime deutsche Propaganda, über die Klubs des jungen Deutschlands und über den Lemanbund, in: Eidgenössische Monatsschrift, hg. v. mehreren schweizerischen Schriftstellern, 4. Heft, 1846, S. 201.

[1] *«Familien» wurden die selbständigen örtlichen Vereine des Bundes genannt.*

8 Der «Murtentag»: Repression gegen die deutschen Arbeitervereine

Die folgenden Auszüge aus dem Bericht des Bundesrates über die Ausweisung der Mitglieder der deutschen Arbeitervereine aus dem Jahre 1850 zeigen die große Anteilnahme der Organisationen am Kampf für ein republikanisches Deutschland (vgl. a. den Brief aus dem beschlagnahmten Material der Vereine), sowie die Argumentation des Bundesrates, mit der die repressiven Maßnahmen des Bürgertums gerechtfertigt wurden (vgl. b. den Bundesratsbeschluß).

(a)... Der Verein in Freiburg schrieb im August 1848 an denjenigen von Burgdorf wie folgt: Schon einmal ist der Ruf Republik über die Gauen Deutschlands erschallt, was wir aber fragen wollen, wo ist das Echo geblieben? Wir glauben, es sei die Hälfte mit den damals eingeschüchterten, süßsprechenden Worten der Tyrannen verglimmt, die andere aber an eine

graue Felsenwand geprellt, welche das ächte Freisein nicht anerkennen kann, und sich bei aller seiner Härte noch glücklich fühlt. Aber nein, freie Brüder in der Schweiz! *Hier liegen uns keine Ketten am Halse; darum lasset uns wirken, trachten und streben mit der Aufopferung unser aller Leben, daß wir jenes Echo zu so kräftigem Schalle bringen, vor dessen Anprellen alle Paläste der Bluthunde und Tyrannen zusammenstürzen müssen.* – Hebt Euch heran mit Herz und Muth, mit festem Sinn und Geist, mit dem Fleiße der Ameisen und dem brüderlichen Zusammenhang gleich den Bienen, den eisernen Stab und das steinerne Joch, welches uns und unsern Vätern schon vor Jahrhunderten die menschlichen Würden unterdrückte, in ewige Gruft und Verdammniß zu werfen. Das zu erreichen müssen wir aber erstlich die reine, freie Himmelluft einathmen und *gänzlich die deutsche Lauheit fahren lassen und unerschrocken vorwärts zum Kampfe schreiten und der Standhaftigkeit Heckers[1] folgen, der das Muster und die ächte Quelle der Republick Deutschlands ist.* Auf die auch unter uns Arbeitern herrschenden Jesuitenfreunde, die hinter uns herstreichen, hie und da ein verdammtes Wort der Freiheit sprechen, hernach teuflisch lächeln, richtet ein scharfes Auge, daß sie einst gekannt werden. *Drum nur vorwärts, vorwärts Brüder, sei unser Sinn, Freiheit unser Feldgeschrei und Rache unsre Stimme ...*

(b)...Das Gesammtresultat der Untersuchung ist nun Folgendes:

1) Es ist vollständig erwiesen, daß die deutschen Arbeiter in der Schweiz, behufs einer neuen Revolution, welche nicht nur die Throne, sondern auch die sozialen Einrichtungen zunächst Deutschlands vernichten sollten, sich organisirten, und ihre geistigen und materiellen Kräfte dazu in Bereitschaft zu setzen suchten.

2) Diese revolutionäre Propaganda – wie der Centralverein die Association selbst nennt – ist aber weder in der Schweiz entstanden, noch ihr eigenthümlich. Ihr Heerd und ihre Quelle ist in Deutschland, Frankreich und England; von dort aus wurde sie ins Leben gerufen und steht keineswegs vereinzelt da, sondern sie ist nur ein Glied in der großen Kette des sozial-demokratischen Bundes. In der Schweiz konnten diese Vereine sich hie und da etwas freier bewegen, und ihre Bestrebungen traten dahier mehr ans Tageslicht; allein die bewegenden Kräfte und diejenigen Personen, welche hinter den Coulissen stehen, sind größtentheils im Ausland, und in der Stunde der Entscheidung sollte aus der Schweiz, wie aus jeder andern Provinz, nur das deutsche Kontingent bezogen werden. Es ist deßhalb historisch unwahr, und darum ungerecht, die Schweiz als den Heerd der europäischen Revolutionen zu bezeichnen, dasjenige Land, welches ohne Truppen, und nur vermöge der moralischen Kraft, welche Freiheit und Bildung einem Volke geben, fast allein in Ruhe und Ordnung verharrte, während politische Revolutionen und kommunistische Emeuten in Europa die Runde machten.

3) Es hat sich endlich herausgestellt, daß die Vereine mit den Flüchtlingen in enge Verbindung traten, und daß namentlich auch die Chefs oder andere hervorragende Personen unter ihnen die Wirksamkeit der Vereine unterstützten und beförderten. Diese Erscheinung wird hoffentlich alle diejenigen beruhigen, welche die Ausweisung der Flüchtlingschefs als ein Unrecht betrachteten. –

Gestützt auf diese faktischen Verhältnisse faßte der schweizerische Bundesrath folgenden Beschluß:

Der schweizerische Bundesrath,

Nach Anhörung eines Berichtes des Justiz- und Polizeidepartements in Sachen der deutschen Arbeitervereine und nach Einsicht der Untersuchungsakten, woraus sich ergeben, daß die Mehrzahl dieser Vereine in organisirter Verbindung mit ausländischen Vereinen auf eine rechtswidrige und gefährliche Weise mit politischen Umtrieben sich befaßt habe;

In Anwendung der Art. 57 und 90, § §. 8 und 9 der Bundesverfassung beschließt:

1) Die Mitglieder der deutschen Arbeitervereine in Genf, Lausanne, Vivis, La Chaux-de-Fonds, Locle, Fleurier, Freiburg, Bern, Pruntrut, St. Imier, Burgdorf, Thun, Basel, Zürich, Winterthur und Schaffhausen sind mit Ausnahme der allfälligen schweizerischen Angehörigen aus der Schweiz auszuweisen.

2) Die deutschen Arbeitervereine in Aarau, Luzern, Glarus, Chur und Herisau, sind einstweilen nur unter polizeiliche Aufsicht zu stellen.

3) Das Justiz- und Polizeidepartement wird beauftragt, sich über die Vollziehung des Beschlusses und die hierüber erforderlichen Aufschlüsse mit den Kantonsregierungen ins Einvernehmen zu setzen ...

Schweizerisches Bundesblatt, 1850, Bd. I, S. 198f., S. 242ff.

[1] *Friedrich Hecker, Anführer der radikalen Linken in der deutschen Revolution von 1848. Floh nach dem gescheiterten revolutionären Aufstand in Baden im Frühjahr 1848 in die Schweiz.*

9 Die Statuten des schweizerischen Grütlivereins von 1843

In den ersten Statuten des schweizerischen Grütlivereins wurden die wesentlichsten Aufgaben und Zielsetzungen der gesamtschweizerischen Organisation festgelegt, welche bis zur Auflösung des Vereins eine wesentliche Rolle spielten.

Allgemeine Statuten des Grütli-Vereins.

§ 1. Der Grütli-Verein ist ein volksthümlicher, schweizerischer Bildungs-Verein. Er nennt sich nach dem Grütli, weil Schweizer in ihm frei zusammentreten, um durch Freundschaft und gegenseitige Belehrung diejenige Gefühls- und Denkweise zu erhalten, welche die alten Eidgenossen im Grütli vereinigte, und auf der, wie das Entstehen, so auch der Fortbestand des Schweizervolkes als Nation beruht.

§ 2. Der Grütli-Verein ist demokratisch organisirt. Er umfaßt alle Stände und erstrebt die Entwicklung aller Volkskräfte. Er erkennt für seine freie Entwicklung keine andere Schranken an, als die, welche in der Natur eines geselligen Bildungs-Vereins liegen.

§ 3. Er bezweckt aber insonderheit die Entwicklung, welche den Schweizer zur kräftigen und gedeihlichen Theilnahme am Staatsleben befähigt, und erstrebt daher vor Allem:

1) Entwicklung des Nationalbewußtseins, d.h. Einsicht in das Wesen der Demokratie oder der wahren Volkssouverainetät, als unseres natürlichen, gemeinsamen Verfassungsgrundsatzes,

und Kenntniß unseres Volkes, unseres Landes und unserer vaterländischen Geschichte.

2) Begründung desjenigen Freundschaftsverhältnisses unter den Mitgliedern des Gelehrten-Handel treibenden, Handwerker- und Bauernstandes, welches den Bürgern eines demokratischen Freistaates geziemt, und ohne das eine aufrichtige Demokratie nicht gedeihen kann.

Da der Grütli-Verein ein vaterländischer und kein Kantonal-Verein ist, so soll er auch seine Mitglieder anleiten, ihre Kantonalinteressen auf die richtige Weise den vaterländischen Interessen unterzuordnen.

§ 4. Dieses Ziel sucht der Grütli-Verein dadurch zu erreichen, daß er die Zeit, welche Berufs- und Familienpflichten einem Jeden frei lassen, den genannten Zwecken förderlich macht, und die geselligen Genüsse, denen diese Zeit insgemein gewidmet ist, jenen Zwecken gemäß organisirt; indem er seinen Mitgliedern in ihren Freistunden Gelegenheit zur Erholung und Mittel zur Belehrung bietet, und beide unter den veredelnden Einfluß vaterländischer Bestrebungen stellt.

§ 5. Nur Schweizer können Mitglieder des Grütli-Vereins sein.

Eine fernere Bedingung zur Aufnahme ist, daß man das sechzehnte Jahr zurückgelegt habe ...

Albert Galeer, Der moralische Volksbund und die freie Schweizer Männerschule, oder der Grütliverein, Eine vertrauensvolle Rede an das Schweizer Volk, vornehmlich an die Jüngeren, Genf 1846, S. 67f.

10 Aus der Tätigkeit des Grütlivereins

In den Jahren nach 1850 nahm der schweizerische Grütliverein sowohl an Zahl der Sektionen als auch an Mitglieder ganz erheblich zu, und in immer mehr Städten und Ortschaften, vorab auch in schwach industrialisierten und ländlichen Gegenden, wurden neue Sektionen gegründet. Über die Tätigkeit und das Alltagsleben der einzelnen Sektionen geben die seit 1872 regelmäßig erschienenen Jahresberichte des Vereins ein anschauliches Bild.

Appenzell. Die Bibliothek wurde befriedigend benutzt. Die Diskussionen waren ordentlich besucht. Lehrstunden konnten wegen Mangel an Mitgliedern resp. an Theilnehmern nicht ertheilt werden. Wir haben eine Christbaumfeier abgehalten und ein Schauspiel unter Aufführung gebracht. Betheiligung am öffentlichen Leben, soweit es unsere Bürgerpflicht erheischt. Die Erfahrung zeigt, daß mit Demonstrationen, wie sie mancherorts beliebt, hier nicht aufgezogen werden soll. Verhältniß zu Behörden und Volk ist immer ein gleiches, nicht gerade ein besonders wohlwollendes. Leben, Geist und Thätigkeit der Sektion gemäßigt. Sparkasse und Krankenkasse nehmen statutarischen Fortgang. Über eine Wendung kommt uns jedoch ganz besonders zu, Aufklärung zu geben; es betrifft den Werth des Mobiliars. Wir konnten nämlich im frühern Berichte ein vollständiges Theater aufführen. Heute ist es anders geworden; alle Theatergegenstände sind an eine hiesige neugegründete Theatergesellschaft übergegangen und auf schönem Platze erhebt sich jetzt Reck und Barren und Klettergerüste. Der erlöste Preis aber entsprach der Schätzungssumme kaum annähernd. Durch Austritt der tüchtigsten Bühnenmitglieder und bevorstehende neue Kosten einerseits, und um dazu behülflich zu sein, daß Appenzell eine vollständige Theatergesellschaft erhalte, konnten und mußten wir uns ein Opfer gefallen lassen. Jetzt sind wir froh, des Theaters los zu sein. Wir wollten uns nicht müßig zur Ruhe legen, wir wollten uns nach einer andern Richtung wieder nützlich machen.

Jahresbericht des Schweizerischen Grütlivereins umfassend den Zeitabschnitt vom Oktober 1873 bis Oktober 1874, Bern 1875, S. 25.

11 Politische Grundsätze des «Gegenseitigen Hülfs- und Bildungsvereins» 1846

I. Was wir wollen

... Unser oberster Grundsatz ist: Alle Menschen sind zum Glücke bestimmt. Glücklich ist aber nur der, dessen Anlagen und Bedürfnisse harmonisch entwickelt und befriedigt werden. Alle Menschen haben ein gleiches Recht auf ein glückliches Leben. Der Staat muß so eingerichtet werden, daß er jedem seiner Angehörigen das höchst mögliche Wohlsein in geistiger und körperlicher Beziehung gewährt.

Jetzt ist die Mehrzahl der Menschen, insbesondere aber die nützlichste und zahlreichste Klasse der Arbeiter unglücklich. Sie werden in Entwicklung und Befriedigung ihrer geistigen und körperlichen Anlagen und Bedürfnisse verkürzt. Die meisten unserer Brüder müssen alle Zeit darauf verwenden, für Nahrung und Kleidung zu sorgen, sie haben weder Zeit noch Gelegenheit, ihren Geist auszubilden.

Die jetzigen Einrichtungen können diesem Uebel nicht abhelfen. Trotz der Armenhäuser und Gefängnisse nimmt die Armuth und das Verbrechen immer mehr überhand, mit jedem Tage wird ein immer größerer Theil von den Staatsrechten ausgeschlossen.

Soll die Staatsaufgabe erreicht werden, so muß es jedem Bürger möglich gemacht werden, an der Leitung der Staatsgeschäfte Theil zu nehmen und sich durch seine Arbeit ein ordentliches Auskommen zu verschaffen.

Daher verlangen wir:

1. Stimmrecht für alle Almosengenössigen und Falliten, welche nicht widerrechtlicher Weise Bankerott gemacht haben. Niemand darf lebenslänglich seines Activbürgerrechtes beraubt werden ...

2. Jeder Bürger muß seine Petitionen selbst oder durch einen Stellvertreter mündlich vor dem großen Rath verteidigen dürfen ...

3. Die indirekten Wahlen werden abgeschafft, das Volk wählt alle Großrähte. Dagegen wird dem Großen Rathe das Recht eingeräumt, Männern, deren Votum ihm wichtig, eine berathende Stimme einzuräumen.

4. Die unbemittelten Mitglieder des Großen Rathes müssen auf Verlangen besoldet werden. Bis jetzt ist es Unbemittelten wegen der vielen Ausgaben, welche die Großratssitzungen verursachen, unmöglich, an der Gesetzgebung Theil zu nehmen, so lange aber dieß der Fall ist, werden die Gesetze stets im Interesse der Besitzenden erlassen werden ...

5. Das Volk muß Gesetze, die es für schädlich hält, durch Stimmenmehrheit verwerfen können. Wir verlangen das *Veto ...*

6. Das Volk muß seine Stellvertreter zu jeder Zeit durch Stimmenmehrheit abberufen können. Durch dieses Recht allein kann dem ewigen Putschen vorgebeugt und entschiedene Zwietracht zwischen dem Großen Rathe und dem Volke friedlich gelöst werden.

7. Behörden, welche das Gesetz übertreten, müssen in Anklagezustand versetzt werden können, wir verlangen ein Verantwortlichkeitsgesetz und zu dem Ende einen eigenen Gerichtshof ...

8. Alle diese Rechte haben aber nur Sinn für ein tüchtig gebildetes Volk, wir verlangen daher eine durchgreifende Volksbildung.

Zu dem Ende wollen wir

a. Bessere Lehrerbildung. Vereinigung des Seminars mit der Hochschule. Die Lehrer sollen wissenschaftliche Bildung erhalten.

b. Bessere Lehrerbesoldung. Die Lehrer sollen so besoldet werden, daß sie sich ausschließlich ihrem Berufe widmen und nötigenfalls noch etwas erübrigen können.

c. Verminderung der Zahl der Erziehungsrähte und Besoldung derselben ...

d. Alle Schüler müssen nach Entlassung aus der Alltagsschule noch 3 Jahre die Sekundarschule besuchen.

e. Nach dem 15. Jahr wird die Schulbildung bis in das 20. Jahr an einzelnen Wochentagen fortgesetzt und in dieser Zeit hauptsächlich Unterricht in der Geschichte und Staatsverfassung erteilt.

f. Der Besuch aller Schulen ist unentgeldlich, die dürftigen Schüler erhalten vom Staate außerdem noch Kleider, Bücher, Kost und Logis.

g. Der Staat sorgt für Anstalten, wodurch es dem Einzelnen möglich wird, auch nach dem 20. Jahre sich fortzubilden. Er begünstigt insbesondere die Bildungsvereine.

9. Die Advokatur wird freigegeben. Die Gerechtigkeitspflege wird wohlfeiler und geschwinder gemacht, das Wortzeichen und die Stempelgebühr werden aufgehoben.

10. Der Staat erläßt ferner Gesetze zum Schutze der Arbeiter.

Er stellt Fabrikärzte und Fabrikinspektoren an. Letztere haben insbesondere die Aufgabe, die Arbeiter gegen Willkür ihrer Herren zu sichern.

Solche Fabrikärzte und Fabrikinspektoren bestehen bereits in England und haben dort in mehrfacher Beziehung gute Dienste geleistet.

11. *Der Staat errichtet Socialwerkstätten.* Er verschafft den Arbeitern, welche in denselben arbeiten wollen, die nötigen Maschinenwerkzeuge und das nötige Material. Er zieht von dem Erwerb der Arbeiter nur die nötigen Prozente ab, um die Ausgaben für die Unkosten zu bestreiten ...

12. Der Staat errichtet Waarenhallen, oder verschafft den Arbeitern zur Gründung derselben den nötigen Kredit. In diese Waarenhallen liefert der geldbedürftige Arbeiter seine Erzeugnisse ab, erhält darauf einen Vorschuß und nach Verkauf des Erzeugnisses den ganzen Preis; nur eine kleine Auflage für Bestreitung der Verwaltungskosten wird davon abgezogen.

Auf diese Weise ist der Arbeiter nicht genötigt, seine Arbeit in ungünstiger Zeit um einen Spottpreis loszuschlagen.

13. Der Staat unterstützt alle gemeinnützigen gemeinschaftlichen Unternehmungen, wie z.B. gemeinschaftliche Bäckereien (Actienbäckereien) gemeinschaftliche Metzgen, gemeinschaftliche Waarenlager, gemeinschaftliche Fabriken, Associationen für gemeinschaftlichen rationellen Betrieb des Ackerbaus. Er sorgt nötigenfalls für das erforderliche Kapital.

14. Zu diesem Ende und um den Zinsfuß zu regeln, errichtet der Staat eine Kantonalbank.

15. Die Steuern werden hauptsächlich auf die Vermöglichen und Reichen verlegt, das Einkommen derselben wird mit einer mäßigen Progressivsteuer belastet.

16. Die Zuchthäuser werden in Besserungsanstalten umgewandelt, die Todesstrafe wird abgeschafft ...

17. In eidgenössischer Beziehung verlangen wir tätiges Mitwirken zur Erzielung einer umfassenden Bundesreform.

II. Was wir nicht wollen.

... Wir wollen *keine* Güterteilung, wie so fälschlich viele behaupten. Wir müßten allen gesunden Menschenverstand verloren haben, wenn wir auf solch räuberische Weise die Lage der Arbeiter verbessern wollten ...

Was die Religion betrifft, so möchten wir auch hier nicht zur Auflösung, sondern zur Erfüllung derselben beitragen. Das Christenthum soll endlich einmal zur Wahrheit werden, denn das Wesen, der Kern der christlichen Religion ist nach unserer Ansicht die Liebe. Liebe deinen Nächsten wie dich selbst. Das ist der Inbegriff aller Gebote. Mit der Religion der Liebe verträgt es sich aber nicht, daß der Arbeiter Sklave des Reichen sei; daher geht unser Streben dahin, mitzuwirken, daß alle Menschen sich als Brüder behandeln, daß somit die Arbeiter hier schon freie Menschen werden.

Johann Jakob Treichler, Frühschriften, Hg. Dr. Adolf Streuli, Zürich 1943, S. 319ff.

12 Polizeiliches Redeverbot für einen Sozialisten

Der Polizeirat hat in Erwägung

a. daß Herr Treichler erwiesenermaßen mit der kommunistischen Propaganda des Auslandes in Verbindung steht;

b. daß er sowol in dem Not- und Hülfsblatt als in seinen mündlichen Vorträgen das Eigenthum befehdet, zum Hasse gegen den Besitzenden aufreizt und die Grundlagen der bürgerlichen Gesellschaft zu untergraben sucht;

c. daß diese Thätigkeit nicht als ein unbefangenes Forschen nach Wahrheit erscheint, sondern den Charakter eines die Ruhe und Ordnung im Staate gefährdenden Aufhetzen an sich trägt, beschlossen:

1. Sei dem H. Treichler untersagt, öffentliche Vorträge über Socialismus und Kommunismus zu halten.
2. Seien die Statthalterämter angewiesen, von diesem Verbote den sämmtlichen Gemeinderäten ihres Bezirkes zur Vollziehung Kenntniß zu geben und dieselben anzuweisen, im Uebertretungsfalle polizeilich einzuschreiten und Versammlungen solcher Art zu behindern.
3. sei das Disp. 1 mit den Erwägungen durch das Statthalteramt Zürich dem H. Treichler zu eröffnen.

Johann Jakob Treichler, Frühschriften, Hg. Dr. Adolf Streuli, Zürich 1943, S. 318.

13 Das Maulkrattengesetz von 1846

§ 1. Es ist untersagt, den Diebstahl oder andere demselben verwandte Verbrechen öffentlich zu rechtfertigen, oder wegen der Ungleichheit des Besitzes eine Klasse von Bürgern gegen eine andere zum Hasse aufzureizen oder durch Angriffe auf die Unverletzlichkeit des Eigentums die bestehende rechtliche Ordnung böswillig zu gefährden.

§ 2. Dawiderhandelnde verfallen in Geldbuße von höchstens 1000 Franken, womit Gefängnis bis auf zwei Jahre verbunden werden kann.

§ 3. Die Zumessung der Strafe richtet sich teils nach den allgemeinen Vorschriften des Strafgesetzes, die überhaupt hier gelten sollen, teils im besonderen nach dem Maße der Aufreizung und der für den unerlaubten Zweck zusammenwirkenden Kräfte, sowie nach dem Grade der für die Rechtssicherheit drohenden Gefahr.

§ 4. Haben die in § 1 bezeichneten Handlungen bereits zu andern mit Strafe bedrohten Rechtsverletzungen geführt, so kommen die Bestimmungen über Konkurrenz von Verbrechen zur Anwendung.

§ 5. Die Beurteilung aller in diesem Gesetze bedrohten Handlungen fällt dem Kriminalgericht als erster Instanz zu.

§ 6. Der Regierungsrat ist ermächtigt, außer dem Kanton erscheinende periodische Druckblätter, die auf Beförderung der in § 1 bezeichneten Handlungen gerichtet sind, so lange zu verbieten, bis eine im Kanton wohnhafte verbürgerte oder niedergelassene Person die Verantwortlichkeit übernommen, und die durch § 271 des Strafgesetzes vorgeschriebene Kaution geleistet hat.

§ 7. Verbindungen oder Vereine, die zum Zwecke haben, die in § 1 erwähnten Handlungen zu befördern oder zu begünstigen, sind durch die Polizeibehörden aufzulösen und Fremde, die irgendwie daran teilgenommen, sofort aus dem Kanton zu verweisen.

§ 8. Der Regierungsrat ist mit der Vollziehung dieses Gesetzes beauftragt.

Johann Jakob Treichler, Ein Lebensbild von Williband Klinke und Iso Keller, Hg. Adolf Streuli, Zürich 1947, S. 202f.

14 Programm der Berner Reformbewegung von 1851

1. Die Schweizerische Bundesverfassung, so wie die Staatsverfassung des Kantons Bern von 1846 sollen mit allen gesetzlich erlaubten Mitteln aufrecht erhalten werden.

2. Die Grundsätze der Bernischen Staatsverfassung sollen mit Beförderung durchgeführt werden.

In dieser Beziehung heben wir besonders folgende hervor:

3. Es soll auf dem Wege der Gesetzgebung dahin gewirkt werden, daß nicht zu viel Grundbesitz in eine Hand kommt. Jedem, der es verlangt, soll das nöthige Pflanzland zuertheilt werden ...

4. Landstrecken, die der Kultur fähig sind, sollen urbar gemacht werden ...

5. Es soll eine Hypothekar- und Schuldentilgungskasse errichtet werden mit hinreichendem Fond (Geld) und Herabsetzung des Zinsfusses auf drei Procent.

Dadurch soll der verschuldete Grundbesitzer in eine vom Gläubiger unabhängige Lage gestellt werden ...

6. Es sollen zweckmäßige Straßen angelegt, der Bau derselben befördert und mehr Rücksicht auf Betreibung des Bergbaues genommen werden.

7. Es sollen Leihbanken eingeführt werden, aus welchen jeder Arbeiter gegen Waarenhinterlage ein Anleihen erhält, welches einen bestimmten Theil des Werthes der hinterlegten Waare sein kann ...

8. Wenn sich Associationen oder Vereine zu dem Zwecke verbinden, ihren materiellen Wohlstand zu heben, so soll der Staat diese Vereine mit Geldanleihen unterstützen ...

9. Der Staat soll sich direkt für die Einführung neuer Industriezweige bethätigen ...

10. Es sollen Gewerbe- und Handwerkerschulen eingeführt werden. Der Unterricht in denselben soll unentgeldlich sein.

11. Die Armen, d.h. die Arbeitsunfähigen, wie die Gebrechlichen, die Kranken, die Kinder, das Alter etc. sollen gehörig versorgt, für dieselben Versorgungsanstalten eingeführt, oder sonst irgendwie auf angemessene Weise untergebracht werden.

12. Der Staat verpflichtet sich, Jedem, der zu arbeiten verlangt, es möglich zu machen, daß er Arbeit erhaltet.

13. Es sollen für Solche, welche arbeitsfähig sind, aber ihrer Familie den nöthigen Lebensunterhalt nicht durch Arbeit verschaffen wollen, Zwangsarbeitsanstalten eingeführt oder sonst dieselben zur Arbeit angehalten werden.

Der Bettel und das Vagantenleben müssen vollständig verschwinden.

14. Es sollen durchgreifende Verbesserungen im Schulwesen in seinem ganzen Umfange vorgenommen werden. Der Unterricht soll unentgeldlich sein für Alle, von der Elementarschule bis zur Hochschule hinauf. – Die Besoldung der Primarlehrer solle erhöht, und diejenige der Geistlichen herabgesetzt werden.

15. Es soll eine durchgreifende Verbesserung in der Gesetzgebung ihrem ganzen Umfange nach stattfinden. Unter Anderem totale Abschaffung aller noch bestehenden Vorrechte.

16. Ausgleichung des Mißverhältnisses zwischen den verschiedenen Gemeindsgütern.

17. Aufhebung der Burgergüter und Theilung derselben ...

18. Alle indirekten Abgaben sollen dem Grundsatze nach abgeschafft ... werden.

19. Es soll eine Progressivsteuer eingeführt werden, d.h. eine Steuer, deren Steuerfuß vom Tausend mit der Größe des Vermögens ansteigt ...

20. Es soll eine starke progressive Erbschaftssteuer ... eingeführt werden ...

Soll die Armuth aus ihrem Elend gehoben und derselben vorgebeugt werden, soll die arbeitende Volksklasse zur Arbeit und angemessenem Verdienst gelangen und überhaupt die materielle und geistige Wohlfahrt des Volkes zur Wirklichkeit kommen, so müssen obige Vorschläge mit Beförderung durchgeführt werden.

Darum, Männer des Volkes! denket mit Ernst über diesen wichtigen Gegenstand nach und schreitet einmal zur That. Haltet fest zusammen, sonst zersplittert Ihr Eure Kräfte. Dieß geht zunächst Euch an, die Ihr Euch von Eurer Hände Arbeit nähret. Aber auch besonders Euch, Ihr

Wohlhabenden; denn Ihr wisset nicht, in welche Lage des Lebens ihr kommen könnet. Vielleicht haust des Uebel in Euren Eingeweiden, ohne daß Ihr es ahnet.

Männer des Volkes! zeiget Muth und festen Willen zur That, zeitgemäße Reformen anzubahnen, und findet zahlreich zu obiger Volksversammlung ein.

Das weitere Komite von Hindelbank.

Der Arbeiter, Bern, Nr. 9, 1851 (undatiert).

Wirtschaftliche Entwicklung 1848–1880

Vor 1848 war die schweizerische Wirtschaft gekennzeichnet durch die Aufgliederung in lokale Märkte, die voneinander durch Binnenzölle und ein schlecht ausgebautes Verkehrsnetz getrennt waren. Die Entwicklung der industriellen Produktion drängte das Bürgertum, ein einheitliches Wirtschaftsgebiet *zu schaffen, um ein verstärktes wirtschaftliches Wachstum zu ermöglichen. Insbesondere sollten die Binnenzölle zwischen den Kantonen abgeschafft, das Münzwesen, Masse und Gewichte vereinheitlicht, das Postwesen zentralisiert und ein nationales Verkehrsnetz errichtet werden. Die Verwirklichung dieser wirtschaftlichen Ziele war denn auch ein Hauptzweck der politischen Einigungsbestrebungen nach 1830. Die allgemeinen Freiheitsrechte wurden zum Teil ebenfalls aus wirtschaftlichen Interessen gefordert. Besonders deutlich zeigt sich dieser Zusammenhang bei der Handels- und Gewerbefreiheit. Im Gegensatz zu den gescheiterten Revolutionen in Deutschland oder Frankreich konnte das schweizerische Bürgertum seine wesentlichsten Forderungen mit der Gründung des* Bundesstaates von 1848 *durchsetzen.*

In den folgenden 25 Jahren entwickelte sich sowohl die schweizerische als auch die europäische Wirtschaft für das Bürgertum im allgemeinen sehr günstig. Im Zuge dieses Wirtschaftswachstums stieg die Zahl der Lohnabhängigen beträchtlich. Ihre soziale Lage jedoch besserte sich im Vergleich zum Anfang des Jahrhunderts nur wenig. Nach wie vor konnte das Existenzminimum nur durch die Mitarbeit der gesamten Familie gesichert werden. Die tägliche Arbeitszeit betrug 12–14 Stunden (15–19).

Nachdem die rechtlichen Schranken mit dem Bundesstaat von 1848 weitgehend beseitigt waren, trieben private Gesellschaften den Aufbau des schweizerischen Eisenbahnnetzes *rasch voran. Das Kapital benötigte ein Bahnnetz als Bindeglied der dezentralisierten Wirtschaft und als Erleichterung des Imports von Rohstoffen und des Exports von Fertigprodukten. Allein in den Jahren 1855–60 wurde ein Schienennetz von mehr als 1000 km erbaut, und 1872–80 entstand als wichtigste Leistung einer 2. Phase im Eisenbahnbau der Gotthardtunnel (19, 20). Diese schnelle Entwicklung des Verkehrsnetzes trug entscheidend dazu bei, die Struktur der schweizerischen Wirtschaft zu verändern: Die Eisenbahnlinien wurden die wichtigsten Anziehungspunkte für industrielle Neugründungen. Durch die neuen Arbeitsplätze wurde die Bevölkerung aus dem Hinterland in diese stärker industrialisierten Gebiete gezogen. Die rechtlichen Schranken für diese Entwicklung beseitigte das Bürgertum 1866 und 1874 mit der Ausweitung der Niederlassungsfreiheit.*

Während der ersten Periode der Industrialisierung hatte die Textilindustrie die führende Stellung eingenommen. Um ihre Konkurrenzfähigkeit zu bewahren und damit die Profite möglichst hoch zu halten, mußte sie laufend mit neuen Maschinen ausgestattet werden. Schon 1828 hatte die frühere Textilfirma Escher, Wyss & Co. mit der Herstellung von Spinnmaschinen für Dritte begonnen. Der eigentliche Aufschwung der Maschinenindustrie *erfolgte aber erst nach 1848. Der Bau der Eisenbahnen, die Mechanisierung der Stickereiindustrie und die Umstellung von Wasserkraft auf Dampfmaschinen als Energielieferanten ließen die Nachfrage nach Maschinen rasch steigen. Diese Nachfrage bot neue Möglichkeiten der Kapitalverwertung. So wurden in den 50er Jahren weitere wichtige Fabriken der Maschinen- und Metallindustrie gegründet: 1853 die «Saurer» in St. Georgen (SG), später in Arbon, im gleichen Jahr die «Schweizerische Waggonfabrik» (SIG) in Neuhausen, 1854 die Maschinenfabrik Bell & Co. in Kriens, 1859 die «Bühler» in Uzwil und 1871 die «Schweizerische Lokomotive- und Maschinenfabrik» in Winterthur.*

In dieser Aufschwungsphase der kapitalistischen Wirtschaft wurde eine große Zahl neuer Handels- und Kreditbanken *aufgebaut, da die Anschaffung von Maschinen und die Finanzierung der Eisenbahnen die Mittel der Einzelkapitalisten und Gesellschaften überstiegen. So entstand 1856 auf Initiative von Alfred Escher die «Schweizerische Kreditanstalt» (SKA). Bezeichnenderweise gehörten alle ihre Gründer zur Elite in Wirtschaft und Politik. Die neuen Kreditbanken begnügten sich aber meist nicht mit der finanziellen Unterstützung bereits bestehender Firmen, sondern sie beteiligten sich an solchen Unternehmen und gründeten neue. So besaß die SKA die Aktienmehrheit bei der Nordostbahn, deren Präsident wiederum Alfred Escher war. Bereits in dieser Zeit zeigte sich also die Tendenz zur Verschmelzung von Finanzwesen und Industrie.*

*In den 70er Jahren brach die Hochkonjunktur ab; die Widersprüche der kapitalistischen Wirtschaft traten in einer jahrzehntelangen Periode heftiger Krisen, der «*Großen Depression*», schärfer hervor. Viele kleinere Unternehmen überstanden den verschärften Konkurrenzkampf in der Krise nicht, sie wurden liquidiert oder von Großbetrieben übernommen (vgl. Kap. III).*

Frühe Gewerkschaften und Genossenschaften

Die ersten Arbeiterorganisationen in Europa waren in den Revolutionen von 1848, wo sie mit dem Bürgertum gegen adelige und ständische Vormachtstellungen gekämpft hatten, weitgehend zerschlagen worden. Auch in der Schweiz hatten die reaktionären Kräfte mit der Ausweisung der deutschen Handwerksgesellen erste Organisationsversuche der Arbeiter zerstört (vgl. Kap. I). Nur langsam erholte sich das Proletariat von diesem Rückschlag; neue Formen des Kampfes mussten von den Arbeitern erst herausgebildet werden.

Die ersten Gewerkschaften *entwickelten sich aus den vorindustriellen zünftischen Gesellenverbänden, die bereits eigene Unterstützungs- und Krankenkassen besaßen und auch über eine gewisse Streiktradition verfügten. Indem die Arbeiter in den handwerklich strukturierten Industrien (Uhrenarbeiter, Buchdrucker, Schuhmacher etc.) die Hilfskassen bei Lohnkämpfen in Streikkassen umfunktionierten, bildeten sie Ansätze zu ersten Gewerkschaften. Erfolgreiche Streiks stärkten das Selbstbewußtsein der Arbeiter und ihre Organisationen. Die meisten frühen Gewerkschaften blieben jedoch lokal beschränkt und wenig widerstandsfähig gegen wirtschaftliche Rezessionen und mißglückte Lohnkämpfe. So gründeten 1849 in La Chaux-de-Fonds die Goldschalenmacher eine Gewerkschaft und führten 1852 einen erfolgreichen Streik durch. In den Krisenjahren von 1857–59 zerfiel die Gewerkschaft jedoch in kurzer Zeit: Der Großteil der Arbeiter mußte aus der Organisation austreten und arbeitete wieder unter dem tariflich festgelegten Minimallohn.*

Eigentliche Pioniere der gewerkschaftlichen Organisation waren die Typographen. Erste Hilfskassen wurden bereits um 1820 gegründet und 1848 unternahm der Berner Verein der Buchdruckergesellen einen ersten Vorstoß zur Gründung einer gesamtschweizerischen Typographengewerkschaft. Nachdem dieser Versuch gescheitert war, erfolgte 1857 ein neuer Vor-

stoß (21), der im folgenden Jahr zur Gründung des «Schweizerischen Typographenbundes» *(STB) führte. Diese Organisation hatte zu Beginn noch ausgesprochen zünftischen Charakter; Meister und Gesellen waren für das «Wohl des gesamten Berufsstandes» im gleichen Verband zusammengeschlossen. Schon bald mußten die Typographen aber erkennen, daß sich Standes- und Klasseninteressen nicht vertragen. Die Unternehmer sahen sich in den 60er Jahren gezwungen, den STB zu verlassen. Zu gesamtschweizerischen gewerkschaftlichen Fachverbänden schlossen sich wenig später auch die Schneider (1863) und die Schuhmacher (1867) zusammen. Der Großteil der schweizerischen Arbeiterklasse, insbesondere die Fabrikarbeiter, waren jedoch in dieser Zeit noch gar nicht oder höchstens lokal gewerkschaftlich organisiert.*

Als Alternative zur kapitalistischen Produktionsweise und gegen deren Auswirkungen für die Arbeiter wurden nach 1850 in der ganzen Schweiz Genossenschaften gebildet.

Ziel der ersten Konsumgenossenschaften *war es, durch billige Wareneinkäufe und Ausschaltung des Zwischenhandels die Endpreise der Güter zu senken und damit den Arbeitern bessere Einkaufsmöglichkeiten zu bieten. Auf Initiative von Johann Jakob Treichler und Karl Bürkli, den damals führenden Sozialisten Zürichs, gründeten 1851 Arbeiter den Zürcher Konsumverein. Nach dem zürcherischen Vorbild wurde in kurzer Zeit eine große Anzahl weiterer Konsumvereine in der ganzen Schweiz gebildet. Die größte Bedeutung erlangte der 1865 gegründete «Allgemeine Consumverein Basel» (ACV). Im Gegensatz zu den Absichten Bürklis sollte dieser Konsumverein nach den Vorstellungen seines Initianten Bernhard Collin-Bernoulli überparteilichen Grundsätzen verpflichtet sein und dazu beitragen, durch neue Gemeinschaftsformen die Klassengegensätze zu überwinden (22). Der ACV sollte denn auch nicht eine Organisation der Arbeiterklasse sein, sondern allen Bevölkerungskreisen offenstehen. Diese Absicht wurde in der Folge von den meisten Konsumvereinen in der Schweiz übernommen. Als Mittel zur Befreiung der Arbeiterklasse verloren sie in der weiteren Entwicklung der Arbeiterbewegung immer mehr an Bedeutung.*

In der gleichen Periode wurde von den Arbeitern auch eine große Zahl von Produktionsgenossenschaften errichtet. Mittels selbstständiger Organisation der Produktion durch die Arbeiter sollte der Unternehmer als Profitmacher ausgeschaltet und längerfristig die kapitalistische Produktionsweise überwunden werden. Gegen die übermächtige kapitalistische Konkurrenz konnten sich die Produktionsgenossenschaften aber auf die Dauer nicht durchsetzen.

Die schweizerische Arbeiterbewegung in der Zeit der I. Internationale (1864–1872)

Internationale Kontakte der Arbeiterorganisationen bestanden schon früh, vor allem durch wandernde Handwerksgesellen (vgl. Kap. I). Bis in die Zeit der Revolutionen von 1848 war der «Bund der Kommunisten» als internationale Vereinigung in verschiedenen Ländern aktiv.

Auf die jahrelangen Rückschläge für die meisten Arbeiterorganisationen in Europa nach 1848 folgte in den 60er Jahren ein neuer Aufschwung. 1864 wurde in London auf Initiative französischer und englischer Arbeiter die «Internationale Arbeiter-Assoziation» *(IAA, I. Internationale) gebildet. An der Gründungsversammlung nahmen auch Emigranten aus Deutschland, Polen, Italien und der Schweiz teil. Sektionen verschiedenster anderer Länder schlossen sich später der IAA an.*

Als ständiges Zentralorgan der IAA wurde der Generalrat *geschaffen, in welchem Karl Marx eine führende Stellung einnahm. Hauptaufgabe des Generalrates war es, über den Stand und die Aktivitäten der Arbeiterorganisationen in den einzelnen Ländern zu informieren und die internationale Unterstützung für streikende oder ausgesperrte Arbeiter zu organisieren (24, 25). Durch diese Koordination der Unterstützungen, vor allem in den Streiks nach 1867, erlangte die Internationale bei Arbeitern wie auch im Bürgertum einen beinahe legendären Ruf, der in keinem Verhältnis stand zu ihren beschränkten finanziellen Möglichkeiten und ihrer Mitgliederstärke.*

In der Schweiz standen die wichtigsten Arbeiterorganisationen, wie die deutschen Arbeitervereine, der Grütliverein und der Typographenbund, der IAA zumindest anfänglich zurückhaltend gegenüber. Die Organisationen, die der IAA als Sektionen beitraten, waren meist lokale Arbeitervereine und Gewerkschaften. Auch einzelne Grütlisektionen, denen der Beitritt vom Gesamtverein freigestellt war, schlossen sich der IAA an. Die soziale Basis dieser Gruppen war recht vielschichtig: Neben Arbeitern waren vor allem auch selbständige Kleinhandwerker, die sich ebenfalls von der Proletarisierung bedroht sahen, sowie Vertreter eines aufgeklärten Bürgertums in den Organisationen tätig. Die Zahl der Sektionen und Mitglieder erreichte 1868 nach dem Erfolg im Genfer Bauarbeiterstreik einen Höhepunkt (1865: 500 Mitglieder; 1868: 10000 Mitglieder). Das Wirken der Sektionen blieb allerdings meist auf einen kleinen Kreis von Aktivisten beschränkt. Am meisten Anhänger fand die IAA in der Westschweiz, wo vor allem Johann Philipp Becker in Genf und Pierre Coullery im Jura bestehende Arbeiterorganisationen für die IAA gewannen und neue Sektionen gründeten.

Die politischen Vorstellungen in den schweizerischen Sektionen waren alles andere als einheitlich. Vielfach bildeten sie den linken Flügel der Radikalen und bestrebten eine arbeiterfreundliche Reformpolitik. Vor allem in der deutschen Schweiz, wo sich die Idee der internationalen Vereinigung schwieriger durchsetzen konnte (1867 gehörten nur gerade vier deutschschweizerische neben 22 welschen Sektionen der IAA an), schlossen sich diese Vereine vielfach an die starke, kleinbürgerlich dominierte Demokratische Bewegung *an, die eine Ausdehnung der Volksrechte erstrebte (Initiative, Referendum). Mit diesen Mitteln glaubte man, die bestehende bürgerliche Gesellschaft überwinden zu können (30).*

Kleinbürgerliche und Arbeiter-Interessen verliefen noch nicht klar getrennt; radikaldemokratische, frühsozialistische und marxistische Vorstellungen finden sich in der ganzen IAA noch stark vermischt. Unterschiede der wirtschaftlichen Entwicklung und des Organisationsgrades sowie der politischen und kulturellen Tradition erschwerten eine Einigung über Ziel und Strategie der Bewegung außerordentlich. Trotz des Willens, ein «brüderliches Zusammenwirken» möglichst aller fortschrittlichen Kräfte zu erreichen (23), traten daher die Gegensätze in den jährlichen Kongressen *der IAA deutlich hervor. Die meisten dieser Kongresse fanden in der Schweiz statt, die aufgrund ihres vergleichsweise liberalen Systems und der großen Zahl von politischen Emigranten ein wichtiges Zentrum der Internationale war.*

In den Jahren nach 1868, nach den großen Streiks in Genf und Basel (24), kam es auch in der Schweiz zu einer Radikalisierung der IAA. Diese löste sich allmählich von der Bindung an die bürgerlichen Parteien, war allerdings ohne breite beständige Basis zu schwach, längerfristig eine eigenständige Politik zu betreiben. Beschleunigt wurde der Niedergang der IAA durch die europäische Repressionswelle gegen die Arbeiterorganisationen nach dem blutig niedergeschlagenen Aufstand der Pariser Kleinbürger und Proletarier, die sich in der Commune *ein Gemeinwesen nach ihren Vorstellungen aufbauen wollten (26). Zur Schwächung trug aber auch die ideologische Spaltung innerhalb der Internationale bei, die sich schließlich im Konflikt zwischen Marx und Bakunin zuspitzte. Zu einem guten Teil spielte sich diese Auseinandersetzung in der Schweiz ab. Unterstützt von Bakunin lösten in der handwerklich strukturierten Uhrenindustrie des Jura (27) kollektivistische Vorstellungen von genossenschaftlicher Selbstverwaltung der Betriebe, verbunden mit der Ablehnung jeder Staats- und Parteiautorität, die bisherige Reformpolitik ab. Dieser libertäre Sozialismus stand im Widerspruch zur Marxschen Auffassung, daß die Arbeiterklasse nur über eine politische Eroberung der Staatsgewalt den Sozialismus erkämpfen könne. Die Differenzen führten 1872 zum Ausschluß Bakunins und der jurassischen Sektionen. In St. Imier wurde darauf die* antiautoritäre Internationale *gegründet, der Arbeiter aus dem Jura, aus Italien, Spanien, Belgien, England, Frankreich und auch Amerika angeschlossen waren (28). Bereits 1877 fand diese lose Vereinigung faktisch ihr Ende.*

Trotz des kurzen Bestehens der IAA gab sie der schweizerischen Arbeiterbewegung wesentliche Impulse: Das Zusammenfinden verschiedenster Organisationen der Arbeiter (Gewerkschaften, Genossenschaften und Arbeitervereine) wurde gefördert; die Arbeiter wurden sich vermehrt ihrer gemeinsamen Klassenlage bewußt und fanden sich zu solidarischen Aktionen. So versuchte Herman Greulich in Zürich seit 1868, den deutschen Arbeiterverein, der 1868 der IAA beigetreten war (29), und die zürcherischen Gewerkschaften in einer Sektion der Internationale zu vereinen. Gesamtschweizerische Einigungsbestrebungen der Arbeiter und Ansätze zu einer theoretischen Neuorientierung (31) zeigten in den folgenden Jahrzehnten ihre Auswirkungen.

Der Alte Arbeiterbund und das eidgenössische Fabrikgesetz

Nachdem 1870 der Versuch Herman Greulichs, eine sozialdemokratische Partei zu gründen, vor allem am Widerstand des national orientierten Grütlivereins gescheitert war, gelang es erstmals im Alten Arbeiterbund, *verschiedenste schweizerische Arbeiterorganisationen zu vereinen. Am ersten schweizerischen Arbeiterkongreß von 1873 in Olten vertraten die Delegierten von 10 Sektionen des Grütlivereins, 10 kantonalen oder lokalen Arbeiterverbänden, 16 deutschen Arbeitervereinen, 8 internationalen Vereinen, 25 lokalen Gewerkschaften und 5 Sektionen der Fédération jurassienne gegen 6000 organisierte Arbeiter. Um den Beitritt für die alten Anhänger der I. Internationale wie für die national gesinnten Grütlianer zu ermöglichen, einigte man sich auf ein Kompromißprogramm (32). Dennoch stieß der Alte Arbeiterbund in der französischen Schweiz, bei den führenden Gewerkschaften und zum Teil auch beim Grütliverein auf Ablehnung. Durch die Verbreitung des Gewerkschaftsgedankens und durch die Agitation für das eidgenössische Fabrikgesetz leistete er aber trotz dieser Schwächen wichtige Arbeit.*

Der staatliche Schutz des Fabrikarbeiters war in der ersten Hälfte des 19. Jahrhunderts Aufgabe der Kantone. Besondere Schutzbestimmungen galten jedoch im besten Fall für Kinder. 1864 erkämpften sich die organisierten Textilarbeiter in Glarus ein Fabrikgesetz, das den

12stündigen Arbeitstag für alle Fabrikarbeiter gesetzlich verankerte. Ähnliche Bestimmungen mußte das Bürgertum in den folgenden Jahren auch in andern Kantonen einführen. Mehrere Versuche, die unterschiedlichen Bestimmungen der kantonalen Fabrikgesetze zu vereinheitlichen, schlugen vorerst fehl. 1874 wurde die revidierte Bundesverfassung mit starker Unterstützung des Grütlivereins angenommen. Die neue Verfassung verpflichtete den Bund «einheitliche Bestimmungen über die Verwendung von Kindern und über die Dauer der Arbeit erwachsener Personen» für die Fabriken aufzustellen. Auf dieser Grundlage wurde am 23. März 1877 das eidgenössische Fabrikgesetz *von den Räten verabschiedet. Im wesentlichen brachte es den 11-Stundentag für alle Fabrikarbeiter, die obligatorische Haftpflicht des Unternehmers bei Arbeitsunfällen und Beschränkungen der Kinderarbeit (33). Die um ihre Profite besorgten Kapitalisten ergriffen das Referendum. Gegen den massiven Widerstand des Bürgertums (34, 35) wurde das Gesetz am 21. Okt. 1877 knapp mit 181 204 Ja gegen 170 857 Nein angenommen.*

15 Von 5 Uhr morgens bis 8 Uhr abends in der Fabrik

... Diese[1] ist in allen geschlossenen Fabriken, als: Spinnereien, Webereien u.s.w. ziemlich gleich und beträgt durchschnittlich 14 Stunden per Tag, von Morgens 5 bis Abends 8 Uhr mit Unterbrechung von 1 Stunde, Mittags von 12 bis 1 Uhr. In den Maschienenbaufabriken, Gießereien u.s.w. beträgt die Arbeitszeit 12 Stunden von Morgens 5 bis Abends 7 Uhr mit Unterbrechung von einer ½ Stunde Morgens, 1 Stunde Mittags und eine ½ Stunde Abends. In einigen Fabriken dauert sie ebenfalls 12 Stunden, jedoch nur von Morgens 6 bis Abends 7 Uhr mit Unterbrechung von 1 Stunde Mittags von 12 bis 1 Uhr. Diese letztere Methode ist sowohl für den Fabrikherrn, als auch für den Arbeiter jedenfalls die Vortheilhafteste; die Erfahrung hat gelehrt, daß diese öftern Unterbrechungen gewöhnlich Anlaß geben zu Ausreißereien, zum Einschmuggeln allerlei geistigen Getränke u.s.w., was besonders noch dadurch begünstigt wird, wenn sich in der Nähe der Fabrik eine Wirthschaft befindet, oder wenn, was nicht selten der Fall, der Fabrikherr noch gar selbst eine Wirthschaft besitzt. ...

Heinrich Wilhelm Clos, Die Lage der schweizerischen Fabrikbevölkerung und Vorschläge zur Hebung derselben, Von einem Arbeiter, Winterthur 1855, S. 10f.

[1] *Die Arbeitszeit.*

16 19 Stunden an der Arbeit

Bretter- und Lattenfabrik mit Dampfmaschine von Gebrüder Labhardt in Steckborn.

Die meisten Arbeiter arbeiten im Freien und sind fast lauter junge, kräftige Leute, welche bis jetzt keine besondere Kränklichkeit zeigen; doch sind Lungenentzündung und Verletzungen nicht selten. Im Ganzen ist deutlich bemerkbar, daß mit großer Hast gearbeitet wird. Es wird ununterbrochen Tag und Nacht geschafft. Auf den einzelnen Arbeiter kommt eine Arbeitszeit von 19 Stunden, wovon 2–2½ Stunden Pausen abgehen; daher bleiben nur noch 5 Stunden Schlafzeit. Wenn bis jetzt keine besonders nachtheilige Einflüsse bemerkbar sind, obschon, wie gesagt, Lungenentzündungen und Verletzungen nicht selten, so ist dies nur der noch kurzen Dauer des Geschäftes und der theilweise vom Arbeitgeber gelieferten, kräftigen Kost zuzuschreiben. Längere Zeit so fortgetrieben, muß die Kraft der Arbeiter erschöpft werden. Sehr gut sind die Lohnverhältnisse, daher wohl die geringen Klagen. ...

Friedrich Mann und F. Albrecht und Dr. Walder, Bericht über das thurgauische Fabrikwesen, Frauenfeld 1869, S. 112f.

17 Elend in städtischen Arbeiterwohnungen

Der folgende Abschnitt über die Wohnverhältnisse der Fabrikarbeiter stammt aus dem Gutachten zum zürcherischen Fabrikgesetz, das von Victor

Böhmert, Wirtschaftswissenschafter an der ETH und herausragendstem Anwalt der Arbeitgeber, verfaßt wurde.

Die Wohnungsverhältnisse der Fabrikarbeiter sind durchschnittlich auf dem Lande weit günstiger als in den Städten, wo die Miethen eine solche Höhe erreicht haben, daß Arbeiter mit niedrigen Löhnen sich mit engen dumpfen Kammern ohne frische Luft und Licht behelfen müssen. Solche schlechte Wohnungen pflegen mit ihrer übeln Luft und Unreinlichkeit leider auch die Sittlichkeit auf einen tiefen Stand herabzudrücken und den schönen Begriff der Häuslichkeit aus dem Leben eines Arbeiters auszutilgen. Es ist nur zu erklärlich, wenn solche Stätten lieber mit dem Wirthshause vertauscht werden. In Zürich hat namentlich der Stadttheil «Niederdorf», wo im Jahre 1867 auch die Cholera zuerst auftrat und am ärgsten wüthete, und die Gemeinde Außersihl zahlreiche ungesunde Wohnungen aufzuweisen. Die von der Züricher Aktiengesellschaft für Arbeiterwohnungen hergestellten Häuser sind wegen des hohen Miethzinses von Fr. 250–300 nur den besser bezahlten Arbeitern zugänglich und es bleibt daher noch eine ungelöste, aber höchst dringliche Aufgabe, auch Arbeitern von niederem Range billigere und doch zweckmäßige reinliche Wohnungen zu verschaffen.

Victor Böhmert, Beiträge zur Fabrikgesetzgebung, Untersuchung und Bericht über die Lage der Fabrikarbeiter erstattet an die Gemeinnützige Gesellschaft des Kantons Zürich, Zürich 1868, S. 68.

18 Wovon leben? Haushaltsrechnungen von Genfer Arbeitern

Ein lediger Arbeiter verdient in 303 Tagen (52 Sonntage und 10 Tage sonstiger Verlust abgerechnet) zu Fr. 3. 50 per Tag eine Summe von Fr. 1060,50

Ausgaben: Kost (11 Fr. per Woche)	Fr. 572	
Logis (Fr. 8 per Monat)	„ 96	
Fourniture	„ 75	
Krankenkasse	„ 12	
Kleider	„ 160	
Für Wäsche per Jahr	„ 39	
Verschiedene Ausgaben, als: Aufenthaltsgebühr, als Mitglied eines politischen Vereins etc. . .	„ 48	
Taschengeld per Woche 2 Fr.	„ 104	
	Summa	Fr. 1106
Abgezogen die Einnahmen mit		„ 1060,50
Bleibt ein Deficit von		Fr. 45,50

Ein verheiratheter Arbeiter verdient mit seiner Frau zusammen in 303 Tagen zu Fr. 5,50 per Tag Fr. 1666,50

Ausgaben:		
Für Lebensmittel (à 25 Fr. wöchentlich) per Jahr	Fr. 1300	
Für Logis	„ 250	
„ Fourniture	„ 100	
„ Wäsche	„ 78	
„ Krankenkasse	„ 12	
Verschiedene Ausgaben	„ 60	
Für Kleider	„ 200	
Taschengeld	„ 25	
Summa der Ausgaben		Fr. 2025
„ „ Einnahmen		„ 1666,50
Bleibt ein Deficit von		Fr. 358,50

welches nur durch Ueberarbeiten, durch Abzug an Kost und Logis wieder in's Gleichgewicht gebracht werden kann. Dabei sind Krankheits-, Geburts- und Sterbefälle, Bücher und Schulgeld nicht mit inbegriffen. Auch haben wir vorauszusehen, dass die Lebensmittel immer theurer werden und die Confection wahrscheinlich noch viel mehr überhand nehmen wird. Die Schneider wollen doch nicht hinter den Maurern und Zimmerleuten zurückbleiben, die jetzt nur noch 10 Stunden arbeiten und 5 Fr. verdienen. Es ist Jedermanns Pflicht, Hand anzulegen und mitzuhelfen."

Victor Böhmert, Arbeiterverhältnisse und Fabrikeinrichtungen, Bd. I, Zürich 1873, S. 350.

19–20 Bau des Gotthardtunnels: Zwei streikende Arbeiter erschossen

Im Juli 1875 traten über 1000 am Bau des Gotthardtunnels beschäftigte italienische Arbeiter in den Streik. Spontan hatten sie die Arbeit niedergelegt, um gegen die schlechten Arbeitsverhältnisse und die rücksichtslose Ausbeutung ihrer Arbeitskraft zu protestieren. Der Streik wurde von der Polizei blutig niedergeschlagen. Der vom Bundesrat eingesetzte Untersuchungskommissär versuchte in seinem Bericht die Verhältnisse zu beschönigen und das Vorgehen der Polizei zu rechtfertigen.

19 Die Arbeiter in Göschenen setzen sich zur Wehr

Die Unruhen in Göschenen (Original-Korrespondenz aus dem Kanton Uri)

Bemessend die Ursachen, den Verlauf und Ausgang des Streiks von Göschenen kann ich folgendes mittheilen:

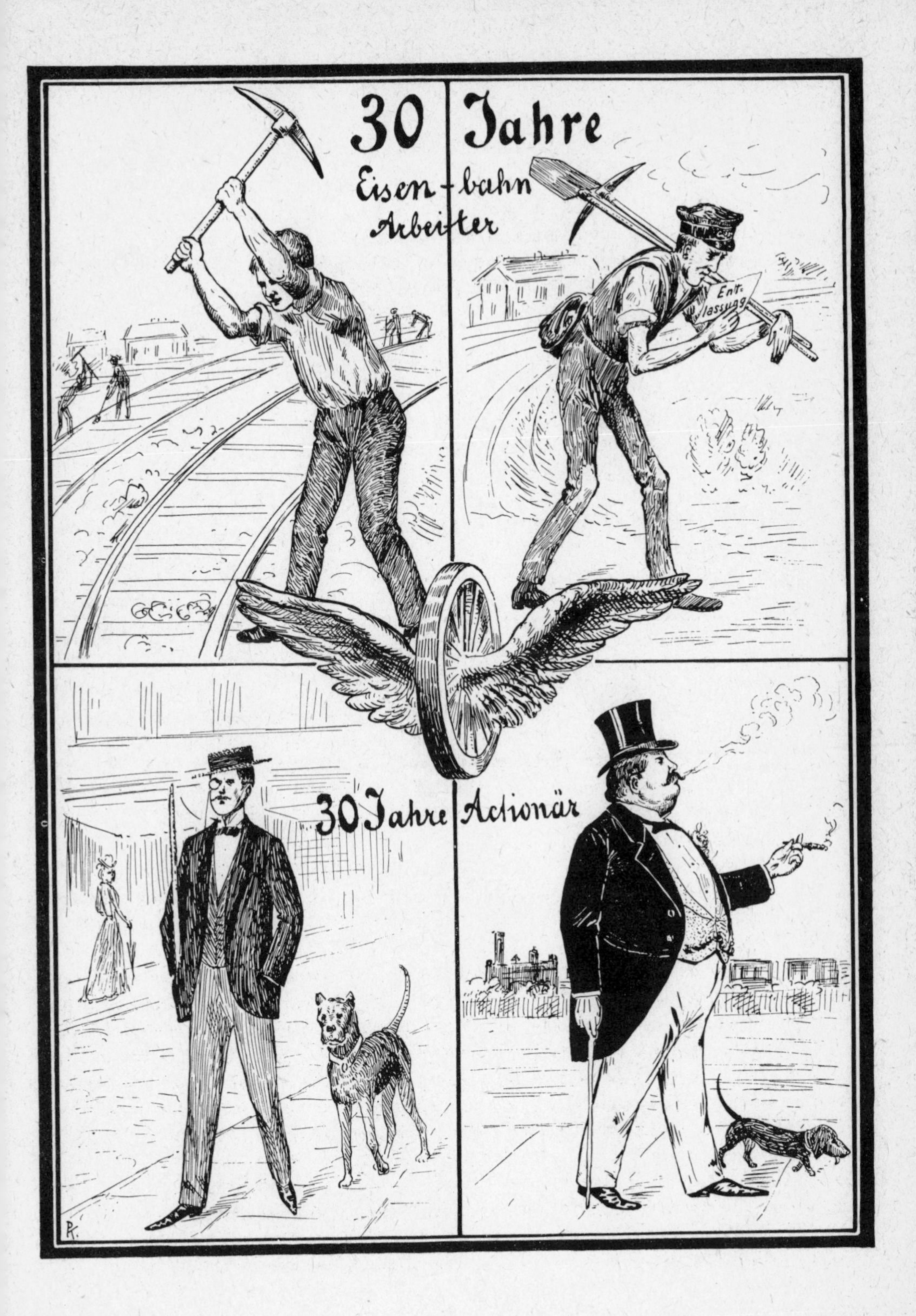
30 Jahre
Eisen-bahn
Arbeiter
Ent-
lassung
30 Jahre Actionär
R.

Die italienischen Tunnelarbeiter erhielten einen Lohn von 3½–4 Fr. pro Tag bei einer 8stündigen Arbeitszeit. Wenn nun die Leute in einem Kosthause aßen, dann mußten sie 2 Fr. per Tag bezahlen und fürs Hausen 1 Fr., so daß ihnen fast nichts übrig blieb, trotz ihrer harten Arbeit. Nun kommt aber noch dazu, daß die Leute nicht mit gangbarem Gelde, sondern mit Gutscheinen ausbezahlt wurden. Die Wirthe und Spezereihändler aber konnten natürlich diese Scheine nicht annehmen und auswechseln und noch baar Geld herausgeben, denn sie konnten ihre Waaren nicht mit solchen Gutscheinen zahlen. Einige nahmen die Scheine an, um nur die Kundschaft der Arbeiter zu haben, andere aber gaben nichts dafür.

Nun hatte der Unternehmer, Favre, selbst ein Magazin errichtet, in dem mit diesen Gutscheinen Nahrungsmittel usw. gekauft werden konnten, *aber die Arbeiter mußten im Magazine des Herrn Favre mehr bezahlen als anderswo.* Man kann sich denken, daß die armen Italiener ob dieser Ausbeutung sehr unzufrieden werden mußten, und sie waren auch gewiß dazu wohl berechtigt.

Nun aber kommt noch die *ungesunde Arbeit* dazu. Die Arbeiter müssen nämlich *dreiviertel Stunden weit in den Tunnel* hineingehen, ehe sie zu ihrer Arbeitswerkstätte gelangen. Die Ventilation war nicht im gehörigen Zustande, so daß die Arbeiter *oft stundenlang in Rauch und Dunst* arbeiten mußten. Auf eine *frühere Reklamation* wurde den Leuten versprochen, die Sache in Ordnung zu bringen, *was aber nicht geschah.*

Als nun letzter Tage eine Anzahl Arbeiter sich weigerte, in den dicken Rauch arbeiten zu gehen und das frühere Versprechen, die Ventilation in Ordnung zu bringen, in Erinnerung brachten, ihnen aber von der anderen Seite mit Entlassung gedroht wurde, brach die längst schon vorhandene Unzufriedenheit in hellen Flammen aus. Sofort wurde die Arbeit eingestellt und erklärt, man werde nicht eher wieder arbeiten, bis der Lohn um 50 Cts. per Tag erhöht, alle 14 Tage in gangbarem Gelde ausbezahlt und die Luftleitung in gehörigen Zustand gesetzt werde.

So durchaus berechtigt diese Forderungen auch waren, so wenig Aussicht auf Erfolg konnten sie haben, da von einer Organisation keine Rede war und deshalb auch die Einigkeit fehlte. Ein Theil der Arbeiter schloß sich den Forderungen nicht an und um nun diese von der Arbeit abzuhalten besetzten die Streikenden den Zugang zum Tunnel und ließen niemanden zur Arbeit hinein.

Nun wendete sich Favre an die Urner Regierung und versprach, wie man hier allgemein sagt, *derselben 20000 Fr., wenn sie ihm Militär zur Verfügung stelle.* Die Regierung ging darauf ein und *es wurden etwa 20 Mann Freiwillige durch den Waibel* mit großen Versprechungen *gewonnen,* unter das Kommando des Polizeiwachtmeisters von Altdorf gestellt und per Wagen nach Göschenen geschickt. Später schickte die Regierung noch 100 Mann nach.

In Göschenen wurde die Anrede des Gemeindspräsidenten von den erregten Italienern todtgeschrien, als er sie kaum angefangen hatte. Die Arbeiter waren nämlich aufs Aeußerste erbittert, daß Herr Favre anstatt mit ihnen einfach zu unterhandeln, ihnen die Behörde und Militär auf den Hals hetzte. Der Polizeiwachtmeister forderte sie auf, den Tunneleingang zu räumen und die Andern arbeiten zu lassen, was aber schwerlich verstanden wurde. Nun wurden Steine und Messer auf die Soldaten geworfen und diese erhielten Befehl, einen Bajonettangriff zu machen. Die Italiener zogen sich jetzt auf eine Anhöhe zurück unter fortwährendem Steinwerfen und nun erfolgte Feuer. Die ersten Schüsse gingen in die Luft und wurden von den Italienern mit Hohnlachen empfangen. Hierauf erfolgte eine zweite Salve, die vier Mann tödtete und etwa 8 verwundete. Einer der Getödteten hinterläßt Frau und 6 Kinder.

Tagwacht, 7.8.1875.

20 Rechtfertigung des Einsatzes von Polizei und Bürgerwehr

... Die Maßnahmen, welche die urnerische Regierung am 28. nach Eingang der telegraphischen Berichte über den Stand der Dinge in Göschenen zu treffen hatte, konnten einzig nur die Herstellung der öffentlichen Ruhe und Sicherheit einzig und volle Freiheit der Passage nach dem Tunnel im Auge haben. Allfällige Differenzen der Arbeiter mit der Unternehmung Favre berührt die Staatsgewalt nicht im Mindesten, und es ist auch aus keinerlei Anzeichen zu entnehmen, daß sich dieselbe irgendwie in diese Verhältnisse einmischen wollte. Die Proklamation des Gemeindepräsidenten von Göschenen beweist vielmehr des Bestimmtesten, daß *nur die Freigebung der Passage und Zerstreuung der tumultuarischen Aufläufe* verlangt wurde. *Diesen* Zwek nun mußte die Polizei mit allem Nachdruk verfolgen und jeder Widerstand hiegegen *mußte* beseitigt werden. Da derselbe troz aller Proklamationen und troz persönlicher Ansprache des Gemeindepräsidenten, somit *nach Erschöpfung aller präliminarischen, gütlichen Mittel immerfort wuchs und sich selbst zu aggressivem Vorgehen steigerte,* so war ein ernster Zusammenstoß der Staatsgewalt mit dem Aufruhr nicht mehr zu vermeiden. ...

Thatsache ist, daß dann in kürzester Zeit die *beiden Hauptanführer* der Tumultuanten getroffen fielen und ein Dritter schwer verwundet wurde, worauf sofort die ganze Masse derselben in wilder Flucht hinter dem Hügel verschwand. – Wären sämmtliche Schüsse – auf Distanz weniger Meter – in diese dichten, jedenfalls die Zahl von *Tausend* übersteigenden Massen, gerichtet worden, so hätte nothwendigerweise die Zahl der Opfer eine sehr bedeutende sein müssen.

Es kann daher mit allem Recht behauptet werden, daß die Nothwehr der auf's brutalste angegriffenen Polizeimannschaft sich in den engsten Schranken gehalten hat. Daß gerade Diejenigen, welche nicht allein die Menge zum Widerstand anfeuerten, sondern selbst auch durch Steinwürfe auf die betreffende Mannschaft sich hervorthaten, dabei ihr Leben einbüßten, dient als Beweis hiefür, da ohne diesen raschen Abschluß die ganze Aktion zweifelsohne zu noch weit beklagenswerthern Resultaten führen mußte. ...

Bericht des eidgenössischen Kommissärs Hrn. Hold über die Unruhen in Göschenen am 27./28. Juli 1875, vom 16. Okt. 1875, in: Bundesblatt 1875, Bd. IV, S. 621 ff.

21 Gründung des Schweizerischen Typographenbundes

Nachdem der typographische Verein Bern im Frühjahr 1858 beschlossen hatte, die nötigen Schritte zur Gründung eines Schweizerischen Typographenbundes einzuleiten, richtete eine Kommission ein Schreiben an die Buchdruckermeister von Bern, in welchem sie die Gründe für einen gesamtschweizerischen Zusammenschluß der Typographen darlegte.

Die ergebenst unterzeichneten Gehülfen der Buchdruckereien hiesiger Stadt sahen sich schon im April vorigen Jahres in der Lage, mit einer Eingabe um angemessene und mit den Zeitverhältnissen im Einklang stehende Löhnungserhöhung vor Sie zu treten. Eine darauf ertheilte Antwort, d.d. 30. November 1857, läßt in sehr dankenswerther Weise dem Inhalt jener unserer Eingabe Gerechtigkeit widerfahren, anerkennt die Billigkeit unseres Verlangens und bedauert, das Entsprechen derselben aus dem Grunde ablehnen zu müssen, weil die Verhältnisse der Principale[1] selbst durch eine *schrankenlose Concurrenz* zu sehr drückenden geworden seien.

Wie Sie, verehrteste Herren Principale! unser Gesuch im Grundsatz als gerecht und billig anerkannten, so ließen auch wir den Gründen Ihres ablehnenden Bescheides volle Gerechtigkeit widerfahren und richteten fortan unser Augenmerk zunächst darauf hin: wie die gedrückte Lage des Buchdruckerstandes *insgesammt* gehoben werden möge. Und was hätte uns da näher liegen können, als der Gedanke an eine Erfrischung der welken Typographia mit jenem Lebensstrom, der überall die neue Zeit zu Riesenwerken befruchtet? Rings um uns entstehen Vereine, in denen sich die einzelnen Kräfte verbünden zu großen Zwecken; so haben sich, um von Vielen nur Eines zu erwähnen, die sämmtlichen Schmiedmeister des Cantons Bern unter sich frei constituirt zu einer «bernischen Schmiedmeisterschaft», sie haben sich zu einem festen Tarif für ihre Arbeitsleistungen verständigt und in Folge eines einträchtigen, besonnenen Vorgehens sich für die Zukunft *sicher* gestellt. Das *Gleiche* möchten *wir* anstreben für den Buchdruck und das Buchdruckerpersonal – überzeugt, daß einzig auf diesem Wege es möglich ist, die bestehenden Mißverhältnisse gründlich und dauerhaft zu beseitigen. *Genf* ist mit gutem Beispiel vorangegangen; die dortige Buchdruckerschaft hat die Löhnungs- und Preisverhältnisse fest normirt; Principale und Gehülfen befinden sich wohl dabei und stehen mit ihrer Verständigung unter dem Schutz der Gesetze. Wir möchten dasselbe Verhältniß auch für die gesammte schweizerische Buchdruckerschaft. Was wir anstreben, ist ein *Helvetischer Typographenbund,* der mit Rücksicht auf die Besserstellung der Gehülfenschaft gewisse und wohlerwogene, aber für die ganze Schweiz verbindliche *Buchdruckpreise* aufstellt und festhält. Wir treten mit der Bitte vor Sie, verehrteste Herren Principale! um Ihre Zustimmung und Mitwirkung zur versuchsweisen Realisirung dieses für das gesammte schweizerische Buchdruckwesen höchst wichtigen Gedankens. Vereinigen Sie Ihren Einfluß mit unserer Thätigkeit zur Begründung unseres beidseitigen Wohles. Wir haben ohne Hintergedanken und in allen Treuen das Interesse der Principale im Auge wie das eigene, und damit das Angestrebte dann auch durchgeführt und festgehalten werden könne, proponieren[2] die Gehülfen Mann für Mann den Principalen gegenüber die Verpflichtung: künftig nur in solchen Officinen[3] conditioniren[4] zu wollen, deren Principale dem angeregten *Typographenbunde* beigetreten sind. Bereits hat die

Idee einer solchen Vereinigung bei den Typographen verschiedener schweizerischer Städte lebhaften Anklang gefunden. Man erwartet, daß die Buchdruckerschaft der Bundesstadt Bern die Initiative ergreife, die Angelegenheit gründlich erwäge und sie zur allgemeinen Besprechung besonnen vorbereite. Wir möchten diese Erwartung rechtfertigen und stellen in Vorliegendem das ergebene Ansuchen – wie an die übrigen Herren Principale hiesiger Stadt so auch an Sie, – uns Ihre persönliche Mitwirkung bis *Mitte dieses Monats* gefälligst zusichern zu wollen.

In Hoffnung dessen zeichnen

Bern, 3. April 1858.

Hochachtungsvoll und ergebenst
Im Namen der Buchdruckergehülfen der Stadt Bern:
Die beauftragte Commission.

Gottfried Binkert, Der Schweizerische Typographenbund, Eine Denkschrift zur Feier seines 25jährigen Bestandes, o.O. 1883, S. 10ff.

[1] *Unter Principal versteht man den Inhaber eines Geschäftes oder Unternehmens; im Falle der Buchdrucker sind dies die Druckereiunternehmer.*
[2] *proponieren = vorschlagen.*
[3] *Officinen = Geschäfte/Unternehmen, bes. Druckerei*
[4] *conditioniren = in Stelle stehen, arbeiten.*

22 Konsumgenossenschaften: Billige Lebensmittel für Arbeiter

Der folgende Bericht und erste Statutenentwurf der Kommission zur Gründung des «Allgemeinen Consumvereins Basel» wurde von seinem hauptsächlichen Förderer, Bernhard Collin-Bernoulli, einem religiös-sozial orientierten Seidenbandfabrikanten und Banquier, verfaßt und zeigt die wesentlichen Zielsetzungen des Basler Konsumvereins.

Bericht der provisorischen Kommission zur Gründung eines Konsumvereins.

Mitarbeiter!

Die andauernde Stockung unserer Hauptindustrie hat einen Notstand unter den arbeitenden Klassen herbeigeführt, wie solcher früher unbekannt war und noch vor wenigen Jahren nicht geahnt, ja für unmöglich erachtet wurde. Wenn auch verdankenswerte Anstrengungen gemacht worden sind und noch täglich gemacht werden, denselben zu lindern, wenn auch die Aussichten für unsere Hauptindustrie sich zu bessern scheinen, so können wir uns doch nicht verhehlen, daß die bisherigen angewandten Mittel nur eine vorübergehende Linderung der Not zu schaffen geeignet waren, aber auf die Dauer nicht ausreichend sind, und daß in Zukunft eine gleiche Krisis, sollte sie wiederkehren, den Arbeiter ebenso hülflos als in diesen Tagen finden würde. Auch wissen wir, daß das Bewußtsein, Unterstützung annehmen zu müssen, vielen unter Euch fast ebenso weh getan, als die bittere Not, die sie ausgestanden haben.

Diese Betrachtungen, deren Wahrheit jeder anerkennen wird, haben in uns die Überzeugung wach gerufen und befestigt, daß eine dauernde Besserung der Arbeiterverhältniße nicht zu hoffen sei, so lange die Arbeiter nicht selbst mit Mut, Entschlossenheit und Ausdauer Hand ans Werk legen. – Es wird uns eben nicht gelingen, uns vor der täglich steigenden Gefahr gänzlicher Verarmung zu schützen, wenn wir nicht selbst dieselbe mit eigener Kraft bekämpfen und überwinden. Und weil das Übel und die Gefahr für den gesamten Arbeiterstand eine allgemeine ist, so bedarf es zur Bekämpfung und Besiegung derselben der gemeinsamen Kraft, des treuen und festen Zusammenwirkens Aller. – Heute sind es hauptsächlich die Arbeiter der Seidenindustrie, Posamenter[1] und Färber etc., welche Not leiden, morgen trifft irgend eine Krisis, die Folgen eines unvorhergesehenen Unglücks einen andern Industriezweig, und wer ist sicher, daß nicht übermorgen die Not an seine Türe pocht. Darum ergeht an alle Unbemittelten, welche von ihrer Arbeit leben müssen, der ernste und dringende Ruf der Zeit: «Helft euch selbst, so wird Gott euch helfen!»

Möge diese Mahnung gehört und verstanden werden, nicht nur von denen, welche eine schmerzliche Prüfung hinter sich haben, sondern auch von denjenigen Arbeitern, welche bis dahin noch hinlänglich lohnende Beschäftigung gefunden, von den zahlreichen Angestellten aller Art, die durch ein sicheres Einkommen nur zu oft in Sorglosigkeit gewiegt werden; mögen alle sich zum gleichen Zwecke vereinigen, damit nicht später ähnliche Zeiten die heutige Gleichgültigkeit bereuen lassen.

Wir wissen allerdings, daß die Aufgabe, welche wir zu lösen beginnen wollen, keine leichte ist, sondern ein Riesenwerk, welches nur durch jahrelange, unausgesetzte Anstrengungen gefördert und vollendet werden kann.

Wir wissen, daß es viele und schwere Opfer erfordert und zwar Opfer, deren Früchte nur langsam reifen. Allein wir haben auch die Gewißheit, daß der Arbeiter sich selbst helfen kann, wenn er ernstlich will. Die *englischen Konsumvereine, die französischen und deutschen Genossenschaften, der Konsum-Verein in Zürich*[2] haben uns den rechten Weg gezeigt und den Beweis geliefert, wie mit den kleinsten Mitteln großartige und entfernte Ziele erreicht werden können. ...

Vertrauen wir also zunächst auf die eigene Kraft, fassen wir den festen, unerschütterlichen Vorsatz, uns *selbst* zu helfen, so wird dies auch uns, gleich andern, gelingen und wir werden dabei nicht nur billiger und besser leben, nicht nur Ersparnisse erwerben, verständiger und gebildeter werden, sondern auch außer den Fabriken und Werkstätten nach jeder Seite *unabhängig* bleiben. Das ist auch etwas wert! ...

Statuten-Entwurf des Allgemeinen Consumvereins in Basel.

I. Zweck des Vereins.

§ 1. Der Zweck des Allgemeinen Consumvereins ist: *Verbesserung der ökonomischen Lage seiner Mitglieder,* und zwar durch:

a) Ankauf und Verkauf *guter* und *billiger* Lebensmittel.

b) Verteilung des Reingewinns, welcher bei diesem Geschäft erzielt wird, an die Mitglieder. ...

§ 2. Der Konsumverein soll sich ferner, sobald es seine Kräfte erlauben, bei Gründung anderer gemeinnützigen Unternehmungen beteiligen oder solche, besonders zu Bildungszwekken, auf eigene Rechnung gründen. ...

Arnold Schär, Das Werk von Bernhard Collin-Bernoulli, in: Pioniere und Theoretiker des Genossenschaftswesens, Bd. IV, Basel 1935, S. 77 ff.

[1] *Posamenter ist ein Beruf in der Textilindustrie. Er stellt in Handarbeit oder auf Maschinen Borten, Quasten, Bänder etc. zur Verzierung von Kleidern, Uniformen, Polstermöbeln etc. her.*

[2] *Die Statuten dieser Genossenschaften hatten den Gründern als Vorlage gedient.*

23 Für die Emanzipation der Arbeiterklasse

Die folgende Inauguraladresse der Internationalen Arbeiterassoziation wurde von Karl Marx verfaßt.

In Erwägung,

daß die Emanzipation der Arbeiterklasse durch die Arbeiterklasse selbst erobert werden muß;

daß der Kampf für die Emanzipation der Arbeiterklasse kein Kampf für Klassenvorrechte und Monopole ist, sondern für gleiche Rechte und Pflichten und für die Vernichtung aller Klassenherrschaft;

daß die ökonomische Unterwerfung des Arbeiters unter den Aneigner der Arbeitsmittel, d.h. der Lebensquellen, der Knechtschaft in allen ihren Formen zugrunde liegt – dem gesellschaftlichen Elend, der geistigen Verkümmerung und der politischen Abhängigkeit;

daß die ökonomische Emanzipation der Arbeiterklasse daher der große Endzweck ist, dem jede politische Bewegung, als Mittel, unterzuordnen ist;

daß alle auf dieses Ziel gerichteten Versuche bisher gescheitert sind aus Mangel an Einigung unter den mannigfachen Arbeitszweigen jedes Landes und an der Abwesenheit eines brüderlichen Bundes unter den Arbeiterklassen der verschiedenen Länder;

daß die Emanzipation der Arbeiterklasse weder eine lokale noch eine nationale, sondern eine soziale Aufgabe ist, welche alle Länder umfaßt, in denen die moderne Gesellschaft besteht, und deren Lösung vom praktischen und theoretischen Zusammenwirken der fortgeschrittensten Länder abhängt;

daß die gegenwärtig sich erneuernde Bewegung der Arbeiterklasse in den industriellsten Ländern Europas, während sie neue Hoffnungen wachruft, zugleich feierliche Warnungen erteilt gegen einen Rückfall in die alten Irrtümer und zur sofortigen Zusammenfassung der noch zusammenhanglosen Bewegungen drängt:

Aus diesen Gründen ist die Internationale Arbeiterassoziation gestiftet worden.

Sie erklärt:

Daß alle Gesellschaften und Individuen, die sich ihr anschließen, Wahrheit, Gerechtigkeit und Sittlichkeit anerkennen als die Regel ihres Verhaltens zueinander und zu allen Menschen, ohne Rücksicht auf Farbe, Glaube oder Nationalität;

Keine Pflichten ohne Rechte, keine Rechte ohne Pflichten. ...

Marx Engels Werke, Bd. 17, Berlin 1962, S. 440f.

24 Internationale Solidarität mit den streikenden Genfer Bauarbeitern

Im Frühjahr 1868 streikten in Genf die Bauarbeiter für eine Verkürzung der Arbeitszeit von 12 auf 10 Stunden. Durch die internationale Solidarität der

Arbeiter wurden die Unternehmer zum Nachgeben gezwungen. Tausende von Arbeitern in der ganzen Schweiz schlossen sich nach diesem Erfolg den Organisationen der Arbeiterklasse an.

... Der fortwährende Beistand, welchen die Arbeiter aller Länder ihren hiesigen Genossen in vorläufiger Vertheidigung ihres Lohnes angedeihen lassen, beweist, daß die Solidarität unter der Arbeiterklasse kein leerer Schall mehr ist, daß durch das Proletariat die Völkerverbrüderung zur vollendeten Thatsache und damit der Zeitpunkt einer politischen und sozialen Umgestaltung immer näher gerückt wird. ...

Die Arbeiter in Paris hatten bis zu jenem Tage über *Fr. 6000* eingesandt; kleinere Beträge von *Fr. 200, 100* und *50* sind von Lyon, Marseille und andern Städten Frankreichs angelangt. Deutscherseits können wir noch ferner notiren: *Fr. 47* von der Sektion Ifferten; *Fr. 35* Sektion Murten (es war dies der Ertrag einer Abendunterhaltung, wobei nicht blos der deutsche Arbeiter-Bildungs- und Grütliverein, die Musikgesellschaft der Uhrenmacher, sondern auch der Gesangverein der Handwerks-*Meister* dieses kleinen Städtchens mitgewirkt hatten); *Fr. 53.90* von den Arbeitern in Vivis, übersandt durch den Präsidenten des Grütlivereins; *Fr. 30* von der «Germania» in Paris, mit der Zusicherung einer baldigen größeren Sendung; *Fr. 16* aus einer Schuhmacherwerkstätte von Schönenwerd; *Fr. 53* deutscher Arbeiter-Bildungsverein in Marseille; *Fr. 33.10* deutscher Arbeiter-Bildungsverein in Zürich; *Fr. 50* von Ludwig Simon in Paris; *Fr. 37.50* Arbeiterverein in Hannover; *Fr. 22.50* von Hofbaurath Demmler in Schwerin; *Fr. 60* von den Bauarbeitern in Rostock; *Fr. 60* von den Bauarbeitern in Schwerin; Diese letztern 9 Posten wurden, wie die schon früher angezeigten *Fr. 150* von den Freunden deutscher Freiheit und Einheit in Zürich, vom hiesigen deutschen Arbeiter-Bildungsverein dem Zentralkassier der Intern. Arbeiterassociation übergeben. ...

So reichen sich die Proletarier aller Länder die Hände in Kampf und Noth, zeigen sie der Welt, daß sie alle gleiche Kinder der einen, großen Arbeiterfamilie sind. Wie beschämt steht gegenüber solcher Opferbereitwilligkeit die in Reichthum strotzende und in Wohlgenuß schwelgende Gesellschaftsklasse da. Die Gabe des Arbeiters hat einen um so höhern sittlichen Werth, als sie nicht von dem, was zu viel, sondern von dem, was nicht genug vorhanden ist, geboten wird, – mit neuer, selbst auferlegter Entbehrung verbunden ist. ...

Allen Menschen imponirt jedwede Kraftäußerung und äußert sich daher jede reale Macht zunächst in Anziehungskraft. In Genf beeilen sich nicht nur die bisher zagenden und schwankenden Arbeiter als Nachzügler dabei zu sein und zwar mit Bedauern es nicht schon längst gewesen zu sein, sondern auch die besseren Kräfte der bürgerlichen Demokratie, einsehend, daß das alte Parteiwesen impotent und faul geworden, drängen sich in den Schooß der Internationalen Arbeiterassociation als den Mittelpunkt social-demokratischer Bestrebung. Auch die Schneider hier, die bis jetzt nur in Vereinzelung der allgemeinen Association angehörten, haben nun, ihre schlummernde Kameraden auferweckend, eine internationale Sektion gegründet. ...

Je mehr die Feinde gegen die Arbeiterklasse ankämpfen, desto schneller wird diese in den Schooß der Intern. Association getrieben. Hat diese, wie schon gemeldet, während der Greve nur hier in Genf über *1000* Mitglieder gewonnen, so können wir jetzt mittheilen, daß sich in der Generalversammlung vom *19. d. M.* noch weitere *260* Arbeiter aufnehmen ließen. ...

Vorbote, April 1868, S. 49ff.

25 Brudergruß an die Bundesgenossen der Commune*

Zwei Tage nach der Kapitulation Napoleons im Deutsch-Französischen Krieg, am 4. Sept. 1870, erzwang die Pariser Bevölkerung die Abdankung des Kaisertums und forderte mit Erfolg die Ausrufung der Republik. Am 18. März 1871 setzten sich die Pariser Kleinbürger und Proletarier gegen die Übergriffe der Nationalversammlung zur Wehr und bildeten ein von ihnen selbst verwaltetes Gemeinwesen, die Commune. In diesem Aufruf vom 8. April 1871 bekundeten die deutschen und deutschschweizerischen Arbeiter von Genf ihre Solidarität mit den Kommunarden.

Bundesgenossen, Arbeiterbrüder!

Wir Alle haben Euer Tagewerk vom 18. März mit begeistertem Jubel begrüßt. ...

Nun habt Ihr aber Euer, am 4. September begonnenes, durch unglückliche Umstände und Mißverstand in den Schooß von Volksverräthern gefallenes Werk, wieder rüstig zur Hand genommen und werdet Ihr es, wenn Eure Kampfmittel gleich groß Eurem Heroismus und Opfermuth, auch ruhmreich vollenden.

Und weil Ihr das Leben einsetzet, im Kampfe für gemeinsame Freiheit gegen die Rotte des Gewaltstaats, für die Gleichberechtigung Aller gegen die Bevorrechtung Weniger, für die Wissenschaft gegen die Glaubensnacht, für die Arbeitsfrucht gegen das kapitalistische Raubsystem, für die Verbrüderung und den Frieden gegen die Feindschaft und den Krieg unter den Menschen und Völkern, kurz für Gesittung und Wohlfahrt der Menschheit, gegen politisch-nationales und ökonomisch-soziales Klassenthum und Racenthum, darum ist Eure Sache auch unsere Sache, ist Euer Kampf auch unser Kampf, ja gehört die Sache und der Kampf den Proletariern der ganzen Welt. ...

Unser Vaterland reicht so weit als die Arbeit ihre Arme regt, und unser Kampfplatz dehnt sich aus, so weit die unterdrückte Menschheit auf Erlösung harrt.

Brüder in Paris! Selbst wenn Ihr, trotz Kraftanstrengung und Blutopfer gegenüber überlegener Gewaltmittel und der Lüge und Heimtücke erliegen müßtet, so würde alsbald der Kampf nur um so wuchtiger und allgemeiner entbrennen, als eine, den thatsächlichen Verhältnissen entwachsene Revolution, die geschichtlichen Berufs das soziale Zeitalter einzuweihen hat, durch keine Macht der Welt, ja selbst nicht durch eigene Fehler und Mißgriffe zu vertilgen ist, sondern, trotz aller zeitweiligen Niederlagen sich immer wieder erhebt, bis sie für alle, alle Zeit siegreich besteht.

Es lebe die Kommune von Paris!
Es lebe die Revolution der Proletarier!
Es lebe die rothe Republik!

Vorbote, April 1871, S. 53ff.

26 Die «NZZ» hetzt gegen die Internationale

Am 21. März 1871 stürmten französische Soldaten Paris. Zehntausende von Kommunarden wurden niedergemetzelt oder deportiert. In der Folgezeit verschärfte das europäische Bürgertum die Agitation und Repression gegen die Arbeiterorganisationen und insbesondere die IAA.

... Nicht ohne ein Gefühl des tiefsten Schmerzens konnte der Vaterlandsfreund die Wahrnehmung machen, daß auch in unserm Lande bei einem allerdings kleinen Theil Sympathieen für die Pariser Kommune sich kund gaben, ja daß sogar zu Gunsten von Verbrechern der gemeinsten Sorte Adressen an den Bundesrath für Wahrung des Asylrechtes berathen wurden. Wir erblicken darin ein Zeichen moralischer Verkommenheit auf der *einen,* und geistiger Bornirtheit auf der *andern* Seite, zugleich aber auch eine ernste Mahnung an die rechtschaffenen Bürger aller Parteien, dem Treiben einer Clique, die schon seit Jahren in Genf sich eingenistet hat, und nun auch in Zürich sich breit zu machen anfängt, nicht länger müssig und gleichgültig zuzusehen und namentlich nicht länger durch den Aushängeschild des Fortschrittes und der Hebung des Arbeiterstandes sich täuschen zu lassen. Der Fortschritt, die Hebung der Zivilisation – sie sind nicht von ferne die Zielpunkte unserer internationalen und sozialistischen Führer; ja sie sind selbst nicht einmal die *Mittel,* durch welche sie ihre Zwecke zu erreichen suchen; sie bilden nur die *heuchlerische Maske,* durch welche sie das Publikum zu täuschen, die gutmüthigen und ehrlichen Arbeiter zu gängeln und zu gewinnen suchen, um dann, wenn sie durch jahrelange Einwirkung in den Herzen dieser Männer die bessern Gefühle erstickt, ihren schlichten Sinn verdorben, ihre Denkart vergiftet, mit *einem* Wort aus dem Menschen alles wirklich Humane entfernt haben, im gegebenen Moment die Maske abzuwerfen und das Thier hervortreten zu lassen.

Daß die Internationalen kein Vaterland, keinen Patriotismus, überhaupt Nichts kennen, was dem Menschen heilig ist, was in Zeiten schwerer Noth ein Volk aufzurichten und zu edlen Thaten zu begeistern vermöchte, das hat ein aufmerksamer Beobachter schon längst sehen, namentlich aber von Beginn bis zum Schluß des verhängnißvollen deutsch-französischen Krieges wahrnehmen können; in Grauen, Ekel und Abscheu erweckender Weise hat sich aber die Rohheit und Gemeinheit dieser Bande in den letzten Tagen der Kommune von Paris gezeigt, die statt wenigstens – wenn sie sich nicht ergeben wollte – für eine Idee *ehrenvoll* unterzugehen, es vorzog, die schönste der Städte mit allen Schätzen der Kunst und Wissenschaft, die sie in sich barg, dem Untergang zu weihen. Fluch und ewige Schande über diese ruchlosen Verbrecher, die, alle Zivilisation, aller Menschlichkeit Hohn sprechend, durch Mord und Brand den Namen der französischen Nation, den Namen der Menschheit geschändet haben! ...

Und für dieses elende Gelichter finden sich in unserm Land noch Worte der Entschuldigung, noch Ausdrücke der Sympathie; diese Leute sollten unter dem Schutze des schweizerischen Asylrechts sich der zehnfach verdienten Strafe entziehen können! Nein und abermals nein! wird die große Mehrheit des Schweizervolkes denen zudonnern, welche ihren Pariser Freunden in unserem Lande eine Zufluchtstätte anweisen und sich vielleicht ihrer höllischen Künste zu gelegentlicher Nutzanwendung bedienen möchten. In dieser Sympathie unserer internationalen und sozialistischen Führer sollte das Schweizervolk einen *deutlichen Fingerzeig* erblicken, wessen es sich von dieser Seite zu versehen hat, und es schiene uns darum hohe Zeit, mit Leuten, die schon seit Jahren bald offen, bald versteckt das öffentliche Leben zu vergiften, die Grundsätze der Moral zu untergraben suchen und gegenwärtig sich nicht scheuen, das schmachvolle Treiben der Pariser Kommune zu entschuldigen, Fraktur zu reden und sie als das zu behandeln, was sie wirklich sind, als Schufte! Denn daß bei müssigem Zuschauen und Gehenlassen von Seite des Publikums oder Staates durch den Einfluß weniger gewissenloser Subjekte Verwilderung und Rohheit auch bei uns sehr rasch überhand nehmen können, hat leider der jüngste Krawall nicht zur Ehre Zürichs sattsam gezeigt[1], und es hat selbst unsere demokratische Regierung dabei eine Lektion erhalten, die wir ihr gerne erspart hätten.

NZZ Nr. 332, 1.7.1871.

[1] *Der Tonhallekrawall, 9.*–11. März 1871: Anläßlich einer deutschen Siegesfeier nach dem Deutsch-Französischen Krieg kam es in Zürich zu einem Krawall. Die Regierung befürchtete eine von der IAA «inspirierte» Revolution.

27–28 Der Anarchismus

27 Lage und Bewußtsein der Uhrenarbeiter im Jura

Peter Kropotkin, russischer Emigrant, wurde nach 1877 eine der führenden Persönlichkeiten im jurassischen und internationalen Anarchismus. In diesem kurzen Abschnitt aus seinen Memoiren schildert er das Uhrmachergewerbe des Juras und das Bewußtsein der Arbeiter dieses Industriezweigs.

... Von Neuchâtel ging ich nach Sonvilliers. In einem schmalen Tale des Schweizer Jura liegt eine Reihe kleiner Städte und Dörfer, deren französisch sprechende Bevölkerung damals ausschließlich mit der Uhrmacherei beschäftigt war, und zwar in der Weise, daß ganze Familien in kleinen Werkstätten dieser Arbeit oblagen ...

Die besondere Organisation des Uhrmachergewerbes, bei der die Leute einander genau kennenlernen und in ihren Wohnhäusern arbeiten können, erklärt die Erscheinung, daß diese Bevölkerung auf einer höheren geistigen Stufe steht, als sie sonst Arbeiter einnehmen, die ihr Leben von klein auf in den Fabriken zubringen.

Es findet sich unter den in kleinen Betrieben tätigen Arbeitern mehr Unabhängigkeit und Originalität. Aber auch der Umstand, daß es beim Jurabund[1] keine Scheidung zwischen Führern und Massen gab, trug jedenfalls mit dazu bei, daß sich jedes Mitglied des Bundes über jede Frage eine eigene Meinung zu bilden suchte. Hier hatte ich also das Schauspiel, daß die Arbeiter nicht eine von wenigen geleitete und den politischen Zwecken dieser wenigen dienstbar gemachte Masse darstellten, ihre Führer waren nichts anderes als besonders rührige Genossen, mehr Anreger als eigentliche Leiter. Die klare Einsicht, das gesunde Urteil, die Fähigkeit zur Lösung verwickelter sozialer Fragen, wie ich sie unter diesen Arbeitern, besonders den dem mittleren Lebensalter angehörigen, antraf, machten einen tiefen Eindruck auf mich, und ich bin fest überzeugt, daß die hervorragende Rolle, die dem Jurabunde in der Entwicklung des Sozialismus zukommt, nicht nur in der Bedeutung der antigouvernementalen und föderalistischen Ideen, deren Hauptvertreter er war, ihren Grund hat, sondern auch darin, daß diese Ideen infolge des gesunden Menschenverstandes der Uhrmacher des Jura in so vernünftiger Form zum Ausdruck gelangten. Ohne ihren Beistand wären diese Prinzipien vielleicht noch lange Zeit bloße Abstraktionen geblieben ...

Aber die Prinzipien der Gleichheit, die ich im Jura herrschend fand, die Unabhängigkeit im Denken und im Gedankenausdruck, wie sie sich nach meiner Wahrnehmung unter den dortigen Arbeitern entwickelte, und ihre grenzenlose Hingabe an die gemeinsame Sache machten auf meine Gefühle einen noch stärkeren Eindruck; und als ich die Uhrmacher des Jura, nachdem ich etwa zwölf Tage unter ihnen geweilt hatte, verließ, standen meine sozialistischen Ansichten fest: *ich war ein Anarchist ...*

Petr Kropotkin, Memoiren eines Revolutionärs, Frankfurt a.M. 1969, S. 336ff.

[1] *Zusammenschluß der jurassischen Sektionen der IAA.*

28 Für eine antiautoritäre Internationale

Am 15./16. Sept. 1872 fand in St. Imier der 1. Kongreß der antiautoritären Internationale statt. In vier Resolutionen wurden die Grundsätze einer losen Vereinigung unabhängiger Organisationen festgelegt. Vor allem die 3. und 4. Resolution zeigen wesentliche Elemente anarchistischen Denkens.

Dritte Resolution: Charakter der politischen Aktion des Proletariats

In Erwägung,

daß die Absicht, dem Proletariat eine einheitliche Linie und ein einheitliches politisches Programm der sozialen Emanzipation vorzuschreiben, ein ebenso absurdes wie reaktionäres Ansinnen ist;

daß es niemandem zusteht, den autonomen Föderationen und Sektionen das unbestreitbare Recht zu entziehen, diejenige politische Linie, die sie als die beste erachten, selbst zu bestimmen; daß jede Bestrebung in dieser Richtung uns unweigerlich zum abscheulichsten Dogmatismus führen würde;

daß die Bestrebungen des Proletariats nur die Errichtung von ökonomisch völlig freien, auf Arbeit und Gleichheit Aller basierenden Organisationen und Föderationen, die vollständig unabhängig von jeglicher politischen Macht sind, zum Ziele haben dürfen; daß diese Organisationen und Föderationen nur das Resultat der spontanen Aktion des Proletariats selbst, der Berufsassoziationen und der autonomen Gemeinden sein können.

In Erwägung, daß jede politische Organisation nur die Organisation der Herrschaft zum Vorteil einer Klasse und zum Schaden der Massen ist, und daß das Proletariat mit der Übernahme der politischen Macht selbst eine herrschende und ausbeutende Klasse würde;

erklärt der Kongreß von St. Imier:

1. daß die Zerstörung jeder politischen Macht die erste Aufgabe des Proletariats ist;
2. daß jede Errichtung einer sogenannt provisorischen und revolutionären politischen Organisation zur Zerstörung dieser politischen Macht eine Irreführung ist und für das Proletariat ebenso gefährlich wäre, wie alle heute bestehenden Regierungen;
3. daß, unter Zurückweisung jeglichen Kompromisses bei der Durchsetzung der sozialen Revolution, die Proletarier aller Länder außerhalb jeglicher bürgerlicher Politik die Solidarität der revolutionären Aktion verwirklichen müssen.

Vierte Resolution: Organisation des Widerstands der Arbeit

Die Freiheit und die Arbeit bilden die Grundlage der Moral, der Kraft, des Lebens und des Reichtums der Zukunft. Jede Arbeit jedoch, die nicht freiwillig organisiert ist, wird unterdrükkend und unproduktiv für den Arbeiter. Deshalb ist die Organisation der Arbeit die notwendige Bedingung der wahrhaften und vollständigen Emanzipation des Arbeiters.

Allerdings kann die Arbeit nur frei vonstatten gehen, wenn die Arbeiter im Besitze der Rohstoffe und des gesamten Kapitals sind. Sie kann nur dann organisiert werden, wenn der Arbeiter mit der Befreiung von der politischen und wirtschaftlichen Tyrannei das Recht der vollständigen Entfaltung all seiner Fähigkeiten erringt. Jeder Staat, das heißt jede Regierung und jede Administration der Volksmassen von oben nach unten, beruht notwendigerweise auf der Bürokratie, der Armee, der Bespitzelung und der Geistlichkeit. Er kann niemals die Gesellschaft, die auf der Grundlage von Arbeit und Gerechtigkeit aufbaut, errichten, weil er durch den Charakter seiner Organisation unweigerlich zur Unterdrückung der Arbeit und zur Negierung der Gerechtigkeit führt.

Nach unserer Auffassung kann sich der Arbeiter nur dann von der fortdauerndern Unterdrükkung emanzipieren, wenn er die ihn in seiner Tätigkeit völlig einengende und demoralisierende staatliche Organisation aufhebt durch die freie Föderation aller Gruppen der Produzenten auf der Grundlage von Solidarität und Gleichheit.

In der Tat hat man schon an verschiedenen Orten versucht, die Arbeit zu organisieren, um die Lage des Proletariats zu verbessern. Aber die geringste Verbesserung wurde bald von der herrschenden Klasse, die ewig und rücksichtslos die Arbeiterklasse auszubeuten versucht, in ihrem Interesse aufgenommen. Allerdings ist der Nutzen dieser Organisation derart, daß selbst unter den gegebenen Umständen auf sie nicht verzichtet werden soll. Sie führt vermehrt zur Verbrüderung des Proletariats in der Gemeinsamkeit der Interessen, bringt die Einübung des gemeinschaftlichen Lebens und bereitet so die letzte Stufe des Kampfes vor. Einmal hergestellt, wird ferner die freie und spontane Organisation der Arbeit, welche die autoritäre und ungerechte staatliche Organisation ersetzen soll, die dauernde Garantie der Behauptung der wirtschaftlichen Organisation gegenüber der politischen.

Im folgenden überlassen wir der Praxis der sozialen Revolution die Einzelheiten der konkreten Organisation und beabsichtigen, uns für den Widerstand im weiten Rahmen zu organisieren und zu solidarisieren. Der Streik ist für uns ein wertvolles Kampfmittel, aber wir machen uns keine Illusionen über seine ökonomischen Auswirkungen. Wir akzeptieren ihn als Produkt des Widerspruchs zwischen Kapital und Arbeit, der notwendigerweise dazu führt, daß den Arbeitern der Abgrund zwischen Bourgeoisie und Proletariat mehr und mehr bewußt wird. Der Streik soll die Organisation der Arbeiter stärken und sie durch einfache wirtschaftliche Kämpfe für den großen revolutionären Endkampf vorbereiten. Dieser wird mit der Zerstörung aller Privilegien und Klassenunterschiede dem Arbeiter die volle Verfügungsgewalt über sein Arbeitsprodukt geben und ihm dadurch die Möglichkeit schaffen, in der Gemeinschaft seine sämtlichen intellektuellen, materiellen und moralischen Kräfte zu entfalten. ...

James Guillaume, L'Internationale, Documents et Souvenirs, 1864–1878, Bd. 3, Paris 1909, S. 8f. (Übersetzung aus dem Französischen)

29 Zielsetzungen der deutschen Arbeitervereine in der Internationale

1868 traten die deutschen Arbeitervereine Zürichs geschlossen der IAA bei. Der Artikel «Der deutsche Arbeiterbildungsverein an die deutschen Arbeiter in Zürich und Umgebung» zeigt die Ziele dieser Organisationen nach dem Beitritt zur IAA.

Wir wollen, als Deutsche, die republikanische Umgestaltung und Einigung des Gesammtvaterlandes als ebenbürtiges Glied der europäischen Eidgenossenschaft mit directer Gesetzgebung durch das Volk und freiem Selbstverwaltungsrecht in Gemeinde, Bezirk und Stammesgebiet.

Wir wollen, als Arbeiter, zunächst die Lösung der brennendsten socialen Fragen: Aufhebung der stehenden Heere, Erhaltung aller Schulen durch den Staat, daß es dem Ärmsten möglich ist, sich nach Maßgabe seiner Anlagen die höchstmögliche, auch wissenschaftliche Bildung anzueignen, damit der Arme nicht aus Mangel an Bildung zu ewigen Knechtesdienst verurtheilt sei, während auf der andern Seite die Wissenschaft in den Händen und im Dienste der Wohlhabenden und Reichen steht. Trennung der Kirche vom Staat, d.h. öffentliche Anerkennung des Grundsatzes, daß sowohl die Ausübung als auch die Bezahlung kirchlicher Gebräuche den Staat nichts angeht und Sache Derer ist, welche ein Bedürfniß darnach haben.

Wir wollen ferner, nach dem Grundsatze der Gegenseitigkeit und Gesammthaftbarkeit, die Gründung von Produktivgenossenschaften vorbereiten und fördern, um an die Stelle des Arbeitslohnes den Arbeitsertrag zu setzen, daneben aber auch die Verhältnisse der Lohnarbeiter auf dem Wege des gütlichen Einverständnisses in Bezug auf Arbeitszeit und Arbeitslohn zu verbessern suchen. Wir werden uns dabei stets von dem Grundsatz der Gerechtigkeit gegen Alle leiten lassen. Als bestes Mittel dazu betrachten wir die Organisation zu Gewerksgenossenschaften (Trades unions) und werden deren Gründung zunächst im Schooße des Vereins vornehmen.

Wir wollen endlich mit allen Kräften fortführen, was wir schon seit Jahren betreiben: Aufklärung und Bildung unter den Arbeitern zu verbreiten durch Halten von Zeitungen, durch eine guten Bibliothek und durch Discussionen, Beschaffung einer guten und billigen Kost durch eine Speisewirthschaft, Pflege des Gesanges durch eine Sängerabtheilung, Ausbildung des Körpers durch die Turnerschaft des Vereines, elementare und berufliche Ausbildung durch eine technische Abtheilung, Erweiterung der Kenntnisse in den Schätzen der Literatur durch einen dramatisch-deklamatorischen Klub, Pflege des Gemüths- und Gemeinsinns durch gesellige Unterhaltungen u.s.w. Dabei steht uns ein ziemlich ansehnliches, selbsterworbenes Inventar zur Verfügung. ...

Felleisen, Oktober 1868, S. 2.

30 Demokratische Volksrechte als Weg zur sozialen Umgestaltung

Direkte Gesetzgebung durch das Volk

Referat und Antrag der Zürcher Sektion am Kongreß der IAA 1869 in Basel.

Die Erfahrung der letzten Jahrzehende hat die arbeitende Klasse Europa's von dem Wahne gründlich geheilt, daß die *Imperial-Demokratie,* der *Imperial-Sozialismus,* d. h. die *Diktatur eines Einzelnen* im Stande oder auch nur Willens sei, für die *soziale* Hebung der arbeitenden Massen etwas zu thun. Nichts als Scheinreformen, Sand in die Augen, in Wirklichkeit ist der Arbeiter *mehr denn je Steuermaschine* und *Kanonenfutter.*

Mit großer Schlauheit wurde seit dem Staatstreich Bonaparte's von oben herab unter den Arbeitermassen der Glaube verbreitet, die *politische* oder Staatsform habe mit *sozialen,* d.h. Gesellschafts-Reformen *nichts* zu thun; daher sollten sich die Arbeiter nicht mit *Politik,* sondern einzig und allein nur mit ihrer *sozialen* Lage befassen. Die regierende Klasse weiß eben aus Erfahrung nur zu gut, welch' großen Vortheil sie aus einer ihr günstigen Staatsform zieht; weiß nur zu gut, daß so lange sich die Arbeitermasse *politisch* willenlos lenken läßt, und *zur Gesetzgebung direkte nichts zu sagen hat,* d. h. die Staatsform nicht nach *ihrem,* dem *Interesse der Arbeit* einrichtet, der *Sozialismus,* selbst der radikalste, ein *ungefährlicher Popanz* ist, weil ihm eben der *politische Stützpunkt zu seinem sozialen Hebel fehlt,* womit er die alte Gesellschaft mit ihrer Massenarmuth und ihrem Einzelreichthum aus den Angeln heben kann. Die *soziale* Reform ist dazu verdammt, im Zustande der *Theorie* zu verbleiben, so lange sie nicht das richtige *Mittel* gefunden hat, sie in *Praxis* zu setzen und dieses Mittel kann kein anderes sein, als vor allem aus eine *politische* Reform, eine *Staatsform* zu schaffen, wo das *Gesetz* von *Allen* Staatsbürgern gemacht wird, und nicht mehr nur von einigen wenigen Bevorrechteten. ...

Die Weltgeschichte beweist zum Überfluß, *daß das Gesetz* nur das *geschriebene Interesse des Gesetzgebers ist;* prosaisch ausgedrückt kann man sagen, *der Geist des Gesetzes liegt im Bauch des Gesetzgebers;* die *Quintessenz* der Gesetze wird durch den *Geldsack* der Gesetzgeber bestimmt. Dies ist um so wahrer, wenn es sich nicht um einen Einzelnen, sondern um eine ganze Klasse, nicht um Einzeln, sondern um *Klassenherrschaft* handelt. Noch nie hat die ausbeutende Klasse die ausgebeutete emanzipirt, oder freiwillig für die letztere günstige Gesetze erlassen. Erst wenn die ausgebeutete Klasse Meister im Staate wurde und die Gesetzgebung selbst in die Hand nahm, wurde das Gesetz in ihrem, d. h. dem mehr allgemeinen Interesse gemacht; erst dann konnten sich auch ihre sozialen Bedürfnisse entsprechend entfalten. Was aber vom dritten Stande, der Bourgeoisie gilt, ist nur um so wahrer, wenn es sich um den Arbeiterstand, um das ganze Volk handelt, wie der chemische Keim, d. h. der *innere* Trieb einer Pflanze zum Gedeihen physischer Eigenthümlichkeiten, d. h. *äußere* Verhältnisse, wie günstiges Erdreich und Klima bedarf, so brauchen auch die *innern,* sozusagen chemischen Triebe der Gesellschaft, *die sozialen Ideen,* zu ihrer naturgemäßen Entfaltung, zu ihrem Emporkeimen im praktischen Leben eine eigenthümliche, physische Staatsform, d. h. günstige *äußere* Verhältnisse und die sind ja eben die *sozialdemokratischen Gesetze,* welche niemals von Fürsten oder Pfaffen (die den Himmel hienieden schon haben) gemacht werden können, sondern nur von den arbeitenden Massen, die eine *solche soziale Umgestaltung,* ein menschenwürdiges Dasein hinieden sehnlichst herbeiwünschen.

Kein Heiland wird je das Volk erlösen, es muß sich selbst erlösen. Daher der allgemeine Drang der Völker Europa's nach Emanzipation: wie die Pflanzen im dunkeln Gewölbe gegen das Kellerloch nach dem Sonnenlicht hinwächst, so strebt auch die Arbeiterwelt Europa's aus *der dumpfen Monarchie* an die *lichte Demokratie.* Das Volk wird in der Freiheit den rechten Weg zur sozialen Erlösung schon *instinktmäßig fühlen,* eben weil es die Leiden tagtäglich *empfindet,* die ihm den nöthigen Ansporn auch geben, die Ursache und Abhülfe der Noth *kennen* zu lernen.

Wir leben der Überzeugung, daß die *direkte Gesetzgebung durch das Volk* durch die Institutionen der *Volksinitiative* und *Volksabstimmung über Gesetze in den größten* Staaten eingeführt werden *kann* und *muß,* und daß die *sozialen* Fragen ohne diese *politischen* Einrichtungen nicht gelöst werden können.

Die Sektion Zürich hält sich daher für ebenso verpflichtet, als berechtigt, die Idee der direkten Gesetzgebung durch das Volk vor das Forum des internationalen Arbeiterbundes zu bringen, in der Überzeugung, daß diese Idee, wie die ewig denkwürdige Erklärung der Menschenrechte, als wirksamstes Mittel zur Verwirklichung dieser *sozialen* Rechte ihren Weg um den Erdkreis machen wird.

Sie stellt deßhalb folgenden Antrag:

Der Kongreß des internationalen Arbeiterbundes in Basel.

In Erwägung:

daß das Gesetz das geschriebene Interesse des Gesetzgebers ist;

daß bei der Gesetzgebung das Interesse der Gesammtheit naturgemäß maßgebend sein soll;

daß erfahrungsgemäß Repräsentativkörper mehr das Kapital als die Arbeit repräsentiren, und daher in der Regel die Gesetze auf Kosten der arbeitenden Massen zu Gunsten des Kapitals gemacht werden;

daß nur durch direkte Betheiligung an der Gesetzgebung im Volke das politisch-soziale

Bewußtsein durchdringen kann, welches die erste Vorbedingung zur Lösung der sozialen Fragen ist;

beschließt:

Es sei eine Hauptaufgabe der arbeitenden Klassen dahin zu wirken, daß die *sozial-demokratische Republik* verwirklicht werde, in welcher *die Gesetzgebung direkte* durch das Volk ausgeübt wird.

Alles für das Volk und alles durch das Volk!

Karl Bürkli, Direkte Gesetzgebung durch das Volk, Referat und Antrag der Sektion Zürich an den am 6. Sept. 1869 in Basel zu eröffnenden Kongreß der intern. Arbeiter-Assoziation, Zürich 1869.

31 Die revolutionäre Bedeutung der Gewerkschaften*

Ausschnitte aus einem dreiteiligen Zeitungsartikel von Herman Greulich, der seit Ende der 1860er Jahre bis in die Zeit nach dem 1. Weltkrieg einer der bedeutendsten Führer in der schweizerischen Arbeiterbewegung war.

(a) ... Es sind in letzter Zeit über die Auffassung der Gewerkschaften sehr verschiedene Meinungen zu Tage getreten. Leute, die sich für «sehr entwickelte Sozialisten» erachten, haben zur Befriedigung ihres hyperradikalen Kitzels es für zweckmäßig befunden, die Gewerkschaften Butz und Benz als «reaktionär» zu bezeichnen. Anderseits gibt es Gewerkschafter, die sich auch Sozialdemokraten nennen und meinen, mit dem Bischen Streit um Arbeitszeit und Arbeitslohn sei der ganze Zweck der gewerkschaftlichen Bewegung erfüllt. Solchen Auffassungen gegenüber zu treten ist der Zweck dieses Artikels. Er soll der einen Seite zeigen, daß die Gewerkschaften allerdings ihre revolutionäre Bedeutung haben, selbst wenn ihre Mitglieder keineswegs bewußte Revolutionäre sind und er soll der andern Seite nachweisen, daß die Thätigkeit der Gewerkschaft mit der Lohnstreitigkeit nur beginnt.

Legen wir uns zunächst die Frage vor: Was ist eine Gewerkschaft? Antwort: Eine Vereinigung von Arbeitern desselben Berufs, desselben Produktionszweiges zu gegenseitiger Unterstützung im Kampf um's Dasein zu gegenseitigem Schutz und Trutz – mit einem Wort: zu solidarischer Wahrung der persönlichen und kollektiven (gemeinsamen) Interessen.

In diesem Urcharakter der Gewerkschaft – ohne den eine Vereinigung von Berufsgenossen gar nicht Gewerkschaft genannt werden kann – ist schon das revolutionäre Merkmal scharf ausgeprägt. In den kapitalistischen Organisationen spielt das assozirte *Kapital* die Hauptrolle – hier sind es die assozirten *Personen,* auf deren Mitwirkung in allererster Linie es ankommt. Dort ist das *Eigen*-Interesse, das regiert, ein Jeder will für sich Profit machen, indem er sich der kapitalistischen Assoziation anschließt – hier ist es das solidarische *Gesammt*-Interesse, das die Seele der Assoziation bildet ...

Die Herabwürdigung des Arbeiters zur Waare mußte in Verbindung mit der Vereinzelung des Proletariats eine bedeutende *Demoralisation* zur Folge haben und den Arbeiter zur Knechtsgesinnung hintreiben. Der Kampf um's Dasein bewegt sich noch unter der Formel: «Jeder für sich». Jeder sieht seinen Nebenarbeiter als seinen Feind an, als einen Konkurrenten, mit dem er um sein tägliches Brod kämpfen muß. Seine Zuflucht ist ihm der Arbeitgeber, den er als «Brodgeber» betrachtet, während er im Nebenarbeiter nur einen Nebenbuhler um das Brod erblickt.

Deßhalb ist auch in der Vereinzelung der eine Arbeiter falsch und hinterlistig gegen den Andern, stets bereit, an ihm zum Spion zu werden, um den vermeintlichen Konkurrenten zu beseitigen oder wenigstens gegenüber dem «Brodgeber» in ein schlechtes Licht zu stellen und die eigene Stellung zu befestigen.

Durch die gewerkschaftliche Organisation wird der Arbeiter aus dieser unwürdigen Geistesrichtung gerissen. An die Stelle der Vereinzelung und gegenseitigen Feindschaft tritt die Idee der Zukunft, die Solidarität, die Brüderlichkeit und unter ihrem Schutze zieht das Gefühl der Menschenwürde in seine Brust.

Die erste Aufgabe der Gewerkschaft ist naturgemäß der Schutz gegen Bedrückung, Übervortheilung, unwürdige Behandlung und Maßregelung. Das Unrecht, was heute an dem Einen begangen wird, kann Morgen jedem Andern passiren – es ist daher von vornherein ein Unrecht, das Alle trifft, gegen das die Gesammtheit einzuschreiten hat. Die brutale Formel des Kampfes um's Dasein: «Jeder für sich» verwandelt sich in eine andere Formel: «Alle für Einen und Einer für Alle!»

Die egoistische Geistesrichtung wird unter den Arbeitern zur kommunistischen und sie bethätigt sich zuerst im gegenseitigen Schutz der Menschenwürde. Das ist die erste Äußerung der revolutionären Bedeutung der gewerkschaftlichen Organisation. ...

(b) ... Die Gewerkschaften weisen in ihrem ganzen Entwicklungsgange auch auf den *politischen* Weg hin – sie führen zur Anhandnahme einer Arbeiterpolitik. Erstens bedürfen sie einer gewissen Bewegungsfreiheit und diese ist in den meisten Staaten erst noch zu erkämpfen. Zweitens gibt es eine Reihe von Arbeiterforderungen, die *nur* durch den Staat zur Geltung gelangen können, wie z.B. Schutz für Gesundheit und Leben, Haftpflicht u.s.w.

Die Kämpfe, welche zur Durchführung dieser Arbeiterforderungen nöthig sind, schulen die in Gewerkschaften organisirten Arbeiter ganz bedeutend. Sie zeigen ihnen, welchen Widerstand sie zu überwinden haben und wie sie es beginnen müssen, um ihre Forderungen geltend zu machen – das Volksbewußtsein für dieselben zu gewinnen. Dadurch aber treten die Gewerkschaften aus ihren speziellen Berufsorganisationen heraus, sie erkennen, daß alle weiteren Schritte zur Befreiung der arbeitenden Klasse abhängen von der politisch-sozialen Gesammt-Entwicklung und daß man – um auf die emanzipatorische Entwicklung einen bemerkenswerthen Einfluß auszuüben – an dem Tageskampfe dieser politischen Entwicklung Theil nehmen muß.

Überall führt die gewerkschaftliche Organisation und Thätigkeit die Arbeiter zur Überzeugung, daß die gewerkschaftlichen Ziele nachhaltig nur dadurch erreicht werden, daß die Arbeiter politische Macht erobern. Für reaktionäre Klassen, die ihre Vorrechte und Monopole wahren wolllen, besteht politische Macht nur im Besitze von Machtmitteln, durch deren Gewalt sie ihre Herrschaft aufrecht erhalten. Für eine Partei, deren Ziel die Befreiung der ganzen Menschheit ist, besteht das hauptsächlichste Machtmittel im aufgeklärten Volksbewußtsein – eine Kriegskasse, sowie gute Zeughäuser wird freilich auch die nach Befreiung ringende Partei haben müssen, so lange noch die herrschenden Klassen bereit sind mit Gewalt ihre Vorrechte und Monopole aufrechtzuerhalten. Die Befreiung aber liegt nicht auf der Spitze des Schwertes, sie liegt hauptsächlich in der Gewinnung des Volksbewußtseins. ...

Die Befreiung des arbeitenden Volkes kann freilich nicht früher abgeschlossen sein, ehe sie eine *ganze* und *vollständige* ist und dazu gehören eben auch totale Umwälzungen in den Eigenthumsverhältnissen. Diese volle und ganze Emanzipation kann aber nur das Resultat einer mühevollen Arbeit sein, einer Arbeit, die das Volk in seiner ganzen Breite und Tiefe erfassen muß – nicht ein titanisch Himmelstürmen – aber die Erwärmung, Durchgeistigung und Belebung der großen Volksmasse – ein neuer Moseszug durch die Wüste, schmerzlich für den, dem das Ziel in seiner Herrlichkeit strahlt, während er es nur von der Ferne schauen darf, aber nöthig für die Masse, die zu ihrer Befreiung befähigt werden muß, da sie das Joch der Vergangenheit noch auf dem Nacken trägt.

(a) Tagwacht, 9.12.1876.
(b) Tagwacht, 20.12.1876.

32 Programm des Alten Arbeiterbundes

Der Zweck desselben ist die Vereinigung aller Arbeitergesellschaften zu einem Bunde, um sich über die Mittel zur einstweiligen Verbesserung des Arbeiterlooses zu verständigen und zur endlichen Ersetzung des Arbeitslohnes durch den Arbeitsertrag mittelst Produktivgenossenschaften und damit zur Aufhebung aller Klassenherrschaft zu gelangen.

Demzufolge unterstützen seine Mitglieder in geeigneter Weise alle auf die geistige und materielle Hebung der Arbeiterklasse gerichteten Bestrebungen und suchen ferner durch Gründung von allgemeinen Gewerkschaften Nachstehendes zu erreichen:

1. Verminderung der Arbeitszeit auf ein der Gesundheit und der geistigen Entwickelung zuträgliches Maß. Einführung eines Normalarbeitstages im Maximum von 10 Stunden und einer doppelten Bezahlung für Überstunden.
2. Feststellung der Arbeitslöhne auf die Höhe einer angemessenen Existenz mit Berücksichtigung der örtlichen Verhältnisse.
3. Möglichste Beschränkung der Kinderarbeit in Fabriken.
4. Durchführung des Grundsatzes, daß das gleiche Quantum Arbeit, ob von Männern oder Frauen geleistet, gleich bezahlt werde.
5. Gründung von Produktivgenossenschaften, die Eigenthum der betreffenden Gewerkschaften sind.
6. Gründung von Arbeitsnachweisungs-Büreaux in den Händen der Arbeiter.
7. Gründung einer Arbeiter- und Arbeiterinnen-Kranken-, Invaliden- und Sterbe-Kasse.
8. Schutz der Arbeiter gegen Unterdrückungen von Seite der Arbeitgeber.
9. Maßregeln zum Schutz der Gesundheit und des Lebens der Arbeiter.
10. Statistische Erhebungen über die allgemeine Lage der Arbeiter mit besonderer Berücksichtigung des Verhältnisses der üblichen Arbeitslöhne zum Preise der Lebensbedürfnisse.
11. Gute technische Ausbildung der Arbeiter und Lehrlinge, daher Gründung technischer Bildungsanstalten durch die Gewerkschaften selbst.
12. Publikation von Arbeiterorganen für die im Bunde vertretenen Landessprachen, welche die Interessen der Arbeiter in jeder Beziehung vertreten und Eigenthum des Bundes sind.

Protokoll über den zweiten Kongreß des Schweizerischen Arbeiterbundes zu Winterthur am 24./25. und 26. Mai 1874, Zürich 1874, S. 18.

33 Das eidgenössische Fabrikgesetz von 1877

Art. 1. Als Fabrik, auf welche gegenwärtiges Gesetz Anwendung findet, ist jede industrielle Anstalt zu betrachten, in welcher gleichzeitig und regelmäßig eine Mehrzahl von Arbeitern außerhalb ihrer Wohnungen in geschlossenen Räumen beschäftigt wird. ...

Art. 4. Der Fabrikbesitzer ist verpflichtet, von jeder in seiner Fabrik vorgekommenen erheblichen Körperverletzung oder Tötung sofort der kompetenten Lokalbehörde Anzeige zu machen.

Zum Fabrikgesetz.

Sie, Fabrikarbeiter? Und so alt? Wie geht das zu?
Ja, sehr einfach, ich habe mir vorgenommen, darauf zu warten, bis die Konservativen und Ultramontanen die Hand bieten zu einem ordentlichen Fabrikgesetz und dabei — ich versichere Sie — kann man sehr alt werden!

Diese hat über die Ursachen und Folgen des Unfalles eine amtliche Untersuchung einzuleiten und der Kantonsregierung davon Kenntnis zu geben.

Art. 5. Über die Haftpflicht im Fabrikbetrieb wird ein Bundesgesetz das Erforderliche verfügen. In der Zwischenzeit gelten für den urteilenden Richter nachfolgende Grundsätze:

a. Der Fabrikant haftet für den entstandenen Schaden, wenn ein Mandatar, Repräsentant, Leiter oder Aufseher der Fabrik durch ein Verschulden in Ausübung der Dienstverrichtung Verletzung oder Tod eines Angestellten oder Arbeiters herbeiführt.

b. Der Fabrikant haftet gleichfalls, wenn, auch ohne ein solches spezielles Verschulden, durch den Betrieb der Fabrik Körperverletzung oder Tod eines Arbeiters oder Angestellten herbeigeführt wird, sofern *er* nicht beweist, daß der Unfall durch höhere Gewalt oder eigenes Verschulden des Verletzten oder Getöteten erfolgt ist. Fällt dem Verletzten oder Getöteten eine Mitschuld zur Last, so wird dadurch die Ersatzpflicht des Fabrikanten angemessen reduziert. ...

Art. 9. Wo nicht durch schriftliche Übereinkunft etwas Anderes bestimmt wird, kann das Verhältnis zwischen dem Fabrikbesitzer und Arbeiter durch eine, jedem Theile freistehende, mindestens vierzehn Tage vorher erklärte Kündigung aufgelöst werden und zwar jeweilen am Zahltag oder am Samstag. ...

Art. 11. Die Dauer der regelmäßigen Arbeit eines Tages darf nicht mehr als 11 Stunden, an den Vorabenden von Sonn- und Festtagen nicht mehr als 10 Stunden betragen und muß in die Zeit zwischen 6 Uhr, beziehungsweise in den Sommermonaten Juni, Juli und August 5 Uhr Morgens und 8 Uhr Abends verlegt werden. Die Arbeitsstunden sind nach der öffentlichen Uhr zu richten und der Ortsbehörde anzuzeigen. ...

Art. 14. Die Arbeit an den Sonntagen ist, Nothfälle vorbehalten, untersagt. ...

Art. 15. Frauenspersonen sollen unter keinen Umständen zur Sonntags- oder zur Nachtarbeit verwendet werden. ...

Art. 16. Kinder, welche das vierzehnte Altersjahr noch nicht zurückgelegt haben, dürfen nicht zur Arbeit in Fabriken verwendet werden.

Für Kinder zwischen dem angetretenen fünfzehnten bis und mit dem vollendeten sechszehnten Jahre sollen der Schul- und Religionsunterricht und die Arbeit in der Fabrik zusammen elf Stunden per Tag nicht übersteigen. Der Schul- und Religionsunterricht darf durch die Fabrikarbeit nicht beeinträchtigt werden. Sonntags- und Nachtarbeit von jungen Leuten unter achtzehn Jahren ist untersagt.

Bundesgesetz betreffend die Arbeit in den Fabriken vom 23. März 1877, in: Eidgenössische amtliche Sammlung der Bundesgesetze und Verordnungen der Schweizerischen Eidgenossenschaft, Neue Folge, Bd. III, Bern 1879.

34 Ist das Gesetz eine Notwendigkeit? – Polemik der Fabrikanten

Eidgenössisches Fabrikgesetz.

Mitbürger!

Ihr seid berufen, am 21. Oktober über ein Bundesgesetz abzustimmen, gegen welches 54000 Schweizerbürger die Volksabstimmung verlangt haben, über ein Gesetz von unberechenbarer Tragweite, von tief einschneidenden Folgen für die wirthschaftlichen Verhältnisse unseres Vaterlandes: **Das eidgenössische Fabrikgesetz.**

Das Referendum ist verlangt worden von Männern aus allen Klassen der Bevölkerung, zunächst von den Vertretern der hart bedrohten Industrie, sodann aber zum großen Theil von der Bauersame, vom Handwerkerstande und von den Fabrikarbeitern selber.

Aus welchen Gründen?

Das Gesetz ist verwerflich, weil es den Normalarbeitstag von 11 Stunden festsetzt, wodurch der Grundsatz der persönlichen Freiheit verletzt und die Konkurrenzfähigkeit verschiedener Industriezweige schwer beeinträchtigt, ja vielleicht vernichtet wird.

Oder wollt Ihr, daß der freie Schweizer des ursprünglichsten aller Rechte, des Rechtes, nach seinem Belieben über seine Arbeitskraft zu verfügen, beraubt werde?

Wollt Ihr, daß von Gesetzeswegen zwei Klassen von Schweizerbürgern geschaffen werden, von denen die eine, die große Mehrzahl, ihre Arbeitskraft nach Gutdünken verwerthen darf, die andere, die Minderzahl, nur eine bestimmte Anzahl Stunden zur Arbeit gezwungen werden soll?

Also fort mit dem Normalarbeitstag, schon um des Grundsatzes, aber auch um der Folgen willen!

Jetzt will man eine kleine Minderzahl, die Fabrikarbeiter, bevogtigen. Aber man wird hier nicht stehen bleiben. Der Staat kann mit gleichem, ja vielleicht mit besserem Recht die Hausindustrie, die Landwirthschaft, das Handwerk und die Gewerbe maßregeln, indem er die tägliche Arbeitszeit für Seidenweberinnen, für Glätterinnen, für Nätherinnen, für Zimmergesellen, für Taglöhner, für Knechte und Mägde vorschreibt.

Mitbürger! Weist diesen ersten Versuch der Staatsgewalt, den freien Bürger zu bevormunden, mit Entschiedenheit zurück! —

Das Gesetz ist verwerflich, weil dessen Bestimmungen über die Haftpflicht der Fabrikanten viel zu weitgehend sind und zu den größten Ungerechtigkeiten führen müßten.

Das Gesetz ist schlecht, weil es Alles unter den gleichen Hut bringen will, indem es allgemein bindende Vorschriften für alle Industriezweige der Schweiz aufstellt. Aber Eines schickt sich nicht für Alle.

Wer hat uns dieses Gesetz gebracht?

Es ist im Kreise der Internationalen und der Sozialisten entstanden, welche laut proklamiren, daß sie das Fabrikgesetz nur als eine Abschlagszahlung ansehen!

Es ist in den eidgenössischen Räthen vielfach umgearbeitet worden, **aber die verderblichen Bestimmungen sind geblieben!**

Ist das Gesetz eine Nothwendigkeit?

Das Wahrzeichen einer guten Republik ist der Mangel jener Polizeigesetze, wie sie in monarchischen Staaten in Hülle und Fülle vorhanden sind. Bei uns sollen Sitte und Brauch ersetzen, was man anderswo durch Gesetze erzwingen will.

Aber haben sich unsere Geschäftsleute und Fabrikanten gegen Sitte und Brauch so sehr vergangen, daß der Bund mit zwingender Hand einschreiten muß?

Mitbürger! Ihr wißt es, einzelne Fehler und Uebelstände, die man immer noch gegen die bestehenden Zustände auszubeuten liebt, rühren aus längst vergangenen Zeiten, aus der ersten Periode unserer industriellen Entwicklung. Die Gegenwart weiß sich frei davon. Wollt Ihr ein Beleg hiefür? **Auf der großen Wiener Ausstellung im Jahr 1873 wurde erklärt, daß nirgends in ganz Europa die Verhältnisse zwischen Arbeiter und Fabrikanten so befriedigend seien, wie bei uns.**

Mitbürger! Der Erlaß eines solchen Fabrikgesetzes im gegenwärtigen Moment klingt wie Hohn auf die dermalige Nothlage unserer Industrie und auf deren trübe Aussichten in die Zukunft. Wie, in einer Zeit der Bedrängniß, wo Millionen verloren gehen, wo der Verdienst früherer Jahre durch tägliche Verluste aufgezehrt wird, in einer Zeit, wo rings um unser kleines Ländchen die Absatzgebiete uns durch größere Zollschranken gesperrt werden, in einer Zeit, wo die amerikanische und englische Konkurrenz uns zu erdrücken droht, in einer solchen Zeit will man unserer Industrie, unserer Haupternährerin, durch die eherne Zwangsjacke des im Wurfe liegenden Fabrikgesetzes Hände und Füße binden!

Und als Heilmittel bietet man uns — den Normalarbeitstag!

Was würdest Du, Bauer, dazu sagen, wenn Dir der Hagel die Ernte vernichtet hat und der Staat käme und wollte Dich mit dem Normalarbeitstag, d. h. damit entschädigen, daß er Dich und Deine Knechte zwänge, weniger zu arbeiten?

Nein, Mitbürger, arbeiten müssen wir! Nur durch erneuerte und vermehrte Energie, nur durch angestrengte Thätigkeit können wir uns aus all dem ökonomischen Elend herausarbeiten und die enormen Verluste, die unser Vaterland durch so viele schwindelhafte Unternehmungen der letzten Jahre und durch die gegenwärtige, beispiellose Stockung unserer Industrie erlitten hat, wieder decken.

Mitbürger! Es haben in **glücklicheren** Zeiten die Fabrikarbeiter selber in zwei industriellen Kantonen, in den Kantonen Zürich und St. Gallen, Fabrikgesetze, welche ihnen den Normalarbeitstag und andere oneröse Bestimmungen aufzwingen wollten, mit großem Mehr verworfen.

Und jetzt will man ihnen diese Bestimmungen von **Bundeswegen** aufzwingen! Das kann und darf nicht sein.

Darum Ihr Alle, die Ihr am 21. Oktober zur Urne berufen, legt Zeugniß ab, daß Ihr vom alten, guten Geist der Freiheit, von der Freude am freien Schaffen und Erwerben beseelt seid, und stimmet mit einem

Nein

für Verwerfung des Gesetzes.

(5286

NZZ Nr. 489, 18.10.1877.

35 Noble Kampfweise gegen das Fabrikgesetz*

Der Artikel vermittelt mit wenigen Beispielen die Kampfmethoden der Gegner des Gesetzes im Abstimmungskampf.

Natürlich können wir nur ein paar uns bekannt gewordene Müsterchen bringen. Ohne Zweifel wird in den letzten Tagen noch weit mehr Derartiges passiert sein.

– In Wald (Kt. Zürich) hat Fabrikant Oberholzer im Sagenrain einen Arbeiter (Schlichter Rieser), der in einer Wirthschaft für das Fabrikgesetz sprach und Grütlianer ist, entlassen.

– In Murg schlich sich der Direktor der Spinnerei und sein Sohn in den Grütliverein. Man wählte den Herrn Sohn zum Präsidenten und dieser – verhausiert den rothgelben Schandzettel der Fabrikanten[1] gegen das Fabrikgesetz. ...

... – In Urnäsch gibt sich der Herr Pfarrer resp. Seelsorger zum Agitator gegen das Fabrikgesetz her und sagte zu den Kommunikanten, man müsse das Gesetz verwerfen, denn durch dasselbe werden nur Faulenzer, Schlunggi und Spitzbuben gepflanzt; er (der Pfarrer) habe auch schaffen müssen und sei noch da. Das ist ja ein recht würdiger Hirte seiner – Schafe!

– Zwei feingekleidete und sehr beredte Herren diskutierten, wie man dem «Landbote»[2] schreibt, im Eisenbahnwagen eifrig über die «Schrecken» des Eidgenössischen Fabrikgesetzes. Endlich haben sie das Mittel gefunden. Der Eine erklärte nämlich: Wird das Fabrikgesetz angenommen, so müßen uns unsere Arbeiter sofort schriftlich erklären, daß sie in keinem Fall und zu keinen Zeiten vom Fabrikgesetz Gebrauch machen wollen. Wer nicht unterschreibt, erhält den Paß. ...

– Fabrikant Bay in Belp ließ in seiner Fabrik eine geheime (?) Vor-Abstimmung über das Fabrikgesetz abhalten. Von 90 Arbeitern sprachen sich nur 2 für dasselbe aus. Mit diesem Resultate renommiert nun Herr Bay aller Orten und hat es auch zuwege gebracht, daß Herr Nationalrat v. Werdt[3] an der Versammlung in Thürnen mit seinem Vortrag über das Fabrikgesetz keinen Erfolg erzielte.

Tagwacht, 20.10.1877.

[1] *Es handelt sich wahrscheinlich um den Text von Nr. 34.*

[2] *«Der Landbote» (Winterthur) trat als Organ der «Demokratischen Bewegung» für das Gesetz ein.*

[3] *Nationalrat Friedrich von Werdt, gehörte 1872–81 der Bundesversammlung an und war ein Befürworter des Gesetzes.*

III. Übergang zur Massenbewegung und zum organisierten Klassenkampf 1880–1914

Große Depression und soziale Lage der Arbeiter

Auf die langfristige Konjunkturphase ab 1850 folgte in den 1870er Jahren in den Industriestaaten bis 1895 eine Periode verlangsamten wirtschaftlichen Wachstums, die sogenannte «Große Depression». Sie war – auch in der Schweiz – gekennzeichnet durch drei Absatzkrisen (Tiefpunkte ca. 1878, 1885, 1894), die von zwei Aufschwüngen unterbrochen wurden. Für alle Gesellschaftsbereiche brachte diese Entwicklungsphase des Kapitalismus wesentliche Strukturveränderungen.

Innerhalb des Industriekapitals führte die Große Depression zu Konzentrationsprozessen. Nur die Stärkeren konnten in der ständig zunehmenden, sich immer mehr im Weltmaßstab abspielenden Konkurrenz bestehen. In einer Reihe von Branchen mußte die handwerksmäßige der rationelleren fabrikmäßigen, die manuelle der maschinellen Produktion weichen; so etwa in der aufsteigenden Nahrungs- und Genußmittelindustrie (Kondensmilch, Konserven). Auch in den großen, bis dahin noch vorwiegend auf Heimarbeit basierenden Wirtschaftszweigen wie der Uhrenindustrie und Teilen der Textilindustrie (Seidentuch- und Buntweberei), die von den Krisen schwer getroffen wurden, mußte unter dem Druck des internationalen Konkurrenzkampfes allmählich auf Fabrikproduktion umgestellt werden. Während Uhren- und Textilindustrie eher an Bedeutung verloren, kam es im Bereich der Maschinen- und Metallindustrie dank neuer Impulse durch das Aufkommen der Elektrizität («zweite industrielle Revolution») zu einer starken Expansion.

Zusammen mit dem Konzentrationsprozeß vollzog sich ein anderer bedeutsamer Vorgang: Der durch die verschärfte Konkurrenz bedingte Zwang zu ständiger Produktionsausdehnung und Produktivitätssteigerung überstieg vielfach die finanziellen Möglichkeiten des traditionellen Fabrikbesitzers, so daß die Unternehmensform der Aktiengesellschaft immer häufiger wurde. Damit setzte auch die Trennung von Besitz und Betriebskontrolle ein. Das Kapital erscheint nicht mehr in der Person des Unternehmers, es teilt sich auf in eine anonyme Gruppe von Aktienbesitzern. Zunehmend beteiligten sich vor allem die Banken an den industriellen Unternehmungen, womit die Verflechtung des Bank- und des Industriekapitals zum Finanzkapital sich verstärkte.

Die Krisen der Großen Depression bildeten auch den Anlaß zu verstärkter Organisation des Kapitals, vor allem auf nationaler Ebene. Die immer krisenanfälliger werdende Verwertung des Kapitals sollte so durch Konkurrenzverminderung stabilisiert werden, um im internationalen Wettbewerb bestehen zu können. Ab etwa 1880 entstand deshalb eine ganze Reihe von wirtschaftlichen Verbänden unterschiedlicher Art. Im Inland suchten sie den Schutz vor Konkurrenz mit der Bildung von Kartellen zu erreichen, d.h. mit verbindlichen Absprachen zwischen den Unternehmern einer Branche über die Aufteilung des Marktes. Damit sollten das Angebot begrenzt und die Preise (und damit die Profite) während der Krise möglichst hoch gehalten werden. Manche dieser Kartelle wurden nach kurzer Zeit wieder aufgelöst, andere blieben bestehen (z.B. Zementkartell). Gegenüber der Konkurrenz des Auslandes suchte sich die einheimische Industrie durch staatliche Schutzzölle abzusichern. Die Einflußnahme auf die Zollpolitik wurde zu einer weiteren zentralen Funktion der Verbände, insbesondere der «Spitzenverbände» (Dachverbände auf Bundesebene), die sich alle in diesen Jahrzehnten bildeten oder neu organisierten. (1879 Gründung des Schweizerischen Gewerbeverbandes, 1881

Errichtung eines zentralen Büros des Schweizerischen Handels- und Industrievereins: «Vorort», 1897 Gründung des Schweizerischen Bauernverbandes).

Mit der Zollpolitik wurde dem Staat von der besitzenden Klasse eine ganz neue Funktion zugeteilt, nachdem bisher die wirtschaftliche Sphäre weitgehend privatkapitalistischer Initiative reserviert war. Ein stärkeres Eingreifen des Staates in die Wirtschaft (Staatsinterventionismus) *zeigte sich auch auf andern Gebieten. So wurde der staatliche Wirtschaftssektor an Stellen erweitert, wo Privatbetriebe ein gutes Funktionieren nicht mehr gewährleisten konnten (Eisenbahnverstaatlichung, staatliches Banknotenmonopol).*

Im Verlauf der Großen Depression veränderte sich die Zusammensetzung der ständig wachsenden Arbeiterklasse. Die Fabrikarbeiter, *deren Zahl sich zwischen 1880 und 1910 mehr als verdoppelte, wurden zum dominierenden Element (36). Viele Handwerker und Bauern verloren in der Depression ihre Selbständigkeit und wurden auch lohnabhängig. Mit dem Anwachsen vor allem der Maschinenindustrie kam es zu einer* Herausbildung von Industriezentren *(39), wo die Arbeiter in eigenen Quartieren, abgesondert von der bürgerlichen Klasse, in meist schlimmen Wohnverhältnissen leben mußten (40, 41). Die soziale Trennung in verschiedene Klassen wurde ihnen räumlich demonstriert. In solchen Lebensverhältnissen konnte sich ein ausgeprägteres Klassenbewußtsein entwickeln als in Gebieten mit dezentralisierter Industrie, die in der Schweiz – im Gegensatz zu Ländern mit Rohstoffförderung (Kohle, Eisen) und entsprechenden Ballungszentren – noch immer vorherrschten (38, 42). Hier, wo die Arbeiter noch ein eher bäuerliches Bewußtsein behielten, war die Macht der Unternehmer oft fast unumschränkt und erstreckte sich über alle Lebensbereiche ihrer Untergebenen (44). Ähnliche Verhältnisse herrschen noch heute in manchen weniger oder spät industrialisierten Regionen der Schweiz.*

Die brennendsten Probleme der Arbeiterklasse in der Großen Depression waren – nach einer Periode der relativen Verbesserung der materiellen Lage – die instabilen, im ganzen deutlich sinkenden Reallöhne *(Tiefpunkt ca. 1885) und die meist krisenbedingte* Arbeitslosigkeit *(43). Immer noch waren die Löhne so tief, daß vielfach die ganze Familie arbeiten mußte, um wenigstens die notwendigsten Güter für ein kärgliches Leben kaufen zu können.*

Anfänge des Schweizerischen Gewerkschaftsbundes und Gründung der Sozialdemokratischen Partei der Schweiz

Der erste schweizerische Arbeiterbund, als ein Versuch, die politischen und gewerkschaftlichen Organisationen der Arbeiterklasse in einer Dachorganisation zusammenzufassen, begann nach dem Kampf für das Fabrikgesetz von 1877 zu zerfallen. 1880 entstanden zwei Nachfolgeorganisationen: die Sozialdemokratische Partei der Schweiz und der Allgemeine Schweizerische Gewerkschaftsbund (SGB), *der die Tätigkeit des Arbeiterbundes auf gewerkschaftlichem Gebiet fortsetzen wollte. Während die SP-Gründung auf nationaler Ebene noch nicht erfolgreich war, entsprach eine gesamtschweizerische rein gewerkschaftliche Organisation einem Bedürfnis. Seinen Zweck sah der SGB in der «Hebung und Förderung der sozialökonomischen Interessen des arbeitenden Volkes und der endlichen Erringung allgemeiner und gleicher Nutznießung an Grund und Boden und der Produktionsmittel». Die konkreten Forderungen zielten auf eine Verbesserung der Arbeitsverhältnisse ab (45). Der nationale Zusam-*

menschluß der Gewerkschaftsbewegung sollte den Arbeitern in der Großen Depression mit ihren scharfen kurzfristigen Konjunkturschwankungen einen finanziellen Rückhalt bei Streiks geben. Zu diesem Zweck gründeten SGB und Grütliverein 1886 die Allgemeine Schweizerische Arbeiter-Reservekasse, *mit der die dafür nötigen finanziellen Mittel bereitgestellt werden sollten. 1891 ging die Verfügungsgewalt über die Reservekasse ganz an den Gewerkschaftsbund über, der damit entscheidend an Einfluß gewann. Er konnte nun eine eigene Streikpolitik durchsetzen und Einfluß auf die mit der zunehmenden Fabrikarbeiterschaft in immer mehr Branchen entstehenden* Berufsverbände *(1886 Holzarbeiterverband, 1888 Metallarbeiterverband) nehmen. Für diese bildete die Reservekasse oft den Hauptanreiz für den Beitritt zum SGB.*

Parallel zu den nationalen Zusammenschlüssen innerhalb der Gewerkschaftsbewegung war auch die Gründung einer politischen Arbeiterpartei aktuell geworden. Bis dahin war die politische Arbeiterbewegung abhängig von der Demokratischen Bewegung, die die Interessen der starken kleinbürgerlichen und bäuerlichen Mittelschichten in der Schweiz verfocht. Innerhalb dieser Bewegung entfaltete der Grütliverein seine sozialreformerische Tätigkeit für die Arbeiterklasse. Mit den Veränderungen in der Sozialstruktur während der Großen Depression traten die sozialen Unterschiede auch zwischen Kleinbürgertum und Arbeiterklasse schärfer hervor, die Gemeinsamkeit der Interessen wurde immer schwächer. Die Demokraten suchten nach erfolgreicher Erkämpfung des Ausbaues der formalen Volksrechte (Einführung der Verfassungsinitiative 1891) vermehrt den Anschluß an die herrschende liberale Partei. Für die Arbeiterklasse ergab sich die Notwendigkeit einer eigenständigen, von bürgerlichen Kreisen unabhängigen politischen Organisation. Eine Umfrage bei den bestehenden lokalen Arbeitervereinen in der Schweiz zeigte, daß die Bereitschaft dazu vorhanden war. So wurde im Jahre 1888 auf Initiative von Albert Steck die Sozialdemokratische Partei der Schweiz (SPS) *gegründet (47).*

Das Gründungsprogramm setzte als Ziel der Sozialdemokratie «die Abschaffung der heutigen Standesprivilegien und Klassenherrschaft» und verlangte die «successive Verstaatlichung von Handel, Verkehrswesen, Landwirtschaft und Gewerbe». Die angestrebte «politische und ökonomische Volksherrschaft» («soziale Demokratie») sollte auf dem Weg der Gesetzgebung, mit den Mitteln des ausgebauten demokratischen Staates erreicht werden. Die SPS verstand sich als demokratische Volkspartei, die ihre Mitglieder aus allen Klassen rekrutieren wollte, auch wenn ihren Kern die Arbeiter bildeten (48).

Mit diesem Programm unterschied sich die SPS in ihren Zielsetzungen klar vom lediglich Reformen anstrebenden Grütliverein, der sich von der neuen Partei distanzierte, nach wie vor aber die größte Arbeiterorganisation blieb (49). In der politischen Praxis arbeiteten die beiden Organisationen trotz ständiger ideologischer Auseinandersetzungen vielfach zusammen. Nach der Einführung der Verfassungsinitiative auf eidgenössischer Ebene benutzte die SPS das neugeschaffene politische Mittel eifrig, ohne aber praktische Resultate zu erzielen. Der wichtigste Versuch in dieser Richtung war die Initiative «Recht auf Arbeit», die als sozialistische Antwort auf Krise und Arbeitslosigkeit verstanden wurde (51). Der Staat sollte nicht nur für die ökonomischen Interessen des Kapitals sondern auch für diejenigen der Arbeiterklasse eintreten. Das Volksbegehren wurde 1894 mit 308289 gegen 75880 Stimmen verworfen.

Daneben bestand die Tätigkeit der Partei hauptsächlich in der Vorbereitung von Wahlen (52), wobei es an einigen Orten gelang, in kantonale und vor allem städtische Parlamente eine größere Zahl von Arbeitervertretern zu entsenden. Im Nationalrat war die Partei nur sehr schwach vertreten, was mitbedingt war durch das Wahlsystem des Majorz, das die kleinen Parteien stark benachteiligte. Die SPS kämpfte deshalb für die Einführung des Proporzsystems. Auch nach dem ablehnenden Volksentscheid von 1900 gab sie nicht auf, doch erst 1918 wurde die Änderung des Wahlverfahrens durchgesetzt (53, 54).

Schon früh war die SPS in der internationalen Arbeiterbewegung tätig. Der Gedanke des Internationalismus war auch nach dem Zusammenbruch der IAA nie verschwunden, obwohl sich die Arbeiterbewegungen in erster Linie auf den Aufbau von nationalen Organisationen konzentrierten. Die SPS schloß sich bald der 1889 in Paris gegründeten II. Internationalen *an. Diese gab mit der Forderung nach dem 8-Stunden-Tag der Bewegung ein gemeinsames Kampfziel, für das jedes Jahr am 1. Mai demonstriert werden sollte (46). Die neue Internationale war aber nie mehr als eine lose Föderation von autonomen nationalen Parteien. Die Delegierten der Arbeiterparteien trafen sich alle drei oder vier Jahre zu internationalen Kongressen. Zwei davon organisierte die SPS (Zürich 1893, Basel 1912). Die Internationale war ein Forum der Meinungsbildung und des Erfahrungsaustauschs ohne Macht und mit wenig Einfluß auf die praktische Politik der einzelnen Arbeiterparteien.*

Verschärfung der Klassengegensätze und Polarisierung der politischen Kräfte

Zwischen 1895 und 1913 erlebte die Wirtschaft international einen langfristigen Konjunkturaufschwung, der parallel verlief mit den weltweiten imperialistischen Expansions- und Konkurrenzbestrebungen der Großmächte, von denen auch die Schweiz wirtschaftlich profitierte. Insbesondere die Maschinenindustrie und das Baugewerbe waren durch ein starkes wirtschaftliches Wachstum gekennzeichnet. In dieser Boom-Phase, die allerdings durch kurzfristige Krisen unterbrochen wurde (1900–1903, 1908), benötigte das Kapital in der Schweiz eine enorme Zahl an zusätzlichen Arbeitskräften, die aus dem Ausland (vor allem Deutschland und Italien) importiert wurden (1910 waren 16,6% der Erwerbstätigen Ausländer). Dank dieser «industriellen Reservearmee» konnten die Unternehmer ihre Produktion gewaltig steigern, große Profite erzielen und dennoch das Lohnniveau relativ niedrig halten. Eine ähnliche Funktion wie den ausländischen Arbeitern kam der Frauenarbeit zu. Noch 1911 waren 36% aller Fabrikarbeiter Frauen, in der Textilindustrie waren es sogar 67% (37).

Das Jahrzehnt von 1897 bis 1906 war von entscheidender Bedeutung für die Entwicklung der Gewerkschaftsbewegung. Während der Konjunktur bedeuteten längere Arbeitsunterbrüche für die Unternehmer große Verluste. Deshalb konnten Streiks häufiger und oft auch erfolgreich als Kampfmittel der Arbeiterklasse eingesetzt werden. Angesichts der steigenden Profite der Unternehmer kämpfte sie für höhere Löhne, kürzere Arbeitszeit und bessere Arbeitsbedingungen. Immer mehr erscheint die Forderung nach kollektiven Arbeitsverträgen zwischen Gewerkschaft und Unternehmerorganisation. Damit wären die Arbeiter dem Unternehmer weniger ausgeliefert als beim bisherigen individuellen Arbeitsvertrag. Als Folge der Gewerkschaftsarbeit nahm auch der Organisationsgrad der Arbeiterklasse zu. Die Einsicht in die Notwendigkeit eines gewerkschaftlichen Zusammenschlusses drang in immer weitere Kreise vor. Schwierig war es allerdings, die Arbeiterinnen zu organisieren, denn ihre Doppelbelastung in Haushalt und Fabrik war oft ein entscheidendes Hindernis (55, 56). Die großen Berufsverbände erstarkten, der SGB wurde zum Spitzenverband, zum Instrument der Berufsverbände für eine gemeinsame Politik.

Nicht zufällig entstanden in diesen Jahren auch verschiedene Arbeitgeberorganisationen *als Kampfinstrument der Unternehmer (57). Sie entwickelten Strategie und Taktik zur Bekämpfung der Gewerkschaften und ihrer Streikaktivität. So perfektionierten sie beispielsweise die «altbewährte» Einrichtung der* Schwarzen Listen. *Die Namen von streikenden Arbeitern wurden dabei in Listen eingetragen, die man allen dem Verband angeschlossenen Unternehmern zustellte. Wer als Streiker notiert war, fand so kaum mehr Arbeit. Ein anderes Kampfmittel der Unternehmer war die* Aussperrung, *die darauf abzielte, einem Vorstoß der Arbeiter zuvorzukommen, indem man die Arbeiter von der Arbeit ausschloß und den Wiedereintritt von bestimmten Bedingungen abhängig machte. Schließlich organisierten die Arbeitgeberorganisationen jetzt auch den* Import von Streikbrechern, *womit die Verhandlungsposition der Gewerkschaften geschwächt werden sollte. Das Beispiel des Maurerstreiks in Luzern zeigt, wie die Unternehmer zudem oft mit der Hilfe des Staates rechnen konnten, der bei heftigen Streiks nicht zögerte, Polizei und Truppen aufzubieten, um, wie es hieß, «die Freiheit der Arbeit» zu schützen (58–61). Der Staat entpuppte sich so in den Augen der Arbeiter immer deutlicher als eine Stütze der Unternehmer, als ein Herrschaftsinstrument der besitzenden Klasse.*

Schon in den 1890er Jahren bestanden Katholische Arbeitervereine, *die sich nach den päpstlichen Soziallehren von 1884 und 1891 ausrichteten. Sie waren aber mehr Bildungsvereine als Gewerkschaften und verzichteten auf die Durchführung von Arbeitskämpfen. Der 1887 gegründete* neue Arbeiterbund, *eine lockere Dachorganisation verschiedenster Arbeiterorganisationen der Schweiz (Träger des vom Bund subventionierten* Arbeitersekretariats*), ermöglichte den katholischen Arbeitervereinen eine gewisse Koordination ihrer Arbeit mit dem SGB. Um die Entstehung von eigentlichen katholischen Gewerkschaften zu verhindern, forderte der Arbeiterbund auf dem Arbeitertag 1899 den SGB auf, sich zu einer politisch und religiös neutralen Organisation umzuwandeln. Um eine Spaltung der Gewerkschaftsbewegung zu verhindern, sah sich v.a. der Arbeitersekretär Herman Greulich veranlaßt, als Anwalt der Neutralität aufzutreten (62). Nicht einmal die Aufnahme der Neutralitätsbestimmung in die Statuten des SGB hinderte aber einen Teil der katholisch-sozialen Bewegung daran, christliche Gewerkschaften zu gründen. Darauf lehnte der SGB-Kongreß von 1904 es ab, diese – entgegen den ursprünglichen Vereinbarungen – entstandenen katholischen Gewerkschaften anzuerkennen und aufzunehmen. Damit war die Spaltung der Gewerkschaftsbewegung vollzogen. 1907 schlossen sich die katholischen Gewerkschaften im Christlich-Sozialen (seit 1921 Christlich-Nationalen) Gewerkschaftsbund zusammen (63, 64).*

Wie der SGB konnte auch die SPS steigende Mitgliederzahlen verzeichnen, während der Grütliverein Mitglieder verlor und auch politisch isoliert war, seit sein politischer Bündnispartner, die Demokraten, mit einem Teil der Liberalen zusammen 1894 die Freisinnig-demokratische Partei gegründet hatte. Mit diesem Zusammenschluß und der gleichzeitigen Annäherung zwischen Liberalen und Konservativen vereinheitlichte sich das bürgerliche Lager. Ähnliches wurde auf Seite der Arbeiterorganisationen mit dem Anschluß des Grütlivereins an die SPS *1901 (sog. «Solothurner Hochzeit») vollzogen. Somit folgte der Verdeutlichung der Klassenstruktur in der Gesellschaft eine entsprechende Formation der politischen Kräfte.*

Die Organisierung der Arbeiter in selbständigen Organisationen beschränkte sich nicht auf Gewerkschaften und Partei, sondern umfaßte auch andere Lebensbereiche wie Sport (Satus), Kultur (Arbeitersängervereine, Bildungsvereine etc.) und dehnte sich auch auf die Jugend aus («Jungburschen»). Auch die Zahl von eigenen Presseorganen nahm nach der Jahrhundertwende beträchtlich zu und zeugt von der zunehmenden Verbreitung und Stärke der Arbeiterbewegung.

Partei und Gewerkschaften auf dem Boden des Klassenkampfes

Die Verschärfung der Klassengegensätze erreichte – in der Schweiz wie auch in internationalem Maßstab – einen Höhepunkt in den Hochkonjunkturjahren 1904 bis 1907. Dazu trug wesentlich bei, daß sich nach 1900 trotz wirtschaftlichen Aufschwungs die Lebensverhältnisse der Arbeiter kaum verbesserten. Zwar stiegen die Nominallöhne weiter an, doch erhöhten sich die Lebenskosten so stark, daß das Realeinkommen der Arbeiter stagnierte oder sank. Anderseits bot die günstige Konjunkturlage den Arbeitern die Möglichkeit, den Kampf gegen das Kapital offensiver zu führen. Es kam zu einer gewaltigen Streikwelle, in deren Verlauf mehrfach Militär gegen die Streikenden eingesetzt wurde. Die Mitgliederzahlen der Gewerkschaften vervierfachten sich zwischen 1903 und 1906. Der Gewerkschaftsbund war von einer Randgruppe zu einem maßgeblichen politischen Faktor geworden.

Im verschärften Klassenkampf der Unternehmer gegen die um ihre Rechte kämpfende Arbeiterschaft fanden immer mehr Arbeiter eine Übereinstimmung der theoretischen Einsichten der Arbeiterbewegung mit ihren alltäglichen praktischen Erfahrungen. Die theoretische Grundlage war gerade in dieser Zeit im Rahmen der II. Internationale geklärt worden, und zwar zugunsten des Marxismus: für den Gedanken des politischen Klassenkampfes. *In der theoretischen Diskussion war eine andere Strömung unterlegen, die den Marxismus revidieren wollte (Revisionismus). Die Revisionisten wollten auf den revolutionären Kampf verzichten. Das Ziel dieses Kampfes, die Errichtung einer sozialistischen Gesellschaft wurde in utopische Ferne verlegt. Die politische Arbeit sollte auf soziale Reformen ausgerichtet sein.*

Die Radikalisierung der Arbeiter und das Ergebnis des theoretischen Streites fanden in der SPS ihren Niederschlag im neuen Programm von 1904 *(67). Es war wesentlich beeinflußt vom marxistischen Programm der deutschen Sozialdemokratie (Erfurter Programm 1891). Im Programm von 1904 wurde im Unterschied zu 1888 eindeutig festgelegt, daß sich die «Tätigkeit der Sozialdemokratie in Form des Klassenkampfes» vollziehe, weil auch dem demokratischen Staatswesen der Schweiz «der Stempel eines Klassenstaates aufgedrückt» sei. Zwei Jahre später revidierte auch der Gewerkschaftsbund seine Statuten. Der SGB sei «die gemeinsame Organisation aller auf dem Boden des Klassenkampfes stehenden Gewerkschaftsorganisationen der Schweiz». Damit wurde das Postulat der politischen Neutralität aufgegeben.*

Trotz des Sieges des Marxismus in der theoretischen Diskussion, trotz der Verabschiedung von marxistischen Programmen, setzten sich in der politischen Praxis die Gedanken des Revisionismus *durch. Wie schon bisher beschränkten sich die großen Arbeiterparteien auf Reform- und Parlamentsarbeit. Durch die Mitarbeit in Behörden und Parlamenten und durch den Ausbau der eigenen Organisationen hatte die Partei Ämter zu vergeben, mit denen oft ein sozialer Aufstieg verbunden war. Dies führte dann vielfach zu einer Entfremdung zwischen den Parteivertretern und ihrer Basis. So wurde etwa SP-Nationalräten selbst von etablierten Parteikreisen mangelnde Oppositionsbereitschaft vorgeworfen (68, 69).*

Eine schärfere Kritik, die eine vermehrte Aktivierung der Basis und neue Kampfformen forderte, wurde von anarcho-syndikalistischen Gruppen formuliert, die im Massenstreik *das eigentlich revolutionäre Mittel erblickten. In der Waadt (Lausanne, Vevey) und in Zürich propagierten sie erstmals den Generalstreik, d.h. eine Arbeitsverweigerung, an der möglichst alle Arbeiter eines Ortes oder eines Wirtschaftsgebietes sich beteiligen sollten (70). Diese Kampfform wurde mit der zunehmenden Organisierung der Unternehmer im Kampf gegen die Gewerkschaften immer bedeutungsvoller. Ein Streik in einem einzelnen Betrieb blieb wegen der gezielten Aktionen der Unternehmerverbände (Aussperrung, Streikbrechereinsatz) oft erfolglos, so daß nur eine Ausweitung des Streiks Aussicht auf Erfolg hatte. Partei- und Gewerkschaftsführung lehnten den Generalstreik als Kampfmittel ab, mit der Begründung, es fehle die umfassende Organisation dafür (71). Dennoch wurde die Idee von Gewerkschaftern aufgegriffen, als die bisherige Taktik erfolglos blieb (72).*

Im Zusammenhang mit der Agitation für den Generalstreik und mächtig gefördert durch die sich in dieser Zeit häufenden Militäraufgebote bei Streiks, entstand die Antimilitaristische Liga. Sie wollte dem Bürgertum die Armee als Werkzeug der Unterdrückung entreissen (73, 74). Generalstreik wie Antimilitarismus fanden als erklärtermaßen revolutionäre Strategien nur in Industriezentren mit erheblichem Anteil an ausländischen Arbeitern größeren Widerhall. In kleinstädtischen und ländlichen Gebieten wie bei der Führungsschicht von Partei und Gewerkschaften stießen sie auf Ablehnung. Dennoch übten sie auf die Arbeiterklasse eine radikalisierende Wirkung aus. Deutliche Belege dafür sind die einhellige Übernahme der Generalstreiksforderungen durch die Partei- und Gewerkschaftsdelegierten in Zürich 1909 (75) und der gegen den Willen der Führer mit überwältigendem Mehr (6367 zu 812) beschlossene eintägige Zürcher Generalstreik von 1912 *(76–78). Für die SPS blieb diese erfolgreiche Massenaktion nicht ohne Einfluß. Nach heftigen innerparteilichen Auseinandersetzungen rückten junge Vertreter eines radikaleren Kurses in die Führungsschicht der Partei nach (Robert Grimm, Fritz Platten).*

Der Gedanke des Antimilitarismus kam auch in vielen leidenschaftlichen Protesterklärungen der II. Internationalen zum Ausdruck (79). Der durch die imperialistische Konkurrenz in Wirtschaft und Politik heraufbeschworene Krieg sollte durch die große Weigerung der Arbeiterklasse und ihrer Organisationen in allen Ländern verhindert werden. Als im August 1914 der 1. Weltkrieg ausgelöst wurde, verschwand dies alles im nationalistischen Taumel. Die meisten Arbeiterparteien unterstützten die Kriegspolitik der herrschenden Klasse, die Arbeiter zogen für diese in den Krieg.

36 Zunahme der Fabrikarbeiter nach Industriezweigen

Statistische Erhebungen waren unerläßliche Grundlagen für die Analyse der sozialen und politischen Entwicklungen, für Meinungsbildung und Agitation, für die Ausrichtung der politischen Arbeit der Arbeiterorganisationen. Mit der Gründung des schweizerischen Arbeitersekretariates 1887 ergab sich die Möglichkeit, in regelmäßigen Abständen eigene Untersuchungen durchzuführen. Sie ergaben ein Bild von Größe, Zusammensetzung, Wachstum und regionaler Aufteilung der Arbeiterklasse, das die Führer der Arbeiterbewegung ihrer Interpretation der Verhältnisse zugrunde legten (Vgl. 42).

	1882	1901	1911	Zunahme in %
Textilindustrie	84550	97193	112463	33,0
Lederindustrie	3320	9273	12449	275,0
Nahrungs- und Genußmittel	6775	18393	26158	286,1
Chemische Industrie	2657	7016	12833	383,0
Polygraphische Industrie	2959	13781	18157	513,6
Holzindustrie	2851	14474	23878	737,5
Metall- und Maschinen	14885	45378	69760	368,7
Uhren- und Bijoux	8039	24858	34983	335,2
Salinen, Erden	3084	12168	18160	488,9
Total/Durchschnitt	129120	242534	328841	154,7

Bericht des schweizerischen Arbeitersekretariates an das Schweizerische Industriedepartement über seine Beteiligung an der Schweizerischen Landesausstellung, Zürich 1914, S. 25.

37 Frauen- und Kinderarbeit in den schweizerischen Fabriken

Sämtliche Industrien

		Frauen	Jugendliche	Total
Von je 100 Arbeitern waren:	1888	46	14	60
	1895	41	14	55
	1901	38	15	53
	1911	36	16	52

Bericht des schweizerischen Arbeitersekretariates an das Schweizerische Industriedepartement über seine Beteiligung an der Schweizerischen Landesausstellung, Zürich 1914, S. 27.

38 Fabrikarbeiter nach Kantonen im Verhältnis zur Wohnbevölkerung

Von je 1000 Personen der Wohnbevölkerung waren Fabrikarbeiter

<table>
<tr><th>Kanton</th><th>1882</th><th>1911</th><th>Kanton</th><th>1882</th><th>1911</th></tr>
<tr><td>Zürich</td><td>87</td><td>131</td><td>Schaffhausen</td><td>60</td><td>160</td></tr>
<tr><td>Bern</td><td>21</td><td>64</td><td>Appenzell AR</td><td rowspan="2">68</td><td>86</td></tr>
<tr><td>Luzern</td><td>16</td><td>49</td><td>Appenzell IR</td><td>22</td></tr>
<tr><td>Uri</td><td>8</td><td>41</td><td>St. Gallen</td><td>92</td><td>104</td></tr>
<tr><td>Schwyz</td><td>31</td><td>69</td><td>Graubünden</td><td>10</td><td>30</td></tr>
<tr><td>Obwalden</td><td rowspan="2">6</td><td>24</td><td>Aargau</td><td>65</td><td>123</td></tr>
<tr><td>Nidwalden</td><td>40</td><td>Thurgau</td><td>75</td><td>139</td></tr>
<tr><td>Glarus</td><td>247</td><td>222</td><td>Tessin</td><td>14</td><td>49</td></tr>
<tr><td>Zug</td><td>84</td><td>100</td><td>Waadt</td><td>16</td><td>52</td></tr>
<tr><td>Freiburg</td><td>8</td><td>30</td><td>Wallis</td><td>4</td><td>23</td></tr>
<tr><td>Solothurn</td><td>65</td><td>172</td><td>Neuenburg</td><td>14</td><td>116</td></tr>
<tr><td>Baselstadt</td><td rowspan="2">95</td><td>115</td><td>Genf</td><td>22</td><td>87</td></tr>
<tr><td>Baselland</td><td>88</td><td>Schweiz</td><td>45</td><td>87</td></tr>
</table>

Bericht des schweizerischen Arbeitersekretariats an das Schweizerische Industriedepartement über seine Beteiligung an der Schweizerischen Landesausstellung, Zürich 1914, S. 24.

39 Beispiel für das sprunghafte Anwachsen einer Industriegemeinde

Die Bevölkerungsbewegung vom Land in die Stadt und die dadurch stattfindende Verstädterung sind ein deutliches Indiz für die durch die Industrialisierung verursachten Veränderungen in der Bevölkerungsstruktur und im Leben der betroffenen Menschen. Das Beispiel der 1872 gegründeten Maschinenfabrik Oerlikon zeigt, wie der Entschluß der Kapitalbesitzer, eine Fabrik zu bauen, weitreichende Folgen für die gesamte Gesellschaft mit sich brachte. In kürzester Zeit entstanden ganze Stadtteile, was für die darin Wohnenden meist gleichbedeutend war mit Wohnungsnot und anderen miserablen Lebensbedingungen.

Man zählte in Oerlikon	Gebäude	Einwohner	ca. Einwohner/Gebäude
1870	80	731	9
1880	106	1213	11
1888	139	1721	12
1894	205	2550	12
1900	298	3982	13
1910	419	5807	14

Adolf Wegmann, Die wirtschaftliche Entwicklung der Maschinenfabrik Oerlikon, Zürich 1920, S. 161.

40 Arbeiterquartiere – Elendsquartiere

Arbeiterwohnungen und Volksgesundheit in Genf

Nicht mit Unrecht genießt Genf den Ruf, eine der schönsten Schweizerstädte zu sein. Der Fremde, welcher die Stadt besucht, ist entzückt von der Naturschönheit, welche sich in verschwenderischer Fülle vor seinen Augen entfaltet. Mit Behagen spaziert er den eleganten Boulevards und sonnigen Quais entlang und bewundert die Prachtbauten, womit die Bourgeoisie ihren Reichtum zur Schau stellt. Heimgekehrt preist er dann sicher Genf als den angenehmsten und gesündesten Aufenthalt und gelobt sich, bald wieder einen Besuch dort abzustatten. Der Ruhm, welchen Genf durch das Urteil solcher gelegentlicher Besucher erworben hat, wäre gewiß berechtigt, wenn der Einheimische und speziell der Arbeiter dieselben Motive hätte, ihn zu verkünden. Aber da entrollt sich sofort ein trauriges Bild von Wohnungselend, von einer Misere in hygienischer Beziehung, die niemand in dem reichen Genf vermutet. Der Fremde sieht nicht die luft- und fensterlosen Löcher, die in der Altstadt als Wohnungen dienen, die Höfe voller Unrat und Gestank im Tempelviertel, er besucht nicht die Gegend hinter dem Bahnhof, die Corderie und das Quartier des Grottes, wo die Häuser schlimmer als Ställe sind und zusammengenagelten Bretterkisten gleichen. Dort verbringt die arbeitende Bevölkerung ihr Dasein, wenn sie nach oft 12- und 13stündiger Arbeitszeit ihr «Heim» aufsucht. Ist schon das Äußere dieser Arbeiter-Wohnstätten wenig einladend, so wird dieser Eindruck noch verstärkt durch die Zustände im Innern der Häuser. Oft findet man Aborte, welche wahrscheinlich bei der Gründung von Genf errichtet und seitdem täglich in Gebrauch gewesen sind. Ein eisiger Hauch scheint selbst im Sommer von den feucht-grünen, salpeterschwitzenden Mauern auszugehen; eine Arbeiterwohnung ohne Ungeziefer, Wanzen, Schaben und Mäuse dürfte in Genf kaum anzutreffen sein. Eine auffällige Erscheinung bei den billigen Zweizimmerwohnungen ist auch das Fehlen von Tapeten, oder, wo einst der Luxus solcher herrschte, hängen sie in traurigen Fetzen von den Wänden herab. Es gibt für einen hiesigen Regisseur[1] keine ärgere Zumutung, als eine Arbeiterwohnung reparieren zu lassen. Die Aufforderung dazu achtet er einer Kriegserklärung gleich. Und was für ein Gesicht würde er erst machen, wenn man von ihm eine Arbeiterwohnung verlangte, die folgenden Anforderungen entspräche: *Zutritt von Luft und Sonne, regelmäßige Wasserversorgung, ein Kabinett für jede Wohnung, Öfen in den Zimmern, eine benutzbare Waschküche, saubere Höfe und Treppen, allfällige Reparaturen ohne zwölfmalige Reklamationen,* kurz alles, was man als Mindestanforderung an eine hygienisch einwandfreie Wohnung stellen kann. Schon eine dahingehende Andeutung der obengenannten Eigenschaften einer anständigen Wohnung würde ein mitleidiges Lächeln seitens der Regisseurs hervorrufen und die Versicherung, daß die «hiesigen Verhältnisse» keinerlei Konzessionen in dieser Beziehung an die ärmern Klassen gestatten. Wenn bei der Genfer Bourgeoisie gar nichts mehr hilft, wenn Logik und Gerechtigkeitsgefühl, Vernunft und Sitte sie zwingt, berechtigte Forderungen der Aerzte in bezug auf Hebung der Volksgesundheit anzuerkennen, so beruft sie sich auf die hiesigen Verhältnisse als die Umstände, welche sie hindern, durch *die Tat* dieser Anerkennung Ausdruck zu verleihen. Und diesen Verhältnissen ist es zu danken, daß eine Wohnungsmisere ohnegleichen herrscht, daß trotz des Sees, der Berge und aller Möglichkeiten, die Volksgesundheit zu heben, Genf die Höchstzahl der Todesfälle an *Tuberkulose* in der Schweiz aufweist. ...

P. Gebauer, Arbeiterwohnungen und Volksgesundheit in Genf, in: Gewerkschaftliche Rundschau, Nr. 4, April 1913, S. 68f.

[1] *Wohnungsverwalter, der die Wohnung vermietet, die Zinse einkassiert usw.*

41 Thesen der Sozialdemokratischen Partei zur Wohnungsfrage

In den Industriezentren entstand durch die rapide wachsende Zahl von Arbeitern eine breite Basis für die Arbeiterorganisationen, was zu relativ starken Vertretungen in den politischen Gremien der Städte führte. Dadurch bot sich hier am ehesten die Möglichkeit für Reformen im Bereich des Wohnungsbaus, des Gesundheitswesens etc. Die Sozialdemokraten betrieben eine ausgeprägte Kommunalpolitik, die an den sozialdemokratischen Kommunaltagen auf gesamtschweizerischer Ebene koordiniert wurde. So bildeten die am II. Kommunaltag 1908 angenommenen Thesen zur Wohnungsfrage die Grundlage für die sozialdemokratische Wohnungspolitik.

A. Die Wohungsnot

I. Es ist allgemein anerkannte Tatsache, daß in Orten mit rasch anwachsender Bevölkerung eine ständige oder doch periodisch wiederkehrende, zuweilen sich bis zum absoluten Mangel steigernde *Wohnungsnot* herrscht. Zahlreichen Familien fällt es schwer, eine ihren Verhältnissen entsprechende Wohnung zu finden. *Breite Schichten des Volkes wohnen heute schlecht und sie wohnen gleichzeitig teuer.*

II. Unter der Wohnungsnot leiden direkt oder indirekt sämtliche Volksklassen: vor allem aber die Klassen mit niedrigem Einkommen, die Lohnarbeiter. Der größte Mangel macht sich bei kleinen Wohnungen geltend, und diese Wohnungen weisen deshalb eine Höhe des Mietzinses auf, welche weder der Qualität der Wohnungen noch den Einkommensverhältnissen der Mieter angemessen ist.

III. Die Wohnungsnot hat für die betroffenen Bevölkerungsklassen *schlimme Folgen in gesundheitlicher, in sittlicher und in ethisch-kultureller Richtung.* Wohnungsnot, zusammen mit hohem Mietzins, ist die Ursache von Unterernährung, mangelnder Körperpflege, häufiger Erkrankung und frühzeitigem Tode; sie bildet den Nährboden für mörderische Epidemien. – Das Zusammenleben einer großen, verschiedenen Altersstufen angehörenden Familien in engen Räumen ist mit vielfachen Unzukömmlichkeiten verbunden, welche sich bei Aufnahme von Aftermietern leicht zur sittlichen Gefährdung steigern können. Die Wohnungsnot raubt dem Arbeiter die Behaglichkeit, das Familienleben; sie verekelt ihm das Heim und läßt ihn vielfach dem Alkoholismus verfallen. Sie ist ein Haupthindernis für die ethisch-kulturelle Hebung der Arbeiterklasse. Die Lösung der Wohnungsfrage ist eine wichtige Kulturaufgabe und sie bedeutet eine wesentliche Förderung des Emanzipationskampfes des Proletariates.

B. Die Ursachen der Wohnungsnot

IV. Die Ursachen der Wohnungsnot, bezw. der Mietzinssteigerung sind mannigfache; die Hauptursache liegt in der *enormen Preissteigerung von Grund und Boden.* Grund und Boden ist heute eine Ware ganz besondern Charakters, deren Preis dem Gesetze von Angebot und Nachfrage unterliegt. In den Städten im allgemeinen, vornehmlich aber in solchen mit reich entwickelter Industrie herrscht zwischen Nachfrage und Angebot ein mehr oder weniger starkes Mißverhältnis, indem die erstere das letztere erheblich übersteigt, und dieses Mißverhältnis findet seinen Ausdruck im stetig steigenden Preise von Grund und Boden, bezw. im gesteigerten Mietpreise.

V. Neben der auf rascher Bevölkerungszunahme beruhenden, im Wirtschaftssysteme und den Eigentumsvehältnissen begründeten «natürlichen» Preissteigerung von Grund und Boden wirkt preisverteuernd in ganz erheblichem Maße mit der gewerbsmäßige Handel mit Bauland und Häusern, *die Boden-, Bau- und Häuserspekulation.* – Es sind ganz enorme Gewinne, die den Grundeigentümern und Spekulanten als arbeitsloses Einkommen zufallen. ...

Jahrbuch des Schweizerischen Grütlivereins und der Schweizerischen sozialdemokratischen Partei 1908, S. 63.

42 Über die Schwierigkeiten, die Arbeiter zu organisieren

... Was die Bedeutung der *einzelnen Berufsgruppen* für die Arbeiterbewegung und im besonderen für die gewerkschaftliche Organisation anlangt, so bietet derjenige Industriezweig, der für die schweizerische Volkswirtschaft im ersten Range steht, nämlich die *Textilindustrie,* leider das undankbarste Arbeitsfeld.

Nach der Volkszählung von 1888 beschäftigte sie etwa 160000 Personen, mehr als ein Drittel der gesamten Lohnarbeiterschaft; die Zahl der beruflich Organisierten ist aber mit 2000 schon zu hoch angegeben. An eifrigen Bemühungen, die Textilarbeiter für die Gewerkschaftsbewegung zu gewinnen, hat es nie gefehlt. Wenn der Erfolg, wenigstens ein dauernder Erfolg, sie nie gelohnt hat, so haben wir die Gründe zum Teil in der Zusammensetzung und örtlichen Verteilung der Textilarbeiter, zum Teil in ihren ökonomischen Verhältnissen und der besonderen Lage dieser Industrie zu suchen.

Von den 160000 Textilarbeitern sind nur ca. 90000 in Fabriken beschäftigt, die anderen 70000 sind in ganz kleinen Betrieben, der Hauptsache nach aber in der Hausindustrie thätig und soweit der Agitation ganz unzugänglich. Die Zürcherische Seidenweberei allein verfügt über 20000 Handwebstühle, die über zahlreiche Ortschaften verstreut sind. Die mechanischen Webstühle haben sich in den letzten 15 Jahren allerdings außerordentlich stark vermehrt – von 4129 auf 11000 –, aber ohne das Gebiet der Hausindustrie einzuschränken. Die Volkszählung von 1888 ermittelte 43000 in der Stickerei thätige Personen, von denen mehr als 20000 der Hausindustrie angehörten.

Aber auch die Fabrikarbeiterschaft der Textilindustrie bietet der Organisation besondere Schwierigkeiten: zunächst wegen des großen Procentsatzes der jugendlichen und weiblichen Personen, die erfahrungsgemäß für die Organisation schwer zu gewinnen und noch schwerer festzuhalten sind. Unter den im Jahre 1895 gezählten Textilarbeitern befanden sich 15181 jugendliche Personen unter 18 Jahren, und von den übrigen 76273 waren 27735 männlichen und 48538 weiblichen Geschlechts. Die sich daraus für alle organisatorischen Bestrebungen ergebenden Schwierigkeiten werden nun noch durch die örtliche Verteilung dieser Industrie fühlbarer gemacht: letztere hat sich nämlich im wesentlichen nicht in den großen Verkehrscentren und in deren Nähe angesiedelt, sondern ist den Flußläufen nachgegangen, um sich deren Wasserkräfte dienstbar zu machen. Ihre Arbeiterschaft recrutiert sich aus der ländlichen Bevölkerung und vermischt sich beständig mit dieser. Zum Teil sucht sie in der Landwirtschaft einen Nebenerwerb, indem die jüngeren Familienglieder in der Fabrik arbeiten, während die älteren den kleinen Betrieb bewirtschaften. Dank diesen Umständen sind die Arbeitsbedingungen sehr ungünstig. Bei langer Arbeitszeit niedrige Löhne. Die Textilindustrie nutzt mit seltenen Ausnahmen den 11stündigen Maximalarbeitstag ganz aus, wenn es ihr nicht gerade gefällt, ihn eigenmächtig zu verlängern. Die ökonomische Abhängigkeit hat die Arbeiter zu einem guten Teil auch politisch rechtlos gemacht: wo sie versuchten sich gegen die Übergriffe der Unternehmer aufzulehnen, sind sie durch Maßregelungen und Drohungen auf Jahre hinaus eingeschüchtert und entmutigt worden. Alle diese Uebelstände machten sich namentlich in der Baumwollindustrie, die seit Jahren unter der ausländischen Concurrenz schwer zu leiden hat, und in der Stickerei geltend. In der letzteren deshalb, weil sie, als eine auf den Export angewiesene Luxusindustrie, sehr starken Schwankungen unterworfen ist und in raschem Wechsel heftige Krisen durchzumachen hat. Wenn der Export im Laufe von 4 Jahren von 90 Millionen Frcs. auf 66 Millionen zurückgeht, so ist eine solche Absatzstockung von einem Massenelend begleitet, das die in der guten Zeit gepflanzten Keime der Organisation wieder erstickt.

Die unter dem Sammelbegriff Herstellung von *Kleidung und Putz* zusammengefaßten Berufe sind zum Teil aus denselben Gründen, welche die Agitation unter den Textilarbeitern zu einer so unlohnenden Sache machen, für die Gewerkschaftsorganisation schwer zu gewinnen. Unter den 55000 Personen, die hier ihr Auskommen suchen, waren 16500 Männer und 39000 Frauen; darunter die große Zahl Glätterinnen, Wäscherinnen und Schneiderinnen, die in kleinen Betrieben arbeiten und denen es immer näher liegen wird, in guten persönlichen Beziehungen zur Arbeitgeberin als in einer Berufsorganisation einen Rückhalt zu suchen. Auch der Erlaß der verschiedenen cantonalen Arbeiterinnenschutzgesetze hat daran wenig geändert und höchstens in einigen Kreisen der größeren Städte das Verständnis für ihre Classeninteressen gefördert. Ähnlich liegen die Dinge in der Nahrungs- und Genußmittelindustrie.

Die weitaus günstigsten Bedingungen bietet die *Maschinen*- und die *Metallindustrie,* die zusammen im Jahre 1895 34000 Personen beschäftigten: nur männliche Arbeiter in mittleren und großen Betrieben mit relativ sicheren Existenzbedingungen, meist in städtischen Ortschaften angesessen, ohne den großen Wechsel der Baugewerbe, und deshalb mit einem festen zuverläßigen Stamm, der die guten Traditionen wahrt. Von der Uhrenindustrie, die in der welschen Schweiz concentriert ist und etwa 40000 Personen beschäftigt, läßt sich ebenfalls günstiges sagen, trotz der Hindernisse, die das starke Contingent weiblicher Arbeitskräfte – etwa ⅓ – und die ausgedehnte Hausindustrie, in der sich vielleicht die Hälfte der Arbeiterschaft bethätigt, mit den im französischen Volkscharakter begründeten Schwierigkeiten bieten. Namentlich die Graveure und Schalenmacher besitzen eine umfassende und leistungsfähige Organisation.

Rührig, wie auch in Deutschland, erwiesen sich stets die *Baugewerbe,* in denen im Jahre 1888 64000 Personen beschäftigt wurden. Die rege Bauthätigkeit des abgelaufenen Jahrzehnts hat diese Zahl zweifelsohne stark in die Höhe getrieben. Rechnet man die am Straßen- und Eisenbahnbau beschäftigten Erdarbeiter hinzu, so wird man annähernd auf eine Gesamtzahl von 100000 Lohnarbeitern kommen. Was aber dem Erfolg des gewerkschaftlichen Kampfes Eintrag thut und ihn manchmal ganz in Frage stellt, ist der durch die Saisonarbeit und durch die sprunghaft sich ändernde Nachfrage bedingte Wechsel dieses Teils der Arbeiterschaft. Den Fachvereinen der Maurer und Handlanger erwächst noch eine besondere Schwierigkeit aus dem starken Andrang italienischer Arbeiter, welche die deutsch sprechenden Maurer in die Minderheit bringen. In Zürich ist die Zahl der italienisch sprechenden Maurer und Erdarbeiter auf 8–10000 angestiegen. Wenn dieselbe auch in den letzten Jahren stark zurückgegangen ist, so ist das numerische Verhältnis zwischen Schweizern und Italienern doch kein anderes geworden. Man hat sich durch die Gründung von besonderen Sectionen für die italienisch sprechenden Maurer zu behelfen gesucht, aber deshalb keine namhaften Erfolge erzielt, weil das mühsam im Sommer Errungene in der toten Saison wieder verloren geht.

Otto Lang, Der Sozialismus in der Schweiz, Berlin 1902, S. 6ff.

43 Sind stehlende Arbeitslose Diebe?

Im Interesse der Arbeiterschaft möchte ich Sie bitten, daß Sie die Güte haben möchten, nachstehende Einsendung in Ihr werthes Blatt aufzunehmen. Ich habe Anfangs letzter Woche in verschiedenen hiesigen Blättern folgenden Artikel gelesen: Mit Eintritt der kälteren Jahreszeit mehren sich die Diebstähle und Bettler etc.; es folgt dann der Polizeibericht. Er war kurz gefaßt, ohne Kommentar und doch möchte man fragen, warum kommt dieses nicht auch im Hochsommer vor? Wir wollen hierauf die Antwort geben. Vagabunden gibt es zu jeder Zeit, aber es gibt sehr viele Ausnahmen, der Kampf um's Dasein zwingt gar Viele, zum Bettelbrod zu greifen oder er wird zum Stehlen verleitet, wenn seine Noth auf's Höchste gestiegen ist und wenn er wochenlang, ohne Beschäftigung zu finden, auf dem holperigen oder kothigen Straßenpflaster umherirren muß. Wer es nicht selbst mitgemacht hat, weiß nicht, wie es gegenwärtig mit der Arbeit bestellt ist. Es soll hier blos ein Beispiel angeführt werden, wie die Arbeitslosigkeit anfängt; es ist das beim Geschäft der Maler, die von dem Baugewerbe am ersten betroffen werden. Da werden im Sommer von etlichen Malermeistern in allen Blättern Maler ausgeschrieben. Da kommen sie von allen Himmelsgegenden Basel zu. Dann werden die vorhandenen Arbeiten in aller Eile hingehaspelt und gleich bei Beginn der Messe[1] werden fast sämmtliche wieder entlassen. Was nun anfangen? Ein anderer Meister stellt sie nicht ein, da heißt es gleich, gehe zu dem, wo Du im Sommer gearbeitet hast, und sonstige Arbeit gibt es sehr schwer, gar bei dem schlechten Wetter. Da treibt sich ein Jeder planlos in der Stadt umher, um an den Glockenzügen zu ziehen, wenn er ganz mittellos ist, so lange, bis ihn ein Landjäger am Kragen packt, und seiner elenden Beschäftigung ein jähes Ende bereitet. Geht er auf die Walz, so trifft ihn dasselbe Loos; das sind eben die traurigen sozialen Zustände heutzutage, daß

Andere, die in guten Stellen und ökonomisch besser gestellt sind, sich nicht um Solche kümmern, die unverschuldet in Noth gerathen. Die Stadt Basel ist als sehr mildthätig überall bekannt, besonders auf dem Gebiete der Mission; wie schön wäre es, wenn man einmal bei den weißen Sklaven hier den Anfang machen würde, um ihnen zu helfen, es wäre gewiß auch gottgefällig. Wir haben wohl ein staatliches Arbeitsnachweisbureau, aber wenn man die Einschreibgebühr bezahlt hat, kann man oft keine Arbeit bekommen, weil die einlaufenden Aufträge den vielen unzähligen Nachfragen gegenüber nicht entsprechen. Ich selbst habe vier Wochen lang diese bittere Pille geschluckt, Arbeit zu suchen, an einem Tag an 30 Orten angefragt, vom frühen Morgen bis spät in die Nacht, hungrig und todmüde wieder den Heimweg angetreten. Doch genug für diesmal.

National-Zeitung, 29.11.1890.

[1] *Gemeint ist die Basler Herbstmesse.*

44 Erinnerungen eines ehemaligen Textilarbeiters

... Einige Wochen, bevor ich das 14. Altersjahr zurückgelegt, meldete ich mich beim Oberaufseher der Spinnerei, Herrn Würsch, um Arbeit. Ich erhielt den Bescheid, daß ich am 25. April 1883 – gleich am Tage nach zurückgelegtem 14. Altersjahr – eintreten könne. An dem genannten Tage trat ich morgens um 6 Uhr in die Fabrik, wo mich der Oberaufseher dem Aufseher Joh. Killer, einem ältern Mann, zuteilte.

Da im Kanton Aargau die Schulpflicht bis zum 15. Altersjahre besteht, hatte ich also im gleichen Jahr sowohl die Schule zu besuchen, als in der Fabrik zu arbeiten. Mein Stundenplan für den Sommer 1883 war: 6 bis halb 8 Uhr Fabrikarbeit, 8 bis 11 Uhr Schule, halb 12 bis 12 Uhr Fabrikarbeit und nachmittags 1 bis 6 Uhr Fabrik; im Winter fand auch Nachmittags-Schulunterricht statt und wechselte die Arbeit folgendermaßen ab: 6 bis halb 8 Uhr Fabrik, 8 bis 11 Uhr Schule, halb 12 bis 12 Uhr Fabrik, 1 bis 4 Uhr Schule, halb 5 bis 6 Uhr Fabrik. Der Weg von der Spinnerei bis zur Schule beträgt eine Viertelstunde. In den drei Spinnereien Wunderlis in Windisch waren etwa 40 bis 50 schulpflichtige Kinder beschäftigt. ...

Wenn der Prinzipal, Herr Wunderli, der seinen Wohnort in Zürich hatte, die Spinnerei besuchte, was alle 14 Tage, oft auch alle 8 Tage vorkam, erhielt ich vorher Weisung vom Aufseher; ich hatte dann außerordentliche Ordnung zu machen. Wunderli blieb jeweilen 1 bis 2 Tage und suchte jede Etage der drei Fabrikgebäude ab. Wie ein Lauffeuer verbreitete sich jeweilen im ganzen Etablissement die Nachricht, der «Herr» sei im Parterre eingetreten. Die Arbeiter und Arbeiterinnen versahen während der Inspektion des gefürchteten Paschas die Arbeit, ohne ein Auge davon abzuwenden, ganz in Untertänigkeit, Furcht und Ehrfurcht ersterbend. ...

War Herr Wunderli in Windisch, so pflegte er sich frühmorgens fünf Minuten vor 6 Uhr und nachmittags fünf Minuten vor 1 Uhr auf den Fabrikplatz zu stellen und die in die Fabrik eintretenden Arbeiter zu beobachten, und wehe dem Arbeiter, der eine Sekunde zu spät in die Fabrik eingetreten wäre! ...

En eifältige Lehrer.

„Lueget, Chinde, das isch o eine vo dene Fötzle, wo bi settigem Wätter gange ga spaziere, anstatt z' schaffe; s' wird däich so ne donners Sozialdemokrat si!“

Arbeiter und Arbeiterinnen, die weit weg von der Spinnerei wohnten, nahmen das Mittagessen, das ihnen von Angehörigen gebracht wurde, in der Fabrik ein, ungefähr 150 Personen an der Zahl. Kein Gedanke, daß Wunderli ihnen hierfür einen eigenen Raum zur Verfügung gestellt hätte; sie mußten daher im Vorwerkraum des alten Fabrikgebäudes, der mit Maschinen gefüllt war, essen; selbstredend in schlechter Luft und stinkendem Ölgeruch. Weil für so viele Personen genügend Plätze zum Speisen fehlten, nahmen jeweilen die zusammengehörenden Familienglieder eine Kiste, stellten den Napf mit Speise darauf und löffelten aus dem gemeinsamen Speisegeschirr ihre karge Nahrung.

Die Arbeiter und Arbeiterinnen der Spinnerei Wunderli waren verhältnismäßig oft von Krankheiten heimgesucht; insbesondere grassierten unter der Arbeiterschaft Lungentuberkolose, Bleichsucht, Blutarmut und Magenleiden. ...

Gegen Unfall hatte Wunderli seine Arbeiter nicht versichert. Bei kleinern Unfällen (z.B. Verlust eines Fingers etc.) erhielten die Verunfallten während der Zeit ihrer Arbeitsunfähigkeit freie ärztliche Behandlung und ein Taggeld von 80 resp. 60 Cts. aus der Krankenkasse, *während sie nach dem Haftpflichtgesetz den Taglohn hätten bekommen sollen.* Von einer eigentlichen Unfallentschädigung war in den genannten Fällen keine Rede. Bei *größeren Unfällen,* die leider nicht so selten vorkamen (wie z.B. Verlust der Hand, eines Armes, Tod durch Sturz oder Verstümmelung durch Transmissionsriemen), wurde dem Verunfallten bzw. seinen Angehörigen eine ganz geringe Abfindungssumme bezahlt. Selten kam es vor, daß ein Verunfallter einen Anwalt zu Rate zog und den Prozeßweg beschritt, – dann war er allerdings auch sicher, daß er nach Erledigung des Prozesses aus der Fabrik entlassen wurde. ...

Die Arbeiter der Baumwollspinnerei Windisch waren nicht organisiert. Wer es wagte, einem Grütliverein oder einer Gewerkschaft beizutreten, *wurde ohne weiteres entlassen.* Noch vor einigen Jahren mußte eine in Windisch ins Leben gerufene Textilarbeitergewerkschaft sich auflösen, weil allen Mitgliedern derselben von der Geschäftsleitung die Entlassung angedroht worden war. ...

Und nun dieser Fabrikpascha, Wunderli-von Muralt!

Dieser Mann, der im 20. Jahrhundert alle seine Angestellten und Arbeiter duzt, der ganze Wagenladungen Italiener und neuestens Polinnen importierte, war Jahre lang Mitglied der obersten gesetzgebenden Behörde unseres Landes, des *Nationalrates.* Dieser Mensch, der die Spinner des Tags 11 und eine halbe Stunde arbeiten ließ und die letzte halbe Stunde nicht einmal vergütete, – figuriert heute noch als *Präsident des schweizerischen Handels- und Industrievereins!* Dieser Feudalherr, der an die Krankenkasse seiner Arbeiterinnen keinen Rappen Beitrag zahlt, ist Millionär, der in Zürich seinen Bekannten und Freunden von Zeit zu Zeit fürstliche Gelage gibt. In Zürich versteuert dieser würdige Vertreter der schweizerischen Industriellen 2 Millionen Franken Vermögen und 20000 Franken Einkommen; wie viel oder wie wenig er an den Orten, wo seine Fabriken stehen, versteuert, entzieht sich unserer Kenntnis. Vor Jahren hat Wunderli bekanntlich mehrere aus dem Schweiß seiner Arbeiterinnen gepreßte Millionen verloren durch Spekulation in Wertpapieren. ...

Im Königreich Wunderli-v. Muralt in Windisch im Aargau, Erinnerungen eines ehemaligen Textilarbeiters, Separat-Abdruck aus dem «Volksrecht», o.O., o.J.

Anfänge des Schweizerischen Gewerkschaftsbundes und Gründung der Sozialdemokratischen Partei der Schweiz

45 Zielsetzungen des Schweizerischen Gewerkschaftsbundes

Der Allgemeine Gewerkschaftsbund
ist endlich, nachdem der alte Arbeiterbund, d.h. die Form desselben, vom neuen Geiste, dessen Schwingen am unvergeßlichen Kongreß in Olten so unerwartet und freudenerregend sich zeigten, gesprengt wurde, unter Dach gebracht. Während also die Sozialdemokratische Partei bereits zum Aerger aller Finsterlinge und Radschuhpolitiker sich aktiv am öffentlichen Parteileben betheiligt, beginnt nun für den Gewerkschaftsbund die schwere Arbeit des Emanzipationskampfes auf ökonomischem Gebiet. Es ist Zeit, daß diese zweite Hälfte unserer Organisation in Aktion trete, sehen wir nicht gerade in diesen Tagen, wie die politische Freiheit so lange eine Phrase ist, als die ökonomische Knechtschaft der Menschen dauert.

Politische Partei und Gewerkschaftsbund bilden vereint eine Organisation, die wir mit Mann und Frau vergleichen möchten. Die Partei ist die Trägerin des Prinzips, sie tritt mit der Fahne der Befreiung hinaus auf den Kampfplatz gegen die heutigen Gewalthaber. Sie braucht aber einen Rückhalt an der Gewerkschaftsorganisation, welche ihrerseits in stiller, aber nachhaltiger Weise die Erkenntniß der wirthschaftlichen Lage des Volkes in die Massen bringt und so die Nothwendigkeit des Befreiungskampfes zur allgemeinen Einsicht bringt.

Zur Einsicht, ja, daß das Volk geknechtet ist, geknechtet von den Herren, geknechtet von einer falschen Einbildung von Freiheit und Republik, welche eben von den Herren gepflegt wird in Interesse der Sicherheit ihrer politischen und ökonomischen Herrschaft.

Wir haben eine andere Sicherheit zu wahren, die Sicherheit der menschlichen Gesellschaft, des arbeitenden Volkes, vor dem Zurücksinken unter der Macht des Kapitalismus in die Entartung, in die Thierheit. Oder drückt nicht der moderne Industrialismus nach kapitalistischen Grundsätzen den Arbeiter, den Menschen zum willenlosen Thier herab? Gewiß!

Die Sicherheit der Gesellschaft beruht auf der Gleichberechtigung aller ihrer Mitglieder, und wenn aus irgendeiner Ursache die Freiheiten eines Theils der Gesellschaft gefährdet sind, so ist es Pflicht des Volkes, Mittel und Wege zu finden, welche die Übergriffe der Mächtigen vernichten und die volle Freiheit selbst der Geringsten erhalten. Die politischen Rechte eines Volkes sind nicht wichtiger als die ökonomischen. Es ist daher ebenso tyrannisch, eine Klasse vom Genusse der materiellen und geistigen Errungenschaften aller Zeiten auszuschließen, als dieselbe an der Ausübung der Selbstregierung zu verhindern.

Dem Siege über das «Gottesgnadenthum» muß ein Sieg über die Herrschaft des Kapitals folgen, denn es ist keine Regierung durch das Volk und für das Volk möglich, solange die große Masse in ihrer Existenz von Wenigen abhängt.

Um sein Leben zu fristen, opfert der Mensch seine Freiheit und Diejenigen, welche die Arbeitsmittel eines Volkes besitzen, verfügen auch über dessen Stimmen.

Ihre Armut treibt die Lohnarbeiter der ganzen Welt zu einem tödlichen Konkurrenzkampf unter einander. Rasse wird ins Feld geführt gegen Rasse, und ganze Nationen werden durch die Noth gezwungen, den Fortschritt ihrer Mitmenschen zu verkümmern. In diesem unbarmherzigen Kampfe gegen das Wohl der Menschen werden die heiligsten Bande des Lebens zerrissen. Das Mädchen unterbietet die Frau, der Jüngling den Mann, Kinder werden von Haus und Schule vertrieben und Männer gezwungen, in Unthätigkeit von dem elenden Verdienst ihrer Frauen und Kinder zu leben.

Die Erkämpfung neuer Freiheiten bezeichnet in der Weltgeschichte den Anbruch neuer Epochen. Hörigkeit, Leibeigenschaft und direkte Sklaverei sind verschwunden. Die Arbeiter in den Kulturstaaten haben ein neues Recht errungen, das Recht, zu verhungern. An ihnen ist es jetzt, das Recht auf den vollen Arbeitsertrag zu sichern.

Von der Befreiung der Arbeit hängt die Zukunft der Menschheit ab und diese Emanzipation kann nur bewerkstelligt werden durch ein Zusammenwirken aller Arbeiter in Ausführung von Maßnahmen in ihrem Interesse. Die Befreiung der Arbeiter kann nur durch eine Organisation der Arbeiter zum Zwecke einer ausgedehnten Propaganda obiger Erklärung erreicht werden. Das ist also die Aufgabe des Gewerkschaftsbundes, dessen erste Forderungen sein müssen:

Verminderung der Arbeitsstunden.

Höhere Löhne.

Fabrik- und Werkstätten-Inspektion.

Regelung der Gefängnisarbeit und Abschaffung des «Trucksystems»[1].

Haftpflicht der Arbeitgeber bei Unglücksfällen hauptsächlich durch vernachlässigte Maschinerie.

Verbot der Kinderarbeit.

Errichtung von statistischen Arbeiter-Bureaux.

Selbstverwaltung für alle Arbeiter-Hilfs- und Unterstützungskassen.

Verbot aller Fabrikbußen oder Dekomtes (Lohnzurückbehaltung oder Kaution).

Gleiche Bezahlung eines Quantums Arbeit, ob von Männern oder Frauen geliefert.

Propaganda für Arbeitermaßregeln mit Hilfe einer Arbeiterpresse, durch Vorträge etc.

Die endliche Abschaffung des Lohnsystems.

Das ist in kurzen Zügen Stellung und Arbeit des Gewerkschaftsbundes. Mögen sich nun die Arbeiter dem Bunde anschließen, die Sektionen und Fachverbände sich in ihm vereinigen, damit er seine schwere Mission erfüllen und im Verein mit der Sozialdemokratischen Partei das Ziel der Volksbefreiung erreichen kann.

Arbeiterstimme, 7.5.1881.

[1] *Trucksystem: Nur ein Teil des Lohnes wird in bar ausbezahlt, der andere Teil muß in Form von Lebensmitteln in unternehmereigenen Läden zu oftmals überhöhten Preisen bezogen werden.*

46 1. Mai: Internationaler Kampftag der Arbeiterklasse!

Nach dem Ende der I. Internationale hatten weiterhin eine Reihe von internationalen Arbeiterkonferenzen stattgefunden (z.B. 1881 in Chur). Zu einer Wiedererrichtung der Internationale kam es aber erst 1889 an einem von französischen Marxisten einberufenen Kongreß in Paris. Dieser beschloß, am 1. Mai 1890 in allen Ländern für die Einführung der achtstündigen Arbeitszeit zu demonstrieren. Wegen der internationalen Konkurrenz der

Unternehmer konnte eine Verminderung der Arbeitsstunden schlecht in einem einzigen Land erreicht werden. Neu war auch, daß die Forderung nicht nur an die Unternehmer, sondern direkt an den Staat gerichtet werden sollte. In der Schweiz arbeiteten noch 1895 94% der Arbeiter 10 und mehr Stunden täglich. Bereits 1892 wurde hier der 1. Mai – meist gegen den heftigen Widerstand der Unternehmer – in mindestens 40 Ortschaften, worunter in den meisten Kantonshauptorten, gefeiert.

Internationale Kundgebung zum 1. Mai 1890.

Der Congreß beschließt:

Es ist für einen bestimmten Zeitpunkt eine *große internationale Manifestation* (Kundgebung) zu organisiren, und zwar dergestalt, daß gleichzeitig in allen Ländern und in allen Städten an einem bestimmten Tage die Arbeiter an die *öffentlichen Gewalten (Behörden) die Forderung richten, den Arbeitstag auf acht Stunden festzusetzen* und die übrigen Beschlüsse des internationalen Kongresses von Paris zur Ausführung zu bringen.

In Anbetracht der Thatsache, daß eine solche Kundgebung bereits von dem *Amerikanischen Arbeiterbund* (Federation of Labour) auf seinem im Dezember 1888 zu *St. Louis* abgehaltenen Congreß *für den 1. Mai 1890* beschlossen worden ist, wird dieser Zeitpunkt *als Tag der internationalen Kundgebung angenommen. Die Arbeiter der verschiedenen Nationen haben die Kundgebung in der Art und Weise, wie sie ihnen durch die Verhältnisse ihres Landes vorgeschrieben wird, in's Werk zu setzen.*

Protokoll des Internationalen Arbeiter-Congresses zu Paris, abgehalten vom 14. bis 20. Juli 1889, Hg. W. Liebknecht, Nürnberg 1890, S. 123.

47 Aufruf an alle sozialistisch gesinnten Schweizer*

1888 gelang im dritten Anlauf die Gründung der SPS. Organisatorische Grundlage der neuen Partei waren die bereits im ganzen Land bestehenden sozialdemokratischen Ortsgruppen und die Arbeitervereine, die vorher den «Schweizerischen Arbeitertag» gebildet hatten. Damit bestand nun neben dem SGB auch auf politischer Ebene eine nationale Arbeiterorganisation.

Werthe Mitbürger!

Die Delegirtenversammlung der Vereine des «Schweizerischen Arbeitertages» hat am 21. Oktober 1888 einmüthig beschlossen, den genannten Verband aufzulösen zu Gunsten einer aus allen Schichten unseres Volkes zu bildenden *«Sozialdemokratischen Partei der Schweiz».*

Der Grund, welcher zu diesem Beschlusse führte, liegt hauptsächlich in der Überzeugung, daß es an der Zeit sei, die sozialdemokratische Bewegung in unserm Vaterlande aus den

Kreisen der Arbeitervereine hinaus auf den Boden des allgemeinen politischen Volkslebens zu führen und ihr da eine feste, greifbare Organisation zu geben.

Wohl werden nämlich die Arbeitervereine immer den *Kern* dieser Bewegung bilden müssen, da sie vorzugsweise eine *wirthschaftliche* Bewegung ist und auf Befreiung der *Arbeit* geht, welche durch das *Lohnsystem* in alle freie Entwicklung hemmenden und einen ganzen Volkstheil in geringer und dienstbarer Existenz darniederhaltenden Fesseln heute gebunden ist.

Dieser im persönlichen Dienste privater Lohngeber arbeitende oder auch nach der Willkür der Arbeitsherren arbeitslose und dann hungernde Volkstheil bedarf einer Neugestaltung unseres Wirtschaftssystems am Dringendsten, besonders aber auch am Offenkundigsten, und es ist dabei natürlich, daß er die meisten, eifrigsten und entschlossensten Elemente zu der sozialistischen Bewegung, die ja oft auch kurzweg die *Arbeiterbewegung* genannt wird, stellt.

Allein schon die Klasse der besitzlosen Lohnarbeiter, welche die Masse des Volkes bildet, kann und wird immer nur zu einem verhältnißmäßig kleinen Theile in *Vereinen* sich sammeln, so nahe dem Fabrikarbeiter die gewerkschaftliche Organisation liegt, und so erfreulich bei uns der schweizerische Grütliverein, der einen Sammelpunkt verschiedenster Elemente bildet, gedeihen mag.

Schon für die Arbeiterschaft unseres Landes ist es darum geboten, eine *weitere,* rein politische und von allem Vereinszwang freie Organisation zu schaffen, welcher auch der Einzelne, wo er sich befinde, angehören kann. Diese freie Organisation, welche in einfachster und ungezwungenster Weise über das ganze Land und auch über alle Berufsklassen, *Stände und Lebensstellungen* sich verbreiten kann, finden wir in der althergebrachten und stets praktisch befundenen Form der *politischen Partei.*

Einer solchen Organisation können dann auch neben den «Arbeitern», im engern Wortsinne, alle diejenigen Bürger beitreten, welche zwar unsere politische Überzeugung theilen, deren Beitritt zu speziellen Arbeitervereinen aber erfahrungsgemäß niemals in größerem Maßstab erwartet werden darf. Solcher Bürger gibt es heute bereits nicht wenige, wie die Abonnentenlisten der sozialistischen Blätter, zum Theile wenigstens, beweisen. Die Sozialdemokratie aber muß auf die Betheiligung weitester Volkskreise in ihrem Kampfe gegen das engherzige und bornirte Kapitalistenthum rechnen. Es gilt, auch die Gedrückten und die Einsichtigen und Wohlmeinenden des Beamten-, des Handels-, des Gewerbe-, des Bauernstandes herbeizuziehen und ihnen einen Boden zu bieten, auf dem sie sich ihren Bedürfnissen und Lebensgewohnheiten entsprechend an den Bestrebungen der Sozialdemokratie thätig betheiligen können.

Es handelt sich ja nicht etwa nur um eine Besserstellung der Lohnarbeiter. *Es wäre schlimm bestellt um die Sache der Sozialdemokratie, wenn sie nur das Wohl eines Volkstheiles im Auge hätte!* Nein, unsere Partei hat ein weit höheres Ziel, sie will ein politisch und ökonomisch in allen Gliedern *freies und glückliches Volk,* ja, eine *freie und glückliche Menschheit* schaffen.

Mit diesem Ziele, aber auch erst mit diesem, wird die *Arbeiterbewegung* zur *sozialdemokratischen Bewegung,* die *Arbeiterpartei* zur *sozialdemokratischen Partei.* ...

Der *politische* Gedanke der Sozialdemokratie ist einfach und leicht zu fassen. Er heißt: *Freiheit und Gleichberechtigung Aller im rein demokratischen Staat, garantirt durch Gesetz und Erziehung, sowie durch die ökonomische Unabhängigkeit eines Jeden seinen Mitbürgern gegenüber.*

Das Beste wird dabei die *Erziehung* thun müssen, und sie wird es thun können, weil ihr die Aufhebung der Standes- und Klassenunterschiede erlaubt, frei und gleich und brüderlich fühlende Bürger zu bilden. Unter so gesinnten Menschen wird jede Unterdrückung der Einen durch die Andern unmöglich sein, und die Demokratie, welche heute nur eine gegenüber andern Staatsformen oft nicht einmal mildere Form einer solchen Herrschaft ist, wird zur That und Wahrheit werden. ...

Werthe Mitbürger!

Hiemit sei Euch der Beitritt zu der sozialdemokratischen Partei der Schweiz, der heutigen *radikalen Fortschrittspartei,* bestens empfohlen. Bedenkt, daß eine starke politische Partei unserem Vaterland die beste Gewähr bietet für Erreichung der mit Naturnothwendigkeit von den Völkern zu gewinnenden nächsten Zivilisationsstufe, der sozialdemokratischen Gemeinschaft, *auf friedlichem Wege!*

Bern, den 20. Januar 1889.

Das Parteikomite der sozialdemokratischen Partei der Schweiz

Aufruf an alle sozialistisch gesinnten Schweizer, Bern 20.1.1889, S. 1 ff., S. 6, Archiv der SP des Kantons Zürich.

48 Die Bedeutung des Wortes «Sozialdemokratie»*

In der Anfangszeit der SPS gab es noch keine nennenswerte parteiinterne Diskussion um theoretische Fragen, und noch weniger Auseinandersetzungen von verschiedenen theoretischen Positionen aus. Eine Ausnahme bildete der Initiant und Mitbegründer der Partei, Albert Steck. In mehreren Beiträgen über Theorie und Praxis des Sozialismus legte er die damals maßgeblichen Auffassungen fest.

... Was hat nun aber diese Abhandlung über Theorie und Praxis mit unserem Thema «die Bedeutung des Wortes Sozialdemokratie» zu thun?

Nun, es kommt eben auch hier darauf an, die Theorie richtig zu erfassen, um die richtige praktische Thätigkeit zu finden. Das Wort «Sozialdemokratie» trifft und deckt (was vielleicht nicht Jedermann weiß oder gegenwärtig hat) das Wesen der Sache; darum ist es für das praktische Wirken für die Sozialdemokratie keineswegs überflüssig, dieses Wortes Bedeutung theoretisch richtig zu erfassen. Ja, wer unsere sozialdemokratisch sein sollende Arbeiterbewegung in ihren verschiedenen Theilen und in ihr wirkenden Kräften kennt, dürfte finden, daß gerade die mangelhafte Auffassung des Begriffes der Sache, welcher sie doch dienen soll und großentheils auch dienen will, manches verfehlte Streben, manche schädliche Unterlassung, manche schiefe Sachlage oder, wenn das alles nicht zugegeben wird, doch große Gefahren für die Zukunft, für den richtigen Ausfall des betriebenen Werkes, erzeugt hat und stets weiter erzeugt.

Wir wollen die Sozialdemokratie, und diese ist nichts anderes als die soziale Demokratie, welche als das Engere, als spezielle Unterabtheilung auch die *politische* Demokratie in sich schließt und zum wesentlichen Bestandtheile hat.

Die soziale Demokratie ist die vollständige Volksherrschaft, und diese allein ist die Volksfreiheit. Die vollständige Volksherrschaft kann, neben dem weitern Ausbau und der Vollendung der politischen Demokratie, nur ereicht werden durch die Herrschaft des Volkes auch über die Produktionsmittel seines Landes. Die politische und die ökonomische Volksherrschaft zusammen geben die soziale Demokratie, die Sozialdemokratie, wobei allerdings die politische Seite, die in der heutigen Gesellschaft allein im Vordergrunde steht und stehen darf, gegenüber der ungleich bedeutenderen ökonomischen Seite der Volkswirtschaft, ziemlich zurückstehen wird. Allein sie darf nicht fehlen. Denn es wird auch im sozialdemokratischen Staatswesen die *Politik* sein, welche die ökonomische Volksherrschaft, gestützt auf den Gemeinbesitz der Produktionsmittel, *gestalten* und *regieren* wird. Es wird die politische Demokratie sogar allein sein, welche verhüten kann, daß nicht die prinzipiell angenommene ökonomische Volksherrschaft menschlich ausarte in eine das Volk beherrschende ökonomische Despotie oder Aristokratie Einzelner oder einer *neuen* Klasse, beziehungsweise mehrerer neuer Klassen.

Es ist dem Sozialismus niemals ein gefährlicherer Einwand entgegengehalten worden als der, daß eben auch beim Gemeinbesitz der Produktionsmittel und bei der sozialistischen Produktionsweise schließlich einzelne Bürger oder eine ganze Klasse von Bürgern die Herrschaft an sich zu reissen und eine bevorzugte Stellung sich zu sichern im Stande sein werden.

Nach der menschlichen Natur, nach dem Charakter der Masse des Volkes, der Durchschnittsbürger, welche heute noch geradezu das Bedürfniß haben, sich Herren zu schaffen, die sie verehren und denen sie sich unterordnen können, ist das wahrscheinlich genug; ebenso nach der Natur gerade der arbeitskräftigsten und energischesten Menschen, welche sie nach der Herrschaft über Andere streben läßt, wenn nicht eine hohe Geistes- und Herzensbildung ihnen Bescheidenheit, Selbstverleugnung und den Willen der eventuellen Selbstbeschränkung ihres Einflusses zu eigen hat werden lassen, und wenn sie nicht tief überzeugt sind davon, daß auch die Besten *nicht herrschen dürfen,* wenn die Volksherrschaft, und damit die Volksfreiheit, welche sie als das Beste, das Ideal erkannt haben, zur Wahrheit werden soll. Nur Solche eignen sich zu Führern einer *wahrhaft* demokratischen Partei oder Gruppe, deren Streben unablässig dahin geht, wirklich das Volk oder die Mitglieder der betreffenden Vereinigung herrschen zu machen. Nur Solche sollten als Führer geduldet werden bei uns, die wissen, daß sie nur Rathgeber für den eigentlichen Herrn, das Volk, und in der Praxis nur *Diener* desselben sein dürfen, und die sich demgemäß benehmen. Solche dürfen sich, auch als Diener des Volkes, nie für unentbehrlich halten, und sobald sie merken, daß das Volk anfängt, an sie seine Herrschaft zu überlassen, weil es nur zu gerne Andere, Einzelne für sich sorgen läßt, sollen sie auch den Dienst künden, nur um die Herrschaft des Volkes zu retten; denn diese an sich ist wichtiger als die besten Dienste, welche dem Volke von Einzelnen geleistet werden können, vorausgesetzt, daß die Demokratie eben das *Ziel aller Bestrebungen* sei, wie das bei der *sozialdemokratischen* Partei der Fall sein muß. Eine sozialistisch produzierende Gesellschaft ohne die vollkommenste demokratische Einrichtung der Staatsordnung würde alle jene Vorwürfe, die heute den sozialdemokratischen Staat als trostlose Zwangsanstalt schlimmster Art darstellen, bald rechtfertigen müssen. Belebt die neue Gesellschaft nicht der ausgesprochenste, in Fleisch und Blut der

Bürger übergegangene demokratische Geist, so werden der Gemeinbesitz der Produktionsmittel und die staatliche Beherrschung aller Produktion nur eine neue Klassenherrschaft oder auch Einzelherrschaft aufrichten helfen, die weit furchtbarer und mächtiger sein müßte als die heutige. Faktisch würde dann der Gemeinbesitz der Produktionsmittel nur zur unbeschränkten Herrschaft der Machthaber (I) über dieselben führen; gerade wie heute, trotz aller papiernen Verfassungen, die politische Macht faktisch in den Händen Weniger beziehungsweise einer Klasse ist, so würde dann die ökonomische Macht noch zur politischen hinzu in den Händen Weniger bezw. einer neuen bevorzugten Klasse sein. So lange die Bürger nicht richtige Demokraten sind, werden sie unter jeder Staatsform und bei jeder ökonomischen Ordnung *ihre Herren finden.* Mit der *Sozialdemokratie* wäre es dann nichts geworden.

(I) Ob dann diese neuen Machthaber einst Fürsprecher, oder Schneider, oder Schlosser, oder Commis gewesen sein möchten, würde gar nichts an der Sache ändern. Im Gegentheil: «Kein Messer schärfer schiert» ...

Der Schweizerische Sozialdemokrat Nr. 30, 26.7.1890.

49 Hindernisse für die proletarische Bewegung in der Schweiz

Bericht an den Internationalen Arbeiter-Kongreß in Zürich 1893 über den Stand der Socialdemokratischen Bewegung in der Schweiz

Für die Richtung und den Charakter der proletarischen Bewegung in der Schweiz sind drei Tatsachen von großer Wichtigkeit:

1. Die Bevölkerung der Schweiz ist ziemlich gleichmäßig über das Land verteilt. Nur *eine* Stadt, nämlich Zürich, zählt 100000 Einwohner. In Gemeinden mit mehr als 10000 Einwohnern wohnt nur etwa ein Sechsteil der gesamten Bevölkerung. Dieser Umstand erschwert die Agitation natürlich nicht wenig. Das proletarische Klassenbewußtsein und der revolutionäre Charakter bilden sich in kleinen Kreisen aus naheliegenden Gründen viel schwerer aus als in großen, auf *einem* Platz zusammengedrängten Volksmassen. – Zur Decentralisation der Industrie im besondern trägt der Umstand nicht wenig bei, daß sie den Mangel an Kohlenlagern durch Ausnützung der Wasserkräfte ersetzt und darum den Flußläufen nachgeht.

2. Noch vollzieht sich der wichtigere Teil des politischen Lebens bei uns in den *einzelnen Kantonen.* Bis zum Jahre 1848 bildete die Schweiz nur einen lose gefügten Staatenbund. Erst die aus jenem Jahr stammende und im Jahr 1874 revidirte Verfassung schuf den Bundesstaat, gab uns eine Nationalvertretung im Nationalrat und übertrug auf den Bund eine Anzahl von Rechten, die vorher von den einzelnen Kantonen ausgübt worden waren. Und wenn auch seither die centralistische Bewegung starke Fortschritte gemacht hat, so sind es doch weite

Kaufmännische Arbeiter sehr billig.
Billige Akkord-Arbeit streikt nicht.
Ungelernte Arbeiter
Grosse Nachfrage rentirt sehr!
Erdarbeiter gewöhnt an Mühseligkeit
Lohn-Sklaven schaffen für 2 Frk. pro Tag Grosser Profit!
Kinder-Arbeit wehrlos darum zum Ausbeuten sehr geeignet
Noth und Hunger
Chiesen-Arbeit
billig
Eisenbahnarbeiter
zäh wenn sie einmal etwas erfasst haben.
Frauen-Arbeit. Wird für einen Pfifferling schaffen.
Unwissende Arbeiter können v. Wind u. Versprechungen leben.
Unorganisirte Arbeiter sind zufrieden mit allem
Italiener einige Jahre sehr profitabel.
Posamenter lange Zeit geduldig
Handlanger auch als Stimmvieh verwendbar.
Streikbrecher Arbeit sehr billig guter Ersatz für organisirte Arbeit zu allem zu gebrauchen kann auch roh behandelt werden.
Stimmvieh (Wahlknechte) stimmen wie der Herr es will.

Der Ar

brecher
ze Frist
bar
Alle anderen Special-Arbeit-Artikel werden sofort geliefert
Bauarbeiter im Winter das Hungern gewohnt.
Städtische und Staatsarbeiter ist einerauf den andern eifersüchtig, darum nicht gefährlich.
Kirchgänger sehr geduldig und genügsam
Freie Arbeiter lassen sich den Lohn abzwacken.
Organisirte Arbeit zum Streiken geneigt Wird leicht unzufrieden. lässt sich schlechte Behandlung nicht gefallen.
Socialistische Literatur
Fabrikler sehr billige Arbeit
Socialistische Arbeiter etwas gefährlich, müssen isolirt u. eingeschränkt gehalten werden besonders zur Zeit der Wahlen.
Brauerei-Arbeiter schwer zu befriedigen
Uhrmacher kann man immer wieder mit falschen Vorspieglungen hinhalten.
Stickerei Arbeite sind an das Hungern gewöhnt.
95

smarkt.

Gebiete des staatlichen Lebens, in denen die Kantone souverän sind (Privatrecht, Strafrecht, Rechtspflege, Schulwesen, Gewerberecht, Steuerwesen). Die Folge ist, daß wir – abgesehen von der socialdemokratischen Partei – keine eidgenössischen Parteien kennen und daß die kleinen und kleinlichen Fragen kantonaler Politik sich vordrängen, die Aufmerksamkeit in starkem Grad absorbiren und daß sie, den Horizont verengend, allen höheren Gesichtspunkten und weitern Gedanken im Wege stehen. Das macht sich für die proletarische Bewegung insofern geltend, als es keine kleine Mühe kostet, den Anschluß der einzelnen Gruppen und der kantonalen Verbände an einander zu bewirken und eine von einheitlichen Gedanken geleitete, die ganze Schweiz umfassende Arbeiterorganisation zu schaffen. Einen ähnlichen Effekt bewirkt die Verschiedenheit der drei Landessprachen.

3. Von größter Bedeutung für die proletarische Bewegung ist endlich die demokratische Verfassung der Kantone und des Bundes. Die einzelnen Kantone repräsentiren zwar sehr verschiedene Stufen der demokratischen Entwicklung, die große Mehrzahl kennt aber doch die Gesetzesinitiative, das Referendum in dieser oder jener Form, die Volkswahl nicht nur der gesetzgebenden Räte, sondern auch der wichtigern Verwaltungs- und Richterstellen. Der Einfluß, den die demokratischen Volksrechte auf die Arbeiterbewegung ausüben, läßt sich unmöglich mit einem einzigen Wort charakterisiren: Auf der einen Seite leisten sie ihr bedeutenden Vorschub. Der Nachweis, daß die Teilnahme des Volkes an der Gesetzgebung dieser selbst eine bestimmte Richtung gibt und zwar in dem Sinne, daß sie die Bedürfnisse des Volkes in höherm Grade berücksichtigt, ist leicht zu erbringen. Einrichtungen wie die unentgeltliche Verabreichung der Lehrmittel, unentgeltlicher Unterricht nicht nur in der Volksschule, sondern zum Teil auch auf Mittelschulen und Gymnasien, die unentgeltliche Beerdigung etc. stellen Konzessionen dar, die ohne den Druck einer demokratischen Partei nicht gemacht worden wären. Und wer ihren Wert gering anschlägt, wird doch zugeben, daß die durch unsere demokratischen Institutionen ermöglichte politische Betätigung des Volkes jedenfalls dazu dient, die Massen aufzurütteln, sie politisch zu schulen, das Bedürfnis nach Organisation zu erwecken. Und insofern hat die Demokratie zweifelsohne Bedingungen geschaffen, die für die socialdemokratische Bewegung günstig waren. In einer andern Richtung aber erschwert die Demokratie die klare Erkenntnis des geschichtlichen Prozesses und der Stellung, die das Proletariat in demselben einnimmt. Sie schärft nicht das Klassenbewußtsein, sondern lähmt es oder schwächt es ab; sie verhüllt die socialen Gegensätze ohne sie zu beseitigen. Oft begegnen sich der von seinem Klasseninteresse geleitete Proletarier und der von seinen ihm anerzogenen demokratischen Ideen geleitete Bourgeois auf demselben Weg. Sie haben eine Reihe gemeinsamer Zielpunkte. Und deshalb unterliegen beide gerne dem Irrtum, daß ihre Waffenbruderschaft von Dauer sein könne und daß eine dauernde Verständigung nur von ihrem guten Willen abhange. Daß es aber das Proletariat ist, das schließlich die Kosten dieses Irrtums zu bezahlen hat, das ist selbstverständlich.

Bericht an den Internationalen Arbeiter-Kongreß in Zürich 1893 über den Stand der Socialdemokratischen Bewegung in der Schweiz, Separatdruck o.O., o.J.

50 Die politische Taktik der Sozialdemokratie

Aus politischen Gründen, aber auch wegen ihrer zentralen Lage, war die Schweiz ein geeigneter Kongressort für die Internationale. 1893 fand ein Kongreß in Zürich statt, an dem der belgische Sozialist und spätere Präsident des Exekutivkomitees der II. Internationale, Vandervelde, folgende Resolution begründete.

In Erwägung, daß die politische Aktion nur ein Mittel zur Erlangung der ökonomischen Emanzipation des Proletariats ist, erklärt der Kongreß unter Hinweis auf die Beschlüsse des Brüsseler Kongresses über den Klassenkampf:

1. Daß die nationale und internationale Organisirung der Arbeiter aller Länder in Gewerkschaften und andere Organisationen zur Bekämpfung des Ausbeutertums eine unbedingte Notwendigkeit ist.

2. Daß die politische Aktion notwendig ist sowohl zum Zweck der Agitation und der rückhaltlosen Kundgebung der Prinzipien des Sozialismus, als auch zum Zweck der Erringung der dringend notwendigen Reformen.

Daher empfiehlt er den Arbeitern aller Länder die Erkämpfung und Ausübung der politischen Rechte, welche sich als notwendig erweisen, um die Forderungen der Arbeiter in allen gesetzgebenden und verwaltenden Körperschaften auf das nachdrücklichste und wirkungsvollste zur Geltung zu bringen und die politischen Machtmittel zu erobern, um sie aus Mitteln der Herrschaft des Kapitals in solche der Befreiung des Proletariats zu verwandeln.

3. Die Wahl der Formen und Arten des ökonomischen und politischen Kampfes muß den einzelnen Nationalitäten nach Maßgabe der besonderen Verhältnisse ihres Landes überlassen bleiben. Jedoch erklärt es der Kongreß für notwendig, daß bei diesen Kämpfen das revolutionäre Ziel der sozialistischen Bewegung, die vollständige ökonomische, politische und moralische Umgestaltung der heutigen Gesellschaft, im Vordergrund gehalten wird. In keinem Fall darf die politische Aktion als Vorwand für Kompromisse und Allianzen dienen, die eine Schädigung unserer Prinzipien oder unserer Selbständigkeit bedingen. ...

Protokoll des Internationalen Sozialistischen Arbeiterkongresses in Zürich vom 6. bis 12. August 1893, Zürich 1894, S. 40f.

51 Die Volksinitiative als Kampfmittel: «Das Recht auf Arbeit»

In den 1880er und 1890er Jahren war die Arbeitslosigkeit, die in Krisenjahren rapid anstieg, eines der brennendsten Probleme der Arbeiterklasse. Die SPS und vor allem Albert Steck bemühten sich deshalb um eine Garantie des «Rechts auf Arbeit» in der Bundesverfassung. Dieser Vorstoß blieb innerhalb der Arbeiterbewegung nicht unwidersprochen. Der Gewerk-

schaftsbund und der Redaktor der «Arbeiterstimme», Robert Seidel, wehrten sich dagegen mit der Begründung, das Recht auf Arbeit könne in der kapitalistischen Gesellschaft gar nicht verwirklicht werden. Seidel betonte, die Arbeit sei eine Pflicht, nicht ein Recht, und die Idee des «Rechts auf Arbeit» sei ein Erbstück des utopischen Sozialismus. Steck dagegen wollte vor allem Publizität erreichen für ein Problem, um das sich bürgerliche Parteien und der Staat überhaupt nicht kümmerten. Die Volksinitiative wurde hoch verworfen.

Werte Mitbürger

Das Schweizervolk hat viele Rechte; aber ein Recht fehlt ihm noch immer: *das Recht auf das tägliche Brot.*

Als noch jeder Arbeitswillige Arbeit und ausreichenden Verdienst leicht finden konnte, da genügte es, wenn die Gesetze nur volle *Freiheit* den Bürgern gaben, ihr Brot in jeder ihnen möglichen Weise ungehindert zu erwerben. Heute aber ist es anders geworden.

Tausende von Bürgern, die arbeiten möchten, finden keinen oder doch nicht ausreichenden Verdienst mehr wegen den stets sich wiederholenden Geschäftskrisen und dem immer stärker sich entwickelnden Maschinenwesen, das mehr und mehr menschliche Arbeit überflüssig macht. Immer häufiger heißt es bald in diesem, bald in jenem Geschäftsszweige: es ist Ueberfluß an fertiger Ware da, der Absatz stockt, oder es sind zu viele Arbeitskräfte vorhanden, die Beschäftigung suchen. Darunter leiden aber nicht nur die, welche keine oder nicht genügend Arbeit finden, sondern auch *alle beschäftigten Arbeiter und Angestellten.* Sie sehen ihre Lage immer unsicherer werden und müssen in steter Angst leben, ihre Arbeit zu verlieren.

Das bringt das Ansehen der Arbeit und der Arbeiter herunter. Die Arbeiterklasse wird immer abhängiger von den Herren, immer mehr deren untertäniger Knecht. Es gestaltet sich so ein großer Teil des Schweizervolkes zum *Proletariat,* einer ungewiß, sorgenvoll und unterwürfig lebenden Masse, ohne Hoffnung auf Besserung ihrer Lage.

Werden wir morgen noch Arbeit haben? Wird man uns noch morgen brauchen?

Das sind die Fragen, die Familienväter wie Ledige heute mehr als je und immer öfter in kummervollen Nächten und Tagen bewegen.

Hunderttausende von Schweizerbürgern und -bürgerinnen hoffen und harren bange auf «bessere Zeiten», aber diese Zeiten bleiben aus. Und wenn sie aus besondern, außerordentlichen Gründen etwa wieder einzutreten scheinen, so gehen sie bald wieder vorüber und machen den schlechten Zeiten, die zur Regel geworden sind, wieder Platz.

Die Hoffnung, man habe es nur mit bald vorübergehenden, ausnahmsweisen «Krisen» zu tun, erweist sich immer mehr als trügerisch. Und es muß so sein; die Gesetze der heutigen wirtschaftlichen Entwicklung bedingen diese Lage und lassen sich nicht ändern, ohne gründliche Änderung unserer ganzen Wirtschafts- und Gesellschaftsordnung.

Ein sehr geschätztes heutiges Mitglied des Bundesrates, Herr Oberst *Emil Frey,* schrieb vor einigen Jahren schon:

«Es darf heute gesagt werden, daß die *Arbeitslosigkeit eine allgemeine Gefahr* geworden ist, nicht nur weil sie vor Jedermanns Türe steht, sondern weil sie mit ihren Folgen *die Grundlagen der Gesellschaft* bedroht. Denn die Arbeitslosigkeit ist in dem *Wesen* der heutigen Gesellschaftsordnung begründet ... Die Arbeitslosigkeit ist daher auch heute nicht nur eine permanente (fortwährende) Erscheinung im wirtschaftlichen Leben geworden, sondern es kann nicht bezweifelt werden, daß sie *in stetiger Zunahme und keineswegs etwa in Abnahme begriffen ist.»* ...

Initiativbegehren für das Recht auf Arbeit.

Die unterzeichneten Schweizerbürger stellen gemäß Art. 121 der Bundesverfassung und dem Bundesgesetz vom 27. Januar 1892 über das Verfahren bei Volksbegehren und Abstimmungen betreffend Revision der Bundesverfassung das Begehren um Volksabstimmung über den Antrag, es sei folgender neuer Artikel der Bundesverfassung einzuverleiben:

«Das Recht auf ausreichend lohnende Arbeit ist jedem Schweizerbürger gewährleistet. Die Gesetzgebung des Bundes hat diesem Grundsatz unter Mitwirkung der Kantone und der Gemeinden in jeder möglichen Weise praktische Geltung zu verschaffen.

Insbesondere sollen Bestimmungen getroffen werden:

a. zum Zwecke genügender Fürsorge für Arbeitsgelegenheit, namentlich durch eine auf möglichst viele Gewerbe und Berufe sich erstreckende Verkürzung der Arbeitszeit;

b. für wirksamen und unentgeltlichen öffentlichen Arbeitsnachweis, gestützt auf die Fachorganisationen der Arbeiter;

c. für Schutz der Arbeiter und Angestellten gegen ungerechtfertigte Entlassung und Arbeitsentziehung;

d. für sichere und ausreichende Unterstützung unverschuldet ganz oder teilweise Arbeitsloser, sei es auf dem Wege der öffentlichen Versicherung gegen die Folgen der Arbeitslosigkeit, sei es durch Unterstützung privater Versicherungsinstitute der Arbeiter aus öffentlichen Mitteln;

e. für praktischen Schutz der Vereinsfreiheit, insbesondere für ungehinderte Bildung von Arbeiterverbänden, zur Wahrung der Interessen der Arbeiter gegenüber ihren Arbeitgebern und für ungehinderten Beitritt zu solchen Verbänden;

f. für Begründung und Sicherung einer öffentlichen Rechtsstellung der Arbeiter gegenüber ihren Arbeitgebern und für demokratische Organisation der Arbeit in den Fabriken und ähnlichen Geschäften, vorab des Staates und der Gemeinden.»

Das Recht auf Arbeit, Flugblatt, Basel und Winterthur 1893, Archiv der SP des Kantons Zürich.

52 Mit dem Stimmzettel an die Macht? Nationalratswahlen 1899

Arbeiter! Parteigenossen!

Am *29. Oktober* werden wir an die Urne gerufen, um die *sechs Vertreter* zu wählen, die der erste eidgenössische Wahlkreis in den *Nationalrat* entsendet.

Von diesen sechs Vertretern wollen die bürgerlichen Parteien uns *einen* überlassen. Für sich beanspruchen die Herren, bescheiden wie sie immer sind, nicht weniger als *fünf!*

Arbeiter! Helft uns, diesem Zustand der Rechtlosigkeit endlich ein Ende zu machen.
Am Wahltag hat die Arbeiterschaft die Macht in den Händen. Von den 30000 Stimmberechtigten gehören *mehr als 20000 dem arbeitenden Volke an.* Thäte nur die Hälfte ihre Pflicht, so wäre der Sieg unser!
Sollen wir wieder drei Jahre lang die Suppe essen, welche unsere Gegner uns versalzen? *Jetzt müssen wir handeln!* Was nützt es, nachher zu klagen, daß die andern das Wort nicht gehalten haben, das man Euch gab, als sie Euere Stimmen brauchten?

Bedenkt wie wichtig es ist, daß auch *unsere Interessen in Bern* vertreten werden, daß neben den Herren Offizieren, Aktionären und Dividendenjägern *auch das arbeitende Volk* zum Worte kommt. Der neu zu wählende Nationalrat wird sich mit den Fragen der Kranken- und Unfallversicherung, mit der Revision des Fabrikgesetzes, des Betreibungsgesetzes und mit der Arbeitslosenfrage zu befassen haben. Er soll ein einheitliches Straf- und Civilrecht schaffen, die Eisenbahnverstaatlichung durchzuführen. Die weitesten Kreise des Volkes verlangen eine Verminderung der Militärlasten, die sich nun auf 30 Millionen jährlich belaufen. Was wird dabei herauskommen, wenn die Arbeiterschaft von der Mitwirkung an diesen wichtigen Aufgaben ausgeschlossen ist?

Arbeiter, Parteigenossen! Wenn Ihr Euch nicht selbst helft, so hilft Euch niemand.

Keiner bleibe am 29. Oktober zu Hause, und keiner lasse sich als Stimmvieh mißbrauchen.

Die *Sozialdemokratie* vertritt das Recht der Arbeit gegenüber dem Besitz, sie will das Recht des lebendigen Menschen und dessen einziges Gut, seine Arbeitskraft, ebenso schützen, wie jetzt das tote Kapital mit Hülfe von Polizisten und Landjägern geschützt wird.
Habt Ihr je gehört, daß ein Fabrikbesitzer oder Bankier den socialistischen Kandidaten seine Stimme gegeben hat? *Nie in Euerem Leben!* Darum seid auch nicht so dumm, unsern Gegnern zu stimmen. Die Namen *unserer Kandidaten,* die Ihr als tüchtige und vertrauenswürdige Männer kennt, lauten:

1. Otto Lang, Bezirksrichter.
2. Herman Greulich, Arbeitersekretär.
3. M. Fähndrich, Kantonsrat.
4. Robert Seidel, Schriftsteller.
5. J. Vogelsanger, Nationalrat.
6. Fr. Erisman, Professor.

Wir legen Euch eine volle socialdemokratische Liste vor. Die bürgerlichen Parteien treten seit Jahren unsere Rechte mit Füßen und verweigern uns jede billige Vertretung. Wenn die Gegner nichts vom Proporz wissen wollen, so wehren wir uns unserer Haut. *Stimmt nur den socialdemokratischen Kandidaten!* Das ist das einzige Mittel, damit wir zu unserem Rechte gelangen.

Es lebe die Gerechtigkeit! Es lebe die Sache des arbeitenden Volkes!

Nationalratswahlen 1899, Sozialdemokratischer Wahlvorschlag des I. eidgen. Wahlkreises, Flugblatt.

53 Die Arbeiterbewegung verlangt ein gerechteres Wahlsystem

Zur Volksabstimmung vom 4. November 1900.

Proporz heißt Gerechtigkeit!

Volkswahl heißt Volkswohl!

Proporz des Nationalrates.

Der Proporz oder die Verhältniswahl gibt jeder Partei eine Vertretung nach der Zahl ihrer Wähler, er schafft **gleiches Recht für alle Parteien.**

Die jetzige Wahlart gibt alles der Mehrheitspartei, sie macht namentlich die kämpfende Arbeiterschaft mundtot und zu Bürgern zweiten Ranges. Trotzdem wir mehr als einen Vierteil der Stimmen im Kanton aufweisen, haben wir von 17 Vertretern im Nationalrat nicht vier oder fünf, sondern **nur einen** und das nennt der „demokratische Freisinn“ noch gerecht!

Die jetzige Wahlart ist die Vergewaltigung, der Majorz mit all seinen schäbigen Kniffen und Pfiffen; **der Proporz ist die Gerechtigkeit für alle!**

Der Majorz gibt immer **nur** eine **Herren**-Vertretung, erst der Proporz ermöglicht eine **Volks**vertretung, eine Vertretung aller Schichten im Rate der Nation.

Darum fort mit dem Majorz und hoch der Proporz nach dem altschweizerischen Spruche: Gleiches Recht für alle! Und darum für den Proporz ein kräftiges

☛ Ja! ☚

Volkswahl des Bundesrates.

In der Schweiz ist das **Volk** verfassungsmäßig der Souverän, das wird aber erst dann zur Wahrheit, wenn das Schweizervolk selbst und direkt den Bundesrat wählt.

Jetzt wählt in Wirklichkeit der „Storchenklub“ nach dem Machtwort der radikal-demokratischen Führer die Bundesregierung; nicht die Tüchtigkeit entscheidet, sondern die Parteifarbe.

Darum ist der Bundesrat von der herrschenden Partei in der Bundesversammlung abhängig, darum wird nur sie gehört und nur ihre Angehörigen werden zu all den Stellen befördert, die der Bundesrat zu vergeben hat. Das arbeitende Volk wird nicht gefragt und nicht beachtet.

Schon an der Wiege des Schweizerbundes wählten die alten Eidgenossen ihre Landeshäupter selbst. Vor 33 Jahren hat sich das Zürchervolk dieses altschweizerische Recht wieder erobert, ungeachtet der schimmlig gewordenen Gründe des Herrentums, die auch heute wieder aufmarschieren.

Wer **keine Herren-,** sondern eine **Volksregierung** im Bunde will, der stimmt mit entschiedenem

☛ Ja! ☚

Die socialdemokratische Partei der Stadt Zürich.

Zur Volksabstimmung vom 4. November 1900, Flugblatt, Archiv der SP des Kantons Zürich.

54 Ein Beispiel für die bestehende «Wahlgerechtigkeit»

Die folgende Darstellung zeigt die Benachteiligung der SP durch das geltende Majorz- oder Mehrheitswahlverfahren auf. Die Partei forderte deshalb die Einführung des Proporz- oder Verhältniswahlrechtes, das die Zuteilung der Mandate nach dem Stärkeverhältnis der Parteien vorsieht.

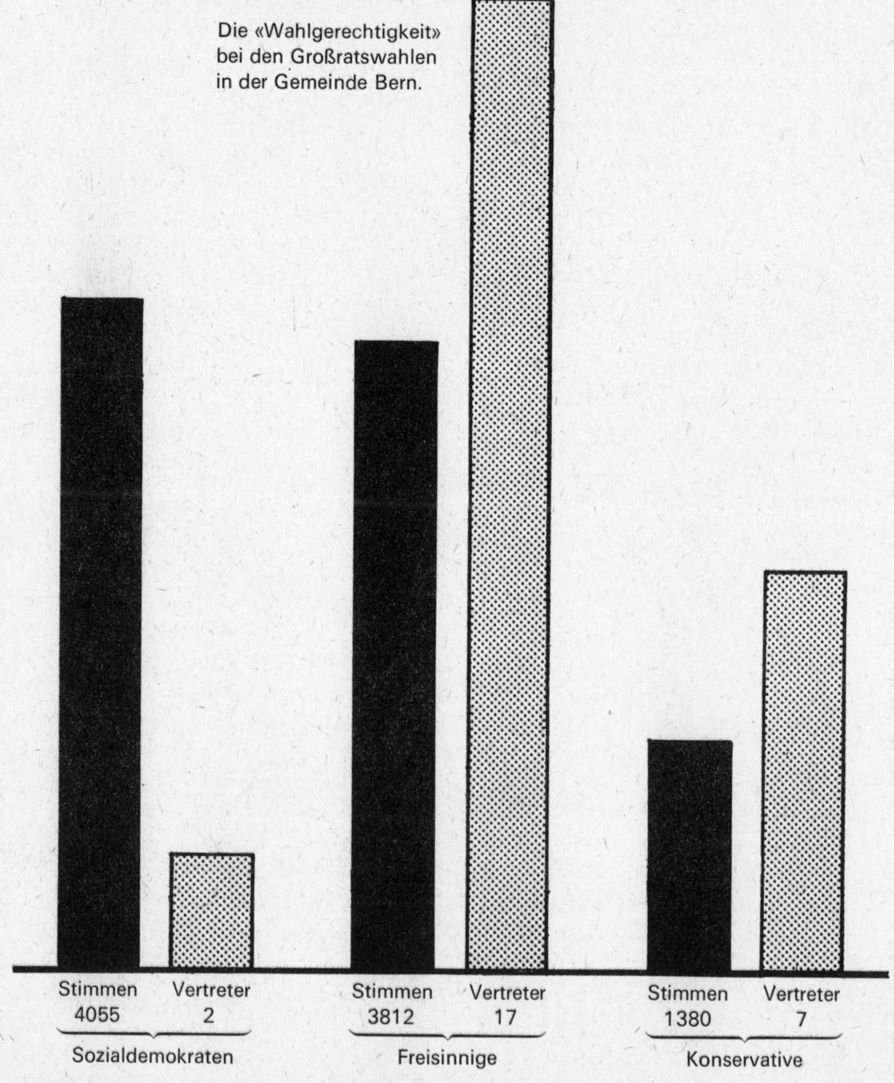

Das proportionale Wahlverfahren, in: Handbuch für sozialdemokratische Großratswähler, Bern 1910, S. 134.

55 Wie eine Weberin zur Gewerkschaft kam

Vor zwei Jahren trat ich dem Weberverbande bei. Die «Industrie-Zeitung»[1] nahm ich hie und da zur Hand, legte sie aber bald wieder auf die Seite, weil ich sie nicht verstand und deshalb kein Interesse daran fand. Ich wollte wieder austreten, weil es mir war, ich nütze nichts dabei, zudem wollten mich die 20 Rp. reuen. Mein Mann ließ es jedoch nicht geschehen, weil ihn die Zeitung interessierte. So blieb ich dabei. Ich besuchte von da an die Versammlungen, fing an, die Artikel aufmerksamer zu lesen, und heute bin ich voll und ganz unseres Ziels bewußt ... Ihr Frauen, habe ich nicht recht, wenn ich sage, daß unsere Haushaltungen verelenden? Darum, weil wir *verdienen müssen,* wird nicht geflickt, nicht geputzt, kurz, alles kommt in Unordnung. Damit die Kinder nicht mit verrissenen Kleidern herumgehen müssen, wird billiger Plunder gekauft. Wir sind keine Hausfrauen mehr! Aus diesem Elend kann uns nur die Organisation retten. Glaubet nicht, die Verbände nützen nichts. Leset unsere Zeitung mit Eifer, leset alle Artikel, nicht nur vom Weber-Verbande ... das Lesen bildet den Geist, es wird Euch dann gehen wie mir, Ihr werdet immer mehr Interesse an der Sache finden ... Gerade als *Mutter* sollte endlich jede erkennen, wie wichtig es ist, daß *sie sich organisiert und mitkämpft für bessere Arbeits- und Lebensverhältnisse, welche nicht bloß ihr selbst, sondern ihrer Familie, vor allem ihren Kindern zugute kommen.* Jede Arbeiterfrau sollte stolz darauf sein, mitzuarbeiten an dem großen Werke. Glaubt nicht, Ihr nützt nichts dabei; *eines jeden Beitritt* gibt dem Verein wieder mehr Kraft. Hilf Dir selbst, dann hilft Dir Gott, heißt es. Mit festem Gottvertrauen wollen wir unserem Verband kämpfen helfen, wir haben ja sachkundige, treue Führer, die nur unser Bestes wollen, und denen wir uns ruhig anvertrauen dürfen.

Ostschweizerische Industrie-Zeitung für die Arbeiter der gesamten Textilbranche, 10.5.1903.

[1] *Gewerkschaftsorgan der appenzellischen Textilarbeiter.*

56 Euch, Frauen der Arbeit! *

Die organisatorische Erfassung der arbeitenden Frauen in Partei und Gewerkschaften war aus verschiedenen Gründen bedeutend schwieriger als diejenige der Arbeiter. Die ungeheure Doppelbelastung von Fabrik- und Haushaltsarbeit ließ ihnen keine Zeit für politische Aktivität. Vielen wurden so tiefe Löhne ausbezahlt, daß sie keine Mitgliederbeiträge bezahlen konnten. Im Staat waren sie wegen der Verweigerung der politischen Rechte sowieso von jeglicher Politik ausgeschlossen; die Ideologie, Politik sei keine Frauensache, war auch in den Frauen selbst tief verwurzelt. Die Arbeiter zeigten oft kein Interesse an weiblichen Genossen, weil die Frauen von den Unternehmern vielfach als Lohndrücker den Arbeitern gegenüber eingesetzt wurden. Dennoch bestand innerhalb des SGB ein Arbeiterinnensekretariat, das die Organisation der werktätigen Frauen vorantreiben sollte.

Verfasserin dieses Aufrufes war Margarete Faas-Hardegger, Redaktorin der «Vorkämpferin» und Leiterin des Arbeiterinnensekretariats.

Euch, die Ihr Euer Leben aufreibt in der Sorge um Euer tägliches Brot. –

Euch, *Ihr Hausfrauen,* die Ihr Euer ganzes Sinnen einspannt in die alltägliche, unscheinbare und unbeachtetste Arbeit und die Ihr mit dem kümmerlichen Lohn Eueres Mannes Wunder der Sparsamkeit verrichtet! Euch, *Ihr Fabrikarbeiterinnen,* die Ihr kaum der Schule entlassen, Euer Leben in die grauen Mauern pfercht, die Ihr in den Jugendjahren der Entwicklung Euere Lungen mit den giftigen Ausdünstungen und dem Staub der Fabrik auffüllt, die Ihr, über Euere Arbeit gekrümmt, stunden-, tage-, wochen-, monate-, jahrelang in Durchzug und in Glühhitze auf den kalten Stein- und Asphaltböden steht und Euere Körper untauglich macht zu gesunder Mutterschaft!

Euch, *Ihr Heimarbeiterinnen,* die Ihr in den dunklen Stuben und den kalten Mansarden Euch die Augen aus dem Kopf arbeitet und die Nacht zu Hilfe nehmt, um das Brot zu erringen, das die Arbeit eines ganzen Tages Euch noch nicht verschaffen konnte.

Euch, *Ihr Taglöhnerinnen, Putz- und Waschfrauen, Euch Heimatlosen,* allen, die Ihr «im Dienst» und unter der Vormundschaft der glücklicheren Begüterten steht und «fremdes Brot» eßt!

Euch endlich, die Ihr zu uns gehört, obschon Ihr Euch vielfach leider noch nicht zu uns zählt, *Ihr Verkäuferinnen, Bureaulistinnen, Gouvernanten, Lehrerinnen,* Euch, Proletariat der Kopfarbeit, die Ihr mit Euern kargen «Gehältern» auf Kosten Euerer Lebenshaltung «repräsentieren» müßt, und die Ihr noch die Illusionen der «Dame» pflegt und ohne zu murren Demütigungen und Mißhandlungen erträgt, für die Ihr doch gerade dieser Illusionen wegen doppelt empfindlich sein müßt.

Euch allen, *Ihr arbeitenden Frauen,* entbietet *«die Vorkämpferin»* ihren Gruß zum 1. Mai!

Heraus! Ihr Mühseligen und Beladenen!
Heraus aus Eueren rasselnden Maschinensälen!
Heraus aus Eueren stickigen Ateliers!

... Seid nicht *Ihr* es, die Frauen, die der Menschheit die Mahlzeiten zubereitet, und wem anders als *Euerem Fleiß* ist es zu danken, wenn die Wäsche, die Kleider, die Geräte, die Wohnungen der Menschen nicht in Schmutz erstarren? Merkt Ihr, arbeitende Frauen, merkt Ihr, was Euere Arbeit für die Menschheit bedeutet?

Ihr schafft die niedrigste, die gesundheitschädlichste und die zierlichste Arbeit – Ihr packt die Eisenwaren, schleppt die schweren Kisten, – Ihr schichtet Backsteine und Ziegel im Sonnenbrand – Ihr vergiftet Eueren Organismus im Geruch der Tabake und in den Dämpfen der Zündhölzchen-, Seifen- und Essigfabrikation. Mit flinken Händen sortiert und falzt Ihr das Papier in den Papierfabriken und den Druckereien. Ihr schmiedet die künstlichen Filigranarbeiten und setzt die kleinsten und feinsten Uhren zusammen. Ihr sorgt für die notwendigsten Bedürfnisse und den raffiniertesten Luxus.

Und zu alledem seid Ihr die *Mütter* der weitaus größten Masse der Kinder; denn die *nicht arbeitenden* Frauen sind viel zu bequem, um sich diese Mühe aufzuladen. Und man verlangt von Euch müden, abgearbeiteten Geschöpfen, daß Ihr auch wissende und tatkräftige und pflichtgetreue Mütter seid, und man ladet *auf Euch* die Verantwortung für die Pflege des Körpers und des Charakters unserer Nachkommen.

Und was ist der Lohn für all diese Mühe? für all die unentbehrliche Arbeit, welche die Frauen der Menschheit leisten?

Ihr kennt den Lohn! Er heißt *Geringschätzung, Rechtlosigkeit, Leibeigenschaft!*

Das haben die arbeitenden Frauen mit ihren männlichen Arbeitskameraden gemein, daß sie, die nicht allein sich selber und ihre Kinder, sondern auch noch die Parasiten und deren Kinder ernähren, von diesen selben Parasiten beherrscht, verachtet und aufs tiefste heruntergedrückt werden.

Und gegen diese Herrschaft der Parasiten kämpfen wir arbeitende Menschen – und am 1. Mai nehmen wir uns aus eigener Machtvollkommenheit einen Feiertag und zeigen, *daß die ganze Welt feiern muß, wenn wir es wollen.*

Und wir gehen zu all unseren Kameraden, zu den Geschlagenen, den Todmüden, den Stumpfharrenden – und wir schütteln sie und rufen ihnen zu: Hört Ihrs, Leibeigene, *wir alle, die wir arbeiten, wir sind die rechtmäßigen Fürsten dieser Erde.* –

Die Vorkämpferin, Offizielles Organ des schweizerischen Arbeiterinnenverbandes Nr. 1, 1. Mai 1906.

57 Unternehmerverbände gegen Gewerkschaften

Speziell unser Genosse *Grimm*[1] in Bern hat das Verdienst, den Gewerkschaften den Gegenwartsspiegel vorgehalten zu haben, und was man da sah, erfordert eine neue Taktik der Verbände. Der Kampfesboden hat sich verschoben, an die Stelle des frühern frei handelnden Unternehmers ist das *koalierte Unternehmertum* getreten, das im geheimen arbeitet. Wir haben jetzt Unternehmerverbände in der Großindustrie (Arbeitgeberverband schweizerischer Maschinenindustrieller, Verband der Arbeitgeber der Textilindustrie, Verband schweizerischer Dampfwäschereien, Verband der Mühlenindustriellen, der Bierbrauereien etc.); wir besitzen im Schweizerischen Gewerbeverein 32 zentrale Berufsverbände, deren Ziel die Daniederhaltung der Arbeiterforderungen und damit der Arbeiterorganisationen ist. Wie bei den Berufsverbänden der Arbeiter, so zeigt sich auch im Unternehmerlager immer mehr die Tendenz zur weitern Ausdehnung der Verbände zu *Industrieorganisationen.* Wie die Unternehmer die Einrichtungen der Gewerkschaftsorganisation nachahmen, zeigen die im Berichtsjahr erfolgte Gründung des Zentralverbandes schweizerischer Arbeitgeberorganisationen, die Lokalverbände, die Personalunionen, die ständigen Berufssekretariate (Ende 1907 vier städtische, zwei kantonale und 12 Landessekretariate), sowie die internationalen Verbindungen zur Bekämpfung der Arbeiterorganisationen.

Der Kampf des Unternehmertums richtet sich in erster Linie gegen den einzelnen Arbeiter; man will ihn durch die *Entlassung* und die *schwarze Liste* zum Austritt aus der Organisation zwingen. Dann greifet man zum koalitionsfeindlichen Revers, zum *Einzelvertrag,* der die Verzichtleistung auf das Recht der Organisation unter Geldbußenfolge in sich schließt. Man beseitigt den «unsympathischen Arbeiterwechsel» durch Anwendung der verschiedensten Mittel bei der Arbeitsvermittlung. Man schreitet zur Errichtung von unparitätischen, obligatorischen *Arbeitsnachweisen* der Unternehmer. Die Gewerkschaftsnachweise werden diskreditiert, kommunale Arbeitsämter bekämpft; die Stellenvermittlungsbureaus werden Pflanzstätten des brutalsten Unternehmerterrorismus; man schafft «dauernde schwarze Listen» durch Ausstellung von farbigen Personalkarten etc. – Die Unternehmerverbände arbeiten ferner an der *Ausgleichung der Arbeitsbedingungen* für verschiedene Gewerbe und Industrien; sie dringen auf die Einführung einer minimalen Arbeitszeit und eines Maximallohnes.

Für *Lohnbewegungen* und *Streiks* stellt das moderne Unternehmertum besondere Regeln und Vorschriften für die Mitglieder auf. Es lehnt die *Anerkennung der Gewerkschaften* ab (es ist von großem Interesse, daß die Maschinenindustriellen bereits einsehen, daß diese Taktik nicht bis in Ewigkeit opportun für sie ist, und erklären, daß unter Umständen ein schriftlicher oder mündlicher Verkehr mit außerhalb einer Fabrik stehenden Arbeitern, beziehungsweise Arbeiterführern gestattet werden könne). Die *Forderungen* der Arbeiter werden entweder bedingungslos verurteilt oder einseitig geprüft. Geht es zum *Kampfe,* so wird der von der Bewegung betroffene Unternehmer ausgeschaltet, dann läßt man alle Minen springen, um eine möglichst große moralische und materielle Schädigung der Streikenden herbeizuführen. Die Beschäftigung Streikender wird den Mitgliedern verboten. Dann arbeitet man mit «Streiklisten» und Entlassungsscheinen: man schließt die Arbeiter auch nach Beendigung eines Streiks jahrelang von der Arbeit aus. Die *Streikbrechervermittlung* wird als eine interne Angelegenheit der Unternehmerverbände behandelt und systematisch organisiert. Ebenso geht es mit der *Streikarbeit.* Dieselbe wird auch als Angriffsmittel zur Provokation der Arbeiter und Niederhaltung geplanter Kämpfe verwendet. Will ein Streik nicht rasch zu Ende kommen, so wandelt man ihn um in eine *Aussperrung,* um die Gewerkschaftskassen zu erschöpfen, oder man verpflichtet einen Teil der Mitglieder oder alle Verbandsangehörigen, solidarisch Massenentlassungen vorzunehmen. Auch die Programmaussperrungen, womit die Unternehmerverbände ein von ihnen willkürlich aufgestelltes Programm betreffend die Arbeitsbedingungen der Arbeiterschaft aufzwingen wollen, werfen bereits ihre Strahlen ins – freie Schweizerland! Die *Tarifpolitik* der Unternehmerverbände endlich zeigt, daß man es versteht, mit den gemachten Erfahrungen zu rechnen und für die Zukunft so gut als möglich vorzusorgen.

Wie das organisierte Unternehmertum seine Machtstellung zur ständigen Beeinflussung und Dienstbarmachung der *Staatsgewalt* ausnützt, zeigt dieser Bericht zur Evidenz. Die Erkenntnis dieser Tatsache und das Verhalten des Staates den Arbeitern gegenüber *zwingt die Gewerkschaften* immer mehr, mit der politischen «Neutralität» abzufahren und sich der sozialdemokratischen Partei und damit der Politik zuzuwenden. Die Erfahrungen des gewerkschaftlichen Kampfes *müssen* die Arbeiter über das Wesen der kapitalistischen Ausbeutung und die Unversöhnlichkeit der Klassengegensätze belehren und die Notwendigkeit auch der *politischen* Organisation klarlegen. Denn hinter dem Unternehmertum steht der *Staat* mit seiner gewaltigen Maschinerie. Wir müssen unsere demokratischen Rechte benutzen zur Befreiung der *Arbeiterklasse.*

Jahrbuch des schweizerischen Grütlivereins und der schweizerischen Sozialdemokratischen Partei 1908, S. 73ff.

[1] *Robert Grimm, der Verfasser einer Broschüre über die Unternehmerorganisationen aus der Sicht der Gewerkschaften, gehörte damals zur Linken innerhalb der SPS. Im*

1. Weltkrieg galt er als führender Exponent des «Zentrums», das sich sowohl gegen die Rechte in der Arbeiterbewegung als auch gegen die linke Gruppe um Lenin absetzen wollte. Eine entscheidende Rolle spielte er innerhalb der SPS bis zum 2. Weltkrieg.

58–61 Beispiel eines Arbeitskampfes: Der Maurer- und Handlangerstreik in Luzern 1897

Das Beispiel des Streiks der italienischen Bauarbeiter in Luzern illustriert den typischen Verlauf eines Arbeitskampfes in den 1890er Jahren. Der Gewerkschaftsbund hatte Schwierigkeiten, Einfluß auf den spontanen Streik zu gewinnen. Die Unternehmer weigerten sich, auf die Forderung der Arbeiter nach einem Arbeitsvertrag mit Arbeitszeitverkürzung auf 10 Stunden und Lohnerhöhung auch nur zu antworten. Sie zögerten anderseits aber nicht, den Staat zum Eingreifen zu veranlassen. Die staatlichen Maßnahmen, die von einem Versammlungsverbot auf öffentlichen Plätzen bis zu einem Militäraufgebot reichten, trugen entscheidend zum erfolglosen Streikausgang bei.

58 Bericht des Bundeskomitees des Schweizerischen Gewerkschaftsbundes

Schon im Monat Mai erhielten wir vom Vorstand dieses Vereins[1] die Einladung, einer Generalversammlung beizuwohnen zur Besprechung der Einführung einer Platzordnung und eines Lohntarifs für den Platz Luzern und Umgebung.

Diese Versammlung war aber so schwach besucht und auch die Organisation war noch so schwach, daß wir nur empfehlen konnten, auf die geplante Bewegung momentan zu verzichten und mehr für Stärkung des Vereins zu arbeiten. Am 28. September erhielten wir abermals eine solche Einladung und wohnten der Generalversammlung des Vereins bei. Diese Versammlung war gut besucht und beschloß, sofort eine Kommission zu wählen, mit dem Auftrag, eine Platzordnung und einen Lohntarif auszuarbeiten und dem Verein in kurzer Zeit vorzulegen, was am 30. September stattfand. Der Entwurf wurde mit einem Begleitzirkular an alle Bauunternehmer gesandt mit der Bemerkung, daß eine Antwort bis am 6. Oktober erwartet werde und die Lohnkomission bereit sei, mit der Meisterschaft in Unterhandlung zu treten, um eine event. Arbeitsniederlegung zu vermeiden.

Am 10. Oktober feierte der Maurerfachverein seine Fahnenweihe und es wohnten dieser Festlichkeit Delegationen von Maurerfachvereinen verschiedener Städte der Schweiz bei. Abends 7 Uhr erhielten wir telegraphisch die Nachricht, daß die Maurer beschlossen haben, weil keine Antwort von der Meisterschaft gekommen sei, sofort in den Streik zu treten. Am gleichen Abend reisten wir nach Luzern, um (da wir glaubten, die Arbeiter noch beisammen zu treffen) den Versuch zu machen, zuzuwarten mit dem Streik, bis wir mit dem Präsidenten des Meistervereins unterhandelt haben; das war unnütz. Die Arbeiter waren nicht mehr beisammen.

Am Montag fand eine Unterhandlung mit dem Präsidenten des Meistervereins statt; derselbe erklärte, die Baumeister sofort einladen zu wollen, um diese Angelegenheit zu diskutieren und uns sofort Antwort zu geben. Die Versammlung hatte stattgefunden; die Antwort, welche der Delegation auf ihr Vorsprechen beim Präsidenten gegeben worden, war folgende: Die Meister haben beschlossen, den Arbeitern ihre Antwort persönlich und durch Anschlagen von Plakaten zu geben, das heißt soviel als: sie lassen sich nicht auf Unterhandlungen ein und anerkennen auch die Organisation der Arbeiter nicht. Durch den bekannten Ukas, glaubten nun die Herren, werden sich die Streikenden einschüchtern lassen, umso mehr, da am Donnerstag bekannt wurde, es werde am Samstag Militär einberufen zum Schutze der Streikenden, pardon, der Streikbrecher, von welchen am Samstag, wie die Herren glaubten, zu Hunderten zur Arbeit kommen werden. Lang wurden die Gesichter dieser Protzen, als sie am Samstagmorgen statt der als reuige Sünder zurückkehrenden Italiener, wie sie erwartet hatten, vor jeder Baustelle 5 bis 10 Kavalleristen Wache stehen sahen, damit die Steine sich nicht von selbst aufmauern könnten. In der That, am Freitag nachmittag rückten schon Kavallerie und Infanterie ein. Obschon alles ruhig war, wurden unsere Versammlungen in den Lokalen durch bewaffnete Polizisten bewacht. An einer im Freien abgehaltenen Versammlung wurden wir von 10 Kavalleristen bewacht, wie in Parade, mit blankem Säbel.

Schon 200 Streikende waren abgereist, so daß die Zahl der Streikenden noch 300 war. ...

Allgemeiner schweizerischer Gewerkschaftsbund, Bericht des Bundeskomitees an die Sektionen umfassend den Zeitraum vom 1. Januar 1896 bis 31. Dezember 1897 erstattet an den in Solothurn am 10. und 11. April 1898 stattfindenden Gewerkschaftskongreß, Zürich 1898, S. 55ff.

[1] *Maurerfachverein Luzern.*

59 Die Unternehmer drohen den Arbeitern mit Entlassung

An unsere Arbeiter.

Ein Teil von Euch hat die Arbeit niedergelegt, um auf dem Wege des Streiks andere Lohnverhältnisse zu erzwingen.

Wir wollen Eure Begehren keineswegs kurzerhand abweisen, aber unsere eigenen Verpflichtungen erlauben uns nicht, von heute auf morgen einer allgemeinen Lohnerhöhung zuzustimmen.

Wir werden die Frage prüfen, sobald wieder Ordnung und Ruhe auf den Bauplätzen eingetreten ist und event. berechtigten Wünschen, sobald und soweit die Verhältnisse es erlauben, zu entsprechen wissen.

Wir ersuchen die Ausständigen, Demonstranten ausgenommen, an ihre Arbeit zurückzukehren. Die Bauplätze sind ihnen geöffnet bis Samstag 16. Oktober, morgens 8 Uhr, und es ist ihnen energischer Schutz der Polizei gegen Ruhestörer zugesichert.

Wer bis zu diesem Zeitpunkt die Arbeit nicht wieder aufgenommen hat, ist entlassen und von den Bauplätzen des *Luzernerischen* und *Schweizerischen* Baumeister-Verbandes ausgeschlossen.

Luzern, 12. Oktober 1897.

Der Baumeister-Verband Luzern.

Zum Maurer- und Handlangerstreik 1897, Plakat, Staatsarchiv Luzern, Streiks 1850–1900, 34/1.

60 Aufruf der Streikenden zum Durchhalten

Mitbürger!

Die Bauarbeiter hatten eine billige Lohnerhöhung und eine Verminderung der Arbeitszeit verlangt. Man hatte ihnen keine Antwort gegeben und deswegen stellten sie die Arbeit ein.

Einwohner Luzerns!

Gegenüber der Gewalttätigkeit der Herren Bauunternehmer blieben wir ruhig und fest auf unseren Forderungen. Wir Arbeiter wollen wie Menschen leben und als solche auch gelten.

Arbeitsgenossen!

Alle zielbewußten Arbeiter haben den Blick auf Euch gerichtet und fragen sich, ob ihre Genossen die geforderte Verbesserung ihrer Lage durchsetzen werden. Gewiß, wenn wir *einig* bleiben!

Niemand zur Arbeit!

Die Streikkommission.

Zum Maurer- und Handlangerstreik 1897, Flugblatt, Staatsarchiv Luzern, Streiks 1850–1900, 34/1.

61 Der Baumeisterverband dankt der Regierung für ihre Unterstützung

Herrn Reg. Rath Walther,
Vorsteher des Polizeidepartementes
Luzern

Hochgeehrter Herr!

Im Namen des Baumeisterverbandes Luzern gestatte ich mir, Ihnen unsern wärmsten Dank auszusprechen für die prompten und energischen Maßnahmen, die Sie zum Schutze der bedrohten Arbeiterschaft und zur Sicherung der öffentlichen Ordnung getroffen haben. Ich habe die Überzeugung, daß dadurch in kurzer Zeit wieder vollständige Ruhe herrscht. Meinen Dank auch für den Bericht, den sie mir in so bereitwilliger Weise haben zukommen lassen.

Zu Ihrer Orientierung erlaube ich mir auch, unsere Stellung zur Situation zu skizzieren. Die Stellungnahme, die wir durch Plakate klar gelegt haben, wird strikte inne gehalten und zwar sowohl in Bezug auf den jetzigen Widerstand, als auf das Versprechen, nach Wiederherstellung der Ruhe und Ordnung die Begehren der Arbeiter zu prüfen und so weit möglich und sobald möglich nachzukommen.

Wenn wir auch geneigt wären, mit dem Streikkomitee zu unterhandeln, so ist eine Einigung schon deshalb ausgeschlossen, weil die Großzahl der guten Arbeiter fort ist. Und um die noch sich herumtummelnden Elemente wieder auf die Bauplätze zu bringen, wird uns niemand Conzessionen zumuthen. Ein Aufruf an die Collegen der übrigen Schweiz wird uns zweifelsohne die nötigen Arbeitskräfte sofort zuführen. Es ist ihnen ja genügend Schutz geboten auf dem Platz und die Massenquartiere, zu denen die Behörden wiederum so bereitwillig Hand geboten haben, werden alle weiteren Schwierigkeiten aufheben.

Indem ich Ihnen nochmals in Namen unseres Verbandes den besten Dank ausspreche, versichere Sie meiner vollkommenen Hochacht

Für den Baumeisterverband Luzern
Der Präsident: Blattner

Zum Maurer- und Handlangerstreik 1897, Brief, Staatsarchiv Luzern, Streiks 1850 bis 1900, 34/1.

62 Für politische und religiöse Neutralität der Gewerkschaften

Am Arbeitertag 1899 in Luzern trat Herman Greulich als schweizerischer Arbeitersekretär mit Nachdruck und Erfolg für die politische und religiöse Neutralität des Gewerkschaftsbundes ein.

... Es handelt sich jetzt für den Schweizerischen Arbeiterbund darum, im Gewerkschaftswesen einen Schritt zu thun und zwar einen gewaltigen Schritt, um das Gewerkschaftswesen mit einem starken Ruck auf die Höhe der Zeit zu bringen. Es handelt sich nicht nur darum, die Gleichgültigen in die Organisation zu ziehen, sondern auch darum, die Gewerkschaftsorganisationen in geeigneter Weise zu konzentriren und zu zentralisiren. ...

Und nun komme ich zum schwierigsten Kapitel. Um allen Verbänden und Vereinen des Arbeiterbundes eine kräftige Mitwirkung zu ermöglichen, ist es nöthig, daß das Gewerkschaftswesen, der Gewerkschaftsbund, *auf neutralem Boden* stehe. Der Gewerkschaftsbund muß so gestaltet werden, daß Niemand zu befürchten hat, in der Ueberzeugung, die ihm heilig ist, verletzt oder gekränkt zu werden.

Ich habe gehört, daß man über diese Forderung in einigen Kreisen ein wenig entsetzt ist, aber ich bitte Sie, geehrte Bundesgenossen, zu begreifen, daß, wenn eine Gewerkschaft erfolgreich sein will, es in einem Berufe *nur eine* Gewerkschaft geben kann. ...

Die Gewerkschaft hat ihre bestimmten wirthschaftlichen Aufgaben und soll diese ausführen. Die Parteipolitik ist Sache politischer Organisationen, deren wir ja auch haben und noch schaffen können. Nur kein Durcheinander und keine Vermischung der Aufgaben, sonst wird keine recht besorgt. Nicht nur die Gewerkschaften werden von dieser Arbeitstheilung Vortheil haben, sondern auch die politischen Vereine. Heute genügt mancher Arbeiter seinen politischen Pflichten in der Gewerkschaft, ist das einmal ausgeschlossen, dann wird er sich neben der Gewerkschaft auch noch einem politischen Verein anschließen. Beide Organisationen bekommen dann ein Interesse, einander ihre Mitglieder zuzuweisen.

Nun wollen wir uns aber auch über die Neutralisirung keine Illusionen machen. Wir müssen uns darüber klar sein, daß es mit einer Kongreßerklärung und einer Statutenänderung nicht gethan ist. Es wird das Werk einer Erziehung und großer Arbeit sein, die Arbeiter daran zu gewöhnen, in der Gewerkschaft die verschiedenen Anschauungen ehrlich zu respektiren. Und dabei wird man viel Geduld und Brüderlichkeit brauchen, um sich vertragen zu lernen. Die Sozialisten brauchen nicht aus dem Häuslein zu fahren, wenn etwa eine katholische Steinbrecher-Gewerkschaft im Wallis mit ihrer Fahne zur Generalkommunion zieht und umgekehrt brauchen auch die Katholiken nicht in Harnisch zu gerathen, wenn eine sozialistische Maurer-Gewerkschaft in Zürich mit ihrer Fahne am Maifeierumzug theilnimmt. Die Hauptsache ist, daß in keinem Falle irgendeinem Mitgliede ein Zwang angethan wird und darauf muß und kann von allem Anfang an streng gehalten werden.

Unter dieser Voraussetzung der Neutralisirung und gegenseitigen Respektirung können wir es als eine *Pflicht* des Schweizerischen Arbeiterbundes, seiner Behörden und Organe, sowie seiner Verbände und Vereine erklären, mit allen Kräften für eine einheitliche und umfassende gewerkschaftliche Organisation der Arbeiter aller Berufe in der Schweiz einzutreten. ...

Der Schweizerische Arbeitertag in Luzern am 3. April 1899, Zürich 1899, S. 24ff.

63 Gründung des Christlich-Sozialen Gewerkschaftsbundes

Die christlichen Gewerkschaften sind selbständige, von jeder politischen Partei unabhängige, interkonfessionelle, jedoch auf dem Boden des Christentums stehende Arbeiterberufsorganisationen zwecks Hebung der geistigen und wirtschaftlichen Lage der Arbeiterschaft auf Grundlage eines gerechten Ausgleichs zwischen Arbeitgeber und Arbeitnehmer.

Demzufolge erstreben sie:

1. Gewerkschaftliches:

a) Eine angemessene Verkürzung der Arbeitszeit entsprechend der Schwere oder der Gesundheitsschädlichkeit der einzelnen Berufe. b) Einen gerechten Arbeitslohn, mittels dessen es dem Arbeiter möglich ist, sich und seine Familie anständig durchzubringen. c) Schutz von Sittlichkeit, Gesundheit und Leben der Arbeiterschaft.

Als Mittel zur Erreichung obiger Ziele erachten sie hauptsächlich: soziale Schulung der Arbeiterschaft, statistische Erhebungen über das Arbeitsverhältnis, Pflege des Unterstützungswesens, selbständige Mitwirkung der Organisationen bei Regelung des Arbeitsverhältnisses, Abschluß von Tarifverträgen zwischen Arbeitern beziehungsweise Organisationen und Arbeitgebern. Die Wirksamkeit der Gewerkschaften soll fest und entschieden sein. Der Ausstand darf nur als letztes Mittel und wenn erfolgverheißend angewendet werden.

2. Sozialpolitisches:

Die christlichen Gewerkschaften müssen unter Ausschaltung jeglicher Parteipolitik sich eingehend mit den praktischen Fragen der Sozialpolitik beschäftigen, weil die Durchführung der gewerkschaftlichen Aufgaben durch die ständig wachsende Organisation der Arbeitgeber erschwert wird, vor allem aber, weil die Lösung der Arbeiterfrage durch gewerkschaftliche Erfolge, wie Erhöhung der Löhne, Verkürzung der Arbeitszeit nicht völlig ermöglicht wird. Im allgemeinen werden demnach die christlichen Gewerkschaften sozialpolitische Maßregeln unterstützen, die imstande sind, vorhandene Mißstände zu beseitigen und die Gerechtigkeit im Wirtschaftsleben zu fördern. Für die gegenwärtigen Verhältnisse aber kommen hierbei folgende sozialpolitische Programmpunkte in Betracht:

A. Auf kommunalem Boden:

a) Ankauf von Grund und Boden und Erstellung billiger Wohnungen; b) Einführung von Einigungs-, Arbeits- und Wohnungsämtern; c) Erleichterung der Einbürgerung von Ausländern.

B. Auf kantonalem Boden:

a) Verstaatlichung der Gebäude- und Mobiliarversicherung; b) Aufstellung von Arbeiterinnenschutzgesetzen und Einführung kantonaler Fabrikinspektorate; c) Subventionierung der gewerkschaftlichen Arbeitslosenkassen.

C. Auf eidgenössischem Boden:

a) Durchführung der Kranken- und Unfallversicherung; b) Revision des Fabrikgesetzes; c) Subventionierung der Kantone für eine Alters- und Invalidenversicherung.

3. Genossenschaftliches:

Die gewerkschaftlichen Organisationen, welche im wesentlichen den Zweck haben, den Preis für die Arbeitskraft des Arbeiters zu steigern und die Arbeitskraft möglichst zu schützen, bedürfen naturnotwendig der Ergänzung durch eine Organisation, welche die gewerkschaftlich errungene Lohnerhöhung dem Arbeiter sichert und die Steigerung der Kaufkraft des Einkommens zum Ziel hat. Das Ziel wird erreicht durch das Genossenschaftswesen, durch die genossenschaftliche Organisation des Konsums und der Produktion.

Programmleitsätze des 1. Kongresses der schweizerischen christlichen Gewerkschaften, in: Ernst Kull, Die sozialreformerische Arbeiterbewegung in der Schweiz, Diss. Zürich 1930, S. 52f.

64 Die Sozialisten kritisieren die Spaltung der Gewerkschaftsbewegung

Die Zersplitterer

Entgegen den Beschlüssen der Arbeitertage in Luzern und Bern haben die leitenden Kreise in der katholischen Kirche, als sie das schöne Fortschreiten der modernen Arbeiterbewegung sahen, sog. christliche Gewerkschaften gegründet, um darin die Arbeiter zu sammeln und sie vor dem «Gift» des Sozialismus zu bewahren, wiewohl in unsern Gewerkschaftsverbänden jeder Arbeiter unbeschadet seiner religiös-kirchlichen und politischen Ansicht Mitglied sein konnte. In vielen Kreisen unserer Organisation hat man es bisher als die richtige Taktik angesehen, gegen die «Christlichen» nicht zu schroff vorzugehen, wenn sie nicht den gewerkschaftlichen Charakter verleugnen und nicht in der Bekämpfung der nach unserer Meinung einzig berechtigten freien Gewerkschaften ihre Aufgabe erblicken. Nun aber wird es nachgerade denn doch zu bunt. Mehr und mehr zeigen diese Elemente, daß ihnen die Einigungsbestrebungen in den freien Gewerkschaften ein Dorn im Auge sind, und ihr ganzes Sinnen und Trachten darauf hin geht, wie sie den Einfluß der modernen Arbeiterbewegung brechen und einen Keil in sie hineintreiben können. Es ist so vielen «Christlichen» schnuppe, wenn sie eigentliche Judasdienste leisten, wie sich in letzter Zeit auch in *Luzern* gezeigt hat, wenn sie nur ihre Leute in die Geschäfte hineinbringen und etwa paar Mitglieder gewinnen, in deren Auswahl sie es nicht genau nehmen. Und dann protestieren sie noch gegen den Vorwurf, daß sie *Zersplitterer* der Arbeiter seien, und dadurch der Arbeiterschaft und ihrer Bewegung schwer schaden. Es ließen sich dafür hunderte von Beispielen anführen, die dartun, daß die Christlichen tatsächlich die Geschäfte der Unternehmer besorgen. So ist es denn zu begreifen, daß diese, sofern sie nicht mit der Macht der freien Gewerkschaften zu rechnen haben, gerne «Christliche» an Stelle von Mitgliedern der freien Gewerkschaften beschäftigen, wenn sie wenigstens solche erhalten, die auch leistungsfähig sind, was noch lange nicht immer der Fall ist. Erst letzthin hat ein Unternehmer, der keineswegs etwa religiös ist und in der Nähe Luzerns wohnt, Anstrengungen gemacht, «christliche» Arbeiter zu erhalten; ja er hat sogar einem Mitglied der freien Gewerkschaften erklärt, er müsse austreten und solle sich den Christlichen anschließen, sonst werde er entlassen.

Das zeigt doch, wie Unternehmer diese «christliche» Bewegung auffassen; würden sie dieselbe als gefährlich für sie betrachten, dann suchten sie nicht noch ihre Mitglieder aus unsern Organisationen zu werben.

Und durchgehen wir die Organe der «Christlichen», so können wir konstatieren, daß dieselben hauptsächlich gegen uns Sozialdemokraten schreiben, diese als ihre ärgsten Feinde bekämpfen, woraus doch der Schluß gezogen werden darf, daß es der Großzahl der christlichen Führer sehr wenig um die Hebung der Lage der Arbeiterklasse zu tun ist, als vielmehr um deren Zersplitterung.

Die «Christlichen» haben es sich selbst zuzuschreiben, wenn gegen sie aus unseren Reihen ein schärferer Wind weht. Möchten sie einsehen, daß man nicht ungestraft in der Weise gegen unsere Bewegung vorgehen kann, wie sie es getan und möchten sie auch zur Einsicht kommen, daß ihr Platz an anderer Stelle wäre.

Verkehrte Welt! Es gibt nur *einen* Hunger nach Brot, es gibt nur *einen* Hunger nach sozialer Gerechtigkeit und dieser Hunger ist weder katholisch, noch protestantisch, noch israelitisch. Um aber diesen Hunger stillen zu können, bedarf es der Kraftanstrengung aller Arbeiter. Da ist keine Sonderbündelei am Platze. Fortschritte für die Sache der Arbeiterschaft auf wirtschaftlichem und politischem Gebiete sind heute mehr denn je bedingt von dem Maße des Klassenbewußtseins, das sich in den Massen betätigt. Und das richtige Klassenbewußtsein findet seinen Ausdruck am besten in der Zugehörigkeit einer auf dem Boden der modernen Arbeiterbewegung stehenden Organisation.

Zentralschweizerischer Demokrat, Offizielles Organ der Arbeiterunion Luzern, 8.12.1906.

65 Der Arbeiterhaushalt anfangs des 20. Jahrhunderts

... Die Nachweise über die Einnahmen der 61 Haushaltungen[1] bestätigen die bekannte Erfahrungstatsache, daß eine Arbeiterfamilie mit dem Lohn des Haushaltungsvorstandes allein nicht leben könnte. Der Nebenverdienst ist im Arbeiterhaushalt Regel. Das *Lohneinkommen allein* betrug im Durchschnitt Fr. 1917.44[2]. Dazu kommt noch der Ertrag aus der Nebenbeschäftigung, die außerhalb der ordentlichen Beschäftigung geleistet wird, und die Arbeit, die die Hausfrau gegen Entgelt leisten muß, um das Haushaltungsbudget so viel als möglich zu verbessern. Des Raumes wegen müssen wir an dieser Stelle auf Einzelangaben über dieses Kapitel verzichten, möchten indes doch wenigstens die Hauptzahlen reproduzieren.

Das *Totaleinkommen* der 61 Haushaltungen beziffert sich auf Fr. 149055.09. Es setzt sich zusammen aus:

	Fr.	in%
Arbeitslohn	119281.09	80
Eigener Nebenverdienst	1760.95	1,2
Nebenverdienst anderer Familienmitglieder	13550.84	9,1
Aftermiete und Erlös aus landwirtschaftlicher Arbeit, Gemüsebau etc.	6372.21	4,3
Unterstützungen	1668.70	1,1
Andere Einnahmen	6421.30	4,3

Das Durchschnittseinkommen der einzelnen Haushaltung beläuft sich auf Franken 2443.53, die Erträgnisse aus dem Nebenerwerb eingerechnet. Nach Gruppen ausgeschieden hatten 14 Haushaltungen ein Gesamteinkommen von Fr. 1600 bis 2000; 28 Haushaltungen von Fr. 2001 bis 2500; 13 Haushaltungen von Fr. 2501 bis 3000 und 6 Haushaltungen hatten eine Jahreseinnahme von mehr als Fr. 3000.

Wie bei solchen Einnahmen die Lebensverhältnisse ungefähr beschaffen sein mögen, das zeigen die genannten Zahlen an sich schon. Wo die Hausfrau auf Erwerb ausgehen muß, bleibt ihr beim besten Willen die Vernachlässigung ihrer Familien- und Mutterpflichten nicht erspart. Das Gleichgewicht im Haushaltungsbudget wird oft genug nur um den Preis der Gefährdung der eigenen Kinder und um den Preis von Siechtum in der Familie hergestellt.

Und nun die *Ausgaben:*

Eine Durchsicht der verschiedenen Einnahmequellen zeigt, daß alle irgendwie in Betracht fallenden Möglichkeiten, das Einkommen zu erhöhen, ausgenützt werden. Man hat es offenbar ausnahmslos mit sehr fleissigen Leuten zu tun. Trotzdem ist in *20 Haushaltungen ein Defizit* zu verzeichnen.

Die *Gesamtausgaben* der 61 Haushaltungen betragen Fr. 146448.63. An Einnahmen sind Fr. 149055.09 verzeichnet: es verbleibt somit ein Überschuß von Fr. 2606.46. Hätten sie ihren Unterhalt nur aus dem Lohneinkommen des Familienoberhauptes bestreiten müssen, dann hätten unsere Statistiker Franken 27167.54 Schulden machen müssen, also pro Familie Fr. 445.37.

Die *Unterbilanz* der vorhin genannten 20 Familien beträgt Fr. 2603.11, pro Haushaltung also Fr. 130.55.

Mit der Vergrößerung der Familie steigert sich das Bedürfnis nach höherem Einkommen. Begreiflich. Je mehr hungrige Mäuler zu stopfen sind, desto größer werden die Kosten. Die in dieser Richtung gemachten Anstrengungen waren allerdings nur in wenigen Fällen von Erfolg begleitet. Die Möglichkeit, neben der Hausarbeit zum Unterhalt der Familie durch einen Nebenverdienst beizutragen, nimmt für die Arbeiterfrau mit der Vergrösserung der Familie ab. Es bleibt daher nicht anderes übrig, als den Hungerriemen enger zu schnallen. So stellt sich denn heraus, daß der Anteil der Ausgaben, auf den Kopf der Familie gerechnet, immer kleiner wird, je grösser die Familie ist.

Die Zerlegung der Ausgabensumme ergibt folgende Posten. Es wurden von den 61 Haushaltungen verausgabt für:

	Zusammen	Im Durchschnitt pro Haushaltung
Nahrungsmittel	63 559.40	1041.90
Genußmittel	7 252.21	118.89
Miete	22 367.40	366.69
Steuern	1 740.49	28.53
Kleidung und Neuanschaffung	19 601.18	321.33
Heizung und Beleuchtung	7 110.16	116.56
Fahrgelder	1 674.64	27.45
Körper- und Gesundheitspflege	861.–	14.11
Arzt und Apotheke	2 338.56	38.33
Vereinsbeiträge und Versicherung	6 886.71	112.89
Spareinlagen	336.05	5.51
Dienstleistungen, Wasch- und Putzmittel	4 481.65	73.47
Bildung und Unterhaltung	4 037.52	66.19
Sonstiges	4 201.66	68.88

Es mögen die Verhältniszahlen folgen, um das Bild übersichtlicher zu gestalten. Unter den Ausgaben kommen in erster Stelle diejenigen für Nahrungsmittel mit 43,4 Prozent. Es folgen Miete mit 15,3 Prozent, Kleidung und Neuanschaffungen 13,4 Prozent, in weitem Abstand Genußmittel, Getränke, auch antialkoholische, Tabak mit 4,9 Prozent, Heizung und Beleuchtung 4,8 Prozent, Gewerkschaftsbeiträge und Versicherungen 4,7 Prozent, Sonstiges 2,9 Prozent. Der letzte Posten erscheint vielleicht etwas hoch. Es ist aber zu berücksichtigen, daß darin bedeutende Beträge enthalten sind für auswärtige Mittagessen, bei weit entfernter Arbeitsstelle. In dieser Rubrik sind auch die Kosten für größere Reisen untergebracht. Unsere Rubrik «Fahrgelder» gilt nur für solche Auslagen, die zur Erreichung der Arbeitsstelle gemacht werden müssen. Sie gehören also eigentlich der Wohnungsmiete zugezählt. Für Dienstleistungen und Putzmittel sind 3 Prozent, Bildung und Unterhaltung 2,7 Prozent, Arzt und Apotheke

1,6 Prozent, Steuern 1,2 Prozent, Fahrgelder 1,1 Prozent, Körperpflege 0,6 Prozent der Gesamtausgaben aufgewendet worden. An letzter Stelle finden wir die Spareinlagen mit 0,2 Prozent.

Berner Tagwacht, 17.1.1912.

[1] *Der Artikel resümiert die Broschüre: 61 Haushaltungsrechnungen von Metallarbeitern in der Schweiz. Hg. Sekretariat des Schweizerischen Metallarbeiterverbandes in Bern.*

[2] *Es handelt sich um das Jahreseinkommen.*

→ Bild ohne Worte. ←

66 Teuerung vor dem ersten Weltkrieg

Die Grundlage unseres gesellschaftlichen und staatlichen Lebens und der Nährboden unserer geistigen, moralischen und künstlerischen Kultur ist die Arbeit. Vom Ertrage und vom Gang der Arbeit und Wirtschaft unseres Volkes in der Landwirtschaft, in der Industrie, im Gewerbe, im Handel und Verkehr hängt deshalb auch Stand und Gang der Sozialpolitik ab.

Wie war also die Lage der Weltwirtschaft und unserer schweizerischen Volkswirtschaft? Die wirtschaftliche Lage war im ganzen eine gute, so daß das lohnarbeitende Volk wenig unter Arbeits- und Verdienstlosigkeit zu leiden hatte. Dagegen litt es immer noch unter der Teuerung, denn diese besteht fort, und das Brot ist sogar teurer geworden. Wären die Konsumgenossenschaften nicht vorhanden und hielten die Preise niedrig, so würde die Teuerung noch größer und fühlbarer sein. Dank den Konsumgenossenschaften!

Die Teuerung zwingt die Arbeiter, höhere Löhne zu fordern und durch Arbeitseinstellungen dafür zu kämpfen. Tun sie dies aber, so wirft man ihnen vor, sie seien schuld an der Teuerung, und man schimpft auf ihre Genußsucht und Begehrlichkeit.

Gewiß, das Steigen der Löhne trägt auch etwas zur Erhöhung der Warenpreise bei, aber diese Erhöhung ist nicht die Hauptursache der Teuerung, sondern die Hauptursache ist der Kapitalismus mit seiner Herrschaft über die Mittel der Gütererzeugung, der Güterverteilung, des Bank-, Geld- und Kreditwesens, des Handels und Verkehrs.

Der Kapitalismus – das ist der Grundstückwucherer, der Wohnungswucherer, der Brotwucherer, der Lebensmittelwucherer und der Militär- und Kriegswucherer. Der Kapitalismus hat zu seiner Bereicherung und zur Ausbeutung des Volkes ein Eisen- und Stahlmonopol, ein Petroleummonopol, einen Kaffee-, Tee- und Zuckermonopol, ein Kohlenmonopol und in der Schweiz ein Getreidemonopol und ein Mühlenmonopol geschaffen.

Der Kapitalismus raubt dem Volke den Ertrag seiner Arbeit und häuft daraus ungeheure, sündhafte Reichtümer an. Er ist der Volksfeind, er ist der Lebensverteuerer, und er ist der Kriegshetzer!...

Robert Seidel, Sozialpolitische Rundschau, in: Grütlikalender 1913, S. 88.

67 Programm der Sozialdemokratischen Partei der Schweiz 1904

Das Programm von 1904 wurde von Oberrichter und Nationalrat Otto Lang verfaßt. Lang, bereits Gründungsmitglied der SPS, war einer ihrer bedeutendsten Theoretiker vor 1914.

Prinzipienerklärung.

Das Endziel der Sozialdemokratie bildet eine Gesellschaftsordnung, die durch die Beseitigung jeder Art von Ausbeutung das Volk von Elend und Sorge befreit, Wohlstand und Unabhängigkeit sichert, und damit die Grundlage schafft, auf der die Persönlichkeit sich frei und harmonisch entfalten und das ganze Volk zu höhern Kulturstufen aufsteigen kann.

Das durch die wirtschaftliche Entwicklung selbst gegebene Mittel hierzu erblickt die Sozialdemokratie in der Überführung der Produktionsmittel aus dem Privatbesitz in den Besitz der Gesellschaft und im Ersatz der kapitalistischen Wirtschaftsordnung durch eine Gemeinwirtschaft auf demokratischer Grundlage.

Unter den heutigen Verhältnissen vollzieht sich die Tätigkeit der Sozialdemokratie in der Form des Klassenkampfes. Während aber die Klassenkämpfe des Bürgertums die Festigung und Erweiterung seiner Klassenvorrechte zum Ziele haben, ringt die Arbeiterschaft um die Beseitigung jeder Klassenherrschaft und jeder Ausbeutung. Deshalb besteht das letzte Ziel des proletarischen Klassenkampfes in der Wohlfahrt und der gesicherten Zukunft des ganzen Volkes. ...

I. Die bürgerliche Gesellschaft. ...

4. Krisen und Arbeitslosigkeit.

Mit der kapitalistischen Wirtschaft untrennbar verbunden ist *die Planlosigkeit und Anarchie der Produktion.* Die besitzende Klasse hat die Herrschaft über die Produktionsmittel verloren, sie sind ihr über den Kopf gewachsen. Jeder einzelne Kapitalist steht unter dem von der Konkurrenz diktierten Zwangsgebot, stets auf die Verbilligung seines Produktes und die Erweiterung seines Absatzes bedacht zu sein und seinen Konkurrenten zu schlagen, um nicht von ihm geschlagen zu werden. Da aber diese fieberhafte wirtschaftliche Tätigkeit die Erzielung von Profit zum Zwecke hat, ohne Rücksicht auf den gesellschaftlichen Bedarf, so führt sie mit Notwendigkeit zur Überproduktion und zu periodischen *Krisen,* die das ganze Volk erschüttern, am schwersten aber mit der furchtbaren Geißel der Arbeitslosigkeit die Arbeiterschaft schädigen.

Wo das Unternehmertum versucht, diese Herrschaft über die Produktionsmittel durch Kartelle, Syndikate oder Trusts zurückzugewinnen, führt sie einerseits zur preissteigernden Monopolisierung der notwendigsten Bedarfsartikel, anderseits zu einer durch die riesigen Machtmittel gesteigerten Unterdrückung und Ausbeutung der Arbeiter.

5. Der Kapitalismus ein Hindernis jeglichen Fortschrittes.

So tritt stets deutlicher zu Tage, daß der Kapitalismus beim gegenwärtigen Stande der Entwicklung ein Hindernis des wirtschaftlichen Fortschrittes geworden ist. Er verhindert die ungestörte Erzeugung der nötigen Bedarfsgegenstände, verurteilt fleißige Hände zur Untätigkeit und schädigt dadurch die leibliche und geistige Wohlfahrt des Volkes auf schwerste.

II. Die sozialistische Gesellschaft.

6. Einzige Abhülfe im Sozialismus.

Die bisherige Entwicklung, wie das Interesse aller ausgebeuteten Klassen – Arbeiter und Kleinbauern – drängt darauf hin, daß die Gesellschaft die Produktionsmittel und die Leitung der Produktion in ihre Hände nimmt.

Der Ersatz der kapitalistischen Wirtschaft, die zum Zweck des Profits produziert, durch eine Gemeinwirtschaft, deren Zweck in der Deckung des gesellschaftlichen Bedarfs besteht, ist das einzige Mittel, um alle Erungenschaften der wirtschaftlichen Entwicklung zu retten und ihre das Volk schädigenden Folgen zu beseitigen. ...

III. Der Weg zum Sozialismus.

9. Verstaatlichung und politischer Kampf.

Die Schweizerische sozialdemokratische Partei strebt die Sozialisierung der Produktionsmittel zunächst an auf dem Wege der Verstaatlichung und Kommunalisierung derjenigen Gebiete des Verkehrs, des Handels und der Industrie, die nach ihrem Monopolcharakter und nach dem Stande der technischen Entwicklung sich zur Verstaatlichung eignen oder deren Verstaatlichung das gesellschaftliche Interesse sonstwie erfordert. In dieser Richtung sucht sie den Aufgabenkreis des Bundes, der Kantone und der Gemeinden stets zu erweitern. Als geeignet zur Vergesellschaftlichung bezeichnet sie im besondern auch den städtischen Baugrund, die Wasserkräfte und die Wälder.

Die sozialdemokratische Partei kämpft deshalb unablässig für Erweiterung ihrer politischen Macht. Sie verlangt steigenden Anteil an der Gesetzgebung und an allen Zweigen der öffentlichen Verwaltung, um sie demokratisch auszugestalten und der fortschreitenden Sozialisierung dienstbar zu machen. ...

11. Gewerkschaftlicher Kampf.

Der politische Kampf der Arbeiterschaft findet seine notwendige Ergänzung in der *gewerkschaftlichen Organisation.* Sie befähigt die Arbeiter, in ihrer Eigenschaft als Produzenten wirtschaftliche Macht zu erobern, sich gegen Bedrückung und Verelendung zu wehren und mitbestimmend in die Regelung des Arbeitsvertrages und der Produktion einzugreifen. ...

Programm der Sozialdemokratischen Partei der Schweiz, in: Protokoll über die Verhandlungen des Parteitages der Schweizerischen sozialdemokratischen Partei abgehalten in der Tonhalle in Zürich am 20. und 21. November 1904, Anhang, S. 77, 80ff.

68 Nicht Diplomaten, sondern Kampfgenossen!

Die Kritik, die innerhalb der SPS an ihren Parlamentariern laut wurde, ging weit über die Linke hinaus. Der hier als Kritiker auftretende Paul Pflüger (Pfarrer, Stadtrat 1910–1923, Initiant und Mitbegründer des Schweizerischen Sozialarchivs) war selber Grütlianer und gehörte als solcher eher zum rechten Flügel der Partei.

... *Pflüger* – Zürich: Ich habe alle Hochachtung vor jedem einzelnen Mitglied der nationalrätlichen Fraktion. Aber vor der Fraktion als Ganzem habe ich nur wenig Respekt: Diese ist seiner Majestät des Bundesrates allergetreueste Opposition. Sowohl in der Frage der Ausweisungen als auch beim Simplonvertrag hätte sie ganz anders ins Zeug gehen sollen, nicht derart, daß Scherrer sich sogar Lorbeeren vom Bundesrat holte, nicht derart, daß Greulich die Reden, die in Volksversammlungen gehalten wurden, gewissermaßen entschuldigte. (Greulich: Das ist nicht wahr!) Wir wünschen einen gesalzeneren Ton von unsern Vertretern. Wir schicken nicht Diplomaten nach Bern, sondern Kampfgenossen.

Greulich: Pflüger hätte sich über die Vorgänge im Nationalrat genauer informieren sollen, bevor er solche Vorwürfe erhob. Ich habe die politische Polizei und die Ausweisungen eingehend behandelt und dabei in so kräftigen Ausdrücken gesprochen, daß Bundesrat Brenner in größte Erregung geriet, für die er sich nachträglich entschuldigte. Man kann im Rate nicht nur draufloshauen, denn die andern verstehen es, wieder zu hauen. Ich will aber nicht unnütz gehauen werden. ...

Protokoll über die Verhandlungen des Parteitages der Schweizerischen sozialdemokratischen Partei abgehalten in der Tonhalle in Zürich am 20. und 21. November 1904, S. 15.

69 Die Arbeiterklasse braucht prinzipienfeste Vertreter!

An einer SP-Vertrauensmänner-Versammlung in Zürich wurde das Vorgehen für die Nationalratswahlen vom 29. Oktober 1905 diskutiert. Ein wichtiges Traktandum bildete die «Personenfrage».

... Nun noch ein Wort mit Bezug auf die Personenfrage. Die Vertrauensmännerversammlung hat davon abgesehen, die Kandidaten aufzustellen, da nach der demokratischen Organisation unserer Partei die Aufstellung der Kandidaturen der Wählerversammlung zusteht.

Dagegen hat die Versammlung *einstimmig* beschlossen, den bisherigen Nationalrat *Vogelsanger*[1] nicht mehr als Kandidaten anzuerkennen. Der Beschluß wurde ohne persöhnliche Gehässigkeit gefaßt. Die Verdienste, die Vogelsanger sich in früheren Jahren um die Arbeiterschaft erworben, wurden anerkannt. Dagegen war die einstimmige Ansicht der Vertrauensmänner die, daß Vogelsanger nicht mehr den genügenden Kontakt mit der Arbeiterschaft habe, daß er ihrem Wesen und Denken stark entfremdet sei und daß er deshalb das Vertrauen der Arbeiter nicht mehr in dem Maße besitze, wie es für einen Vertreter im eidgen. Parlament notwendig sei. Namentlich aber wurde darauf hingewiesen, daß es bei der so schwachen Vertretung der Arbeiterschaft im Nationalrat unbedingt nötig sei, *entschiedene* und durchaus *prinzipienfeste* Vertreter zu bezeichnen.

Daß nach diesem Beschluß die Arbeiterschaft des ersten eidgen. Wahlkreises auf das entschiedenste dagegen protestieren müßte, wenn etwa von bürgerlicher Seite der Versuch gemacht werden sollte, wie vor 9 Jahren Vogelsanger als «Vertreter der Arbeiterschaft» von den *bürgerlichen* Wählern in den Nationalrat wählen zu lassen, ist selbstverständlich.

Volksrecht, 12.9.1905.

[1] *Johann Jakob Vogelsanger, Redaktor, Nationalrat 1890–1905, Stadtrat in Zürich 1892–1919.*

70–78 Generalstreik: Theorie und Praxis

Der Generalstreikgedanke wurde in der Zeit nach 1900 in der internationalen Arbeiterbewegung diskutiert, vor allem nach der gewaltigen Streikwelle während der russischen Revolution von 1905. Die revolutionären Syndikalisten (oder Anarchosyndikalisten), die besonders in Frankreich Einfluß gewannen, vertraten die Ansicht, daß die bürgerliche Gesellschaft auf dem ökonomischen Sektor bekämpft und besiegt werden müsse, und befürworteten deshalb den Generalstreik. Die großen Arbeiterparteien dagegen stellten den politischen Kampf in den Vordergrund. Die Generalstreikbewegung hatte aber auch in der Schweiz vorwiegend spontanen Charakter. Sie war eine Antwort der Basis auf die Politik der Arbeiterführer, welche Reformen im Parlament und auf dem Verhandlungswege erreichen wollten. Zu Generalstreiks kam es in der Schweiz vor dem 1. Weltkrieg u.a. in Genf (1902), in der Waadt (1907) und in Zürich (1912).

70 Generalstreikpropaganda der Zürcher Anarchisten

... Der Streik in seinen Uranfängen war etwas dem Unternehmer Ungewohntes, etwas, was er nicht verstehen konnte, was ihn überraschte und wogegen er sich also auch nicht zu schützen verstand. ...

Anderseits richtete sich damals der Kampf gegen ein Unternehmertum, welches von dem heutigen grundverschieden war. Das Groß-Kapital war noch nicht in dem Maße entwickelt, wie heute. Die kleinen Unternehmer selbst waren auf die Arbeit ihrer Angestellten angewiesen, um selbst leben zu können. Wenn die Arbeiter streikten, war der Unternehmer selbst durch den Hunger gezwungen nachzugeben, nur damit die Arbeiter ihm seinen Lebensunterhalt verdienen. Heute steht die Sache wesentlich anders; das Großkapital ist in viel höherem Maße entwickelt. Es fällt somit der Umstand hinweg, daß der Unternehmer bewilligen muß, um selbst leben zu können. Der Unternehmer weiß sehr gut, daß der Hungerkunst auch der Arbeiter eine materielle Grenze gesteckt ist. ...

Man denke daran, daß sich die Konzentration des Kapitals – welche eine Führung des Kampfes: Geldbeutel der Arbeiterschaft contra Geldbeutel des Unternehmertums, unmöglich macht – nicht nur auf Kartelle und Trusts innerhalb eines Berufes beschränkt, sondern daß dieselbe kleine Gruppe von Kapitalisten, die verschiedensten Berufsgruppen in einem Produktionszentrum verschmelzen (z.B. Krupp-Essen; Seiler-Dessau; Krauer-Frankfurt: Esders-Wien etc.), dadurch kommt es für den Kapitalisten immer weniger in Betracht, ob eine einzelne Berufsgruppe streikt oder nicht; ihr Einkommen wird dadurch nicht merklich vermindert. ...

Ein weiterer, den friedlichen Kampf erschwerender, wenn nicht gar unmöglich machender Umstand, ist die Organisation des Unternehmertums, welche immer weiter um sich greift. –

Früher war kein Unternehmer dazu zu bewegen, seinem Konkurrenten Streikarbeit zu liefern; jeder vergönnte dem andern so recht unzufriedene Elemente, nur damit derselbe größere Ausgaben für Arbeitslöhne habe und solcherart besser niederzukonkurrieren wäre. Diese Taktik war jedoch nur im Interesse der gegenseitigen Konkurrenten, solange es sich nur um einen Lohnkampf gegen einzelne Unternehmer, resp. gegen ein lokales Unternehmertum handelte; solange also von einer wirklich *allgemeinen* Lohnbewegung nicht die Rede sein konnte. –

In dem Augenblicke jedoch, wo der Lohnkampf in das Zeichen des kollektiven Arbeitsvertrages tritt, wo die Aktionen immer allgemeiner wurden und als Ziel einen einheitlichen Arbeitsvertrag hatten, nach dem Muster der Buchdrucker und Schriftsetzer, in demselben Augenblicke mußte diese Solidarität der Interessen der Arbeiterschaft, als Reaktion hierauf die Solidarität des Unternehmertums bedingen. ...

Die Unternehmer haben auf diese Weise – durch die gegenseitige Anfertigung von Streikarbeit etc. – den Kampf einzelner Unternehmer zu ihrer Sache gemacht. Sie haben dadurch selbst dem Kampf den lokalen, respektive individuellen Charakter genommen. Wenn das aber geschieht, dann haben die Unternehmer selbst den Lohnkämpfen den Stempel der Allgemeinheit aufgedrückt. Das muß notwendigerweise zur Folge haben, daß der Kampf seitens der Arbeiterschaft sich ebenfalls nicht bloß auf einzelne Unternehmer beschränken kann, während die anderen Unternehmer diesen die Arbeit verfertigen und sie materiell unterstützen. In den meisten Fällen ist nicht zu kontrollieren, wo gerade die Streikarbeit gemacht wird. – Es bleibt also kein anderes Mittel, als dem koalierten Unternehmertum die koalierte Arbeiterschaft entgegen zu setzen, wodurch wir – ohne unser Zutun, ohne daß wir es wollen, rein geschoben durch die Verhältnisse – beim Generalstreik angelangt sind.

Weckruf Nr. 6, März 1905.

71 Der Gewerkschaftsbund lehnt den Generalstreik ab

Die in der Rede zum 1. Mai 1903 in Zürich vertretene Meinung von Herman Greulich steht hier stellvertretend für die Auffassung des SGB, der dann 1906 an einem Kongreß die Generalstreikstaktik (die «direkte Aktion») mit der gleichen Begründung offiziell ablehnte.

... Es ist in letzter Zeit viel über den *Generalstreik* geredet worden. Ich stehe der Frage leidenschaftslos gegenüber und kann ruhig darüber sprechen. *Wann* kann der Generalstreik etwas nützen? Der Gewerkschaftsbund hat in seinen Statuten die Bestimmung, wonach in *Streiks* nur dann eingetreten werden darf, wenn zwei Drittel der Arbeiter organisiert sind und wenn 90% derselben in geheimer Abstimmung sich für den Streik ausgesprochen haben. Auch von den Unorganisierten soll die Hälfte wenigstens *für* den Streik sein. Man hat diese Bestimmungen aufgestellt, weil man weiß, daß jeder Streik mißlingen muß, wenn nicht die große Mehrzahl der Arbeiter organisiert ist. Da kommen zuerst die lieben Streikbrecher und wenn man sie am Ohr nehmen will, kommt die noch liebere Polizei und verhindert das. Es gibt daher Gewerkschaftsorganisationen, die noch strengere Bestimmungen mit Bezug auf Streiks aufgestellt haben wie der Gewerkschaftsbund.

Nun aber: wenn solche Bestimmungen für Einzelstreiks notwendig sind, wie viel mehr erst für einen *Generalstreik?* Ein Generalstreik, der unternommen wird, wo die Arbeiter nur zu einem kleinen Teile organisiert sind – und dies ist heute leider noch fast überall der Fall – *muß* daher nach kurzer Dauer verloren gehen. Dadurch werden nicht nur unzählige Existenzen schwer geschädigt, sondern es wird die gesamte Organisation geschwächt. Verlangen wir aber, daß ein Generalstreik nur dann eingeleitet werden darf, wenn zwei Drittel *sämtlicher* Arbeiter organisiert sind, so heißt dies den Generalstreik auf eine sehr weite Zeit hinaus vertagen.

Aber noch mehr: wenn zwei Drittel aller Arbeiter organisiert sind, *brauchen* wir einen Generalstreik nicht mehr, da wir dann alles, was wir wollen, ohne Generalstreik erreichen können. Die Auffassung, als ob durch den Generalstreik die kapitalistische Gesellschaft über den Haufen geworfen werden könne, ist sehr kindlich. Die kapitalistische Gesellschaft steht noch so fest und hat so viele Machtmittel, daß man ihr durch einen Generalstreik nicht beikommen kann.

Volksrecht, 3.5.1903.

72 Erste Generalstreikforderung in Zürich

Das Volksrecht berichtete über die Delegiertenversammlung der Arbeiterunion Zürich anläßlich des Streiks in der Eiskastenfabrik Schneider.

Die Hetzer des Gewerbeverbandes und die Polizei haben es nun durch ihr Vorgehen beim *Streik in der Eiskastenfabrik* glücklich dahin gebracht, daß in der Gewerkschaftsdelegiertenversammlung der *Arbeiterunion Zürich* der Gedanke des *Generalstreiks* nicht etwa nur von ultraradikaler Seite angedeutet, sondern daß die Einleitung eines Generalstreiks allen Ernstes und zwar auch von Vertretern durchaus gemäßigter Anschauungen als eine durch die Entwicklung der Dinge etwa notwendig werdende Maßregel diskutiert worden ist. Die ersteren, indem sie aus dem scheinbar unbedeutenden, nur eine kleine Zahl von Arbeitern berührenden Werkstattstreik in der Fabrik des Herrn Schneider eine Sache des gesamten organisierten Unternehmertums, einen prinzipiellen Kampf machten und mit allen Mitteln die völlige Niederwerfung der Streikenden herbeizuführen suchten, die letztere, indem sie den streikenden Arbeitern ein Kampfmittel nach dem andern aus der Hand nahm und zuletzt durch das *Verbot des Streikpostenstehens* eine Maßregel ergriff, die nicht mehr die Streikenden allein berührt, sondern die von der gesamten Arbeiterschaft als eine *Vernichtung ihres Rechts zum Streik* und damit als eine offene Kriegserklärung empfunden werden musste. ...

Wir wünschen eine Katastrophe, die verheerend über unser ganzes wirtschaftliches und öffentliches Leben hereinbrechen müßte, nicht. Niemand kann sie wünschen, der es mit der Arbeiterschaft und der Bevölkerung überhaupt gut und ehrlich meint. Sollte die Katastrophe dennoch hereinbrechen, so einzig deshalb, weil man die Wahrheit der Worte, daß der Bogen, allzu straff gespannt, zerbricht, sich nicht klar genug vor Augen hielt. Wir waschen unsere Hände in Unschuld.

Volksrecht, 20.5.1904.

73 Gründung der Schweizerischen Antimilitaristischen Liga

An der von den Tessiner Genossen einberufenen Konferenz in Luzern wurde gestern eine antimilitaristische Liga für die Schweiz gegründet. Anfänglich trat unter den Anwesenden zwar ein gewisser Gegensatz zu Tage, indem die Tessiner insbesondere eine Vereinigung mit mehr humanitären Zwecken wünschten, in welche auch bürgerliche Mitglieder aufgenommen werden könnten. Die Deutschschweizer verlangten dagegen mit aller Entschiedenheit, daß man sich ausdrücklich auf den Boden des Klassenkampfs stellen und das Militär als Gewaltmittel der Bourgeoisie im Kampfe gegen das Proletariat unschädlich zu machen bestrebt sein müsse. Man einigte sich indessen bald auf folgende prinzipielle Erklärung:

Die antimilitaristische Liga erstrebt als Endziel die *völlige Abschaffung des Militärs.*

Ihre Mitglieder sind der Überzeugung, daß ein Zeitalter wahrer Menschlichkeit erst dann anbrechen wird, wenn diese barbarische Institution verschwunden ist, daß dieses Ziel *auf dem Boden der bürgerlichen Gesellschaftsordnung aber niemals völlig erreicht werden kann;* denn das Bürgertum findet in der Verteidigung seiner Vorrechte sowohl gegen fremde Nationen wie gegen die Proletarier des eigenen Landes im Militär seine wirkungsvollste Waffe und wird niemals in deren Preisgabe einwilligen.

Um die bürgerliche Gesellschaftsordnung zu stürzen, ist es notwendig, daß der bürgerlichen Klasse ihr Gewaltmittel, das Militär, entrissen werde. Die antimilitaristische Liga arbeitet daher mit allen Mitteln – nicht ausgeschlossen die politischen – auf die Vernichtung der Militärgewalt hin. ...

Volksrecht, 2.10.1905.

74 Reaktion des Bürgertums

... So haben wir es also erlebt, woran wir nie glauben mochten, daß in unserer kleinen, rings von waffenstarrenden Großmächten umgebenen Schweiz sich ein Verband bildet mit dem ausgesprochenen Zwecke, sie wehrlos und schutzlos zu machen und der Willkür jedes mächtigeren Nachbars – und die Nachbarn sind ja alle mächtiger als wir – rettungslos preiszugeben. Und das nicht aus idealer Friedensschwärmerei die ja, wenn sie derartige Ziele verfolgen würde, gefährlich und unsinnig genug wäre. Nein, nach offenem Bekenntnis, aus Klassenhaß und Haß gegen die bestehende staatliche und gesellschaftliche Ordnung. Die Schweiz soll entwaffnet werden, damit bei einem künftigen Arbeiterausstand der Knüppel des Streikenden unumschränkt herrsche und nicht durch den Säbel des Infanteristen verhindert werde, das Eigentum des Unternehmers zu zerstören und die Freiheit des Arbeitswilligen zu vergewaltigen. Der Abschaffung des Militärs würde naturgemäß die Abschaffung der Polizei folgen – und der anarchistische Staat wäre vollständig. ...

Wir hoffen heute noch, die schweizerische Sozialdemokratie überwinde die Krisis, in der sie sich augenscheinlich befindet. Es ist die gefährlichste, die sie durchzumachen hatte. Gefährlich leider vor allem für das Land. Welches daher auch der Ausgang des Konfliktes innerhalb der

Partei sei, die Behörden und der nicht von klassenkämpferischen Instinkten beherrschte Volksteil werden frevlerischen Attentaten auf unsere Wehrkraft, auf der die Existenz des Landes ruht, mit dem schärfsten Nachdruck wehren müssen.

NZZ Nr. 277, 6.10.1905.

75 Generalstreikdiskussion 1909

An der Delegiertenversammlung der Arbeiterunion Zürich vom 6. Mai 1909 sprachen Fritz Brupbacher und Herman Greulich über den Nutzen des Generalstreiks (a). In der folgenden Delegiertenversammlung vom 10. Mai wurden nach reger Diskussion 6 Generalstreikthesen einstimmig angenommen (b).

(a) Die Rede Brupbachers[1]

... Was für Gründe liegen denn vor, daß diese Idee[2] heute zur mächtigen Massenidee werden konnte? Hauptsächlich war es die Schwierigkeit, bei Streiks die Streikbrecher abzuhalten, weil der Staat dies immer mehr verhindert. Der Staat ist reaktionärer geworden. ...

Wir müssen die Organisation immer noch weiter ausbauen, die Zahl der Organisierten vermehren, die Kassen stärken, aber auch den Geist zur Aktivität vorbereiten. Dazu ist das beste Mittel die Sympathiedemonstration. Wir gewöhnen damit die Arbeiter, die Kameraden nicht nur mit Geld, sondern mit ihrer ganzen Persönlichkeit zu unterstützen. Wir müssen exerzieren, wenn wir einmal in eine große Schlacht ziehen wollen, und dieses Exerzieren muß auf der Straße vor sich gehen. ...

Die Demonstration entwickelt in uns selbst den Mut, den wir nötig haben, und der geübt werden muß im Zusammenstoß zunächst mit den untersten Organen des Hofhundes des Kapitals, mit der Polizei. ...

So müssen wir uns ökonomisch und psychologisch vorbereiten auf den Generalstreik und schließlich auch auf die große Expropriation, die doch einmal erfolgen muß, damit wir den reichen Herrschaften ihre Reichtümer nehmen.

Die Rede Greulichs

... Widersprechen muß ich dem Genossen Brupbacher vor allem in der Auffassung, daß das Mittel des Generalstreiks eine Art Universalmittel von unvergleichlich größerer Kraft sei, als die bisher von der kämpfenden Arbeiterschaft angewendeten. ...

Grundstürzend kann auch ein siegreicher Generalstreik heute noch nicht sein. Die Zeit muß in allem erst reif werden. Stets wurde der Generalstreik das erste Mal belohnt; bei seiner Wiederholung versagte er als Kampfmittel. ...

Mit dem allem soll nicht gesagt sein, daß wir die Dinge gehen lassen dürfen. Wir müssen uns vorbereiten, ernstlich müssen wir das. Zu den Vorbereitungen gehört auch eine «Taktik der Straße», die nicht, wie Brupbacher als Ideal vorzuschweben scheint, zu Zusammenstößen mit den Organen des Staates führen darf, sondern im Gegenteil derartige Zusammenstöße durch eiserne Disziplin, durch strengste Selbstzucht unserer Genossen, zu verhindern trachtet. Wenn Arbeiter sich von der Polizei prügeln lassen, sind sie nicht einmal reif für kleine Streiks, geschweige denn für den Generalstreik. Eine disziplinlose, lärmende Masse etwa nachts loszulassen, wäre verfehlt. ...

(b) Die Generalstreikthesen

... 4. c) Das Ohnmachtsgefühl der Arbeiterschaft den Machtmitteln des Klassenstaates gegenüber wird gehoben durch den unablässigen Kampf für moralische und ökonomische Verbesserungen ihrer Lage. Durch Demonstrationen auf der Straße, welche die Arbeiter gewöhnen, ihren Mut zu entwickeln im Zusammenstoß mit der Staatsgewalt, und sie darauf zu lenken, durch Bildung sogenannter Arbeitergarden ein Mittel zu entwickeln, das dazu dient, die private und staatliche Gewaltanwendung der herrschenden und besitzenden Klassen abzuwenden. Im fernern ist es Pflicht der Organisationen, ihre Mitglieder darauf aufmerksam zu machen, daß die Arbeiter im Wehrkleid nie und nimmer gegen ihre Brüder sich verwenden lassen dürfen.

5. Durch entsprechende Vorbeugungsmassregeln (Unterstützungskassen, Produktiv- und Konsumgenossenschaften, Eroberung der politischen Gewalt in den Gemeinden) soll für die Rückschläge, die eventuell ein Generalstreik der Arbeiterschaft bringen könnte, vorgesorgt werden.

6. Unter den genannten Voraussetzungen ist der Generalstreik ein wirksames Kampfmittel der Arbeiterschaft dem Klassenstaate gegenüber, das freilich alle bisher angewandten Mittel nicht überflüssig macht, sondern sie nur ergänzt.

a) Volksrecht, 7.5.1909.
b) Volksrecht, 11.5.1909.

[1] *Fritz Brupbacher, Arzt in Zürich-Aussersihl, Anhänger der SP-Linken; 1914 Parteiausschluß; später in der KP, 1932 ebenfalls ausgeschlossen (vgl. 87, 126).*
[2] *Generalstreikidee.*

76 Zürcher Generalstreik vom 12. Juli 1912

Der eintägige Generalstreik von 1912 in Zürich wurde allgemein als eine Kraftprobe zwischen Unternehmern und Arbeitern empfunden, wie man sie in der Schweiz in diesem Ausmaß noch nie erlebt hatte. Auf einen Streik der Maler und Schlosser für Arbeitszeitverkürzung auf 9 bzw. 8½ Stunden antworteten die Unternehmer mit dem Import von Streikbrechern aus dem Deutschen Reich. Die Gegenmaßnahme der Arbeiter bestand im Aufstellen von Streikposten. Als daraufhin ein Streikbrecher einen der streikenden Arbeiter, die ihn zur Arbeitsniederlegung zwingen wollten, mit einem Revolver erschoß, verlangten die Unternehmer ein Streikpostenverbot, die Arbeiter dagegen das Verbot der weiteren Einfuhr von Streikbrechern. Der Stadt-

Arbeiter, heraus!

Um den Streik der Schlosser und Maler zu erwürgen, hat das Unternehmertum Berufsstreikbrecher aus Deutschland importiert, die, von einem Teil der Unternehmer mit Revolvern und Dolchen ausgerüstet, für die gesamte Bevölkerung gefährliche Elemente sind. Das beweisen die Vorkommnisse der letzten Tage. Die Regierung, auf diese Tatsachen aufmerksam gemacht, hat als Antwort vom Stadtrat ein Streikpostenverbot erzwungen.

Arbeiter! Zum Protest gegen diese Parteinahme der Behörden, zum Proteste gegen die Einfuhr berufsmäßiger Streikbrecher rufen wir Euch auf

zum 24stündigen Generalstreik

auf heute Freitag den 12. Juli.

Arbeiter! Verlaßt für heute die Arbeit in Ruhe und Ordnung. Ernst und würdig soll unser Protest sein. Wir appellieren dringend an Eure Disziplin, an Eure Einsicht! Erinnert Euch an die kraftvolle Ruhe der schwedischen Arbeiterschaft. Meidet wie sie alle alkoholischen Getränke!

Unterlaßt jede Sonderaktion vor den bestreikten Werkstätten!

Erscheint am Freitag, morgens 9 Uhr zur

Protest-Versammlung

auf der Rotwandwiese!

Hier werdet Ihr weitere Mitteilungen erhalten!
Am Samstag morgen wird die Arbeit wieder aufgenommen!

Vorstand u. Delegiertenversammlung der Arbeiterunion Zürich.

Genossenschaftsdruckerei Zürich.

rat erließ ein teilweises Streikpostenverbot, worauf die Zürcher Arbeiterunion in einer Urabstimmung mit überwältigendem Mehr die Durchführung eines eintägigen Generalstreiks beschloß, der ruhig und planmäßig verlief. Die Unternehmer «bestraften» die Arbeiter mit einer zweitägigen allgemeinen Aussperrung. Gleichzeitig bot der Regierungsrat Truppen zum «Schutze von Ruhe und Ordnung» auf. Die einzige militärische Aktion bestand in der Besetzung des Volkshauses, was gewaltige Empörung unter den Arbeitern hervorrief.

... Aber wenn je ein Unternehmen, das anfänglich verkehrt schien, durch den weitern Verlauf der Dinge gerechtfertigt worden ist, so ist es bei dem Zürcher Generalstreik der Fall. Ein Stück Rechtfertigung war schon seine vortreffliche Durchführung. Was für eine Arbeit, Umsicht, Hingabe, Organisationskunst, Feldherrntüchtigkeit war notwendig, um ein Heer von 15–20000 Arbeitern, die noch dazu mehreren grundverschieden gearteten Nationalitäten angehören, für eine solche friedliche Schlacht richtig zu leiten! ...

Mit eigenen Augen habe ich[1] es gesehen, daß die Wirtschaften in Aussersihl an diesem Tage entweder ganz geschlossen oder fast leer waren. Nirgends ein Betrunkener oder auch nur Angeheiterter, nirgends lärmende oder gröhlende Gruppen; alles ein Bild des Friedens und der Ordnung ... Wohl fast in jeder Samstag- oder Sonntagnacht geschieht in Zürich viel Schlimmeres von der Art, als der ganze Generalstreik mit sich gebracht hat. ...

Leonhard Ragaz, Der Zürcher Generalstreik, in: Neue Wege, August 1912, S. 292f.

[1] *Leonhard Ragaz, Pfarrer. Wichtigster Vertreter des religiösen Sozialismus. Großer Einfluß auf die antimilitaristische Jugendbewegung während des Krieges wegen seines konsequenten Pazifismus.*

77 Militärische Besetzung des Volkshauses

... Vor dem Volkshausplatz galt es Halt zu machen, denn da blitzten die Bajonette. Der weite Platz, mit allen seinen Zugängen, war abgesperrt, kein Durchkommen möglich. Eine nicht sehr große Menschenmenge staute sich vor dem Militärkordon an. Mich überlief eine heiße Flut von Zorn. So weit also waren wir gekommen! Wieder wars mir wie ein Märchen. Und das ließ man sich gefallen? Warum war die Menge so still? Sie *mußte* wohl, denn jede Bemerkung gegen die überirdische Heiligkeit der Militäruniform führte zu sofortiger Verhaftung. Wahrlich, sagte ich mir, unsere Arbeiter sind Lämmer; in den romanischen Ländern und in England und Nordamerika, kurz da, wo die Menschen Temperament haben, ließe man sich solches niemals gefallen. Aber wo sind die Arbeitermassen? Alles still. Aber diese Stille dünkte mich unheimlicher als sogar Aufruhr; denn über dieser Stille schwebte der Dämon des Bürgerkrieges. Diese Tat des Bürgertums wird böse Folgen haben. ...

Leonhard Ragaz, Der Zürcher Generalstreik, in: Neue Wege, August 1912, S. 295.

78 Der Generalstreik in bürgerlicher Sicht

Der Generalstreik hat zu dem Ende geführt, das die Einsichtigeren unter den sozialistischen Gewerkschaftern vorausgesehen hatten. Der Regierungsrat hat sich gezwungen gesehen, die ultima ratio[1] der Staatsgewalt anzuwenden, ein Truppenaufgebot zu erlassen und dem wüsten Treiben der Streikenden und ihrer anarchistischen Inspiratoren und Helfershelfer durch ein allgemeines Verbot der Streikposten, aufrührerischen Versammlungen und Demonstrationszügen zu begegnen. Seitdem ist Ruhe eingetreten; die Pöbelherrschaft der Streikleitung hat sich aus den Straßen verzogen, auf denen sie während kurzer Zeit ein prahlerisch hohles Dasein geführt hat. Die verführten Arbeiter büßen ihren Eintagsübermut mit dem Ausfall dreier Tagesverdienste; alle Anzeichen weisen darauf hin, daß sie am Dienstag die unterbrochene Arbeit mit größerer oder geringerer Fassung wieder aufnehmen werden. Damit könnte alles sich zufrieden geben, wenn es nicht ernste Pflicht der verantwortlichen Behörden wäre, der Wiederkehr der im Grunde revolutionären, für unser Gemeinwesen beschämenden Aktion vorzubeugen.

Die private Ahndung haben unsere Gewerbetreibenden durch ihren Aussperrungsbeschluß, zum Teil durch Anrufung der Gerichte, wirkungsvoll selbst unternommen. Die dreist verhöhnte Staatsgewalt wird das Ihrige tun müssen. Die Ausweisung der am meisten kompromittierten Ausländer wird die Regierung ohne Zweifel von sich aus ohne weiteres verfügen; sie mögen ihre Versuche, sich an Stelle der von unserm Volke bestellten Behörden zu setzen, anderswo wiederholen. Unsere geschädigte und schwer beleidigte Bevölkerung zu Stadt und Land verlangt ein unnachsichtiges Vorgehen.

NZZ Nr. 195, 15.7.1912.

[1] *letztes Mittel.*

79 Die internationale Arbeiterbewegung protestiert gegen den drohenden Krieg: Die Friedensresolution von Basel 1912

Manifest der Internationale zur gegenwärtigen Lage.

Droht der Ausbruch eines Krieges, so sind die arbeitenden Klassen und deren parlamentarische Vertretungen in den beteiligten Ländern verpflichtet, unterstützt durch die zusammenfassende Tätigkeit des Internationalen Bureaus, *alles aufzubieten,* um durch *die Anwendung der ihnen am wirksamsten erscheinenden Mittel den Ausbruch des Krieges zu verhindern,* die sich je nach der Verschärfung des Klassenkampfes und der Verschärfung der allgemeinen politischen Situation naturgemäß ändern.

Falls der Krieg dennoch ausbrechen sollte, ist es die Pflicht, für dessen *rasche Beendigung einzutreten* und mit allen Kräften dahin zu streben, die *durch den Krieg herbeigeführte wirtschaftliche und politische Krise zur Aufrüttelung des Volkes auszunutzen und dadurch die Beseitigung der kapitalistischen Klassenherrschaft zu beschleunigen.*

Außerordentlicher Internationaler Sozialisten-Kongreß zu Basel am 24. und 25. November 1912, Berlin 1912, S. 23.

Burgfrieden bei Kriegsausbruch

Bei Kriegsausbruch stimmten die Sozialisten in den bürgerlichen Parlamenten Westeuropas mehrheitlich der Verteidigung des Landes zu, obwohl die II. Internationale ständig gegen den wachsenden Militarismus protestiert hatte (79). Ihr Scheitern war die Konsequenz einer Politik, die sich wohl internationalistisch und revolutionär gab, praktisch jedoch längst nationalistisch und reformistisch geworden war. Denn indirekt profitierten auch die Arbeiter der Industrienationen vom imperialistischen Ausbeutungsverhältnis, was sich in der relativen Verbesserung des Lebensstandards ausdrückte.

Auch die Sozialdemokratische Partei der Schweiz verzichtete bei Kriegsausbruch weitgehend auf ihre oppositionelle Rolle und stellte die Klasseninteressen zurück zugunsten der «Solidarität des Volksganzen» (Robert Grimm). Mit der Begründung, den Krieg von der Schweiz fernhalten zu wollen, stimmte die SP-Fraktion des Nationalrates der militärischen Landesverteidigung und den Vollmachten für den Bundesrat zu (80).

Kriegsgewinne der Kapitalisten – Verelendung der Lohnabhängigen

Das Verhalten des Bürgertums während des Krieges entsprach in keiner Weise der durch den Burgfrieden demonstrierten Selbstbeschränkung der Arbeiterschaft. Während man an die Arbeiter appellierte, die Klasseninteressen zurückzustellen, verfolgten die Angehörigen der besitzenden Klasse ohne Rücksicht auf das vielbeschworene «Volksganze» ihre *Klasseninteressen. Das Bürgertum führte von allem Anfang an der Arbeiterklasse und ihren Organisationen gegenüber eine Politik der offensiven Härte (81).*

So hob der Bundesrat kraft seiner Vollmachten bei Kriegsausbruch wesentliche Bestimmungen des Fabrikgesetzes auf: die Unternehmer durften die Arbeitszeit verlängern, Überzeitarbeit ohne Lohnzuschläge verlangen, Lohnkürzungen vornehmen, Jugendliche einstellen, Sonntags- und Nachtarbeit einführen. In einzelnen Industriezweigen kam es zu massiven Entlassungen.

Nach der kurzen Krise zu Beginn des Krieges erlebten die Exportindustrie *(steigender Bedarf der kriegführenden Länder) und die* Nahrungsmittelindustrie *(sinkende Importe) einen enormen Aufschwung. In diesen gewinnverheißenden Industrien wurde deshalb von den Kapitalisten kräftig investiert: Die in diesen Branchen erzielten Reingewinne und die an die Aktionäre ausbezahlten Dividenden nahmen stark zu:*

Ausgewiesene Reingewinne (in Mio. Fr.) und Dividenden (in %)

	1914	1915	1916	1917	1918	1914	1915	1916	1917
Nahrungsmittelindustrie	20	22	26	33	35	15,1	16,6	13,7	18,4
Metallindustrie	12	11	20	33	39	6,4	8,5	9,9	12,0
Chemieindustrie	11	14	25	43	45	19,5	28,4	36,4	29,2

Während die florierende Kriegswirtschaft den Kapitalbesitzern reiche Gewinne brachte, betrieben dieselben Kapitalbesitzer eine Lohnpolitik, die den Arbeitern innerhalb von drei

Kriegsjahren eine 25–30prozentige Reallohneinbuße bescherte. Das Kriegsgewinnlertum beschränkte sich keineswegs auf ein paar gewissenlose Spekulanten, sondern entfaltete sich in der Legalität des kapitalistischen Wirtschaftssystems.

Wie die Nahrungsmittelindustrie nützte auch der Bauernverband *die rapide abnehmenden Nahrungsmittelimporte kräftig aus. Dank einer aggressiven Preispolitik, die kaum Rücksichten nahm auf die schwindende Kaufkraft der lohnabhängigen Konsumenten, erlebte die Landwirtschaft einen starken Aufschwung. Das durchschnittliche Tageseinkommen eines Bauern stieg von Fr. 3.28 (1914) auf Fr. 20.63 (1918), wobei der Verdienst der Klein- und Bergbauern beträchtlich unter diesem Durchschnitt lag und etwa einem durchschnittlichen Arbeiterlohn (ca. Fr. 10.– pro Tag) entsprach; von bürgerlicher Seite wurde der Preispolitik des Bauernverbandes nichts in den Weg gelegt, obwohl sie die Teuerung enorm anheizte. Indem das Bürgertum den Bauernverband gewähren ließ, wußte es ihn bei der Bekämpfung der Arbeiterbewegung fest an seiner Seite. Die Bauern wurden als Prellbock gegen die sozialistische Bewegung verwendet. Wann immer während des Krieges gegen die Arbeiter Militär eingesetzt wurde, griff der Bundesrat auf bäuerliche Truppen zurück. Die ablehnende Haltung des Bauernverbandes gegenüber der Arbeiterbewegung «hinderte auch die freisinnigen Parteien und die Kreise der Exportindustrie sowie des Großkapitals, welche die Bauernpolitik nur ungern sahen, an einer offenen Bekämpfung unserer Bewegung ... Je stärker die Sozialdemokratie wurde, um so nötiger hatte man den Bauernstand» (Laur, Sekretär des Bauernverbandes).*

Die Arbeiter litten unter den enormen Preissteigerungen für Konsumgüter:

	Preisentwicklung in Franken			*Teuerungs-index*
	April 1914	*Dezember 1917*	*März 1919*	*(1914=100)*
½ kg Schweinefleisch	*1.20*	*2.50*	*4.50*	*375*
1 kg Brot	*0.35*	*0.70*	*0.73*	*209*
1 kg Butter	*3.60*	*6.20*	*7.80*	*217*
100 kg Kartoffeln	*10.—*	*18.—*	*28.—*	*280*
100 kg Brikett	*4.—*	*11.—*	*19.50*	*488*

Die Lebenshaltungskosten einer fünfköpfigen Arbeiterfamilie stiegen im Durchschnitt während der Kriegsjahre um 130 Prozent, in den Städten bis zu 150 Prozent. Diese Teuerung bedeutete eine Verschlechterung der materiellen Lage der Arbeiter, weil die von den Unternehmern bezahlten Löhne weniger stark anstiegen, zu Beginn des Krieges sogar gesenkt wurden.

	Lohnentwicklung (in Rappen/Stunde)			*Index*
	Juni 1914	*Juni 1917*	*Dez. 1918*	*(1914=100)*
Berufsarbeiter	*72.4*	*101.0*	*141.0*	*197*
Hilfsarbeiter und Handlanger	*55.6*	*81.0*	*113.6*	*204*

Die Verdoppelung der Löhne ergab also im Vergleich mit den Preissteigerungen eine Senkung des Reallohnes um mindestens 30 Prozent. Hunderttausende mußten ein kärgliches

Leben fristen und waren auf Notstandsunterstützung angewiesen. In der Stadt Zürich waren das 1917/18 ein Viertel der Bevölkerung, in der ganzen Schweiz im Juni 1918 692000 Personen.

Wohnungsnot, Arbeitslosigkeit, Unterernährung und Hunger waren in Arbeiterfamilien alltägliche Erscheinungen (82).

Die Arbeiterklasse radikalisiert sich

Die Burgfriedenspolitik machte sich für die Arbeiterschaft in keiner Weise bezahlt. Der Bundesrat hatte weitgehende Vollmachten zur Ausübung seiner Regierungsgewalt erhalten, was einer Ausschaltung des Parlamentes gleichkam, in dem die SPS mit 20 Nationalräten ohnehin nur bescheidene Einflußmöglichkeiten besaß (Majorz). Die rein bürgerliche Exekutive wußte die erhaltenen Vollmachten in ihrem Klasseninteresse zu nutzen. Die Arbeiterbewegung wurde in ihrer politischen Bewegungsfreiheit mehr und mehr behindert: Einschränkung des Demonstrations- und Versammlungsrechts, Verbot der Zeitungen der Jungburschen, sozialdemokratische Volksinitiativen wurden vom Bundesrat nicht zur Abstimmung gebracht, Eingaben an den Bundesrat fanden kein Gehör (83). Die zunehmende Verschärfung der materiellen Notlage, die aggressive Politik des Bürgertums und der Bauern und die Erfahrung, daß mit den vorgegebenen politischen Mitteln wesentliche Zugeständnisse nicht erlangt werden konnten, führten zu einer Radikalisierung der Arbeiterschaft. In den steigenden Mitgliederzahlen der Organisationen kommt diese Entwicklung deutlich zum Ausdruck (z.B. SGB 1914: 65177, 1918: 177143).

Die Radikalisierung zeigte sich auch im Bestreben der Arbeiterbewegung, die internationalen Verbindungen *wiederherzustellen und den Kampf gegen den imperialistischen Krieg zu führen. Gerade in diesem Punkt aber ging die Radikalisierung der einzelnen Gruppen verschieden weit, was zu Differenzen und Spaltungstendenzen innerhalb der Arbeiterbewegung führte. Die SP-Linke, die besonders in Zürich stark war, wandte sich gegen den rechten Parteiflügel, gegen die «Sozialchauvinisten», die für die unbedingte Landesverteidigung eintraten. Den Zentristen, die sich weder nach links noch nach rechts eindeutig bekennen mochten, gelang es, zusammen mit der Linken den Einfluß der Grütlianer einzuschränken und diese 1916 aus der Partei zu verdrängen. In der Folge zeigten sich vermehrt Differenzen zwischen einzelnen Gruppen innerhalb der Partei und der Parteileitung, die immer noch vorwiegend aus Parteirechten und Zentristen bestand und sich dem Bürgertum gegenüber immer wieder kompromißbereit zeigte.*

Große Bedeutung kommt in diesem Zusammenhang der Jugendbewegung *zu, deren erste Sektion bereits 1901 in Zürich-Außersihl gegründet worden war als «Vereinigung gleichgesinnter Arbeiterjünglinge zum Zwecke der Belehrung und Freundschaft». Während des Krieges wurden die «Jungburschen» zunehmend politisiert; unter Willi Münzenberg gelang es ihnen, große Massen Jugendlicher zu mobilisieren (84). Aus der Jugendbewegung gingen auch radikalere Gruppen hervor wie die «Forderung», aus der später die Altkommunistische Partei entstand.*

Vor 1914 und vor allem während des ersten Weltkrieges lebten zahlreiche politische Emigranten *aus Rußland und Deutschland in der Schweiz. Einige von ihnen waren auch in der* schweizerischen Arbeiterbewegung tätig; die Radikalisierung der Arbeiterklasse ist aber nicht auf ihren Einfluß zurückzuführen. Höchstens gelang es linken Gruppen innerhalb und außerhalb der SPS im Kontakt mit aktiven Emigranten (Lenin, Trotzki u.a.), die bestehenden Verhältnisse theoretisch zu durchdringen und die Probleme in ihrer internationalen Verknüpfung zu erkennen (86).

Nachdem bereits internationale Konferenzen der Frauenbewegung und der Jugendbewegung in der Schweiz stattgefunden hatten, wurde im September 1915 in Zimmerwald (bei Bern) eine Konferenz veranstaltet, um die oppositionellen Gruppen aller Länder zu organisieren und eine internationale Aktion gegen den Krieg vorzubereiten. Von den internationalen Arbeiterparteien nahmen Vertreter der Linken und des Zentrums teil, die Schweizer allerdings ohne offizielles Mandat ihrer Partei. In einem Manifest wandte sich die Konferenz gegen die Burgfriedenspolitik und rief zum internationalen Klassenkampf gegen den imperialistischen Krieg und gegen den Militarismus auf (85). Nach harten Auseinandersetzungen bekannte sich die SPS gegen den Antrag der Geschäftsleitung zu diesem Zimmerwalder Manifest und nahm nun offiziell an der zweiten Konferenz in Kiental (April 1916) teil, wo sich führende Sozialisten Europas über die Gründung einer neuen Internationale berieten.

Die sozialdemokratische Fraktion des Nationalrates hatte im August 1914 der militärischen Landesverteidigung zugestimmt. Viele Familien von Wehrmännern hatten aber unter den Auswirkungen des Militärdienstes schwer zu leiden. Der Sold war klein und der Arbeitsplatz ungeschützt. Eine Entschädigung für Verdienstausfall gab es nicht und Wehrmannsunterstützung erhielten nur die Bedürftigsten. Mißbräuche im militärischen Dienstbetrieb und provozierende Urteile der Militärgerichte steigerten den Unmut der Arbeiterschaft. Die SPS reichte eine Initiative zur Abschaffung der Militärjustiz ein, deren Abstimmung aber über den Krieg hinaus verzögert wurde. Der unter dem Einfluß der Religiössozialen (Ragaz) anfänglich vorherrschende Pazifismus wurde während des Krieges von einem teilweise militanten Antimilitarismus abgelöst (87).

Militarisierung von Betrieben (88) und Militäreinsätze bei sozialen Auseinandersetzungen zeigten, daß sich die Funktion der Armee als Herrschaftsinstrument des Bürgertums auch während des Krieges nicht verändert hatte (z.B. Novemberunruhen 1917 in Zürich).

Harte Diskussionen innerhalb der SPS führten zu einer Ablehnung der Landesverteidigung am Parteitag Juni 1917 (89), womit die Arbeiterbewegung ihren neu erwachten Widerstand gegen den bürgerlichen Staat unterstrich.

Kampf der Arbeiterschaft gegen Not und Ausbeutung

Die Organisationen der Arbeiterschaft begannen frühzeitig, die sozialen und wirtschaftlichen Mißstände zu bekämpfen. Schon Ende August 1914 wurde eine zentrale Notstandskommission gebildet (Zusammenschluß von Gewerkschaftsbund, Partei, Konsumgenossenschaften u.a.), die in Verhandlungen mit dem Bundesrat die Begehren der Arbeiterschaft zu vertreten hatte. In vielen Eingaben und Verhandlungen forderte sie Maßnahmen gegen soziale Ungerechtigkeit und wirtschaftliche Not: Stundung der Mietzinsforderungen, Rationierung der Lebensmittel, Wiederinkraftsetzung des Fabrikgesetzes, Notstandsarbeiten, Festsetzung von Höchstpreisen und Mindestlöhnen, eine zentrale Kriegswirtschaftspolitik, die die Versorgung der Bevölkerung durch Schaffung von staatlichen Einkaufs- und Verkaufsmonopolen für Kartoffeln und Kohlen sicherstellen sollte etc. Doch die meisten dieser Forderungen, die lediglich die Verbesserung der unmittelbaren Lage der Arbeiter bezweckten, scheiterten am hartnäckigen Widerstand des Bürgertums. Im ganzen Lande wurden Demonstrationen organisiert (90), in welchen die notleidende Bevölkerung ihre Wünsche und Beschwerden zum Ausdruck brachte, und Ende August 1917 kam es erstmals zu landesweit koordinierten Proteststreiks, da die bisherigen Notstandsbitten keinen Erfolg gebracht hatten.

Anfangs 1918 versuchte der Bundesrat eine obligatorische Hilfs- und Zivildienstpflicht einzuführen; damit hätte die ganze männliche Bevölkerung der Befehlsgewalt der Armee unterstellt werden können. Unter dem Eindruck dieses Militarisierungsversuchs erkannten die Arbeiterorganisationen, daß sie sich zu geschlossenem Widerstand organisieren mußten: mit dem Oltener Aktionskomitee (OAK), benannt nach dem Tagungsort Olten, wurde eine Verbindungsorganisation zwischen Partei und Gewerkschaftsbund geschaffen. Das Aktionskomitee «war die Vereinigung der gewerkschaftlichen und politischen Bewegung, die Zusammenfassung des Klassenkampfes unter einer einheitlichen Leitung» (Grimm) und trat im Namen der Arbeiterorganisationen mit Eingaben und Stellungnahmen an den Bundesrat heran.

Innerhalb des OAK wurde eine Kommission eingesetzt, die die möglichen Kampfmittel prüfen sollte. Ergebnis ihrer Arbeit war das Generalstreikprogramm, in dem jedoch der revolutionäre Generalstreik vor allem auf Druck der Gewerkschaften abgelehnt wurde. Ein Streik war vorgesehen für den Fall, daß «sich die übrigen Kampfmittel ... als unzulänglich erwiesen» haben (91). Der Erste Allgemeine Schweizerische Arbeiterkongreß bestätigte im Juli 1918 dieses Programm und beschloß, mit dem Bundesrat zu verhandeln und erst dann einen Landesstreik zu verhängen, wenn «der Bundesrat nicht unverzüglich genügende Zugeständnisse macht».

Der Bundesrat seinerseits setzte eine Landesstreik-Kommission ein, in der Armeeleitung, Militärdepartement, Bundesanwaltschaft u.a. vertreten waren. Als Maßnahmen im Fall eines Generalstreiks schlug die Kommission dem Bundesrat u.a. vor: «Militarisierung des Personals ... des Bundes und der Kantone sowie der öffentlichen Verkehrsanstalten», die damit auch der Militärgerichtsbarkeit unterstellt wurden, Übertragung der Pressekontrolle an die Armeeleitung.

Sehr bald zeigten sich die Schwächen des OAK: einerseits fürchteten Partei und Gewerkschaften, in ihrer Selbständigkeit und Handlungsfreiheit eingeschränkt zu werden, andererseits bestand innerhalb des OAK keine einheitliche Vorstellung über Zielsetzung und Taktik. So drohte das OAK mit einem Generalstreik, als der Bundesrat eine Milchpreiserhöhung vorsah, war aber sofort zum Einlenken bereit, als der Bundesrat Konzessionen machte. In dieser schwankenden Haltung zwischen massiven Drohungen und Kompromißbereitschaft kam die Konzeptionslosigkeit der Führung der Arbeiterschaft zum Ausdruck.

Trotz der Verschärfung der Notlage war das Bürgertum zu keinen wesentlichen Konzessionen bereit. Nichts zeigt die Verschärfung der Klassengegensätze besser als der Streik der Bankangestellten in Zürich im Herbst 1918 (92): ausgerechnet diese standesbewußten Angestellten wählten den Streik als Kampfmittel und übergaben sogar die Streikleitung der Arbeiterunion. Das Bürgertum war entsetzt: man sprach von bolschewistischem Terror und bezeichnete diesen Streik als Generalprobe für den kommenden Generalstreik. Die bürgerliche Presse und die Armeeleitung (General Wille-von Bismarck) forderten den Bundesrat zum Durchgreifen auf.

Landesgeneralstreik

Die soziale Lage der Arbeiterschaft hatte sich während der Kriegsjahre fortlaufend verschlechtert. Als Reaktion darauf stieg die Zahl der Streikbewegungen in den Jahren 1917/18 auf einen bis dahin nie erreichten Höhepunkt, wobei angesichts der enormen Teuerung die Erkämpfung von Lohnerhöhungen im Vordergrund stand. Innerhalb der Gewerkschaftsbewegung nahm die Diskussion und Propagierung des Massenstreiks wieder zu. Der Unmut der Arbeiter richtete sich dabei nicht nur gegen die Unternehmer, sondern auch gegen den Staat, der einerseits wenig tat, um auch nur die schlimmste Not zu lindern, sich anderseits aber nicht scheute, Militär gegen demonstrierende Arbeiter einzusetzen und das Demonstrations- und Versammlungsrecht aufzuheben. Sein Klassencharakter wurde einer wachsenden Zahl von Arbeitern deutlich.

Trotz der Radikalisierung der Arbeiter kam es erst aufgrund der Provokation durch die Vertreter des bürgerlichen Staates zur Auslösung des Generalstreiks. Für die Arbeiterschaft völlig überraschend erließ der Bundesrat am 5. November 1918 nach einer Besprechung mit der Zürcher Regierung ein Truppenaufgebot. Darauf beschloß das Oltener Aktionskomitee, auf den 9. November einen eintägigen Proteststreik *auszurufen, beschränkt auf 19 Ortschaften und ohne Beteiligung der Eisenbahner (93). Damit gaben sich die Zürcher Arbeiter nicht zufrieden; sie beschlossen, so lange zu streiken, bis die militärische Besetzung der Stadt aufgehoben würde. Das Oltener Aktionskomitee versuchte, in Verhandlungen mit dem Bundesrat den Generalstreik abzuwenden. Es hatte ihn zwar oft zur Ausübung politischen Druckes angedroht, sich jedoch nie für diesen Fall ernsthaft vorbereitet. Der Bundesrat wollte es auf eine Kraftprobe ankommen lassen und brach die Verhandlungen mit dem Aktionskomitee ab. Unter dem Druck der Arbeiterschaft blieb dem OAK nichts anderes übrig, als den Generalstreik auszurufen (95).*

Der Generalstreik *begann am 11. November. In der ganzen Schweiz legten etwa 300000 Werktätige ihre Arbeit nieder. Von seiten der Arbeiterschaft wurde der Streik ruhig und ohne Gewaltanwendung durchgeführt. Die wenigen ernsten Auseinandersetzungen (Zürich, Grenchen) sind auf die Präsenz des aufgebotenen Militärs zurückzuführen. Insgesamt waren rund 100000 Soldaten einberufen worden. Auch das Bürgertum begann sich zu organisieren: An verschiedenen Orten entstanden mit Unterstützung der öffentlichen Stellen Bürgerwehren (96). Viele dieser arbeiterfeindlichen, für «Ruhe und Ordnung» kämpfenden Organisationen erlebten als frontenähnliche Bewegungen in den dreißiger Jahren eine Renaissance.*

Revolution und Räterepublik in Rußland steigerten einerseits die Furcht des Bürgertums und förderten anderseits die vage Hoffnung der bewußten Arbeiterschaft v.a. in den Großstädten auf eine Veränderung der bestehenden Verhältnisse (94). Diese Tendenzen verstärkten sich durch die unmittelbar bei Kriegsende (November 1918) ausbrechenden Revolutionen in Deutschland und Österreich und durch die Ungewißheit über die weitere Zukunft Europas.

Es zeigte sich jedoch bald, daß die Front der Streikenden nicht geschlossen war: In der Westschweiz (98) und bei den Eisenbahnern, die sich erst 1918 dem Schweizerischen Gewerkschaftsbund angeschlossen hatten, begann sie abzubröckeln. Bereits am 13. November fühlte sich der Bundesrat wieder Herr der Lage und stellte dem Oltener Aktionskomitee ein Ultimatum auf bedingungslosen Streikabbruch. Unter diesem Druck gaben die Arbeiterführer schließlich nach und beschlossen, den Streik zu beenden. Dieser Entscheid wurde von den

Arbeitern in den großen Städten mit Empörung aufgenommen, sie fühlten sich von ihrer Führung verraten (100, 101). Das OAK rechtfertigte sich damit, daß eine Fortsetzung des Streiks zum Bürgerkrieg geführt hätte (99).

Heute ist bekannt, daß die Kraftprobe des Generalstreiks vom Bürgertum und insbesondere von der Armeeleitung absichtlich herbeigeführt wurde. Die bürgerliche Presse und die Machthaber heizten die Stimmung gegen die Arbeiter und ihre Organisationen derart an, daß Gerüchte über eine bevorstehende «bolschewistische Revolution» und ähnliches dem Bundesrat als Vorwand für ein Truppenaufgebot ausreichten (97). Auch später noch (z.B. in Geschichtsbüchern) wurde das Truppenaufgebot mit angeblichen Umsturzplänen von durch ausländische Drahtzieher (Lenin, Münzenberg) irregeleiteten Schweizer Arbeiterführern erklärt. Tatsächlich hatten die Generalstreikforderungen durchaus nicht revolutionären Charakter (95). Die Auseinandersetzung ging jedoch weniger um diese Forderungen als um die Frage der zukünftigen Machtposition einer immer selbstbewußter auftretenden Arbeiterschaft, die sich in ihrem Kampf nicht mehr auf den parlamentarischen Weg beschränken wollte. Die Politik des Bürgertums war insofern erfolgreich, als die Niederschlagung des Generalstreiks auf längere Sicht dazu beitrug, die schweizerische Arbeiterbewegung von einer erneuten Anwendung der direkten Massenaktion abzuhalten. Der Ausgang des Generalstreiks und die ständig geschürte Angst vor dem «Umsturz» erleichterten die Isolierung der Arbeiterbewegung durch den Bürgerblock, die die sozialen Auseinandersetzungen in der Schweiz bis Ende der dreißiger Jahre bestimmte. – Von den 9 Generalstreikforderungen konnten nur zwei (sofortige Neuwahl des Nationalrats auf der Grundlage des Proporzes, 48-Stundenwoche) unmittelbar durchgesetzt werden. Zwei so elementare soziale und politische Forderungen wie die Einführung einer Alters- und Invalidenversicherung und des Frauenstimmrechts wurden erst Jahrzehnte später realisiert.

80 Zustimmung der SP-Nationalräte zum Notverordnungsrecht

Bei Kriegsausbruch forderte der Bundesrat, daß ihm für die Dauer des Krieges ein Notverordnungsrecht übertragen werde. Mit dem Zusatz, daß sich die bundesrätlichen Maßnahmen insbesondere auch auf die Lebensmittelversorgung zu erstrecken hätten, stimmte die sozialdemokratische Nationalratsfraktion der Vorlage des Bundesrates zu und verlas im Rat folgende Erklärung:

Die sozialdemokratische Nationalratsfraktion stellt mit Bedauern fest, daß die Herrschaft der unbegrenzten Rüstungen die Kulturwelt in einen Abgrund von Leiden und Verzweiflung stürzt.

Die internationalen Arbeiterorganisationen, die von der kapitalistischen Welt hartnäckig bekämpft werden, haben leider trotz all ihrer Anstrengungen nicht vermocht, die Katastrophe zu verhindern.

Im Namen der schweizerischen Arbeiterklasse protestieren die sozialdemokratischen Vertreter im Nationalrat gegen ein internationales Rüstungssystem, das so unermeßliches Unheil über die Völker bringt. Sie werden den Kampf gegen dieses System auch fernerhin mit aller Energie weiterführen.

Der Not der Stunde gehorchend, die das ganze Volk zu einigem Handeln aufruft, stimmt die sozialdemokratische Nationalratsfraktion den vorliegenden Anträgen des Bundesrates zu, in der Hoffnung, daß die vorgeschlagenen Maßnahmen dazu beitragen werden, den Kriegsbrand von unserm Lande fernzuhalten und den durch den Krieg der ausländischen Staaten heraufbeschworenen Notstand zu lindern.

Die sozialdemokratische Fraktion erwartet, daß die den Militärbehörden übertragene Gewalt auf die militärischen Notwendigkeiten beschränkt bleibt und außerhalb dieser Notwendigkeiten die persönlichen Freiheiten in keiner Weise angetastet werden. ...

Jahrbuch der SPS und des Grütlivereins 1914, Zürich 1915, S. 9.

81 Die Unternehmer organisieren den Lohnabbau

Verein schweizerischer Maschinenindustrieller, Protokoll einer 3. Konferenz zur Beratung von Kriegsmaßnahmen ..., Freitag, den 21. August 1914

Herr *Boveri* (Brown, Boveri und Cie, Baden) knüpft an die Verhandlungen der früheren Konferenzen an. Diese stützten sich bereits auf eingeholte Gutachten, die sich dahin aussprachen, daß die Mobilmachung an sich noch keine «force majeure» darstelle, daß aber doch so Vieles vorliege, was ungefähr die gleiche Wirkung habe. Auch ein von der Aarg. Handelskammer eingefordertes Gutachten des Herrn Ständerat Isler ist zum Resultat gekommen, daß sich eben alle Beteiligten mit der Not abfinden müssen. Die Fabrikanten werden gewisse Zahlungen an ihre Angestellten leisten und diese wiederum werden sich mit einer Reduktion ihres Salärs befreunden müssen. Demgemäß lautete auch die Wegleitung an unsere Vereinsmitglieder dahin, daß die Betriebe möglichst aufrecht erhalten werden und daß die Saläre im gleichen Verhältnis wie die Arbeitszeit, d.h. um vielleicht 50%, reduziert werden sollen. Brown, Boveri & Cie. handeln in diesem Sinne.

Was die in den Dienst Einberufenen betrifft, so wurde nur der Grundsatz aufgestellt, daß die bisherigen freiwilligen Militärdienstentschädigungen nicht in Betracht kommen, immerhin solle allen eingerückten Schweizern der Gehalt noch «für kurze Zeit» weiter bezahlt werden. Brown, Boveri & Cie. haben diese «kurze Zeit», wie dies übrigens ziemlich allgemein der Fall ist, auf 14 Tage festgesetzt; sie bezahlen also den Gehalt bis Mitte August. Gebrüder Sulzer dagegen sollen etwas mehr bezahlen, ebenso die Maschinenfabrik Oerlikon.

Herr *J. Weber* (Schweiz. Lokomotiv- und Maschinenfabrik, Winterthur) teilt mit, daß seine Firma gemäß dem Zirkular unseres Vereins gehandelt hat. Sie habe eigentlich weitergehen und ebenfalls einen ganzen Monat nach Vertrag vergüten wollen, sei dann aber gestützt auf Besprechungen dazu gekommen, den Wegleitungen entsprechend nur 50% zu bewilligen und hat dies den Angestellten durch Zirkular bekanntgegeben. Die Lokomotivfabrik hält an diesem Beschluß vorläufig fest und behält sich nur vor, die weitern 50% später, vielleicht für den Monat September, noch zuzuschießen. Über allfällige Unterstützungen von Familien der im Dienst Befindlichen ist noch nichts beschlossen. Solche Unterstützungen kann man eventuell individuell behandeln.

Herr *Dr. Stoll* (Maggi Nahrungsmittel, Kempthal) dankt für die Einladung zur heutigen Konferenz und teilt mit, daß die Fabrik von Maggi's Nahrungsmitteln mit der Winterthurer-Industrie Fühlung genommen habe, um sich über die zu treffenden Maßnahmen zu informieren.

Die Fabrik von Maggi's Nahrungsmitteln hat vor einigen Tagen beschlossen, den eingerückten ledigen Angestellten einen halben Monat zu bezahlen, im Minimum jedoch Fr. 100.–. Während der Dauer der Mobilisierung wird für sie nichts mehr ausgelegt. Den verheirateten, in den Dienst eingerückten Angestellten wird das Salär für den Monat August voll bezahlt, ohne jedoch für die Zukunft eine Verpflichtung für weitere Vergütungen einzugehen. Die Firma orientiert sich zunächst darüber, was an anderen Orten, speziell in Winterthur, diesbezüglich geschieht. ...

Den eingerückten Arbeitern wird vom Tag des Diensteintrittes an kein Lohn mehr bezahlt, sie werden auf den Wehrbeitrag verwiesen, für den in erster Linie der Staat aufzukommen hat.

Herr *Boveri* äußert sich dahin, wenn in Winterthur mehr bezahlt werde als anderswo, so könnte das einer Mißstimmung unter den Arbeitern rufen, die besser vermieden werde.

Von Kündigung und Vertragsauflösung haben Brown, Boveri & Cie. in ihrer Ankündigung nicht gesprochen. Sie deckt sich mit derjenigen von Oerlikon. Die Verhältnisse liegen eigentlich so, daß der Betrieb unter Hinweis auf «force majeure» eingestellt werden könnte. Wenn er weiter geführt wird, so geschieht das nur im Interesse des Personals und sind Kündigungen daher nicht vorzunehmen.

Herr *Zoelly* (Escher Wyss & Cie. AG, Zürich) wiederholt seine bereits früher gemachte Mitteilung, daß die nicht eingerückten Angestellten von Escher Wyss & Cie., die statt 47½ nur 36 Stunden arbeiten, effektiv nicht ganz 50% des Salärs erhalten. Die betreffenden Angestellten haben die bezüglichen Zirkulare der Firma ohne weiteres unterschrieben.

Der Sprechende hatte nach der letzten Sitzung den Eindruck, daß man sich gegenüber den im Dienst befindlichen Angestellten auf «force majeure» berufen könne und ist der Ansicht, daß den Ledigen nichts bezahlt werden soll. An Familien von im Dienst stehenden Angestellten könnten im ersten Monat vielleicht 30, im zweiten vielleicht 20% vergütet werden. Im schlimmsten Falle könnte man später solche Beiträge wieder erhöhen. Der Redner steht auf Standpunkt, daß es besser ist, jetzt nicht zu viel zu geben, dafür aber auf längere Zeit.

Herr *Funk* (Brown, Boveri & Cie, Baden) äussert sich in gleichem Sinne wie Herr Boveri. Auch er ist der Ansicht, daß in erster Linie die Familien der verheirateten Angestellten unterstützt werden sollten und nicht diejenigen der Arbeiter, da diese meist auf dem Land leben und erfahrungsgemäß viel weniger in Not geraten als die Erstgenannten.

Verein schweizerischer Maschinenindustrieller, Protokoll einer 3. Konferenz zur Beratung von Kriegsmaßnahmen, ..., Freitag, den 21. August 1914, SSA Zürich, Simler 93.7.

82 Die Verelendung der Arbeiterklasse

An die zürcherische Bevölkerung.

Arbeiter, Mitbürger!

Wir Arbeiter und Angehörige des kaufmännischen Proletariats, der Staatsangestellten wie des kleinen Mittelstandes befinden uns in einer Lage, von der die Bessersituierten sich keinen Begriff machen und daher allzu leichtfertig über die Klagen hinwegsehen und so gerne geneigt sind, sie der «Verhetzung» zuzuschreiben, *weil sie selber die Not nicht am eigenen Leib erfahren.* Trotz unseren Bemühungen und gewerkschaftlichen Kämpfen um Teuerungszulagen und Lohnerhöhungen bleiben die Löhne zurück. Die Lebensmittel-, die Kleiderpreise und die Wohnungsmieten, kurz alles zum Leben Notwendige steigt unaufhörlich. Zwischen diesen zwei entgegengesetzten Bewegungen klafft der fortgesetzt sich erweiternde Abgrund, *in welchem unsere ökonomische Existenz tiefer und tiefer sinkt und völlig zu versinken droht.* Noch wird in der Stadt Zürich ein Teil der Arbeiterschaft mit *Stundenlöhnen von 50–55 Rappen* «bezahlt». In der Fabrik- und Heimindustrie bringen es zahlreiche Arbeiterinnen auf *einen Hunger- und Elendslohn von Fr. 2.50 und 3 Fr. im Tag!*

Wie es auf dem Lande steht, zeigt eine Untersuchung der Verhältnisse im Zürcher Oberland, wo Familienväter in 14 Tagen oder 118 Arbeitsstunden an vier Webstühlen und samt «Teuerungszulage» im Akkord *Fr. 34.40 verdienen und Arbeiterinnen in der gleichen Zeit es auf 22 Fr. bringen! Das sind himmelschreiende Hungerlöhne!* Die gebräuchlichsten Lebensmittel sind rationiert, die teureren, in noch genügendem Maße vorhandenen Lebensmittel, wie zum Beispiel Fleisch, können wir uns nicht kaufen. Trotz der überreichen Kartoffelernte waren die Verteilungsmaßnahmen so überaus sorglose, daß wir in den Städten seit Wochen auf dem Tische des Arbeiters keine einzige Kartoffel mehr sehen. Während den Besitzenden reiche Kriegsgewinne zufließen, leiden wir mit unsern Frauen und Kindern Hunger. Und da kommt unsere kantonale Regierung und predigt uns von der «heiligen Leidenschaft, welche die Herzen einigt und den Willen zur heroischen Selbstverleugnung stählt!»

Demgegenüber erklären wir, *daß es nicht unsere Pflicht ist, zu der bisherigen «heroischen Selbstaufopferung» neue Leiden auf uns zu nehmen* und daß wir die uns auferlegten Entbehrungen nicht als «heilig» empfinden können, *solange sie zur Bereicherung der andern dienen!* ...

Vor Monaten haben wir Maßnahmen verlangt gegen die furchtbaren Hungerlöhne der Oberländer Textilbarone, welche gewaltige Kriegsgewinne eingeheimst haben. Und der gleiche Regierungsrat, der uns Verantwortlichkeitsgefühl und Sinn für das gemeinsame Ganze predigt, hatte nicht so viel Pflichtgefühl und Sinn für das «gemeinsame Ganze», daß er diese Mißstände mit Entschlossenheit und Energie abgestellt hätte. ...

Erst als die Hungerkrise daß Maß zum Ueberlaufen zu bringen drohte, fand der zürcherische Regierungsrat gegenüber dem Bundesrat den nötigen Nachdruck, um wenigstens das Versprechen zu einer vermehrten Zufuhr von Lebensmitteln an den Kanton Zürich zu erwirken. Seit Kriegsbeginn haben wir in *zahllosen Eingaben an kantonale und eidgenössische Behörden,* durch viele *Konferenzen* und immer wieder durch unsere Vertreter *in den Parlamenten* unsere Notstandsforderungen gestellt. *Das meiste war völlig nutzlos.* Man brüstet sich als *Beschützer der Rechtsordnung,* während man sich nicht scheut, selber diese Rechtsordnung zu brechen, wo es einem paßt. So hat man die politischen Rechte der Arbeiterschaft (Initiativrecht, Wahlrecht) in verfassungswidriger Weise verkürzt und durch Zeitungsverbote und Ausweisungen die politisch interessierte Arbeiterschaft weiter provoziert. Durch eine regelrechte Ausländerhetze suchte man die Arbeiterbewegung zu diskreditieren und ihr zu unterschieben, sie hätte sich durch ausländische Aufstachelung beunruhigen lassen, *als ob nicht die Not und die Tätigkeit des inländischen Ausbeutertums, wie die ganz unterlassenen oder die bloß halben Maßnahmen der kantonalen und eidgenössischen Behörden – die nicht Fleisch von unserem Fleisch, nicht Blut von unserem Blut sind, sondern uns und unsern Begehren fremd gegenüberstehen –, Ursache genug wären, um in der Arbeiterschaft eine tiefgehende Mißstimmung zu erzeugen. Bei ihr ist alles Vertrauen in die Behörden entschwunden!*

Warum war alles das möglich? Warum leiden wir? Auch wir sind nicht ganz unschuldig daran. *Wir haben noch nicht gelernt, uns für unsere Existenz so zu wehren, wie die andern das tun.* Nur wenn die Gesamtheit der heute Notleidenden und Unzufriedenen sich den politischen und gewerkschaftlichen Organisationen anschließt und in ihren Reihen sich zur einheitlichen Front stellt, wird ihre politische und wirtschaftliche Befreiung aus den Ketten des Kapitalismus möglich. Wir sind gewillt, für die Rechte aller Notleidenden zu kämpfen. *Mögen diese sich mit uns rüsten und organisieren, dann werden sie auch nicht mehr mit Proklamationen, Versprechungen und Almosen der Regierenden sich bescheiden müssen.*

Arbeiter, Mitbürger! Tretet ein in die Organisationen. Mit vereinter Kraft *in den Kampf* um euer Recht! Durch ein neues besseres Recht zur menschenwürdigen Existenz!

Namens der organisierten Arbeiterschaft:
Die Sozialdemokratische Partei des Kantons Zürich.
Das kantonale Gewerkschaftskartell

Volksrecht, 25.3.1918.

83 Der Bundesrat verschleppt die Eingaben der Arbeiterorganisationen

Das bei Kriegsausbruch dem Bundesrat von der Bundesversammlung zugestandene Notverordnungsrecht ermöglichte es diesem, Initiativen, Petitionen usw. der Arbeiterschaft zu verschleppen. Darüber informierte der sozialdemokratische Nationalrat und Pazifist Graber aus der Welschschweiz am Allgemeinen Schweizerischen Arbeiterkongreß, 27./28. Juli 1918, in Basel:

... Es ist eine Abwehraktion, die wir im Begriffe sind zu unternehmen. Aber in dieser Abwehraktion haben wir die Pflicht, an die Zukunft zu denken. Wir müssen sie ansehen als den Beginn einer Vorbereitung zu Kämpfen von viel größerer Ausdehnung.

Soviel in allgemeiner Beziehung. Betreffend die Forderungen muß ich etwas mehr sagen, weil die Antwort des Bundesrates noch nicht übersetzt werden konnte. Von der Rücknahme seines Beschlusses, der den Kantonsregierungen die Erlaubnis gibt, die Versammlungen zu verbieten, will der Bundesrat nichts wissen. Er sagt uns, daß wir nur sehr höflich sein und unsere Forderungen in freundlicher Weise aufstellen sollen, damit die Kantonsregierungen keine Veranlassung haben, von den ihnen in dieser Frage erteilten Kompetenzen Gebrauch zu machen. Diese Haltung erinnert stark an den väterlichen Rat des Erziehers, der einem Kinde sagte: Wenn du mir versprichst, diesen Apfel nicht zu essen, dann werde ich dir erlauben, ihn zu verspeisen. ...

Unsere Forderungen betreffend eine bessere Rationierung beantwortet der Bundesrat dahin, daß die Frage geprüft werde.

Ich muß hier erklären, daß diese Antwort in guten Treuen gegeben wurde, im Gegensatz zu der Auffassung, die darin einen mangelhaften Willen sieht. Sie können nicht anders antworten, weil sie nicht anders fühlen können. Hätten sie eine andere Antwort gegeben, so hätte ich befürchtet, daß es sich um eine Heuchelei handelt. Die negative Antwort zeigt uns eine bürgerliche Regierung in ihrer wahren Gestalt, alle Bedürfnisse und Sorgen der Arbeiterklasse verkennend. ...

Gegen die Einrichtung der Lohnämter sieht der Bundesrat sich eine Unmenge von Schwierigkeiten auftürmen. Allein, wenn Schwierigkeiten bestehen, so sind sie nicht unüberwindlich. Der Bundesrat erklärt sich bereit, auch diese Frage zu studieren, namentlich in ihrer Wirkung auf die nationale Produktion. Er scheint nicht zu sehen, daß wir gerade an dieser Forderung mit aller Kraft festhalten müssen. Wenn er die Teuerung bekämpfen will, so können wir auf eine Lohnerhöhung verzichten, um die Situation der Schweiz im internationalen Konkurrenzkampf zu erleichtern. ...

Für die Unterstützung des Wohnungsbaues versichert man uns aller Sympathien. Es fehlt nichts als das Geld. Jetzt, nachdem der Bundesrat, der Bund ungeheure Ausgaben für die Landesverteidigung gemacht haben, ist es unmöglich, einige Millionen für diese dringende Angelegenheit zur Verfügung zu stellen. ...

Alles wie vor dem Kriege, nichts hat sich in der Haltung der bürgerlichen Regierung verändert, die sie allen sozialen Forderungen gegenüber einnimmt. Um den Krieg vorzubereiten, hat man immer Geld, zur Durchführung sozialer Postulate aber nie. Man hat das Geld in Hunderten von Millionen, damit die Menschen einander töten können, zum Schutze der Arbeiter hat man nichts. Die bürgerliche Mentalität hat sich während des Krieges nicht verändert. Der Bundesrat erklärt uns feierlich, in bezug auf die Teuerungszulagen keinen Beschluß fassen zu können, um kein Präjudiz für die Entschlüsse der Bundesversammlung zu schaffen. Einen Tag sagt uns der Bundesrat: «Ich habe die Vollmachten und gebrauche sie auch», den andern Tag sagt er uns: «Ich kann keine Vorschläge machen». Die gleiche Haltung finden wir bei allen bürgerlichen Parteien. Einen Tag ist man vollblütiger Demokrat, den andern Anhänger der Generalvollmachten.

Der Bundesrat hat uns auch mitgeteilt, daß die Arbeitszeit Bestandteil eines Gesetzes sei und man die Frage nicht im Widerspruch zu diesem Gesetz lösen könne. Trotzdem sind schon viele Gesetze auf Grund der Vollmachten geändert worden. ...

Die Antwort des Bundesrates ist eine Abweisung, übrigens eine sehr höfliche, weil es sich um überaus anständige Leute handelt. Wenn wir keine Genugtuung erhalten, bleibt uns nichts anderes übrig, als den Streik zu organisieren. Die gegenwärtige Bewegung ist eine ernste Angelegenheit, eine Art Heerschau über unsere Kräfte, eine Verteidigung unserer Klasseninteressen. Die Arbeiterklasse, schlecht genährt, durchlebt eine tiefgehende Veränderung ihrer Psychologie. Sie muß viel unnachsichtiger gegen alle Ungerechtigkeiten werden. Wer hungert, der hat auch ein viel empfindlicheres Gefühl für alle Ungleichheiten im wirtschaftlichen und sozialen Leben. Nie hat die Arbeiterklasse größeren Abscheu vor der sozialen Ungerechtigkeit empfunden. ...

Protokoll des Allgemeinen Schweizerischen Arbeiterkongresses, 27./28. Juli 1918 Basel, Bern 1918 S. 22ff.

84 Programm der sozialistischen Jugendorganisation

Jugendschutz.

Das Wichtigste für den jungen Arbeiter ist die soziale Frage. Er erlebt sie täglich neu, er ist selbst ein Teil, ein Stück von ihr. Nichts beschäftigt den jungen Arbeiter in so hohem Maße, als die tägliche Arbeitszeit, der Lohn und die Behandlung durch den Meister und die Vorgesetzten. ...

In den *Großbetrieben* können die Lehrlinge nur einen Teil der in dem Betrieb notwendigen Arbeit erlernen. Denken wir an die Maschinenindustrie. Ein Teil der darin beschäftigten Lehrlinge lernen als Dreher, einige andere Former, Gießer usw. Aber alle erlernen nur einen Teil der zur Fertigstellung des ganzen Produktes zu leistenden Arbeit. *Sie können ihren Beruf nur ausüben als Teilarbeiter, als Fabrikarbeiter. Damit ist aber dem Beruf das Wichtigste genommen, nämlich die Möglichkeit für den ihn Uebenden, selbständig, ein eigener Meister und für eigenen Gewinn Schaffender zu werden!* Die in dem *Kleingewerbe tätigen Lehrlinge* leiden vor allem unter einer schrankenlosen Ausbeutung. Die Kontrolle dieser Lehrlinge durch die Oeffentlichkeit ist erschwert, in manchen Betrieben direkt unmöglich. Die Meister nützen das nach Herzenslust aus. Eine übermäßig lange Arbeitszeit, eine schlechte Entlöhnung und miserable Behandlung sind das Kennzeichnende der heutigen Lehrverhältnisse im Kleingewerbe. Der

Preis 5 Cts. **Krieg dem Krieg!** Preis 5 Cts.

Freie Jugend

Organ der Soz. Jugendorganisation der Schweiz

Adliswil, Altstetten, Arbon, Basel, Bern, Biberist, Biel, La Chaux-de-Fonds, Derendingen, Dietikon, Emmenbrücke, Flumenthal, Grenchen, Höngg, Langnau, Lengnau, Le Locle, Luterbach, Luzern, Nieder-Gerlafingen, Ober-Gerlafingen, Olingen, Orlikon, Olten, Recherswil, Riesbach, Rorschach, Rüttenen, Schaffhausen, Siggental, Solothurn, Thalwil, Thun, Töß, Trimbach, Wipkingen, Winterthur, Zug, Zürich.

September 1914 | Redaktion u. Administration: Werdstr. 40, Zürich. Jahresabonnement: Inland Fr. 2.–, Ausland Fr. 2.50. Erscheint alle Monate. Verlag: Ed. Meyer, Werdstr. 40, Zürich. | IX. Jahrgang

Kleinmeister kann mit dem Großunternehmer nicht konkurrieren. Der letztere kann dank des Großeinkaufs an Rohstoffen, Werkzeugen, Maschinen usw. seine Produkte billig auf den Markt werfen. Will der Kleinmeister verkaufen, muß er zu gleichem Preis anbieten. Er muß also versuchen, irgendwie die Herstellungskosten seiner Ware zu verbilligen. Das ist ihm am ehesten möglich durch Herabdrücken des Arbeitslohnes. Hier ist *die Wurzel der Lehrlingszüchterei.* ...

Hier will die *Jugendorganisation* helfend eingreifen. Sie betrachtet es als ihre erste und heiligste Aufgabe, *dieser schrankenlosen Ausbeutung zu steuern.* Durch eine *scharfe Kontrolle,* die von Jugendschutzkommissionen ausgeübt wird, will sie für die Einhaltung der bestehenden Schutzgesetze wirken. Gleichzeitig entwickelt sie die *energischste Propaganda* für die *Erweiterung der bestehenden Schutzgesetze.* Vor allem erstrebt sie gegenwärtig ein *eidgenössisches Jugendschutzgesetz,* das die *achtstündige Arbeitszeit* für alle jungen Arbeiter und Arbeiterinnen unter 18 Jahren bestimmt. ...

Ihre Versammlungen, Jugendschutzkommissionen, Demonstrationen, Vorschläge zur Verbesserung, Anzeige fehlbarer Meister beweisen, daß die Worte auf ihren Fahnen: «Schutz den jungen Händen vor Ausbeutung» keine leeren Phrasen sind. *Ihr Endziel ist: Abschaffung aller privaten Lehrverhältnisse und Uebernahme der gewerblichen Ausbildung durch den Staat, gleich der Schule.*

Bildung und Wissen.

Die Jugendorganisation begnügt sich aber nicht damit. Sie will Größeres leisten, sie bietet an ihren Versammlungen und Diskussionsabenden dem jungen Arbeiter Gelegenheit, seine Bildung und sein Wissen zu vermehren. Wenn wir auch wünschen, daß der junge Arbeiter auf allen Gebieten des Wissens unterrichtet wird, so müssen wir uns leider eingestehen, daß dazu unsere Kräfte und die Zeit der jungen Arbeiter nicht ausreichen. Eine Konzentration ist notwendig. Die Jugendorganisation bemüht sich deshalb, in erster Linie und vor allem dem jungen Arbeiter jene *Kenntnisse* zu vermitteln, der er in *seinem späteren Leben zur Führung des wirtschaftlichen und politischen Kampfes dringend bedürftig ist.*

Gleichberechtigung der Mädchen und Burschen.

Die Gleichberechtigung der Mädchen und Burschen ist bis heute nur von den Fabrikherren anerkannt. In den Fabriken und Werkstätten werden die Geschlechter der jungen Arbeitergeneration gleich behandelt, gleich lang beschäftigt, gleich elend entlöhnt und gleich übermäßig ausgebeutet. Sonst bestreitet man den Mädchen wie den Frauen die Gleichberechtigung. Die Mitarbeit in der Produktion aber gibt den Frauen und Mädchen das gleiche Recht wie den Burschen und Männern. *Die Jugendorganisation fordert* deshalb wie die Sozialdemokratie die *politischen Rechte für die Mädchen und Frauen.* Aus diesem Grunde beschränkt sie sich nicht auf die Organisation der Burschen, sondern vereinigt und bildet in *ihren Vereinen Mädchen und Burschen, damit sie sich zusammen gegen den gemeinsamen Feind wehren.* ...

Daß die Jugendorganisation

gegen den Militarismus

kämpft, weiß fast jedes Kind. Die Gegner kreiden ihr das als Kapitalverbrechen an. Die Jugendorganisation ist auf diesen Kampf besonders stolz. Vor allem deshalb, weil sie wiederum als einzige von allen Jugendvereinigungen gegen dieses schlimmste aller Uebel unserer Zeit anstürmt. Ueber das Verbrecherische der letzten Konsequenz des Militarismus, über den Krieg, sind alle vernünftigen Menschen im Urteil einig. Nur einige gewissenlose Profitmacher oder Dummköpfe verteidigen die größte aller Pesten. ...

Die militaristische Erziehung der Jugend zum chauvinistischen Größenwahn und blinden Völkerhaß ist mit hauptschuldig an dem blutigen Verbrechen, das seit nun drei Jahren die Erde verwüstet und Millionen der tüchtigsten Menschen tötet. Diesem Uebel der militaristischen Erziehung zum Krieg setzt die sozialdemokratische Jugendorganisation die sozialistische Erziehung zum Frieden entgegen. Nicht hassen sollen sich die Völker und vernichten, sondern verstehen und sich ergänzen. Das Ziel

Völkerfrieden und Völkerfreiheit

wird erreicht, wenn sich alle Armen und Unterdrückten vereinigen, die kaiserlichen und bürgerlichen Regierungen stürzen und beseitigen und sich selbst regieren. Daß das kein Traum ist, beweist die russische Revolution. Für diese Kämpfe die proletarische Jugend zu erziehen, zu begeistern und zu entflammen, ist die Ehrenaufgabe der sozialdemokratischen Jugendorganisation.

Willy Trostel, Was wollte Münzenberg, Sozialistische Jugendbibliothek Heft 19, Zürich 1918, S. 3ff.

85 Manifest der internationalen Sozialistenkonferenz von Zimmerwald

... Die Kapitalisten aller Länder, die aus dem vergossenen Blut des Volkes das rote Gold der Kriegsprofite münzen, behaupten, der Krieg diene der Verteidigung des Vaterlandes, der Demokratie, der Befreiung unterdrückter Völker. Sie lügen. *In Tat und Wahrheit begraben sie auf den Stätten der Verwüstung die Freiheit des eigenen Volkes mitsamt der Unabhängigkeit anderer Nationen.* Neue Fesseln, neue Ketten, neue Lasten entstehen und das Proletariat aller Länder, der siegreichen wie der besiegten, wird sie zu tragen haben. Hebung des Wohlstandes ward beim Ausbruch des Krieges verkündet – Not und Entbehrung, Arbeitslosigkeit und Teuerung, Unterernährung und Volksseuchen sind das wirkliche Ergebnis. *Auf Jahrzehnte hinaus werden die Kriegskosten die besten Kräfte der Völker verzehren,* die Errungenschaften der sozialen Reformen gefährden und jeden Schritt nach vorwärts verhindern.

Kulturelle Verödung, wirtschaftlicher Niedergang, politische Reaktion – das sind die Segnungen dieses greuelvollen Völkerringens. ...

So enthüllt der Krieg die *nackte Gestalt des modernen Kapitalismus,* der nicht nur mit den Interessen der Arbeitermassen, nicht nur mit den Bedürfnissen der geschichtlichen Entwicklung, sondern mit den elementaren Bedingungen der menschlichen Gemeinschaft unvereinbar geworden ist. ...

Proletarier!

Seit Ausbruch des Krieges habt ihr eure Tatkraft, euren Mut, eure Ausdauer in den Dienst der herrschenden Klassen *gestellt. Nun gilt es, für die eigne Sache, für die heiligen Ziele des Sozialismus, für die Erlösung der unterdrückten Völker wie der geknechteten Klassen einzutreten durch den unversöhnlichen, proletarischen Klassenkampf.*

Dieser Kampf ist der Kampf für die Freiheit, für die *Völkerverbrüderung, für den Sozialismus.* Es gilt, dieses Ringen um den Frieden aufzunehmen, für einen Frieden ohne Annexionen und Kriegsentschädigungen. *Ein solcher Friede aber ist nur möglich unter Verurteilung jedes Gedankens an eine Vergewaltigung der Rechte und Freiheiten der Völker. ...*

Arbeiter!

Ausgebeutet, entrechtet, missachtet – nannte man euch beim Ausbruch des Krieges, als es galt, euch auf die Schlachtbank, dem Tod entgegenzuführen, Brüder und Kameraden. Und jetzt, da euch der Militarismus verkrüppelt, zerfleischt, erniedrigt und vernichtet, fordern die Herrschenden von euch die Preisgabe eurer Interessen, eurer Ziele, eurer Ideale, mit einem Wort: *die sklavische Unterordnung unter den Burgfrieden. ...*

Ihre Vertreter haben die Arbeiterschaft zur *Einstellung des Klassenkampfes,* des einzig möglichen und wirksamen Mittels der proletarischen Emanzipation, aufgefordert. Sie haben den herrschenden Klassen die *Kredite* zur Kriegsführung *bewilligt,* sie haben sich den Regierungen zu den verschiedensten Diensten zur Verfügung gestellt, sie haben durch ihre Presse und ihre Sendboten die *Neutralen* für die Regierungspolitik ihrer Länder zu gewinnen versucht, sie haben den Regierungen *sozialistische Minister* als Geiseln zur Wahrung des Burgfriedens ausgeliefert *und damit haben sie vor der Arbeiterklasse, vor ihrer Gegenwart und ihrer Zukunft, die Verantwortung für diesen Krieg, für seine Ziele und seine Methoden übernommen.* Und wie die einzelnen Parteien, so versagte die berufenste Vertretung der Sozialisten aller Länder, das *Internationale Sozialistische Bureau. ...*

Niemals in der Weltgeschichte gab es eine dringendere, eine höhere, eine erhabenere Aufgabe, deren Erfüllung unser gemeinsames Werk sein soll. Kein Opfer zu groß, keine Last zu schwer, um dies Ziel: den Frieden unter den Völkern, zu erreichen.

Arbeiter und Arbeiterinnen! Mütter und Väter! Witwen und Waisen! Verwundete und Verkrüppelte! euch allen, die ihr vom Kriege und durch den Krieg leidet, rufen wir zu: über die Grenzen, über die dampfenden Schlachtfelder, über die zerstörten Städte und Dörfer hinweg:

Proletarier aller Länder vereinigt euch!

Die Zimmerwalder Bewegung Band I, Protokolle und Korrespondenz, hg. von Horst Lademacher, The Hague 1967, S. 166.

86 Abschiedsbrief Lenins an die Schweizer Arbeiter

... Während die *offenen* Sozialpatrioten und Opportunisten, die Schweizer «Grütlianer», die ebenso wie die Sozialpatrioten aller Länder aus dem Lager des Proletariats in das Lager der

Bourgeoisie übergegangen sind – während diese Leute Euch *unverhüllt* aufgefordert haben, gegen den schädlichen Einfluß der Ausländer auf die Schweizer Arbeiterbewegung zu kämpfen; während die *verkappten* Sozialpatrioten und Opportunisten, die unter den Führern der sozialistischen Partei der Schweiz die Mehrheit bilden, in *versteckter* Form dieselbe Politik betrieben haben, müssen wir erklären, daß wir bei den revolutionären sozialistischen Arbeitern der Schweiz, die auf dem internationalistischen Standpunkt stehen, die wärmsten Sympathien gefunden und aus dem kameradschaftlichen Verkehr mit ihnen viel Nutzen für uns gezogen haben.

Wir haben zu jenen Fragen der schweizerischen Bewegung, deren Kenntnis eine langjährige Tätigkeit in der hiesigen Bewegung erfordert, stets mit besonderer Vorsicht Stellung genommen. Aber diejenigen unter uns – es waren ihrer kaum mehr als zehn bis fünfzehn –, die Mitglieder der Schweizer sozialistischen Partei waren, haben es für ihre Pflicht gehalten, in den allgemeinen und grundsätzlichen Fragen der internationalen sozialistischen Bewegung unseren Standpunkt, den Standpunkt der «Zimmerwalder Linken», konsequent zu vertreten und nicht nur entschieden gegen den Sozialpatriotismus zu kämpfen, sondern auch gegen die Richtung des sogenannten «Zentrums». ...

W.I. Lenin, Werke Bd. 23, Berlin 1960, S. 380f.

87 Aufruf des Gottfried Stutz an die Schweizer Armee*

Der Verfasser dieses Aufrufes, welcher zuerst anonym als Flugblatt erschien, dann in der «Freien Jugend» abgedruckt wurde, war Fritz Brupbacher.

Die schweizerische Jugendorganisation ist in der glücklichen Lage, einen eigenhändigen Aufruf des rühmlichst bekannten, schweizerischen Patrioten Gottfried Stutz an die Schweizer Armee mitzuteilen:

«Die ganz Zyt schimpfet und flueched Ihr über de Kummidant Henri Bär und säged, so chöns nümme witer ga, es seig in der schwizerische Armee bald schlimmer als i der prüssische Garde, immer säg me-n-eim fuhli Chaibe, und g'schlucht werd me, daß Gott erbarm. Die ganz Zyt händ-er d'Schnörre off, wenn's niemer ghört. Die ganz Zyt redet-er vom Wilhelm Tell und vom Arnold Winkelried, und füehred-i uf wie Schlappschwänz, fascht wie der A--läcker Lütenant Heinrich Schneckenburger, de stolz Gummi vo Dingskirch u. Cie., wo immer erstirbt vor Hochachtig, wenn der Kummidant eine loslad. De Schneckenburger, wo nüd hochmüetig gnueg chan tue, wenn-er mit eme chline Purli oder eme gmeine Arbeiter z'tue hät.

Wänn aber de Tell und de Winkelried so Hinedurreschnörri gsi wered, wie-n-Ihr, so heted mer na hüt die östrichische Vögt im Land und müeßtet mit de-n-Östrichere zäme i Galizie gege die russische Revolutionär fächte. Er chömed eu gwüß sälber scho als Großhanse und Schnörri vor. Die ganz Zyt d'Fuscht im Sack z'mache und derbi vor jedem Schlufi d'Absätz zäme z'schla, das ischt-i gwüß sälber scho verleidet. Ebeso als's ganz Jahr Soldätli spiele und's sogenannt

Vaterland z'verteidige, damit alli Schwizer Hamster und galizische Schieber in aller Gmüetsrueh Milliönli chöned zämescharre, währed ihr und de Gottfried Stutz all Tag ärmer und liederlicher werdet. Ich, de Gottfried Stutz, meinti, 's wär nümme z'früeh, daß me da öppis miechti und wieder e chli Tell und Winkelried markierti – das Mal gäge de Kummidant Henri Bär und sin A--läcker Heinrich Schneckenburger.

Ihr meined, das seigi scho rächt, aber dänn chöm me is Loch oder gar vor Chriegsgricht. Nume nüd g'sprängt. Kummidante und Adjutante sind doch de Zahl na i der Minderheit, und was eu fehlt, isch nu de Verstand und de richtig Zämehang. Ihr müends halt mache wie die russische Pure und Arbeiter. Müend halt au en Arbeiter- und Soldaterat arrangiere und au d'Demokratie in der Armee ifüehre. Ihr müend halt im Wirtshus z'Abig, wänn er zäme chömed, nüd nu flueche, schimpfe und Zote riße, sondern en Art Chriegsrat halte, und alles dure nä, was am Tag wieder vo Säuereie und Chalbereie vo de Kummidante und ihrem Anhang verüebt worde-n-isch. Dene gegenüber müend er euri Forderige stelle und müend säge:

‹So, ihr Herreschwizer, jetzt mached mer aber, was mir wänd. Füehred-i ordetli uf, oder mer streiked.› ...

Ich luege hützutag jede für es Chalb a, wo ime National- oder Ständirat sie Stimm git, wo au nur en Rappe für's Militär bewilligt. Ich, de Gottfried Stutz, bin erst nümme gege d'Armee, wänn d'Armee uf d'Site vo de-n-Arme sich stellt. De Zweck vo der Armee ischt nach miner Meinig, die eigetliche Vaterlandsfind, die große Herre und ihri Arschläcker am Chrage z'näh, ganz wie zur Zyt vom Tell, Stauffacher, Melchtal und Winkelried. Erscht wä-m-er die Große bodiged händ, erscht wänn 's Militär wieder für's Volk ischt, mach ich mit der Eidgenosseschaft wieder Friede.

Ja, so isch-es und so hämmers. Jetzt mei-n-ich aber, seig gnueg g'schnörred. Jetzt wämer a d'Arbet und euse Soldate- und Arbeiterrat, euseri Proletearmee schaffe, damit me sich nüd die ganz Zyt vor sich selber geniere und en Schnörri mueß tituliere lah.

G'redt hämmer lang gnueg. Jetzt wämer's zur Tat cho lah, daß es für eus kei gmeinsams Vaterland mit de Herre git. Daß uf der eine Site d'Herre und ihri Chnächt und uf der andere die aständige Lüt seigid.

Das ischt, mit Respekt z'melde, d'Meinig vom Gottfried Stutz, und wänn d'Juged au dere Meinig ischt und i-n-alle Länder dere Meinig ischt, dänn werdet die große Herre bald abdanke.

So, ihr Schwizer, jetzt mached, was de Gottfried Stutz eu gseid hät!»

Freie Jugend Nr. 16, 30.6.1917.

88 Streikbruch im «Landesinteresse»*

Der General der schweizerischen Armee hat bei Ausbruch des Krieges die unbeschränkte Vollmacht erhalten, alle Anordnungen zu treffen, die im Interesse der Landesverteidigung notwendig erscheinen.

Was aber am Mittwoch den 22. November in Lausanne passiert ist, stellt alles bisher dagewesene in den Schatten.

Die Typographen der romanischen Schweiz verlangten vor einem halben Jahre 15% Lohnerhöhung als Teuerungszulage. Eine Anzahl Firmen bewilligte die Forderung, bei den andern wurde anfangs November die Arbeit niedergelegt.

Waren die Forderungen der Arbeiter berechtigt oder waren sie nicht berechtigt? Sie waren sicher mehr denn berechtigt, denn die Teuerung der Lebenshaltung ist seit Festsetzung der jetzigen Löhne um mehr als das Doppelte gestiegen. ...

War die Militärkommandantur in der Lage einzugreifen und hat sie es getan? Sie war in der Lage, denn in einer der bestreikten Druckereien wurden Militäraufträge erledigt, die nun liegen blieben.

Welcher vernünftige Mensch wäre nun auf eine andere Idee gekommen als auf die, die Militärbehörden würden dem Unternehmer ernste Vorhalte machen, das zu bewilligen, was andere bewilligt haben, oder auf die Ausführung von Militäraufträgen zu verzichten? Gewiß kein einziger, trotz des ominösen Beigeschmacks, den die militärische Arbeiterfreundlichkeit hat.

Das Unglaubliche geschah.

Fünf streikende Typographen erhielten den militärischen Befehl, in Uniform, aber ohne Waffen, gegen militärischen Sold, Mittwoch den 22. November, bei ihrem Meister die Arbeit aufzunehmen; also ihre eigenen Interessen und die ihrer streikenden Genossen zu verraten – im

Interesse der Landesverteidigung! Oder war hier ein anderes Interesse maßgebend? Die Arbeiterschaft ist nach den bisherigen Leistungen der Militärbehörden davon überzeugt. ...

Gewerkschaftliche Rundschau Nr. 11/12, 1916, S. 144.

89 Sozialdemokraten gegen die bürgerliche Armee

1. Die *Entwicklung* des Kapitalismus hat zum Imperialismus geführt und erzeugt mit Notwendigkeit imperialistische Kriege. Der gegenwärtige Krieg ist *seinem Wesen* nach ein imperialistischer Krieg, ein Krieg um die politische Beherrschung und ökonomische Ausbeutung der Welt, das heißt ein Krieg um Absatzmärkte, Rohstoffquellen, Kapitalanlagegebiete, kurz um Ausdehnung der Interessensphären nationalkapitalistischer Gruppen.

2. Zur Betörung des Volkes gibt die herrschende Klasse jeden Krieg als einen Krieg zur Verteidigung des Vaterlandes aus, *das heißt zur Verteidigung allgemeiner Volksinteressen, während es sich in Wirklichkeit nur um die Interessen der besitzenden Klasse handelt.*

3. *An dieser Tatsache ändern auch die bürgerliche Demokratie, der Milizcharakter ihrer Armee und die Verpflichtung des Staates zu einer Politik der Neutralität nichts. Auch der neutrale, demokratische Staat unterliegt bei der internationalen Verstrickung der Interessen der Bourgeoisien aller Länder den Einflüssen des Imperialismus und ist im Kriegsfalle auf die militärische Hilfe mächtigerer Bundesgenossen angewiesen, deren Zielen und Wünschen er sich unterzuordnen hat. Das demokratische Selbstbestimmungsrecht weicht dann der politischen und militärischen Diktatur der herrschenden Klassen, und der sogenannte Verteidigungskrieg zum Schutz der Neutralität verurteilt den kleinen Staat zu der erniedrigenden Stellung eines Vasallen und unfreiwilligen Helfershelfers seiner Bundesgenossen.* ...

5. *Die Anerkennung der Landesverteidigung und der aus ihr hervorgehenden Pflichten durch die Sozialdemokratie bedeutet in diesem Falle die Uebernahme der Verantwortung für die Politik der bürgerlichen Mehrheit und damit die gleichen politischen Folgen wie die Beteiligung der Arbeiterklasse an einem imperialistischen Kriege:* die freiwillige Unterordnung des Proletariats unter die Interessen und Ziele seiner Ausbeuter und damit Aufhebung des Klassenkampfes, Anerkennung des Burgfriedens und verhängnisvolles Zerreissen seiner internationalen Beziehungen.

6. Der Militarismus ist aber auch die stärkste Waffe der besitzenden Klasse zur Erhaltung einer ungerechten Wirtschafts- und Rechtsordnung. Seine Volksfeindlichkeit offenbart sich in der Anwendung gegenüber der um die Verbesserung ihres Loses kämpfenden arbeitenden Klasse. Jede aktive Unterstützung der militärischen Bestrebungen, jedes passive Gewährenlassen bedeutet daher eine Befestigung der Machtstellung des Gegners. Das Proletariat muß sich deshalb von der Anerkennung des Militarismus und seiner Funktionen lossagen und die endgültige Beseitigung des Militarismus in allen seinen Formen fordern.

7. Alle pazifistischen Redensarten gegen Militarismus und Krieg ohne Anerkennung des Zieles der vollständigen Ersetzung der bestehenden Gesellschaftsordnung durch den Sozialismus sind illusionär und dienen nur dazu, die Arbeiterschaft vom ernsthaften Kampfe gegen die

Grundlagen des Militarismus abzulenken. Der Kampf des Proletariats gegen Krieg und Militarismus ist deshalb in erster Linie ein Kampf gegen die kapitalistische Gesellschaftsordnung, deren Beseitigung angestrebt wird durch die soziale Revolution. Er findet seinen stärksten Rückhalt in *einer aktionsfähigen* internationalen Organisation des Proletariats.

9. *Aus diesen Erwägungen ergeben sich für die Sozialdemokratie folgende Aufgaben: Verschärfung des grundsätzlichen Kampfes gegen den Militarismus, Chauvinismus und Nationalismus sowie gegen die bürgerliche Jugenderziehung durch*

a) *Planmäßige Aufklärung der Arbeiterschaft über Wesen und Zweck des Militarismus.*

b) *Grundsätzliche Bekämpfung und Ablehnung aller Forderungen, Kreditbegehren und Gesetze, die der Aufrechterhaltung und Stärkung des Militarismus dienen oder die Gefahren kriegerischer Verwicklung heraufbeschwören können, durch die Partei und ihre Vertreter in den Behörden.*

c) *Organisierung des entschlossenen, äußersten Widerstandes der Arbeiter gegen die Beteiligung des Landes an jedem Kriege (Demonstrationen, Streiks und Dienstverweigerung).*

d) *Erleichterung der finanziellen Folgen, von denen die Parteigenossen betroffen werden können, die bei ihrer Verwendung als Soldaten gegen die Interessen der Arbeiterklasse den Gehorsam verweigern.*

Protokoll über die Verhandlungen des außerordentlichen Parteitages der SPS vom 9. und 10. Juni 1917, in Bern, Bern 1917, S. 13ff.

90 Zürcher Frauen demonstrieren gegen die Teuerung

Polizeibericht über eine Frauendemonstration vor dem Rathaus, anläßlich einer Sitzung des Kantonsrats.

... Vorauf wurde eine Tafel getragen mit der Aufschrift: Wir hungern. Außerdem zählte ich noch zwei andere Tafeln mit der Aufschrift: Unsere Kinder hungern und die andere: Wir fordern gerechte Verteilung der Nahrungsmittel und Controlle durch die Arbeiter.

Vor dem Rathaus staute sich die Menge, die auf ca. 300 Personen zu schätzen war. Rechtzeitig hatte ich dafür gesorgt, daß der Eingang polizeilich gesperrt worden war und gab auch Instruction, dafür zu sorgen, daß nicht die Tribüne gefüllt werde von den Demonstrantinnen, wozu zweifellos Neigung vorhanden war. Nachdem die Menge, die unter der Führung der bekannten Rosa *Bloch*[1] stand, einsah, daß ihr der Zugang ins Rathaus unmöglich war, verlangte sie Einlaß für eine Delegation, welche dem Kantonsrat eine Petition überbringen wolle unter gleichzeitiger mündlicher Begründung während der Sitzung. Der Delegation wurde der Einlaß nicht bewilligt, dagegen konnte Rosa Bloch dem Ratsweibel ein schriftlich abgefaßtes Memorial einhändigen zu Handen des Regierungsrates. Rosa Bloch verlas der Menge den Inhalt des Memorials der sich deckt mit den Forderungen wie sie letzter Tage im Volksrecht durch die Frauenversammlung im Volkshaus aufgestellt worden waren. Frau Bloch erklärte ferner, daß die Menge nicht weichen werde, bis Antwort da sei. Inzwischen forderte sie die

Die Angst vor dem Frieden

(Zeichnung von G. Moir)

„Was hast du denn?"
„„Der Friede kommt — und dann ist es aus mit der Herrlichkeit!""

anwesenden Frauen auf, ihre Begehren, Wünsche und Anregungen vorzutragen, was denn auch in reichlichem Maße geschah. Nach einander redeten eine Anzahl Frauen, die jede irgend einen Beschwerdepunkt vorbrachten, die eine beklagte sich, daß sie zu Hause für sich und ihre Kinder zu wenig Brot habe, die andere verlangte für die Arbeiterbevölkerung pro Kopf 1 Liter Milch per Tag, eine dritte behauptete, im Bezirk Bülach in der Gegend von Eglisau seien einem Bauern mehrere Säcke Getreide zu Grunde gegangen, weil sie nicht abgenommen worden seien. Eine andere brachte vor, die Butterverteilung sei unrichtig angefaßt worden, es gehen zentnerweise Butter zu Grunde und müsse dann zu Seife verarbeitet werden. Eine Glätterin schildert die traurige Lage ihrer Berufscolleginnen, ihren geringen Lohn und bedauert den Mangel an Collegialitätsgefühl der bei ihnen noch herrsche. Eine Frau jedenfalls ostgalizischen Ursprunges, Trägerin einer der Inschriften rief ein entrüstetes Pfui an die zahlreich im Café Saffran an den Fenstern stehenden «Dickranzen», was von der Menge mit großem Beifall quittiert wurde. ...

Staatsarchiv Zürich, P 229a.

[1] *Rosa Bloch, Präsidentin des schweizerischen Arbeiterinnenverbandes, Mitglied des Oltener Aktionskomitees.*

91 Das Generalstreikprogramm des Oltener Aktionskomitees

Generalstreikfrage.

I. Schon der Aarauer Parteitag 1913 und die Kongresse des Gewerkschaftsbundes haben durch die grundsätzliche Anerkennung des politischen Massenstreiks und des allgemeinen Streiks erklärt, daß außerparlamentarische Kampfmittel notwendig sein können, um bestimmte Arbeiterforderungen innerhalb der bestehenden Gesellschaft zu verwirklichen.

Die Erfahrungen der Kriegszeit haben diese Notwendigkeit unterstrichen und bestätigt. Die Notwendigkeit wächst und wird zwingend mit der Vertiefung der sozialen Gegensätze, der Einschränkung der parlamentarischen Rechte, der Erweiterung der Machtfülle der bürgerlichen Regierung und der Anwendung der militärischen Diktatur.

II. Die Anwendung außerparlamentarischer Kampfmittel setzt voraus, daß der Masse klar gesagt wird, wofür sie kämpfen soll. ...

III. Haben sich die üblichen Kampfmittel zur Verwirklichung der Forderungen als unzulänglich erwiesen, so sind außerparlamentarische Kampfmittel anzuwenden. Der Einheitlichkeit der Forderungen muß die Einheitlichkeit der Aktion entsprechen. Die Führung des Kampfes hat auf Grund der Organisationsbeschlüsse an eine gemeinsame Leitung der Partei und des Gewerkschaftsbundes überzugehen. Den im Einvernehmen mit den Organisationen von dieser gemeinsamen Zentralleitung getroffenen Anordnungen ist unbedingt Folge zu leisten, um Sonderaktionen und Kräftezersplitterung zu vermeiden.

IV. Die Anwendung der außerparlamentarischen Kampfmittel kann in drei Phasen eingeteilt werden:

1. Allgemeine Agitation in Volks- und Demonstrationsversammlungen, durch die Presse, Broschüren, Flugblätter, Aufrufe usw.

2. Steigerung der Agitation durch Demonstrationsversammlungen während der Arbeitszeit.

3. Steigerung der Aktion durch den befristeten allgemeinen Streik und seine eventuelle Wiederholung. ...

VI. Die Anwendung des allgemeinen Streiks als unbefristete Maßnahme, die zum offenen revolutionären Kampf und in die Periode des offenen Bürgerkrieges überleitet, unterscheidet sich von dem befristeten Streik durch die Unbestimmtheit seiner Dauer und durch die daraus hervorgehenden Folgen. Die Beendigung erfolgt entweder, wenn die aufgestellten Forderungen erfüllt sind oder wenn die Kraft zur Weiterführung der Aktion nicht mehr ausreicht. Seine Einheitlichkeit wird von vornherein darunter leiden, daß der Kampfwille an solchen Orten, wo die Arbeiterbevölkerung in starker Minderheit ist, wo es an der nötigen Schulung fehlt oder wo die Leitung zu wenig ausgebildet ist, früher gelähmt wird als in den größern Städten. Auch die Lebensmittelversorgung und die Ernährungsfrage wird größere Schwierigkeiten hervorrufen, als beim befristeten Streik. Es wird überhaupt schwierig sein, die Leitung der Aktion in der Hand zu behalten. Je nach den örtlichen Verhältnissen und Bedingungen wird ein solcher Streik bald früher, bald später abgebrochen werden, je nach der Gegenaktion und ihren Mitteln in ganzen Branchen oder in ganzen Städten wieder ausbrechen und sich verpflanzen.

Dieser Streik führt in die Periode des offenen revolutionären Kampfes hinein. So wenig seine Dauer zum voraus bestimmt werden kann, so wenig geht es dann um ein kleines Minimum von Forderungen. Von Sieg und Niederlage begleitet, keineswegs nur eine einmalige Aktion, die mit der Niederlage beendigt, mit dem Sieg überflüssig wird, richtet sich diese Streikperiode in ihrer letzten Konsequenz gegen den Bestand des bürgerlich-kapitalistischen Klassenstaates überhaupt. Der Sturz der bürgerlichen Herrschaft ist das Ziel. ...

Inwieweit der unbefristete Generalstreik als Droh- und Pressionsmittel wirkt, ist bedingt durch das Interesse der Bourgeoisie an der Erhaltung des Staates. Dieses Interesse, dessen Vorhandensein heute nicht zu bestreiten ist, kann von der Arbeiterschaft ausgenützt werden, indem sie ihre Aktion planmäßig weiterführt und die Bourgeoisie zwingt, dem Proletariat Zugeständnisse zu machen, um der Intervention des Auslandes vorzubeugen.

VII. Die konkrete Stellungnahme zu der Opportunität des allgemeinen Streiks hängt von der Tragweite der aufzustellenden Forderungen ab. Unter den gegenwärtigen Verhältnissen empfiehlt es sich, die Arbeiterschaft vorläufig auf die unter Ziffer IV genannten Phasen des außerparlamentarischen Kampfes vorzubereiten: Volksversammlungen, Demonstrationsversammlungen während der Arbeitszeit und befristeter Generalstreik.

Protokoll der Sitzung des Gewerkschaftsausschusses in Verbindung mit der Geschäftsleitung der SPS und dem Bureau der Nationalratsfraktion, 1.–3. März 1918, Volkshaus Bern, S. 10–17. Archiv des Schweizerischen Gewerkschaftsbundes, Bern. Zitiert nach Willi Gautschi, Dokumente zum Landesstreik 1918, Zürich 1971, S. 68ff.

92 Das Zürcher Bankpersonal streikt für mehr Lohn

An die Bevölkerung Zürichs!

Mitbürger!

Seit Monaten kämpft das Bankpersonal um eine bessere Belöhnung. In Eingaben auf Eingaben haben wir unsere Forderungen eingereicht und sind stets von den Bankgewaltigen entweder schnöde abgewiesen oder mit einer absolut ungenügenden Teuerungszulage abgefertigt worden. Wir mußten daher heute zum letzten Mittel, zur Arbeitsniederlegung, greifen. Mit einer an Einstimmigkeit grenzenden Mehrheit wurde an der gestrigen Generalversammlung der Beschluß gefaßt. Zur Illustration der Großmütigkeit der Bankleitungen und Verwaltungen folgende Tatsachen:

An Tantièmen (für die Direktoren und Verwaltungsräte) wurden von den Zürcher Bankinstituten im Jahre 1917 ausgeschüttet: 3–3½ Millionen.

Der Reingewinn der Zürcher Banken betrug im gleichen Jahre, netto: 33–35 Millionen Franken. Die meisten Direktoren beziehen jeder pro Jahr für ihre Arbeitsleistung eine «Entschädigung» von 60000–100000 Franken.

Mitbürger! Das Urteil über unser Vorgehen überlassen wir allen denen, welche die heutige schwere Zeit an sich selbst empfinden müssen.

Bankpersonalverband Zürich.

Volksrecht, 30.9.1918.

93 Heraus zum Proteststreik![*]

Heraus zum Protest=Streik!

Arbeiter!

In einem Augenblick, da unsere Bewegung in einem Ruhestadium sich befand, hat der Bundesrat die Arbeiterschaft mit einem Massenaufgebot von Truppen überrascht. Trotz der Grippe, die im Interesse der Volksgesundheit eine restlose Demobilisation heischte, sind Zehntausende von Schweizer Soldaten aufgeboten worden.

Das Aufgebot richtet sich nicht gegen den äußeren Feind. Keine Grenzen sind bedroht, nicht die geringste Gefahr kriegerischer Verwicklungen besteht. Die in den Städten aufgefahrenen Maschinengewehre, die um die Bevölkerungszentren gelagerten Bataillone beweisen, gegen wen die kopflos und unverantwortlich beschlossene Mobilisation sich richtet -- gegen die wider Hunger und Not, wider Spekulation und Wucher kämpfende Arbeiterschaft.

Das Massenaufgebot von Truppen ist eine dreiste Herausforderung. Die Provokation wird in der furchtbaren, für Tausende von Familien Elend und Entbehrung zeugende Zeit zum eigentlichen Verbrechen. Verlogene Polizeirapporte, erbärmliche Lockspitzelberichte, vage Vermutungen, willkürliche Konstruktionen dienen als faule Unterlage der militärischen Maßnahmen. Unreife Lehren einer Handvoll Wirrköpfe, die erst Bedeutung und Glorie erhalten durch die lächerliche Kraftverschwendung blind handelnder Behörden, bilden den faulen Vorwand und sollen die Kopflosigkeit der Diktatoren rechtfertigen.

Gegen diese provozierenden Maßnahmen erheben wir schärfsten Protest. Die organisierte Arbeiterschaft hat nichts zu tun mit Putschismus. Gehören ihre Sympathien dem heldenmütigen Kampf der russischen Arbeiterschaft, so wissen die Schweizer Arbeiter, daß die Methoden des revolutionären Rußlands sich nicht schablonenhaft auf unser Land übertragen lassen. Die Behauptung, die Schweizer Sozialdemokratie sei am Gängelband des Bolschewismus, ist eine Lüge. Die Methoden unseres Kampfes richten sich nach den Bedingungen des eigenen Landes. Zu den Zielen des internationalen Sozialismus uns bekennend, weisen wir die daraus von feilen Agenten abgeleiteten Verleumdungen stolz zurück

Werktätiges Volk!

Die durch ihre Maßnahmen dem Bürgerkrieg entgegentreibenden Behörden weigern sich, nackte Tatsachen und Beweise für die Berechtigung ihrer diktatorischen Anordnungen zu nennen. Sie weigern sich, die leichtfertig aufgebotenen Truppen zurückzuziehen. In dieser Situation hilft kein papierener Widerspruch. Jetzt soll die herrschende Klasse, zu deren Verteidigung man euch aufruft, wissen, daß die Arbeiterschaft es satt hat, sich als uniformierter Büttel der Reichen mißbrauchen zu lassen. Zum Zeichen der Auflehnung gegen die Unverantwortlichkeit der militärischen und bürgerlichen Diktatur fordern wir euch auf, unverzüglich in einen

24stündigen Protest=Streik

einzutreten. Am morgigen Samstag soll in allen größeren Städten des Landes die Arbeit ruhen. Wenn friedliche Einsprachen nichts helfen, muß es der opfervolle Kampf. Erst wenn die Behörden sehen, daß es der Arbeiterschaft ernst ist, werden sie Vernunft annehmen.

Laßt deshalb die Arbeit während vierundzwanzig Stunden ruhen. Keiner bleibe zurück, keiner werde zum Verräter. Geschlossen und diszipliniert soll die Arbeit am Samstag morgen niedergelegt, geschlossen und diszipliniert am Montag früh wieder aufgenommen werden.

Wir appellieren an die Solidarität der Gesamtarbeiterklasse. Wir appellieren an die Solidarität der Klassengenossen im Wehrkleide. Keine Verweigerung der Einrückung, wohl aber die strikte Weigerung, von den Waffen gegen das Volk Gebrauch zu machen.

Und nun heraus zum Protest! Die kommenden Wochen werden noch größere Anforderungen an die Arbeiterschaft stellen. Handelt es sich heute um einen Protest durch Arbeitsniederlegung, so kann es in kurzer Zeit um mehr gehen. Je wuchtiger und eindrucksvoller der jetzige Streik, umso erfolgreicher die bevorstehenden Kämpfe für die materiellen Forderungen der Arbeiterklasse und für die Erneuerung der Demokratie.

Hoch die Solidarität! Nieder mit der Reaktion!

Bern, den 7. November 1918.

Das Oltener Aktionskomitee.

Genossenschaftsdruckerei Zürich.

Flugblatt des Oltener Aktionskomitees, Bern 7. November 1918, SSA Zürich, 331.260.

94 Die Zürcher Arbeiter feiern den Jahrestag der russischen Revolution

Genossen!

Rüstet und werbet für die Feier des ersten Jahrestages der russischen *sozialistischen* Revolution! In großen öffentlichen Versammlungen wollen wir vernehmen, welch gewaltigen Kampf das Proletariat Rußlands geführt hat, bis es zum Sieg gelangt ist. ...

Zum erstenmal in der Weltgeschichte setzte sich das Proletariat eines riesigen Staates in den Besitz der Regierungsgewalt. Der Tag, an dem uns der Draht die Kunde von diesem Sieg brachte, steht lebhaft in unserem Gedächtnis. Feinde und falsche oder kleinmütige Freunde sprachen von einem Putsch, von einem Staatsstreich, prophezeiten der proklamierten Arbeiter- und Bauernrepublik ein kurzes, vielleicht nur mehrtägiges Leben.

Indem wir jetzt die *Jahresfeier* der Sowjetrepublik begehen, gedenken wir der ungeheuren Schwierigkeiten, mit denen sie während dieser zwölf Monate zu kämpfen hatte und noch hat, der gewaltigen schöpferischen Arbeit, die sie in dieser Zeitspanne geleistet hat. Ihr Erbe war ein durch die Mißwirtschaft des Zarismus und einen mehr als dreijährigen Krieg über alle Maßen zerrüttetes Land; ihre Feinde im Innern: alle ihrer Privilegien und Machtmittel enteigneten bürgerlichen Klassen; nach außen: eine imperialistische Mächtegruppe, mit der das Land im Krieg lag, und eine andere, die es in den Krieg um ihre Interessen hineinziehen wollte. Und es galt, *eine neue Welt auf den Trümmern der alten aufzubauen,* eine neue Gesellschaftsordnung ohne Ausbeuter und Ausgebeutete aufzurichten!

Es ist hier nicht der Platz, die Geschichte der titanischen Kämpfe der Arbeiter- und Bauernrepublik um die Verwirklichung ihrer Ideale im einzelnen zu schildern. Wie sie mit einem ihrer äußeren Feinde einen schlechten, schweren Frieden schloß, um eine Atempause für ihre positiv schöpferische Arbeit zu gewinnen; wie sie diese Arbeit auf allen Gebieten des Lebens, auf wirtschaftlichem, politischem und geistigem ausführte; wie sie, die Arbeiter aller Länder durch ihr Beispiel aufmunternd, ihre tatkräftige Unterstützung vergebens anrief.

In bewegten Zeiten jährt sich zum erstenmal die russische proletarische Revolution. Sie lebt und wird leben, wenn der Krieg nicht durch einen Frieden zwischen den Verbrechern, die ihn verschuldet und geführt haben, beendet wird, wenn sein Ende durch eine Erhebung der Völker, durch einen Wiederaufbau der Welt auf neuen, sozialistischen Grundlagen herbeigeführt wird. Schon rötet die nahende Revolution den Himmel über Zentraleuropa; der erlösende Brand wird das ganze morsche blutdurchtränkte Gebäude der kapitalistischen Welt erfassen. Eine neue Geschichtsära eröffnet sich, die Ära des Kampfes um die Befreiung der Volksmassen von Druck und Ausbeutung, von Hunger und Krieg, die Ära des Sozialismus. Indem das Proletariat aller Länder das Banner der sozialen Revolution erhebt, wird es nicht nur die russische Arbeiterrevolution von den ihr drohenden Gefahren retten – es wird seine eigenen Fesseln abstreifen.

Unsere Aufgabe ist es, das Proletariat für diese nahenden Kämpfe geistig zu wappnen.

Arbeiter der Schweiz! Zeigt, daß ihr gewillt seid, in der neuen Internationale den euch gebührenden Platz zu beanspruchen.

Zürich, den 29. Oktober 1918

Volksrecht, 31.10.1918.

95 Aufruf zum Generalstreik*

An das arbeitende Volk der Schweiz!

Mit unerwarteter Wucht und seltener Geschlossenheit hat die Arbeiterklasse fast aller größern Städte des Landes durch einen 24stündigen Streik gegen die provozierenden Truppenaufgebote des Bundesrates protestiert. Das Oltener Aktionskomitee, die legitime Vertretung der schweizerischen Arbeiterorganisationen, hat im Anschluß an den glänzend verlaufenen Proteststreik die *sofortige Zurückziehung der Truppen* verlangt.

Dieses Verlangen ist vom Bundesrat *abgelehnt* worden. In der großen Zeit, da im Auslande der demokratische und freiheitliche Gedanke triumphiert, in dem geschichtlichen Augenblicke, da in den bisher monarchischen Staaten Throne wanken und Kronen über die Straßen rollen, in dem feierlichen Moment, da die Völker Europas aus einer Nacht des Grauens und des Schrekkens erwachen und selbsttätig ihr eigen Geschick schmieden, beeilt sich der Bundesrat der «ältesten Demokratie Europas», die wenigen Freiheiten des Landes zu erwürgen, den Belagerungszustand zu verhängen und das Volk unter die Fuchtel der Bajonette und Maschinengewehre zu stellen.

Eine solche Regierung beweist, daß sie *unfähig* ist, der Zeit und ihren Bedürfnissen gerecht zu werden. Unter dem Vorwand, Ruhe und Ordnung, die innere und äußere Sicherheit des Landes zu schützen, setzt sie Ruhe und Ordnung, die innere und äußere Sicherheit des Landes frivol aufs Spiel. In einer ihr nicht zukommenden Anmaßung gibt sie sich als eine Regierung der Demokratie und des Volkes. In Wahrheit haben Demokratie und Volk in der denkwürdigen Abstimmung vom 13. Oktober den gegenwärtigen verantwortlichen Behörden des Landes das Vertrauen entzogen.

Diese Behörden haben das Recht verwirkt, im Namen des Volkes und der Demokratie zu sprechen, von denen sie desavouiert worden sind. Sie haben das Recht verwirkt, das Schicksal eines Volkes zu bestimmen, das ihrer Politik die Zustimmung versagt. Jetzt ist der Augenblick gekommen, da das werktätige Volk einen entscheidenden Einfluß auf die weitere Entwicklung des Staatslebens zu nehmen hat.

Wir fordern die *ungesäumte Umbildung der bestehenden Landesregierung unter Anpassung an den vorhandenen Volkswillen.* Wir fordern, daß die neue Regierung sich auf folgendes *Minimalprogramm* verpflichtet:

1. *Sofortige Neuwahl des Nationalrates auf Grundlage des Proporzes.*
2. *Aktives und passives Frauenwahlrecht.*
3. *Einführung der allgemeinen Arbeitspflicht.*
4. *Einführung der 48-Stundenwoche in allen öffentlichen und privaten Unternehmungen.*
5. *Reorganisation der Armee im Sinne eines Volksheeres.*
6. *Sicherung der Lebensmittelversorgung im Einvernehmen mit den landwirtschaftlichen Produzenten.*
7. *Alters- und Invalidenversicherung.*
8. *Staatsmonopole für Import und Export.*
9. *Tilgung aller Staatsschulden durch die Besitzenden.*

Dieses Programm bedarf keiner weitern Begründung. Es ist das Minimum dessen, was das werktätige Volk zu verlangen berechtigt ist.

Die Erfahrungen haben gezeigt, daß auf dem Wege der Verhandlungen wirksame Zugeständnisse von den Behörden nicht zu erlangen sind. Sie haben Verständnis für das Interesse der Besitzenden, sie schonen die Preistreiber und Spekulanten und versagen dem arbeitenden Volke den Schutz. *Das Volk muß sich selber helfen, will es nicht weiterhin den Reichen und Mächtigen ausgeliefert bleiben.*

Aus diesem Grunde haben die unterzeichneten Organisationsleitungen *einstimmig* und nach reiflicher Erwägung der innern und äußern Lage die

Verhängung des allgemeinen Landesstreiks

beschlossen. Der Streik beginnt Montag, den 11. November 1918, nachts 12 Uhr. Er soll die Arbeiter und Arbeiterinnen *aller* öffentlichen *und* privaten Unternehmungen aller Landesgegenden umfassen. Nachdem der Bundesrat die in dem befristeten Streik vom 9. November enthaltene Warnung mit neuen Herausforderungen beantwortete, ist der allgemeine Landesstreik bis zur Erfüllung unserer Forderungen fortzusetzen. *Der Streik ist erst abzubrechen, wenn die unterzeichneten Organisationsleitungen es verfügen. ...*

Flugblatt des Oltener Aktionskomitees, Bern 11. November 1918, SSA Zürich, 331.260.

96 Bürgerwehren: Für «Ordnung und Sicherheit des Vaterlandes»

Mitbürger!

Die gefahrvollen Zeiten haben einen Gedanken plötzlich zur Tat werden lassen, der schon lange in der Luft schwebte. Eine «zürcherische Stadtwehr» ist ins Leben getreten. Man wird nicht lange nach ihrer Berechtigung fragen müssen. Sie will angesichts der immer bedrohlicher werdenden Umtriebe von nach russischem Muster arbeitenden Umsturzorganisationen das Bürgertum sammeln und organisieren.

Unser Programm ist kurz und bündig:

1. Organisierung des Widerstandes bis aufs äußerste gegen jeden Versuch bolschewistischer Gruppen, die öffentliche Ordnung zu stören und die Sicherheit des Vaterlandes in Gefahr zu bringen.

2. Nachdrückliche Unterstützung der öffentlichen Gewalten in ihrem Bestreben, die Rechtsordnung aufrechtzuerhalten.

3. Organisierung von Hülfskräften und Hülfsdiensten, besonders für die Zeiten, da in Zürich keine erhebliche Truppenmacht vorhanden ist.

4. Materielle Unterstützung von Mitbürgern, die durch verbrecherische Handlungen von Bolschewisten an Leib oder Gut zu Schaden gekommen sind.

Schweizerbürger ohne Unterschied der Partei, deutscher oder welscher Zunge, auch Jünglinge von 18 Jahren an, die dieses Programm durch die Tat unterstützen wollen, mögen in

Masse herbeieilen, um sich in aufgelegte Listen einzutragen und zur Verfügung zu halten. Listen werden in allen Zunfthäusern oder Versammlungslokalen der Zünfte aufgelegt.

Zögert keinen Augenblick. Schon haben sich viele Hunderte gemeldet. Es müssen viele Tausende werden. Es liegen ernste Monate vor uns, die uns gerüstet finden müssen.

Es lebe die alte Schweizerfreiheit! Nieder mit den Tyrannen, auch wenn sie in der Arbeiterbluse einhergehen.

Das Exekutiv-Komitee.

Flugblatt, Internationales Institut für Sozialgeschichte Amsterdam, Archiv Lang, zitiert nach Willi Gautschi, Dokumente zum Landesstreik 1918, Zürich 1971, S. 278.

97 Gründe für das Truppenaufgebot

An einer interfraktionellen Konferenz der Zürcher Kantonsregierung mit dem Kommandanten der Ordnungstruppen, Oberstdivisionär Sonderegger, versuchte der Regierungspräsident Dr. Keller das Aufgebot der Truppen zu rechtfertigen.

Ich habe Ihnen nun die Gründe mitzuteilen, die den Regierungsrat des Kantons Zürich dazu führten, vom Bundesrat das Aufgebot von Truppen zu verlangen. Wir hatten bereits einmal einen Generalstreik und am 30. September und 1. Oktober den Streik der Bankangestellten erlebt. Bei letzterer Bewegung haben sich dreierlei neue Vorkommnisse zugetragen: Man hat einmal die in den Werkstätten Arbeitenden mit Gewalt herausgeholt, ist in die Arbeitsräume hineingedrungen und hat die Arbeit verhindert. Auch das kantonale Brennstoffamt ist so behandelt worden. Eine zweite neue Erscheinung war die, daß nach Abbruch des teilweise begonnenen Generalstreiks eine Gruppe weiter demonstrierte und von den Straßenbahnern zur Ruhe gebracht werden mußte. Das dritte neue Moment war das, daß nachher in der sozialdemokratischen Presse diese Erscheinungen verherrlicht wurden. Der Regierungsrat hat dann in der Kantonsratssitzung vom 7. Oktober 1918 die Erklärung abgegeben, daß er diese Vorkommnisse verurteile und sein Möglichstes tun werde zur Vermeidung der Wiederholung derselben. Alle diese Ereignisse sind vom Regierungsrat wiederholt eingehend besprochen worden. Gleichzeitig wurde der Bundesrat auf dem laufenden gehalten und mit einer Delegation des Stadtrates darüber Rücksprache genommen, was er anläßlich dieser bedauerlichen Ereignisse von sich aus vorgekehrt habe und was er in Zukunft in ähnlichen Fällen zu tun gedenke. Wir haben vom Stadtrat Zürich eine etwas bemühende Antwort bekommen. Einzelne Mitglieder des Regierungsrates suchten in Fühlung zu kommen mit leitenden Männern der sozialdemokratischen Partei, um sie befragen zu können, ob sie bei Wiederholung ähnlicher Vorkommnisse ihre Massen noch glauben in der Hand zu haben, oder ob ihnen die Führung entgleiten würde, wenn jenseits der schweizerischen Grenze größere revolutionäre Bewegungen ausbrechen würden. Die erhaltene Antwort lautete dahin, daß wir in einem solchen Falle die Revolution auch in der Schweiz bekämen. ...

Am Dienstagmorgen wurden die 2½ Kompanien Neuenburgersoldaten vom Bataillon 18 ohne Benachrichtigung des Regierungsrates an die Grenze transportiert. Es war also an diesem Tag kein Militär mehr in Zürich. Am gleichen Morgen erhielt das Platzkommando von einer hiesigen Amtsperson einen Rapport, in dem ausgeführt wurde, daß kurz vorher in der Gegend von Seebach 20 Bomben und 350 Sprengpatronen gefunden worden seien. Es sei festgestellt worden, daß diese Bomben von gleicher Qualität bestehen wie diejenigen, die bei den November-Unruhen 1917 verwendet worden waren. Ferner wurde berichtet, daß, wie man von glaubwürdiger Seite erfahren habe, zwischen dem 7. und 10. November der Versuch eines Putsches gemacht werde und zwar so, daß zunächst die Militärstallungen in Brand gesetzt, dann das Zeughaus gestürmt und schließlich Telegraph und Telephon besetzt würden, um den Verkehr mit auswärts zu verunmöglichen.

Dann ist uns noch etwas aufgefallen. Im «Volksrecht» vom Dienstag, den 5. November erschien ein Artikel, betitelt: «Die Hetze», wo es unter anderem heißt: «Die Schweiz ist vorläufig nicht das Schwarze Meer, sie kann vorläufig von keinen Flotten unbestraft befahren werden. Das wird sich in den allernächsten Tagen zeigen.» (Ein Teil daraus wird verlesen vom Präsidenten.) Die Tatsache, daß das Chaos im Vorarlberg entstanden war, daß uns das Militär weggenommen wurde, einige Stunden später der erwähnte Bericht einging und die Bemerkung des Volksrechts veranlaßten den Regierungsrat zur Besprechung der Lage in einer Extra-Sitzung am 5. November. Man kam zur Überzeugung, daß ein weiteres Zuwarten unverantwortlich wäre. Der erwähnte Rapport hat nicht eine ausschlaggebende Rolle gespielt, sondern die Erkenntnis der schweren Lage überhaupt und die Erklärung der sozialdemokratischen Führer, daß sie einer solchen Situation nicht gewachsen seien. Der Regierungsrat kam zum Schluß, daß es keine andere Möglichkeit gebe, die Gefahr zu beschwören, als ihr zuvorzukommen. ...

Ein Putsch, wie er in jenem Berichte angedeutet wird, war offenbar beabsichtigt. Am Mittwochabend wurden Flugblätter verteilt, unterzeichnet von der Gruppe Herzog, jetzt sich kommunistische Partei nennend, und vom sozialistischen Soldatenverband Zürich. Wir haben aber auch gehört, daß es abgesehen war auf die Nationalbank, worüber Untersuchung noch im Gange ist. Es wurde uns ferner mitgeteilt – es ist noch nichts gerichtlich festgestellt – daß einer wohltätigen Dame telephoniert wurde, sie solle die Haustüre verschließen und die Wertschriften verbergen, und als sie fragte, wer am Telephon sei, kam die Antwort: «Jemand, dem Sie schon viel Wohltaten erwiesen haben.» Dies ist auch ein Symptom dafür, daß wir die Lage doch nicht verkannt haben.

Protokoll über die Konferenz des Regierungsrates des Kantons Zürich mit Vertretern des Kantonsrates über die derzeitige Lage, 8. November 1918, Staatsarchiv Zürich, M 1 f.3.

98–101 Abbruch des Streiks

98 Ist der Generalstreik «germanisch»? – die Haltung der welschen Arbeiter

... *Graber:* Ein Redner hat Auskunft über die eventuelle Haltung der welschen Schweiz verlangt. Hier ist sie: In Genf eine Spaltung innerhalb der Partei, im Kanton Waadt eine Gewerkschaftsorganisation von geringem Wert und eine schwache sozialistische Partei, im Wallis fast nichts, in Freiburg nichts. In allen diesen Kantonen, die von den Bürgerlichen beherrscht werden, finden wir eine außerordentliche Fähigkeit, allem, was nicht behagt, einen germanophilen Charakter zu geben. Wenn man Hauser vor die Türe stellen will, wenn man eine Untersuchung über den militärischen Sanitätsdienst verlangt, so sind dies germanophile Umtriebe. Und es sind ebenfalls germanophile Umtriebe, wenn man eine bessere Verteilung der Lebensmittel verlangt. Die welsche Schweiz ist der Herd der Reaktion. Es genügt, den Arbeitern zu sagen: Seht den Schatten von Lenin, seht den Schatten des Kaisers, um sie zum Verlassen der Reihen der Arbeiterschaft zu bewegen. Es genügt, wenn die Gazette de Lausanne sagt: Gebt acht, es steckt deutsches Geld dahinter, um gegen die Personen, die an der Spitze der Organisationen des eidgenössischen Personals stehen, einen Verdacht zu erwecken. Das alles rührt daher, daß unsere Presse in diesen Gegenden noch viel zu schwach ist, um alle Lügen der bürgerlichen Organe zurückzuweisen. Was den Jura und den Kanton Neuenburg betrifft, wo die sozialistische Presse besser vertreten ist, verfangen diese Sprüche nicht mehr und die Arbeiterschaft läßt sich nicht vergiften. So ist die Situation in der welschen Schweiz. ...

Protokoll über die Verhandlungen des Allgemeinen Schweizerischen Arbeiterkongresses vom 25. bis 27. Juli in Basel, Bern 1918, S. 59.

99 Abbruch oder Bürgerkrieg

... Das Aktionskomitee hat nach reiflicher Erwägung aller Umstände die Abbruchparole ausgegeben. Auch die Genossen, die ihr nicht beipflichteten, waren darin mit der Mehrheit eines Sinnes, daß im Moment materiell nicht mehr zu erreichen sei. Für ihre Entscheidung waren taktische Gründe maßgebend. Sie glaubten, es sei besser, den Kampf so lange weiterzuführen, bis die Arbeiter selber von seiner Nutzlosigkeit überzeugt seien. Sie befürchteten aus den Reihen der Arbeiter einen Sturm der Entrüstung wegen allzufrühen Abbruches. Dieser Sturm kam denn auch. Wir waren darauf gefaßt, hofften jedoch, er werde sich in – wenn vielleicht auch scharfer Kritik erschöpfen und nicht in ein maßloses Wutgeheul über die «feige Treulosigkeit» des Aktionskomitees, das dem «Feinde eine heroische Truppe bedingungslos auslieferte», ausarten, wie das im «Volksrecht» geschah. ...

Soviel stand am Mittwochabend fest, daß vom Nationalrat absolut nichts mehr zu erreichen, daß dem Bundesrat der Rücken gestärkt war, das Militär gegenüber der Arbeiterschaft eine durchaus feindselige Haltung einnahm, einige Eisenbahnergruppen nicht auf ganz festen Füßen standen, die Lebensmittelversorgung, insbesondere die Milchversorgung, stellenweise schon ganz versagte und der Zorn eines Teils des Publikums sich gegen die Streikenden richtete. Es war ferner zu befürchten, daß der bisher in musterhafter Ruhe verlaufene Streik zum Bürgerkrieg ausartete, daß Sabotageakte eintreten und, wie das schon vereinzelt in Grenchen, Solothurn und Zürich geschehen war, das Militär auf die Streikenden losgelassen werde.

Dem Aktionskomitee selber wurde der Verkehr mit auswärts von Stunde zu Stunde mehr erschwert. Das Sitzungslokal und die Druckerei wurden militärisch besetzt, das Telephon abgeschnitten. Es war damit zu rechnen, daß auch der Stafettenverkehr ganz unterbunden werde, wie das schon vereinzelt der Fall war. ...

Gewerkschaftliche Rundschau Nr. 12, Dezember 1918, Bern, S. 85ff.

100 Es ist zum Heulen!*

Der schweizerische Generalstreik[1]

Es ist zum Heulen! Niemals ist schmählicher ein Streik zusammengebrochen. Zusammengebrochen nicht unter den Schlägen des Gegners, nicht an der Entkräftung, nicht der Mutlosigkeit der eigenen Truppen, sondern an der feigen, treulosen Haltung der Streikleitung. Es ist eine Kapitulation, wie sie in der Geschichte des Generalstreiks einzig dasteht! Es gibt siegreiche und verlorene Landes-Generalstreiks, aber niemals ist ein Großkampf unter den Umständen, wie sie diesmal bestanden, auf Gnade oder Ungnade abgebrochen worden. Nie hat eine Führung dermaßen versagt wie hier. Ein Generalstab, der beim dritten Schuß desertiert! Die Kritik, der das Aktionskomitee ausgesetzt war, und die namentlich im «Volksrecht» einen starken Widerhall fand, hat eine furchtbare Bestätigung im Gang der Ereignisse gefunden. Auf jene Kritik antwortete der Präsident des Aktionskomitees mit einer virtuosen Spiegelfechterei. Nun erwahrte sie sich in ungeahnter Weise zum furchtbaren Schaden des schweizerischen Proletariats. Das Aktionskomitee war immer stark in großen tönenden Worten, in bombastischen Drohungen. Es war ein Meister der theatralischen Regie. Aber es war nichts dahinter. Es blieb Mache, berechnet auf optische Täuschung. Ein Windhauch blies die gemalte Szenerie zusammen. Ein Exempel: Am Dienstag noch forderte das Aktionskomitee zur Bildung von Soldatenräten auf. In der Nacht vom Mittwoch auf den Donnerstag blies es zum Rückzug mit der lächerlichen Erklärung, dies geschehe «um nicht den Bürgerkrieg herbeizuführen». Als es galt, die Verbindung zu sichern, noch unentschlossene Kontingente anzufeuern, neue Positionen zu beziehen, Befehle nach allen Richtungen zu geben und dabei kühles Blut und klaren Kopf zu behalten und die Übersicht nicht zu verlieren, da ließ man sich durch die intransigente Haltung des rückständigsten Parlaments Europas und durch die polternden Drohungen des Bundesrates einschüchtern. Die Schlacht stand ausgezeichnet, da klappte die Führung zusammen und lieferte eine heroische Truppe dem Feinde aus – bedingungslos!

Volksrecht, 14.11.1918.

[1] *Verfasser war Ernst Nobs, Redaktor am Volksrecht; später Stadtpräsident von Zürich und 1943 erster sozialdemokratischer Bundesrat*

101 Die Arbeiter müssen beschwichtigt werden

Schneider: ... Ich bin dann um halb 10 Uhr nach Basel gekommen. Am Donnerstag nachts fand eine große Versammlung in der Burgvogtei statt. Es waren ungefähr 2500 Leute hineingepfropft. Gewöhnlich haben etwa 1500 Personen Platz. Als ich in die Versammlung kam, habe ich sofort den Standpunkt der Mehrheit des Aktionskomitees vertreten, denn erstens hat sich die Minderheit in unserer Bewegung der Mehrheit zu fügen und zweitens war es aus Gründen der Disziplin notwendig, dafür zu sorgen, daß auch in Basel der Streik abgebrochen wurde. Ich muß aber schon gestehen, wenn ich im Aktionskomitee für den Streikabbruch gestimmt hätte, dann würden jedenfalls am Freitagmorgen weder die Eisenbahner noch die Basler Arbeiterschaft die Arbeit aufgenommen haben, denn dort war eine bitterböse Stimmung. Ich möchte wünschen, daß gerade diejenigen, die erklären, daß der Generalstreik das Werk einiger Hetzer und Wühler sei, dort die Stimmung hätten beobachten können. Zum Beispiel ist nach Handgranaten, nach Schießprügeln gerufen worden; kein Streikabbruch, sondern den Bürgerkrieg inszenieren usw. Es ist mir dann möglich gewesen, alle diese Leute zu beschwichtigen und gerade deswegen, weil ich nicht zur Mehrheit des Aktionskomitees gehört habe, hatte ich den notwendigen Einfluß gehabt, um die Leute zur Wiederaufnahme der Arbeit zu veranlassen. ...

Der Landesstreik vor Kriegsgericht, Stenogramm der Verhandlungen, Bern 1919, S. 465.

V. Die Arbeiterbewegung unter dem Eindruck der Spaltung 1919–1929

Spaltung, Krise, Reaktion

Der erste Weltkrieg war in großen Teilen Europas mit einer Welle revolutionärer Erhebungen und sozialer Kämpfe zu Ende gegangen, in denen Empörung und Unzufriedenheit über die ungeheuerlich gesteigerte Ausbeutung und Unterdrückung während der Kriegsjahre zum Ausdruck kamen. In Rußland bestand seit der Oktoberrevolution *von 1917 erstmals ein Staatswesen, das den Aufbau des Sozialismus anstrebte, und die Bolschewiki hofften, durch die rasche Ausdehnung der Revolution nach Westeuropa aus ihrer Isolierung befreit zu werden. Trotz Revolutionen und Revolutionsversuchen in Deutschland und im ehemaligen Österreich-Ungarn, sowie Massenstreiks und Unruhen auch in anderen Ländern flaute die Bewegung seit 1920 in den meisten Ländern ab, ohne daß es außerhalb der Sowjetunion zu bleibenden sozialen Umwälzungen gekommen wäre.*

Auch in der Schweiz dauerte die Periode verschärfter Klassenkämpfe noch über den Generalstreik hinaus an: In zahllosen Streiks und Lohnbewegungen wurde eine schnelle Durchsetzung des 8-Stunden-Tages *und eine Anhebung der Reallöhne ungefähr auf den Stand von 1914 erkämpft, was durch die günstige konjunkturelle Situation in den Jahren 1919 und 1920 erleichtert wurde. Lokale Generalstreiks in Zürich und Basel wurden 1919 von den Behörden blutig niedergeschlagen. Im Verlauf dieser Kämpfe verschärften sich innerhalb der Arbeiterbewegung die Gegensätze, die sich schon während des Krieges abgezeichnet hatten. Die Parteilinke forderte die Überführung der Konflikte in revolutionäre Kämpfe – der rechte Flügel bremste und warnte vor überstürzten Aktionen.*

Über die Arbeiterunionen, *die Zusammenschlüsse von Partei und Gewerkschaften auf lokaler Basis, versuchte die Linke einen neuen Typ von Einheitsorganisation zu schaffen: Durch einen gesamtschweizerischen Zusammenschluß der Arbeiterunionen wollte man eine kampfkräftige Zentrale schaffen, in der die konservativen Gewerkschaftsführer nicht mehr das Übergewicht haben sollten. Der Vorschlag wurde jedoch am Neuenburger Gewerkschaftskongreß 1920 abgelehnt. Spaltungstendenzen in der Partei waren bereits Ende 1918 aufgetreten, als eine kleinere Gruppe, die sogenannten* Altkommunisten, *sich von der SP getrennt und eine kommunistische Partei gegründet hatte. Erst im Zusammenhang mit der Frage des Beitrittes zur III. Internationale kam es jedoch zum entscheidenden Bruch. Die III. Internationale, die 1919 in Moskau gegründet worden war, sollte die revolutionären Kräfte in der Arbeiterbewegung zusammenfassen. Angesichts des kampflosen Zusammenbruches der II. Internationale im ersten Weltkrieg beschloß der Parteitag der SP 1919 den Austritt aus der alten und den Eintritt in die neue* III. Internationale; *die Gegner des Beitritts setzten aber eine Urabstimmung durch, die diesen Entscheid rückgängig machte. Als die Aufnahmebedingungen der III. Internationale 1920 bekannt wurden, klärte sich die Lage endgültig: Die 21 Bedingungen sahen – in der Absicht, Zentrum und rechten Flügel der alten Parteien fernzuhalten – eine zentralistische Organisationsform mit strikter Unterordnung aller Einzelparteien unter die Direktiven der Führung vor (102). Dies führte nach heftigen Diskusionen auf dem SP-Parteitag vom 10.–12. Dezember 1920 in Bern zu einer Ablehnung des Beitritts, worauf der linke Flügel nach Verlesen einer Erklärung den Parteitag verließ und sich im Frühjahr 1921 mit der kleineren Gruppe der Altkommunisten zur* Kommunistischen Partei der Schweiz (KPS) *vereinigte (103,104). Die Führer der KPS hofften, einen beträchtlichen Teil der SP-Mitglieder für die neue Partei gewin-*

nen zu können; mehr als einige Tausend folgten ihrem Aufruf jedoch nicht, so daß die KP von vornherein eine recht kleine Partei blieb. An der Spitze der KP standen vorwiegend ehemalige Parlamentarier und Funktionäre der SP-Linken; die Anhängerschaft konzentrierte sich vor allem in den größeren Städten der deutschen Schweiz, in der Metall- und Maschinenindustrie sowie unter den Bau- und Holzarbeitern.

Die Parteispaltung führte zu einem harten Kampf um die Schlüsselpositionen in den Organisationen der Arbeiterbewegung (Gewerkschaften, Arbeiterunionen, Genossenschaften, Presse). Das Angebot der KPS auf eine begrenzte Zusammenarbeit mit der SPS in einer Einheitsfront *stieß unter diesen Umständen auf entschiedene Ablehnung (105, 106). Ein besonderes Gewicht kam den Gewerkschaften als größten Massenorganisationen der Arbeiter zu, deren Umgestaltung zu revolutionären Organisationen die Kommunisten anstrebten. In den Gewerkschaftskartellen Zürich, Basel und Schaffhausen sowie in einigen Einzelverbänden hatten die Kommunisten eine starke Stellung. Die oberste Leitung, die sich in den Händen der Rechten befand, war jedoch entschlossen, diesen Einfluß unbedingt zu brechen. Die von der Komintern (Kommunistische Internationale) empfohlene Taktik der* Fraktions- und Zellenbildung *(107) wurde zum Anlaß für ein hartes Durchgreifen der Gewerkschaftsführung, vor allem im SMUV, dem größten Einzelverband (108). Wo die Kommunisten in der Minderheit waren, wurden sie ausgeschlossen, wo sich Widerstand gegen ein derart resolutes Vorgehen regte, wurden kurzerhand ganze Sektionen aufgelöst, wie in Zürich 1922. Der Kleinkrieg um Sektionen und Kartelle dauerte noch jahrelang fort, wobei die KP eine Position nach der anderen räumen mußte. Anfang 1924 ging ihr auch die Führung im Gewerkschaftskartell Zürich wieder verloren.*

Die Spaltung der Arbeiterbewegung vollzog sich vor dem Hintergrund einer schweren, weltweiten Wirtschaftskrise, *die bereits Ende 1920 einsetzte: In der Schweiz stieg die Zahl der Ganzarbeitslosen 1922 bis auf 100000, zahlreiche Arbeiter mußten durch Kurzarbeit schwere Lohneinbußen hinnehmen. Die Unternehmer nutzten die Krise zu einer Senkung der Löhne, der die Gewerkschaften wegen der großen Arbeitslosigkeit nur wenig Widerstand entgegensetzen konnten. Da gleichzeitig auch die Preise sanken, kam es zwar zu einer Verbesserung der Reallöhne, doch profitierten davon nur die Vollbeschäftigten. Für sehr viele Arbeiterfamilien hingegen brachte diese Krise – so kurz nach den großen Entbehrungen der Kriegsjahre – schwere Not (109, 110). Unter diesen Bedingungen ging die Zahl der Arbeitskämpfe stark zurück. Diese wandelten zudem ihren Charakter und blieben in den folgenden Jahren ganz auf Verteidigung des erreichten Standes beschränkt. Die Organisationen mußten hohe Mitgliederverluste hinnehmen: Wirtschaftliche Not, die enttäuschten Erwartungen der Zeit von 1918 bis 1920 und die Spaltungskrise mochten dabei mitwirken, daß die Gewerkschaften in kurzer Zeit einen Drittel ihrer Mitglieder verloren, der SMUV sogar die Hälfte.*

Diese Krise führte auch zu einem Umschwung der politischen Stimmung, der nicht nur auf die Schweiz beschränkt war. Überall gaben die herrschenden Klassen ihre begrenzte Konzessionsbereitschaft auf, die sie während der gesellschaftlichen Krisensituation am Ende des Weltkrieges gezeigt hatten. In Italien erlag die Arbeiterbewegung 1922 nach der Machtergreifung der Faschisten dem brutalsten Terror. Die reaktionärsten Teile des schweizerischen Bürgertums erkannten sogleich die Möglichkeiten, die eine faschistische Bewegung zur Aufrechterhaltung der bestehenden Gesellschaftsordnung bot (112). Die politischen Aktivitäten der schweizerischen Arbeiterbewegung beschränkten sich im folgenden auf die Abwehr besonders arbeiterfeindlicher Vorstöße des Bürgertums, so zum Beispiel der Lex Häberlin *von 1922, dem «Zuchthausgesetz», das verschärfte Maßnahmen gegen Sozialisten ermöglicht hätte (111). Auch in der Frage der Finanzierung der Staatsausgaben fand der Klassengegensatz seinen Ausdruck: Die SP-Initiative auf eine einmalige* Vermögensabgabe *zielte darauf ab, die Besitzenden ihren Teil für die versprochene Sozialversicherung zahlen zu lassen. Die Abstimmung brachte 1922 den ersten Großeinsatz einer ganz auf Antikommunismus getrimmten Propagandamaschine – und für die Linke eine schwere Niederlage. Obwohl nur 0,6% der Bevölkerung von der Abgabe betroffen worden wären, entschieden bei sehr hoher Stimmbeteiligung 87% der Stimmenden dagegen (113). Die Kriegskosten hingegen, die sich in einer enorm angewachsenen Staatsverschuldung niederschlugen, wurden vom Bundesrat durch eine Erhöhung der Einfuhrzölle auf den Konsum und damit auf die Masse der Werktätigen abgewälzt. Eine Initiative gegen Zollerhöhungen, eingereicht von SP, Gewerkschaften, Angestelltenverbänden und anderen Organisationen, wurden massiv abgelehnt.*

In diesen Kämpfen bildete sich eine politische Konstellation heraus, die für lange Jahre typisch blieb: Obwohl die SP nach den ersten Proporzwahlen 1919 zur zweitstärksten Fraktion im Nationalrat aufgestiegen war, änderte sich wenig an ihrer Isolierung und relativen Ohnmacht, da der Freisinn sich mit den Konservativen und der neu entstandenen Bauern-, Gewerbe- und Bürgerpartei (BGB) in den meisten wichtigen Fragen arrangieren konnte. Eine Änderung der Bündnisse ergab sich vorübergehend bei den Auseinandersetzungen um das Getreidemonopol. Bauernverband und Arbeiterorganisationen unterstützten die Vorlage des Bundesrates, mit welcher das 1915 als Kriegsmaßnahme erlassene staatliche Einfuhrmonopol für Getreide zu einer dauernden gesetzlichen Institution erklärt werden sollte. Die Haltung des Bürgertums war uneinheitlich. Die Vorlage wurde 1926 knapp abgelehnt, die Allianz Arbeiter-Bauern hatte weiter keinen Bestand. Gegen den vereinten Bürgerblock *vermochte die Linke meist wenig auszurichten, da die parlamentarischen Kräfteverhältnisse der 20er Jahre sich als überraschend stabil erwiesen. Über den damals erreichten Anhang von ca. einem Viertel der Wählerschaft sind die Arbeiterparteien seither nicht wesentlich hinausgelangt.*

Wirtschaftliche Kämpfe und Gewerkschaftspolitik

Seit 1924 besserte sich die Wirtschaftslage in Europa unter dem Einfluß eines massiven Zustroms von US-Kapital. Davon profitierte auch die schweizerische Industrie. Charakteristisches Kennzeichen dieses Aufschwungs war – auch international – eine wachsende Tendenz zu Rationalisierung und Intensivierung der Arbeit durch neue Methoden der Überwachung und durch verstärkten Maschineneinsatz (114). In einzelnen Branchen dauerte die Krise allerdings an. Die Ostschweizer Stickereiindustrie zum Beispiel war einer kontinuierlichen Schrumpfung ausgesetzt, da es ihr nicht gelang, verlorene Exportmärkte zurückzugewinnen. Die Arbeitslosigkeit ging in diesen Jahren zwar stark zurück, verschwand aber nie ganz. Die Löhne stiegen auch aus diesem Grund nur sehr langsam bei unverhältnismäßig größerem Wachsen der Profite: von 1924 bis 1928 verdoppelte sich der Index für Schweizer Aktien und die durchschnittliche Dividende stieg von 3,68 auf 7,24‰. Die Situation am Arbeitsplatz blieb hingegen schlecht: Selbstherrliches und autoritäres Gebaren der Unternehmer schwanden ebensowenig wie die Gefahr von Tod und Verstümmelung durch vermeidbare Unfälle (115).

Im Arbeitsbereich war der konjunkturelle Aufschwung von 1923/24 begleitet von einem massiven Versuch der Unternehmer, die 1918/19 erkämpfte 48-Stunden-Woche zu beseitigen. Die Industrie wurde vom Volkswirtschaftsdepartement in freigiebigster Weise mit Sonderbewilligungen für eine verlängerte Arbeitszeit von 52 Stunden pro Woche bedacht (118). Im Februar 1924 kam die Lex Schulthess *zur Abstimmung, die sogar die Ausdehnung derartiger Sonderbewilligungen auf 54 Stunden anstrebte und von den bürgerlichen Parteien in den eidgenössischen Räten bereits bewilligt worden war. Nach beiderseits heftigem Abstimmungskampf siegte das von Arbeiterparteien, Gewerkschaften und Angestelltenverbänden getragene Referendum über die oft plump-demagogische Propaganda der Arbeitszeitverlängerer (117). Faktisch verlor dieser Erfolg aber an Gewicht, als sich zeigte, daß das Volkswirtschaftsdepartement seine Praxis der Sonderbewilligungen sogar noch verstärkte. Hieraus entwickelte sich im Frühjahr 1924 eine spontane Protestbewegung in der besonders betroffenen Maschinen- und Metallindustrie. Der SMUV unterstützte diese Bewegung – wohl im Bestreben, seine damals auf einem Tiefpunkt angelangte Mitgliederzahl zu erhöhen; er schreckte dann aber doch vor einem größeren Konflikt zurück, erst recht als es den Kommunisten gelang, den Kampf in Schaffhausen zu erweitern und sich damit zum Anwalt der Bewegung zu machen (119). Durch ein Abkommen zwischen Gewerkschaftsführung und Arbeitgeberverband unter Vermittlung von Bundesrat Schultheß, welches das Recht der Industrie auf Sonderbewilligungen für die 52-Stunden-Woche anerkannte, wurde die Bewegung verloren gegeben: Die Gewerkschaftführer verwiesen auf die schwierige Wirtschaftslage (120), die Kommunisten protestierten vergeblich (121).*

Die Gewerkschaften erwiesen sich hier als Ordnungsfaktor neuer Art, *was den Metallarbeiterstreiks von 1924 eine Bedeutung verleiht, die über den unmittelbaren Anlaß hinausgeht. Auch international verstärkte sich die Tendenz, Konflikte im Arbeitsbereich auf der Ebene bürokratischer Verbandsspitzen zu lösen, das Streikrisiko möglichst klein zu halten und spontane Aktionen der Arbeiterschaft einzudämmen. Diese Wandlung der Gewerkschaften, die schließlich im institutionalisierten Arbeitsfrieden (z.B. Friedensabkommen von 1937) ihren Ausdruck fand, wurde auch sichtbar, als der Gewerkschaftskongreß von 1927 den Teil der Statuten strich, der bestimmte, die schweizerische Gewerkschaftsbewegung stehe «auf dem Boden des Klassenkampfes». Zugleich wurde der Angriff gegen die verbliebenen Positionen der Kommunisten erneuert und das Gewerkschaftskartell Basel ausgeschlossen, weil es gegen den Willen von SPS und SGB das Referendum der KPS gegen das neue Beamtenbesoldungsgesetz unterstützt hatte.*

Ungelöste Probleme: Die Organisation von Frauen und Angestellten; Bildung und Erziehung

Wirtschaftliche Strukturwandlungen, die Tendenz zu größeren Betrieben und die zunehmende Bedeutung von Dienstleistungen und Verwaltung ließen eine neue Gruppe von Arbeitskräften schnell anwachsen, die Angestellten, *die bis in die Gegenwart kontinuierlich an Gewicht gewannen, ohne daß es der Arbeiterbewegung gelungen wäre, hier wirklich Fuß zu* fassen. Die meisten der Angestelltenverbände lehnten 1919 einen Anschluß an den SGB ab, fanden sich auch in den 20er Jahren nur gelegentlich zu einer begrenzten Zusammenarbeit bereit, da die sozialistische Zielsetzung der Gewerkschaften auf Ablehnung stieß. Dabei trafen unwürdige Arbeitsbedingungen und niedrige Löhne bei langer Arbeitszeit die Angestellten oft noch härter als die Industriearbeiterschaft, die wenigstens durch das Fabrikgesetz minimalen Schutz genoß (116).

Ähnlich war es um eine weitere große Gruppe der Arbeiterschaft bestellt: die Frauen. Die traditionelle gesellschaftliche Rolle der Frau entsprach dem Bedürfnis der kapitalistischen Wirtschaft nach wenig qualifizierten, gehorsamen und für niedrigste Löhne arbeitenden Arbeitskräften. Die zahlreichen Frauen, die als Hilfskräfte in den Büros oder als Verkäuferinnen und im Gastgewerbe arbeiteten, waren krasser Ausbeutung ausgeliefert, fanden aber doch nicht den Weg zur gewerkschaftlichen Verteidigung ihrer Interessen. Die Zahl der Frauen in den Gewerkschaften hatte zwar 1920 einen Höhepunkt erreicht, ging dann aber während der Wirtschaftskrise um mehr als die Hälfte zurück und stagnierte auch in den folgenden Jahren. Die Arbeiterbewegung blieb weitgehend eine Männerbewegung. Das gesellschaftliche Vorurteil war auch in den proletarischen Familien wirksam, sogar politisch engagierte Arbeiter anerkannten ihre Frauen oft nicht als gleichberechtigte Partnerinnen (110). Die von den Männern beherrschten Arbeiterorganisationen vertraten denn auch – trotz theoretischer Einsicht – die Interessen der Frauen nur zögernd.

In Fragen der Kindererziehung gab es gleichfalls bemerkenswerte theoretische Ansätze, wie sie auch in der deutschen Arbeiterbewegung der 20er Jahre diskutiert wurden (123); die entsprechende Praxis sah allerdings bescheidener aus. Den stark auf Wahlpolitik und Kampf im Arbeitsbereich konzentrierten Organisationen der Arbeiter verblieb letztlich nur wenig Energie für die Beschäftigung mit Kindern und Jugendlichen und mit den Problemen der Frauen – alles Gruppen, die weder als Wähler noch als Gewerkschaftsmitglieder ein Gewicht hatten. Auch die Bemühungen im Bereich von Kultur und Bildung, die ihren Ausdruck fanden in der Organisation von Lesezirkeln, Vorträgen, Ferienkursen, Theater- und Kinovorstellungen usw., stießen auf beträchtliche Schwierigkeiten (122). Die Realität blieb oft hinter den Programmen zurück. Der Gedanke einer breiten, alle Lebensbereiche umfassenden Emanzipationsbewegung war aber doch im Keim vorhanden und ist heute nicht weniger aktuell als damals.

Arbeiterparteien zwischen Opposition und Integration

Die beiden Arbeiterparteien der Schweiz standen sich mit ständig wachsender Feindseligkeit gegenüber. Was ihre innere Entwicklung anbelangt, so verzeichnete die SP seit Mitte der 20er Jahre wieder steigende Mitgliederzahlen. In ihrer Politik konzentrierte sie sich stark auf Wahlen und auf den parlamentarischen Kampf. Die Programmänderung von 1920 mit der Zielsetzung einer Diktatur des Proletariats – nur halbherzig und gegen Widerstand angenommen – blieb für die faktisch betriebene Politik belanglos. Auch die Gegnerschaft zum Militär blieb verbal, veranlaßte aber immerhin eine regelmäßige Ablehnung des Militärbudgets, was auf bürgerlicher Seite stets als Beweis umstürzlerischer Gesinnung gewertet wurde. Im Bereich des Parlamentes war man immer wieder von bürgerlichem Wohlwollen abhängig, was deutlich zutage trat, als es

1926 einer gehässigen Kampagne rechtsstehender Offiziersvereine und Bürgerwehrverbände gelang, die Wahl Robert Grimms zum Nationalratspräsidenten zu verhindern. Größere Erfolge wurden dagegen in den Gemeinden erzielt: In Zürich errangen SP und KP zusammen 1925 die absolute Mehrheit im Stadtparlament und 1928 auch in der Exekutive, ähnlich in Basel, Bern, Biel, La Chaux-de-Fonds und Le Locle. Die sozialdemokratischen Stadtverwaltungen *realisierten eine gemäßigte Reformpolitik, verbesserten Sozialeinrichtungen und Schulen, förderten kommunalen und genossenschaftlichen Bau billiger Wohnungen für Arbeiter und Angestellte, betrieben Stadtsanierung und proklamierten den Kampf gegen die Bodenspekulation. Der heute noch so unbefriedigende Stand in vielen dieser Bereiche weist allerdings bereits auf die Grenzen einer solchen Reformpolitik auf Gemeindeebene hin. Im übrigen verstärkte die Integration von SP-Funktionären in die Gemeindeverwaltung ihre reformistische Geisteshaltung (126), was das Bürgertum allerdings nicht hinderte, vor jeder Wahl das rote Schreckgespenst heraufzubeschwören. Das Schwanken der Sozialdemokratie zwischen Opposition und Integration zeigt sich auch in der Diskussion um die* Frage der Bundesratsbeteiligung *auf dem Parteitag von 1929 (124). Die Befürworter setzten sich durch. Die bürgerlichen Parteien waren jedoch damals noch nicht bereit, einen sozialdemokratischen Kandidaten zu akzeptieren.*

Die KPS, unter ständigem Mitgliederschwund leidend, vermochte keine echte Alternative einer radikaleren Poltik durchzusetzen. Als schwerwiegender Mangel erwies sich die zunehmende Unselbständigkeit der KP-Führung, die in ihrer Ausrichtung auf das bewunderte sowjetische Vorbild alle Wendungen der Komintern-Politik nachvollzog, ohne eine eigenständige Analyse der schweizerischen Situation zu leisten. Mit dem Kurswechsel von 1929, *der auf dem VI. Weltkongreß der III. Internationale 1928 beschlossen worden war, begann eine Periode schärfster Angriffe gegen die Sozialdemokraten, die als Handlanger des Bürgertums, als «Sozialfaschisten» charakterisiert wurden, sowie gegen die bürgerliche Demokratie, deren Vorzüge gegenüber autoritären oder faschistischen Herrschaftsformen des Bürgertums kaum mehr erkannt wurden (125). Zugleich wurde auch in der Gewerkschaftsfrage eine neue Linie eingeschlagen: Da die Politik der Fraktions- und Zellenbildung innerhalb der bestehenden Gewerkschaften gescheitert war, wurden eigene Gewerkschaften, die* Revolutionäre Gewerkschaftsopposition (RGO), *gegründet, die allerdings nur geringe Bedeutung erlangte. Die Schrumpfung der Partei wurde jedoch durch den neuen Kurs noch beschleunigt und war zudem begleitet von lähmenden Streitereien, Ausschlüssen und Rücktritten – unter anderem dem Verlust der ganzen Sektion Schaffhausen 1930 –, so daß die Partei zeitweise an den Rand der Aktionsunfähigkeit geriet. Schwerwiegender war jedoch der* Verlust an innerparteilicher Demokratie, *das Ende der freien Diskussion nicht nur innerhalb der KPS sondern in der ganzen Komintern (126). Es wäre allerdings verfehlt, diese autoritären Exzesse nur für ein Problem der kommunistischen Partei zu halten: Innerhalb der Sozialdemokratie und vor allem der Gewerkschaften gab es ähnliche, wenn auch weniger ausgeprägte Erscheinungen, die zum Beispiel im Kampf der Gewerkschaften gegen die Kommunisten auftraten. Die Organisationen der Arbeiterklasse, entstanden im Kampf gegen eine autoritäre und hierarchische Gesellschaftsordnung, wurden doch zugleich getragen von Menschen, die durch eben diese Gesellschaft geprägt waren: Daraus folgt stets die Gefahr, die hierarchischen Strukturen des Kapitalismus in den eigenen Organisationen zur reproduzieren und darüber das Ziel einer freien, sozialistischen Gesellschaft aus den Augen zu verlieren.*

102 Die 21 Bedingungen für den Beitritt zur III. Internationale

Der 2. Weltkongreß der Komintern 1920 in Moskau erklärte die von Lenin verfaßten 21 Bedingungen für verbindlich. Der kompromißlose Charakter dieser Forderungen löste heftige Diskussionen in der internationalen Arbeiterbewegung aus. Der folgende Text weist einige Kürzungen auf, wobei der Inhalt der fehlenden Punkte in Klammern zusammengefaßt wurde.

1. Die gesamte Propaganda und Agitation muß einen wirklich kommunistischen Charakter tragen und dem Programm und dem Beschluß der Dritten Internationale entsprechen. Alle Preßorgane der Partei müssen von zuverlässigen Kommunisten geleitet werden, die ihre Hingebung für die Sache des Proletariats bewiesen haben. Von der Diktatur des Proletariats muß nicht einfach wie von einer landläufigen eingepaukten Formel gesprochen werden, sondern sie muß so propagiert werden, daß ihre Notwendigkeit jedem einfachen Arbeiter, Arbeiterin, Soldaten und Bauern verständlich wird aus den Tatsachen des täglichen Lebens, die von unserer Presse systematisch beobachtet und Tag für Tag ausgenutzt werden müssen.

Die periodische und unperiodische Presse und alle Parteiverlage müssen völlig dem Parteivorstand unterstellt werden, ohne Rücksicht darauf, ob die Partei in ihrer Gesamtheit in dem betreffenden Augenblick legal oder illegal ist. Es ist unzulässig, daß die Verlage ihre Autonomie mißbrauchen und eine Politik führen, die der Politik der Partei nicht ganz entspricht.

In den Spalten der Presse, in Volksversammlungen, in den Gewerkschaften, in Konsumvereinen – überall, wohin sich die Anhänger der Dritten Internationale Eingang verschaffen, ist es notwendig, nicht nur die Bourgeoisie, sondern auch ihre Helfershelfer, die Reformisten aller Schattierungen systematisch und unbarmherzig zu brandmarken.

2. Jede Organisation, die sich der Kommunistischen Internationale anschließen will, muß regelrecht und planmäßig aus allen mehr oder weniger verantwortlichen Posten der Arbeiterbewegung (Parteiorganisationen, Redaktionen, Gewerkschaften, Parlamentsfraktionen, Genossenschaften, Kommunalverwaltungen) die reformistischen und Zentrumsleute entfernen und sie durch bewährte Kommunisten ersetzen, ohne sich daran zu stoßen, daß besonders am Anfang an die Stelle von «erfahrenen» Opportunisten einfache Arbeiter aus der Masse gelangen.

3. [Notwendigkeit des illegalen Kampfes]

4. [Agitation in der Armee]

5. [Agitation auf dem Lande]

6. Jede Partei, die der Dritten Internationale anzugehören wünscht, ist verpflichtet, nicht nur den offenen Sozialpatriotismus, sondern auch die Unaufrichtigkeit und Heuchelei des Sozialpazifismus zu entlarven: den Arbeitern systematisch vor Augen zu führen, daß ohne revolutionären Sturz des Kapitalismus keinerlei internationale Schiedsgerichte, keinerlei Abkommen über Einschränkungen der Kriegsrüstungen, keinerlei «demokratische» Erneuerung des Völkerbundes imstande sein werden, neue imperialistische Kriege zu verhüten.

7. Die Parteien, die der Kommunistischen Internationale anzugehören wünschen, sind verpflichtet, den vollen Bruch mit dem Reformismus und mit der Politik des «Zentrum» anzuerken-

nen und diesen Bruch in den weitesten Kreisen der Parteimitgliedschaft zu propagieren. Ohne das ist eine konsequente kommunistische Politik nicht möglich.

Die Kommunistische Internationale fordert unbedingt und ultimativ die Durchführung dieses Bruches in kürzester Frist. Die Kommunistische Internationale vermag sich nicht damit abzufinden, daß notorische Opportunisten, wie sie jetzt durch Turati, Kautsky, Hilferding, Hillquit, Longuet, Macdonald, Modigliani u.a. repräsentiert werden, das Recht haben sollen, als Angehörige der Dritten Internationale zu gelten. Das könnte nur dazu führen, daß die Dritte Internationale in hohem Maße der umgekommenen Zweiten Internationale ähnlich sein würde.

8. [Kolonialfrage]

9. Jede Partei, die der Kommunistischen Internationale anzugehören wünscht, muß systematisch und beharrlich eine kommunistische Tätigkeit innerhalb der Gewerkschaften, der Arbeiter- und Betriebsräte, der Konsumgenossenschaften und anderer Massenorganisationen der Arbeiter entfalten. Innerhalb dieser Organisationen ist es notwendig, kommunistische Zellen zu organisieren, die durch andauernde und beharrliche Arbeit die Gewerkschaften usw. für die Sache des Kommunismus gewinnen sollen. Die Zellen sind verpflichtet, in ihrer täglichen Arbeit überall den Verrat der Sozialpatrioten und die Wankelmütigkeit des «Zentrums» zu entlarven. Die kommunistischen Zellen müssen der Gesamtpartei vollständig untergeordnet sein.

10. [Kampf gegen die «Amsterdamer Internationale» der Gewerkschaften]

11. Parteien, die der Dritten Internationale angehören wollen, sind verpflichtet, den persönlichen Bestand der Parlamentsfraktionen einer Revision zu unterwerfen, alle unzuverlässigen Elemente aus ihnen zu beseitigen, diese Fraktionen nicht nur in Worten, sondern in der Tat den Parteivorständen unterzuordnen, indem von jedem einzelnen kommunistischen Parlamentsmitglied gefordert wird, er möge seine gesamte Tätigkeit den Interessen einer wirklich revolutionären Propaganda und Agitation unterwerfen.

12. Die der Kommunistischen Internationale angehörenden Parteien müssen auf der Grundlage des Prinzips des demokratischen Zentralismus aufgebaut werden. In der gegenwärtigen Epoche des verschärften Bürgerkrieges wird die kommunistische Partei nur dann imstande sein, ihrer Pflicht zu genügen, wenn sie auf möglichst zentralistische Weise organisiert ist, wenn eiserne Disziplin in ihr herrscht, und wenn ihr Parteizentrum, getragen von dem Vertrauen der Parteimitgliedschaft mit der Fülle der Macht, Autorität und den weitgehendsten Befugnissen ausgestattet wird.

13. Die kommunistischen Parteien derjenigen Länder, in denen die Kommunisten ihre Arbeit legal führen, müssen von Zeit zu Zeit Säuberungen (neue Registrierungen) des Bestandes ihrer Parteiorganisation vornehmen, um die Partei von den sich in sie einschleichenden kleinbürgerlichen Elementen systematisch zu säubern.

14. [Unterstützung der Sowjetrepubliken in ihrem Kampf gegen konterrevolutionäre Kräfte]

15. [Anpassung der Parteiprogramme]

16. Alle Beschlüsse der Kongresse der Kommunistischen Internationale, wie auch die Beschlüsse ihres Exekutivkomitees sind für alle der Kommunistischen Internationale angehörenden Parteien bindend. Die in Verhältnissen des schärfsten Bürgerkrieges tätige Kommunistische Internationale muß bei weitem zentralisierter aufgebaut werden, als das in der Zweiten Internationale der Fall war. Dabei müssen selbstverständlich die Kommunistische Internationale und ihr Exekutivkomitee in ihrer gesamten Tätigkeit den verschiedenartigen Verhältnissen

Rechnung tragen, unter denen die einzelnen Parteien zu kämpfen und zu arbeiten haben, und Beschlüsse von allgemeiner Gültigkeit nur in solchen Fragen fassen, in den solche Beschlüsse möglich sind.

17. [Namensänderung der Mitgliedparteien]

18. [Verpflichtung, offizielle Dokumente der Exekutive der Kommunistischen Internationale zu veröffentlichen]

19. [Verpflichtung, innerhalb von vier Monaten die 21 Bedingungen an einem außerordentlichen Parteitag zu diskutieren]

20. Diejenigen Parteien, die jetzt in die Dritte Internationale eintreten möchten, aber ihre bisherige Taktik nicht radikal geändert haben, müssen vor ihrem Eintritt in die Dritte Internationale dafür sorgen, daß nicht weniger als zwei Drittel der Mitglieder ihrer Zentralkomitees und aller wichtigsten Zentralinstitutionen aus Genossen bestehen, die sich noch vor dem zweiten Kongreß der Kommunistischen Internationale unzweideutig für den Eintritt der Partei in die Dritte Internationale öffentlich ausgesprochen haben. Ausnahmen sind zulässig mit Bestätigung der Exekutive der Dritten Internationale. ...

21. Diejenigen Parteiangehörigen, die die von der Kommunistischen Internationale aufgestellten Bedingungen und Leitsätze grundsätzlich ablehnen, sind aus der Partei auszuschließen.

Volksrecht, 30./31.8.1920.

103 Bern 1920: Die Linke verläßt den Parteitag

Die Ablehnung des Eintrittes der schweizerischen sozialdemokratischen Partei in die III. Internationale bedeutet in Wirklichkeit die Ablehnung des Wesens und der Grundsätze der III. Internationale und des revolutionären Kommunismus. Der äußere Beweis dafür liegt schon in der Tatsache der Einheitsfront, die die grundsätzlichen, unentwegten Gegner der III. Internationale im Kampfe gegen den Eintritt mit denjenigen gebildet haben, die erst durch die 21 Bedingungen Gegner des Eintrittes geworden sind. Man kann nicht für die Grundsätze und Ziele des Kommunismus wirken in einer Front mit seinen grundsätzlichen Gegnern. Man kann nicht Freund der III. Internationale sein und sich verbünden mit ihren Feinden. Indem die Parteilinke dieses Bündnis der Genossen, die heute gegen den Einritt gesprochen und gestimmt haben, ohne Gegner der III. Internationale sein zu wollen, mit deren ausgesprochensten und schärfsten Gegnern feststellt, erklärt sie zugleich dieses Bündnis als einen offenen Verrat an der III. Internationale und ihren Grundsätzen. Die Parteilinke muß es daher ablehnen, diesen Verrat dadurch verschleiern zu helfen, daß sie an der Beratung eines Parteiprogramms teilnimmt, das mit dem Bekenntnis zur Diktatur des Proletariates den Massen der Parteigenossen und dem übrigen schweizerischen Proletariat vortäuschen soll, daß die schweizerische sozialdemokratische Partei trotz der Ablehnung des Eintrittes in die III. Internationale eine revolutionäre Partei sei.

In dieser historischen Stunde haben die Anhänger der III. Internationale, die ehrlichen Anhänger des wirklich revolutionären Klassenkampfes, für die Beseitigung der bürgerlichen

Klassenherrschaft und die Aufrichtung der proletarischen Diktatur, vor allem die Pflicht, klare und unzweideutige Entscheidungen herbeizuführen. Ihre Teilnahme an den weiteren Verhandlungen des Parteitages müßte aber die wirkliche Sachlage trüben und dasjenige, was not tut, verhindern: nämlich den Parteigenossen draußen im Lande zum vollen Bewußtsein zu bringen, daß die schweizerische sozialdemokratische Partei durch ihren soeben gefaßten Beschluß sich außerhalb der wahrhaft revolutionären Parteien, auf die Seite der Feinde Sowjetrußlands und der III. Internationale gestellt hat.

Aus diesen Erwägungen heraus, geleitet von der Erkenntnis der Notwendigkeit, dem gesamten schweizerischen Proletariat die Bedeutung der Entscheidung der schweizerischen sozialdemokratischen Partei in der Frage der III. Internationale und ihre ehernen Konsequenzen zum Bewußtsein zu bringen,

erfüllt von dem unbeirrbaren Glauben an den Sieg des revolutionären Kommunismus unter Führung der III. Internationale,

entschlossen, den Kampf gegen die offenen und versteckten Opportunisten in der schweizerischen sozialdemokratischen Partei und für die III. Kommunistische Internationale mit allen Kräften zu führen,

verläßt die Parteilinke den Parteitag und fordert alle wirklichen, entschlossenen Anhänger der III. Internationale auf, ihrem Beispiel zu folgen.

Die Parteilinke hält es aber für ihre Pflicht, die Frage der Schaffung einer starken Sektion der III. Kommunistischen Internationale in der Schweiz durch die Parteisektionen selber zur Entscheidung zu bringen. Sie wird bei diesem Kampfe den Genossen keinen Zweifel darüber lassen, daß sie gewillt ist, den Anschluß an die III. Internationale zu vollziehen.

Protokoll über die Verhandlungen des außerordentlichen Parteitages der SPS vom 10.–12. Dez. 1920 in Bern, S. 163f.

104 Die 21 Bedingungen lassen keine Interpretation zu – eine Stellungnahme der Beitrittsgegner

... Genossen, wir haben alles getan, um den Bruderkrieg zu vermeiden. Aber heute, *da der Kampf uns aufgezwungen ist,* der zur Vernichtung unserer Organisation führen soll, haben wir diesen Kampf mit aller Macht aufzunehmen und durchzuführen. ...

Parteigenossen, die Entwicklung hat uns doch recht gegeben: *die 21 Bedingungen lassen keine Interpretation zu, und ihre Anhänger sind heute gezwungen, auf Befehl die Spaltung zu bewerkstelligen. ...*

Es ist nicht wahr, was uns die Kommunisten und Neukommunisten in ihren Reden und schriftlichen Behauptungen unterschieben: daß wir gegen den Beitritt der dritten Internationale überhaupt seien, daß wir eine entschiedene Linksorientierung der Arbeiterbewegung im allgemeinen und der Partei im besondern verhindern wollten. Der Berner Parteitag hat durch seine Beschlüsse bezüglich der Programmrevision, in denen er sich auf den Boden der Diktatur des Proletariats auf der Grundlage des Rätesystems stellte, bewiesen, *daß die schweizerische Partei heute weiter als je davon entfernt ist, eine reformistische oder grundsatzlose opportunistische*

Politik treiben zu wollen. Allein mit eben derselben Entschiedenheit weisen wir die Versuche von der äußersten Linken zurück, eine Taktik zu betreiben, die zur *völligen Zerrüttung und Spaltung des Proletariats* führt, die zudem nichts anderes im Gefolge haben kann, als eine schimpfliche, blutige Niederlage der Arbeiterklasse, sofern man das, was man den Arbeitern verspricht, auch ausführen will, oder aber, wenn man das nicht tut, eine nicht minder verhängnisvolle Phraseologie züchtet, eine «radikale Politik» in Worten, der keine entsprechenden Taten folgen. ....

Es ist auch eine Lüge, wenn man von Seite der Parteilinken behauptet, wir seien gegen die russische Revolution oder verraten diese durch unsere Haltung zu den 21 Bedingungen. Dem russischen Arbeiter- und Bauern-Proletariat und seiner heroischen Revolution bringen wir nach wie vor die größte Sympathie entgegen, und wir fühlen uns im Kampfe der russischen Arbeiter gegen die Weltreaktion mit den Proletariern aller Länder solidarisch. Wir wissen, daß der Zusammenbruch Sowjetrußlands die Reaktion im Weltmaßstab entfesseln müßte. Wir wissen aber auch, *daß der russischen Revolution mit der unverantwortlichen Spaltung und Unterminierung der proletarischen Organisation in Westeuropa der schlechteste Dienst geleistet wird,* daß ein innerlich zerrissenes und uneiniges westeuropäisches Proletariat *am allerwenigsten* im Stande ist, für Sowjetrußland und gegen die kapitalistische Weltreaktion den Kampf zu führen.

Volksrecht, 16.12.1920.

105 Für die proletarische Einheitsfront!*

Die Zentrale der Kommunistischen Partei der Schweiz hat an die nachgenannten Organisationen ein Schreiben folgenden Inhalts gerichtet:

An das Bundeskomitee des Schweiz. Gewerkschaftsbundes!
An die Vorstände der Gewerkschaftsverbände und Arbeiterunionen!
An den Föderativverband der eidg. Beamten und Angestellten!
An die Geschäftsleitung der sozialdemokratischen Partei der Schweiz!

Das gesamte, fest geschlossene Unternehmertum auch unseres Landes, unterstützt durch die Regierungen und die bürgerliche Presse, sucht der immer drohender werdenden Krise durch Lohnabbau, Verlängerung der Arbeitszeit und durch Verschlechterung der Arbeitsbedingungen auch in den öffentlichen Betrieben, zu begegnen. Aus diesem Grunde wird auch die Frage der Arbeitslosenversicherung und Arbeitslosenfürsorge einseitig im Interesse der Unternehmer geregelt.

Den finanziellen Schwierigkeiten des Staates will die Bourgeoisie begegnen durch eine Zoll- und Preispolitik, welche die Teuerung weiter bestehen läßt und sie noch zu verschärfen droht.

Dieser Auspowerungspolitik unserer Klassengegner vermag die einzelne Organisation mit den ihr zur Verfügung stehenden Kampfmitteln keinen genügenden Widerstand zu leisten. Es droht darum der gesamten Arbeiterklasse die Gefahr der Verelendung und ihren Organisationen die Zermürbung und Zertrümmerung.

Die Kommunistische Partei hat, in Voraussicht der Situation, der wir heute gegenüberstehen,

schon vor Monaten die Bildung einer proletarischen *Einheitsfront* vorgeschlagen und in Konsequenz dessen auch die Anwendung von Kampfmitteln propagiert, die den veränderten Verhältnissen entsprechen.

Die Kampfansage einer Reihe von Unternehmerverbänden, die systematische Verschleppung des Besoldungsgesetzes für das eidg. Personal, die Verschlechterung der gesetzlichen Bestimmungen über die Arbeitszeit, die Ablehnung aller vom Gewerkschaftsbund in der Frage der Arbeitslosenfürsorge aufgestellten Forderungen, die immer weiter steigende Arbeitslosigkeit und die unter Umgehung der Verfassungsvorschriften durchgeführten neuen Zollerhöhungen beweisen, daß nun der Moment gekommen ist, wo die *Bildung dieser Einheitsfront* zur unabwendbaren Notwendigkeit geworden ist.

Angesichts aller dieser drohenden Gefahren gelangen wir wiederum an alle auf dem Boden des Klassenkampfes stehenden Organisationen mit der Aufforderung, sofort mit uns diese Einheitsfront zu schaffen und zu diesem Zwecke auf einer unverzüglich einzuberufenden *Konferenz* die geeigneten Abwehrmaßnahmen und Kampfmittel zu besprechen und zu beschließen.

Wir schlagen vor, die erwähnte Konferenz noch vor dem 1. Mai abzuhalten und gewärtigen Ihre Antwort innert 8 Tagen.

Basel, den 20. April, 1921.

Zentrale der kommunistischen Partei

Kämpfer, 21.4.1921.

106 Keine Einheitsfront mit den Kommunisten

... In einem Augenblick, da selbst der oberflächlichste Beobachter die Anzeichen einer in solcher Schärfe noch nie erlebten wirtschaftlichen und politischen Reaktion wahrnehmen konnte, haben Sie und Ihre Gesinnungsgenossen planmäßig und systematisch auf die *Spaltung der Arbeiterbewegung* hingearbeitet. In einem Moment, da das Bürgertum des ganzen Landes in einer geschlossenen Einheitsfront gegen die Arbeiterklasse steht, haben Sie die *Parteispaltung* durchgesetzt, glücklicherweise ohne dabei mehr zu erreichen, als daß ein bescheidener Teil unserer Mitglieder Ihnen Gefolgschaft leistete. In einem Moment, da das Unternehmertum auf der ganzen Linie geschlossen zum Angriff gegen die Arbeiter vorgeht und Sie selbst der Herstellung einer Einheitsfront des Proletariats rufen, übertragen Sie Ihre Spaltungstendenzen auf die *Gewerkschaften* und lähmen dadurch die Widerstandskraft der Gewerkschaftsorganisationen.

Die Wirkungen dieser verhängnisvollen, mit den proletarischen Interessen direkt in Widerspruch stehenden Politik bleiben nicht nur auf die beteiligten Organisationen beschränkt. Die den proletarischen Organisationen noch fernstehenden Arbeiter machen kehrtum und sind der Werbearbeit unzugänglich, weil sie unter der ihnen gepredigten proletarischen Solidarität und Einigkeit etwas anderes verstehen als die maßlosen Schimpfereien auf die gewerkschaftlichen und politischen Vertrauensleute, etwas anderes als die von den Kommunisten propagierte Spaltungspolitik. ...

Einheitsfront und gemeinsamer Kampf sind nur möglich unter rechtschaffenen, in jeder Beziehung solidarischen Kampfgenossen. Wenn die Kommunisten mit uns in einer Einheitsfront gemeinsam kämpfen wollen, so sollen sie uns willkommen sein, *vorher müssen Sie aber selber die Trennungsmauer niederreißen, die Sie zwischen Ihrer Partei und den Arbeiterorganisationen der Schweiz aufgerichtet haben.* Parteileitung, Bundeskomitee und Vorstand des Föderativverbandes wissen die Macht und Gefahr der Reaktion zu würdigen, und sie werden, soweit die objektiven Verhältnisse dies ermöglichen, Mittel und Wege für den gemeinsamen Abwehrkampf finden. Auch fehlt es uns nicht an Aktionsprogrammen, Erklärungen und Vorarbeiten. Dagegen fehlt zur Stunde der wichtigste Faktor, eine genügend aufgeklärte und organisierte Arbeiterschaft, die kein Scheingebilde einer Einheitsfront, keine bakunistische Minderheit[1], kein Aufruf und keine Kampfparole ersetzen kann. Der erste ernsthafte Schritt zur Schaffung einer widerstandsfähigen Einheitsfront wäre die Preisgabe Ihrer verhängnisvollen Spaltungspolitik, die Sie um so mehr zur Mißleitung der Arbeiterschaft und zu Abenteuern drängt, je geringer die Zahl der Massen ist, die Sie hinter sich haben. Solange dieser erste Schritt nicht getan ist, solange Sie fortfahren, im Angesicht der einigen und geschlossenen Reaktion den Bruderkampf zu führen, betrachten wir das kommunistische Gerede über Reaktion und Einheitsfront als ein *plumpes Manöver,* darauf berechnet, die Uneinigkeit in den Reihen der Arbeiterschaft zu vergrößern und leichtfertig zu untergraben, was ehrliche Arbeiter in jahrzehntelangem Mühen Stück um Stück aufgebaut haben.

Sozialdemokratische Partei der Schweiz
Die Geschäftsleitung

Kämpfer, 29.4.1921.

[1] *anarchistische Minderheit*

107 Leitsätze der KP über die Tätigkeit in den Gewerkschaften

Die KPS forderte ihre Mitglieder auf, in den bestehenden Gewerkschaften mitzuarbeiten. Dies geschah in der Absicht, «durch eine organisatorische Zusammenfassung der revolutionären Kräfte innerhalb der Gewerkschaftsbewegung dem Kampfe mit den Reformisten eine einheitliche Richtung zu geben».

I. Aufgaben.

1. Propaganda für die Zusammenfassung der Hand- und Kopfarbeiter in Industrieverbänden.
2. Agitation für die bestehenden und, wo noch keine bestehen, Gründung von neuen Gewerkschaften. Zusammenschluß der bestehenden Gewerkschaften eines Ortes oder Wirtschaftsgebietes zu lokalen oder Bezirksarbeiterunionen, unter Anlehnung an das Räteprinzip.
3. Bekämpfung der reformistischen Politik der Arbeitsgemeinschaften. Bekämpfung von tariflichen Abmachungen, soweit deren Inhalt ein Hindernis für die Teilnahme an politischen Streiks und Solidaritätsaktionen bedeutet.
4. Propagierung der Solidaritäts- und politischen Massenaktionen.
5. Organisierung des Abwehrkampfes gegen jede Verschlechterung der Arbeitsbedingungen.

6. Propaganda für die Produktionskontrolle durch die Arbeiterschaft.
7. Propaganda für den Austritt aus der Amsterdamer Internationale[1] und Anschluß an die Rote Internationale Rätegewerkschaft[2].
8. Kontrolle der Gewerkschaftsbureaukratie und Kampf gegen die Reformisten innerhalb der Gewerkschaften.

II. Organisatorisches.
1. Die Mitglieder der K.P.S. haben in allen Gewerkschaften Fraktionen zu bilden, um welche sich alle revolutionären Elemente gruppieren.
2. Die kommunistischen Fraktionen der Sektionen haben sich zu einer Fraktion ihres gesamten Verbandes zusammenschließen.
3. Die Fraktionen der Verbände schließen sich zu einer Fraktion im Gewerkschaftsbund zusammen.
4. Die Fraktionen der Gewerkschaftssektionen schließen sich innerhalb der Gewerkschaftskartelle oder Arbeiterunionen zu einer Gesamtfraktion zusammen.
5. Zur Leitung der Propaganda wird ein Zentralausschuß der revolutionären Gewerkschaften bestimmt.

Die Arbeit der Kommunisten in den Gewerkschaften, Leitsätze und Anleitung für die Fraktionsbildung und Fraktionstätigkeit, Basel o.J. (1921), S. 6f.

[1] *Internationaler Gewerkschaftsbund (IGB)*
[2] *Rote Gewerkschaftsinternationale (RGI), 1921 gegründet*

108 Ausschluß von Kommunisten aus dem SMUV

Als erster Einzelverband reagierte der SMUV auf die Aktivitäten der Kommunisten. An seinem Kongreß vom 16.–18. Dezember 1921 in Lausanne wurden Fraktions- und Zellenbildung verboten und sechs führende Kommunisten aus dem Verband ausgeschlossen.

... *Also nicht, weil die sechs sich Kommunisten nennen, wurden sie ausgeschlossen, sondern einzig und allein wegen ihrer verbandschädigenden Minierarbeit.* Richtig ist, daß die Gründung von Fraktionen und Zellen innerhalb der Gewerkschaften ein kommunistisches Produkt ist, wodurch diejenigen Mitglieder, die dem Metall- und Uhrenarbeiter-Verband und zugleich der kommunistischen Partei angehören, in eine Zwitterstellung geraten. Der Metall- und Uhrenarbeiter-Verband faßte schon im Jahre 1918 anläßlich der Koppschen[1] Gründung von Arbeiter- und Soldatenräten in der Sektion Zürich den Beschluß, daß innerhalb seiner Organisation keine Sonderorganisationen geduldet werden. Dieser Beschluß wurde vom letzten Kongreß in bezug auf die Gründung kommunistischer Fraktionen und Zellen erneut. Beharrt die kommunistische Partei auf ihrer Losung, daß ihre Mitglieder in den Gewerkschaften Fraktionen und Zellen zu bilden haben, dann haben eben die kommunistischen Mitglieder zwischen dem Verband und ihrer Partei zu wählen; etwas anderes gibt es nicht. Niemals können und dürfen es die Gewerkschaften geschehen lassen, daß sich ihre Mitglieder einem Parteidiktat zu unterziehen haben und daß das Parteidiktat über die Verbandsinteressen gestellt wird. ...

Schweizerische Metallarbeiter-Zeitung Nr. 3, 21.1.1922.

[1] *Walter Kopp, gehörte zu den Gründern der KP, die er 1923 wieder verließ. Er kehrte später zur SP zurück.*

109 Auswirkungen der Wirtschaftskrise

... Das Ende des Krieges brachte nach kurzer Zeit eine nie dagewesene Krisis und Arbeitslosigkeit. *Neues Elend,* in anderer Form, brach über das arbeitende Volk herein. Die ausgerichtete Arbeitslosenunterstützung reicht kaum zur *Ernährung* und Befriedigung *weniger* anderer dringender Bedürfnisse aus. War es während des Krieges der Mangel an Lebensmitteln und die furchtbare Teuerung, welche die Lebensweise des größten Teiles der unselbständig Erwerbenden fast bis zur Unerträglichkeit herunterdrückte, so ist es jetzt die durch die Arbeitslosigkeit verursachte *Verminderung des Einkommens.* Dabei erhält ein bedeutender Teil der Arbeitslosen aus irgendwelchen angeblichen Gründen überhaupt keine Unterstützung. Wovon diese leben sollen, darum mögen sich die Götter kümmern. Die herrschende Klasse und deren politische Geschäftsführer läßt das kalt.

Anstatt nachholen zu können, was während des Krieges an Ergänzungen an Haushaltungsartikeln versäumt werden mußte, muß sich das arbeitende Volk infolge der Arbeitslosigkeit *neuen Einschränkungen* unterwerfen. Nicht eine Verbesserung, sondern eine *Verschlechterung* der wirtschaftlichen Lage desselben ist eingetreten.

Dazu kommen nun, um das Maß voll zu machen, die *Lohnreduktionen,* die in der Maschinenindustrie ihren Anfang genommen und seither, wie eine Epidemie, sich bald auf alle Berufe und Industrien ausgedehnt haben. Begründet werden diese Lohnherabsetzungen mit dem Hinweis auf die eingetretenen Preisreduktionen und der Notwendigkeit einer Verbilligung der Produktion. ...

Die Kosten für die Lebenshaltung lassen sich aber nicht an den Lebensmitteln und einigen anderen Artikeln allein messen, sondern um diese festzustellen, wäre es notwendig, die Preise für das *gesamte Quantum aller* im Jahre konsumierten Artikel, in *gleicher Menge und gleicher Qualität wie vor dem Kriege,* mit den Preisen damals zu vergleichen; ferner auch den Betrag, der durchschnittlich auf ein Jahr an den im Laufe der Zeit notwendigen Neuanschaffungen an Möbeln usw. entfällt. Damit wäre noch nicht einmal in Berechnung gezogen, was an Mehrausgaben für das während des Krieges entstandene Manko an verschiedenen Artikeln notwendig ist. Es gehört schon eine große Dosis *Sophisterei* dazu, den Lohnabbau mit den Preisreduktionen begründen zu wollen. ...

Alois Weber, Verlängerung der Arbeitszeit, Lohnabbau und Arbeitslosigkeit mit ihren Ursachen und Folgen, Basel 1922, S. 5f.

110 Über die Notwendigkeit, die Frauen zu gewinnen

... Wer macht sich ein Bild davon, ohne es erlebt zu haben, wie schwer Arbeitslosigkeit trifft? Es ist nicht mehr so wie früher, als es eine vorübergehende Erscheinung war. Der Arbeiter, die Arbeiterin hat keine Reserven mehr, welche erst aufgebraucht werden können, und es kommt sofort mit den ersten Tagen der Arbeitslosigkeit die Not, die nackte Not. Auch der früher

Helft den hungernden Brüdern in Rußland!

Wir hören den Fluch, der das All durchgellt,
Wir sind die Armut, die Krankheit der Welt;
Wir tragen der Erde ganzes Leid,
Der Finsternis Hoffnungslosigkeit.

Und doch, wir sind die Gesundheit und Kraft,
Die Freude, die Wärme, die Hoffnung schafft;
Wir sind die Freiheit, das lachende Licht,
Das durch die finsteren Wolken bricht.

Wir sind die Saat, mit Blut gedüngt,
Drauf der Zukunft befruchtende Sonne blinkt;
Wir sind keines Herren feiger Knecht
Im Kampf um unser Menschenrecht.

Zur Höhe gerichtet den siegenden Blick,
So trägt uns der Glaube, folgt uns das Glück,
Ertötend den Fluch, der auf uns lag;
Wir sind der leuchtende junge Tag.

genossene Kredit wird nicht mehr gewährt, die Zeiten sind zu unsicher, so daß der Bäcker, der Metzger, der Spezereihändler nur noch gegen bar verkaufen und auch die Genossenschaften befolgen das Prinzip des Barverkaufes. ...

Es gibt arbeitslose Familienväter, welche zur Not der Arbeitslosigkeit bitter die große Verständnislosigkeit innerhalb der eigenen Familie verspüren. Hier handelt es sich zum Teil um tüchtige Gewerkschafter und innerhalb der politischen Organisation der radikalen Linken angehörend. Wie sehr rächt es sich nun heute, daß man niemals versuchte, die Frauen, die Lebensgefährtin, die Erzieherin der Kinder für die große Sache der Arbeiterbewegung zu gewinnen, daß man selbst wohl sein Arbeiterblatt las, es aber stillschweigend duldete, daß die Frau, ja selbst die Kinder sich am «Tagesanzeiger» ergötzten, daß man sich nicht darum kümmerte, was die Frau trieb, mit wem sie verkehre usw. Jetzt zeigen sich die Früchte! Die eigene Frau sieht in der Arbeitslosigkeit, die nun schon seit Wochen andauert, selbstverschuldetes Unglück, – eine Folge der Arbeiterbewegung, der Streiks im Sommer, sie besorgt die Geschäfte der Bourgeoisie und ist die Feindin ihrer Klasse. Dazu kommt noch, daß die bis anhin scheinbar ganz friedliche Ehe auseinanderzufallen droht, Zänkereien und Streitigkeiten sind an der Tagesordnung. Zum Hunger, zu den Schulden kommt der Unfriede, das Zerwürfnis.

Derartige Krisen beweisen uns, wie notwendig es ist, daß auch die Frau, sei es als Lohnarbeiterin oder Ehefrau, zur aufgeklärten Genossin wird, daß sie begreift, daß weder Arbeitslosigkeit, noch Streiks auf das «Verschulden» einzelner zurückzuführen sind, sondern daß die Arbeitslosigkeit in der kapitalistischen Wirtschaftsweise begründet ist und daß Streiks eine der wichtigsten Waffen im Kampfe der Arbeiterklasse sind!

Die Arbeiterfrau muß wissen, daß die Errungenschaften, die der Arbeiterschaft ein halbwegs erträgliches Dasein gebracht haben, nur und ausschließlich im unerbittlichen, opferreichen Kampfe erzielt wurden. Sie muß weiter wissen, daß aus der heutigen Not und Arbeitslosigkeit sie nur ein weiterer rücksichtsloser Kampf gegen die Bourgeoisie herausführen kann.

Kämpfer, Beilage «Für die proletarische Frau», 25.2.1921.

111 Zum Schutze des Vaterlandes*

Der Bundesrat und die Mehrheit der eidgenössischen Räte versuchten durch eine Abänderung des Bundesstrafgesetzes sich verstärkte gerichtliche Handhabe gegen die Agitation der Linken zu verschaffen, um einen neuen Generalstreik schon in der Vorbereitungsphase zerschlagen zu können. SP und KP ergriffen zusammen mit den Gewerkschaften das Referendum und vermochten, unterstützt von linksbürgerlichen Kreisen, das «Zuchthausgesetz» («Lex Häberlin») zu Fall zu bringen.

Männer des Gewerbestandes!

Es gibt öffentliche Fragen von so gewaltiger Tragweite, daß kein denkender Schweizerbürger daran achtlos vorübergehen darf. Dazu zählen wir das *Gesetz gegen den Umsturz,* über welches das Schweizervolk am 24. September nächsthin seinen Entscheid abzugeben hat. Die Sozialdemokraten und Kommunisten kämpfen mit allen Mitteln gegen die Vorlage und suchen sie zu Fall zu bringen. Aber, werte Mitbürger, laßt Euch nicht durch *Schlagworte* und *Phrasen* betören. Das Gesetz ist *kein Ausnahmegesetz;* es richtet sich ausnahmslos gegen jeden, der sich gegen die staatliche Ordnung auflehnt. Es ist *nicht gegen die Freiheit* gerichtet; es ist nur ein Mittel, den auf den Umsturz abzielenden Massenaktionen entgegenzutreten. Es ist kein Gesetz, das der Willkür Raum läßt; nur auf Anordnung des Bundesrates kann gegen Fehlbare vorgegangen werden. Es richtet sich gegen keine politische Auffassung und keine Versammlung, sofern sie nicht den Umsturz bezweckt.

Aber es richtet sich gegen die Generalstreiks und Zusammenrottungen, die zur Revolution und zum Sturz der staatlichen Ordnung hinüberleiten sollen, es gebietet ein energisches Halt den Gewaltmenschen, die unter Gefährdung der allgemeinen Wohlfahrt über Blut und Leichen zur Staatsleitung nach russischem Muster kommen wollen, es trifft nicht die unschuldigen Opfer der Verführung, sondern die wirklichen Anstifter zu revolutionärem Ausbruche, schützt unser Volksheer vor dem Gift der Verleitung zu Ungehorsam, Auflehnung und Meuterei, dient dem Schutze unserer Demokratie, wie sie sich im Laufe von Jahrhunderten herausgebildet hat.

Mitbürger! «Erhaltet das Vaterland». Stimmt für das Gesetz! Schreibt ein überzeugtes *Ja*!

Bern, den 8. September 1922. Die Direktion des Schweizerischen Gewerbeverbandes.

NZZ Nr. 1241, 23.9.1922.

112 Faschismus als Ausweg?

Die Ablehnung der «Lex Häberlin» wurde von der bürgerlichen Presse sehr unterschiedlich beurteilt. Auf dem rechten Flügel des Meinungsspektrums zeigte sich offene Sympathie mit dem Faschismus, so im folgenden Kommentar des «Berner Tagblatts», das der BGB nahestand.

... Man wird allerdings sich die Frage vorlegen müssen, ob nun, da der Staat gegenüber revolutionären Umtrieben wehrlos gemacht worden ist, die Selbsthilfe des in seinem Lebensnerv bedrohten Bürgertums einzusetzen habe. Es wird nicht an Stimmen fehlen, die auf den italienischen Fascismus hinweisen und eine analoge Einrichtung in der Schweiz verlangen. Wir möchten noch nicht so weit gehen. Man darf ruhig noch die Nationalratswahlen abwarten, auch noch zusehen, ob die Verblendung so weit gediehen ist, daß zum Beispiel der wirtschaftliche Dolchstoß ins Herz des Staates, die Vermögensraub-Initiative mit ihrem Gefolge drückendster Steuerbelastung bis tief in die untersten Schichten hinein Erfolg hat. Erst wenn unser Parlament eine noch stärkere revolutionäre Gruppe aufweisen, erst wenn unser Volk seine Zustimmung zum wirtschaftlichen Selbstmord sich abnötigen lassen sollte, dann wäre es Zeit, in Anlehnung an die Mittel der Staatsvernichter zum Selbstschutz zu greifen. ...

Berner Tagblatt, 25.9.1922.

113 Die Fratze der bürgerlichen Demokratie*

Nach Ablehnung der Vermögensabgabe-Initiative, die von Sozialdemokraten und Kommunisten getragen worden war, erschien in der «Internationalen Presse Korrespondenz», dem Mitteilungsblatt der Komintern, der folgende Artikel. Verfasser ist der Kommunist Fritz Wieser aus Basel.

Die Ablehnung der Vermögensabgabe und der Sozialversicherung in der Schweiz

... Um was ging sachlich der Kampf? Die Schweiz marschiert seit längerer Zeit, trotz der schwindelhaften Behauptungen des Herrn Bundesrates Motta in Genua gegenüber dem Genossen Tschitscherin, in sozialer Beziehung nicht mehr an der Spitze, sondern am Schwanz der Nationen. In der Sozialversicherung (Alters-, Hinterbliebenen-, Invaliden- und Unfallversicherung) hatte uns schon das kaiserliche Deutschland längst überflügelt. Der Landesstreik vom November 1918 brachte uns einen Ruck vorwärts; vom Bundesrat wie von der gesamten bürgerlichen Öffentlichkeit wurden bindende Versprechen für die Durchführung der Sozialversicherung abgegeben. Nach einer kurzen Nachkriegskonjunktur aber wendete sich bald das Blatt: seit dem Sommer 1920 leiden wir unter der sich verschärfenden wirtschaftlichen Krisis; ihr parallel läuft die wirtschaftliche und politische Reaktion. Die Eidgenossenschaft stand zu Ende des Krieges mit einer gewaltigen Mobilisationsschuld da; dazu kamen die Aufwendungen zur Bekämpfung der Arbeitslosigkeit und die jährlichen «ordentlichen» Defizite, so daß heute die Schweiz mit einer Gesamtschuldenlast von rund 4½ Milliarden Franken dasteht; eine gewaltige Schuldenlast, wenn man bedenkt, daß vor dem Kriege unser gesamtes Ausgabenbudget kaum 150 Millionen betrug. Jedes Jahr kommt jetzt ein weiteres Defizit von rund 200 Millionen dazu.

So war es längst sonnenklar, daß die gerade infolge der Krisis immer dringender werdende Sozialversicherung niemals aus dem ordentlichen Budget finanziert werden könnte. Deshalb sammelten Kommunisten und Sozialdemokraten gemeinsam rund 90000 Unterschriften für eine Initiative, die im September 1921 dem Bundesrat eingereicht wurde. Sie verlangte eine außerordentliche Abgabe von allen Vermögen über 80000 Franken, steigend von 8 bis auf 60 Prozent; der Ertrag sollte für soziale Zwecke reserviert werden; er wurde auf etwa 1¼ Milliarde geschätzt. Nach den einzelnen Bestimmungen der Initiative wären von der Abgabe rund 28000 Personen direkt betroffen worden, also 6 pro Mille der Bevölkerung von etwa 4 Millionen. Auf so wenige Köpfe verteilt sich das große Vermögen unseres Landes! In drei Jahresraten mußte die Steuer abgeliefert werden.

Gegen diese Initiative richtete das gesamte Bürgertum seit etwa 2 Monaten eine bisher unerhörte, «amerikanische» Propaganda. Millionen wurden dazu von den kapitalistischen Kreisen geliefert; es gab wohl keinen einzigen sonst noch so «politisch neutralen» Verein, der in den letzten Wochen nicht gegen die Vermögensabgabe Stellung genommen hätte. Speziell die ausgezeichnet organisierten Katholiken mobilisierten ihr ganzes Pfaffenheer, um den «verruchten Raubzug auf den geheiligten Grundsatz des Privateigentums» auf der Kanzel, im Beichtstuhl und in der Familie zu bekämpfen. Die Initiative wurde als «moskowitisches Machwerk» denunziert; der Grundgedanke sollte von dem Genossen Lenin selbst stammen. So gelang es

Das hoffnungsvolle neue Jahr.

dem Kapital, das gesamte Bürgertum mitsamt den Indifferenten vor seinen Wagen zu spannen; die Beteiligung an der Abstimmung war eine bisher unerhörte (86 Prozent!) und die Ablehnung im Verhältnis 1:7.

Wieso gelang es dem Kapital, derart das gesamte Volk mit seinen Interessen zu solidarisieren? Nicht einmal 1 Prozent der Stimmenden wurde von der Abgabe betroffen; die dadurch zu finanzierende Sozialversicherung lag im Interesse der übergroßen Volksmehrheit.

Der Weg war gegeben. In den Händen dieser 25 000 liegt die *wirtschaftliche Macht* unseres Landes konzentriert. Sie haben vor der Abstimmung die offene Drohung ausgesprochen:

Wenn ihr uns einen Teil unseres Besitzes wegnehmt, um ihn der Allgemeinheit zuzuführen, dann werden wir uns so rächen, daß auch ihr alle darunter zu leiden habt. Wir werden mit unserem Kapital ins Ausland auswandern (geschah z. T. schon vor der Abstimmung); wir werden unsere Betriebe ganz oder zum Teil schließen und den noch Beschäftigten den Lohn so kürzen, daß wir das Verlorene dadurch wieder einbringen werden. ...

Internationale Presse Korrespondenz Nr. 238, 16.12.1922.

114 Rationalisierung und Leistungsdruck

Die veränderten Bedingungen am Arbeitsplatz fanden auch ihren Niederschlag in den Berichten der staatlichen Fabrikinspektoren, die über Einhaltung der Bestimmungen des Fabrikgesetzes zu wachen hatten.

... Die Industriellen, denen das Gesetz eine bedeutende Verkürzung der Arbeitszeit auferlegt hat, sind angesichts des neuen Problems, welches sich für sie stellte, nicht untätig geblieben, eines sehr komplexen Problems, da es sich heute darum handelt, mit einer kürzeren Arbeitszeit und höheren Löhnen als früher, billig zu arbeiten. Hinsichtlich der neuen Bedingungen, die der Industrie auferlegt wurden, wollen wir es nicht unterlassen, die sehr interessante Arbeit anzuführen, welche Professor Milhaud in der «Revue internationale du travail» veröffentlicht hat. Dieser hervorragende Ökonom gelangt zu den genau gleichen Feststellungen wie wir, die wir seit vielen Jahren in sozusagen täglichem Kontakt mit den Fabriken stehen und deren Entwicklung verfolgen: Die Arbeit wird in Serie organisiert, im Stücklohn oder nach dem System der Produktionsprämien bezahlt, das ganze verbunden mit einer generellen Verbesserung der Ausrüstung. Man stellt die Arbeiter an ihren richtigen Platz, das heißt an den Platz, an welchem sie zur größten Leistung fähig sind; man muß die erlaubte Arbeitszeit voll ausnützen, was den Arbeiter zwingt, pünktlich zu beginnen und seinen Platz erst beim Ertönen der Fabriksirene zu verlassen; man hebt auch überall, wo sich dies ohne Schaden für den Arbeiter machen läßt, die Zwischenpausen auf; man verstärkt die Disziplin, also die Überwachung; man richtet sich so ein, daß der Arbeiter nicht auf die von ihm benötigten Werkstücke warten muß. Man fordert eine größere Solidität der Werkzeugmaschinen, eine Folge des Gebrauchs von Meisseln aus Schnellstahl, deren Schneide man sorgfältig entwickelt hat. Nach Möglichkeit reinigt man die Lokalitäten und Maschinen außerhalb der Arbeitszeit; man sucht alle unnötigen Handgriffe auszuschalten, schwere Gewichte werden mit speziellen Wagen und Hebevorrichtungen transportiert; man richtet die Räume (Werkstätten) praktischer ein und verbessert ihre Beleuchtung. ...

Rapport sur l'inspection fédérale des fabriques du premier arrondissement durant les années 1924 et 1925, Berne 1926, S. 19f. (Übersetzung aus dem Französischen)

115 Achtung! Todesgefahr in der Kleingießerei!*

In der kommunistischen Betriebszeitung bei Sulzer, dem «Sulzer-Prolet», wurde heftige Kritik geübt an den schlechten Arbeitsbedingungen und an den mangelhaften Sicherheitsvorkehrungen. 1929 ereigneten sich in der Schweiz 122201 Betriebsunfälle, davon 365 mit tödlichem Ausgang.

Noch gar nicht so lange Zeit ist verronnen, seit in der Kleingießerei ein Arbeiterjunge von 15 Jahren am Kranen totgequetscht worden. Vor einigen Wochen stürzte wegen der vollkommen unzulänglichen Einrichtung ein Kranier zu Tode.

Die Direktion hat nun endlich das Gefühl, daß etwas gemacht werden muß, und so werden – die Kranen weiter hinaufgenommen. Von einer Verbesserung für den Arbeiter dagegen keine Spur. Bis jetzt hatten die Kraniers die Leitung für den Stromabnehmer immer hinter dem Führerstand, so daß, wenn einer vom Führerstand auf die Kranenbahn wollte, er bei jedem Fehltritt gerade mit der Leitung in Berührung kam. Nun hat man die Leitung für den Stromabnehmer über den Kran angebracht, aber eine Schutzvorrichtung ist nicht da. Die wird jedenfalls erst angemacht, wenn ein Arbeiter vom Starkstrom getötet worden ist.

Und nun der Auf- und Abstieg zu den Kranen nach dem System Dir. Meier. Nach bedeutender Anstrengung seiner Geisteskräfte hat er ein ganz wunderbares Projekt ausgeknobelt. Es soll am Führerstand eine Leiter angehängt werden, und an dieser Leiter soll nun der Kranier, frei schwebend in der Luft, wie ein Akrobat, hinauf- bzw. hinunterklettern.

Wenn die Arbeiterschaft erst die Macht ergriffen hat, und Direktor Meier sollte den Umsturz überleben, dann wollen wir dem Herrn Meier gerne das Vergnügen bereiten, und ihn an seiner Leiter herumklettern lassen, so lange er Lust dazu hat. Wir wollen sehen, wie lange er es aushält. Seinem dicken Ranzen wird es jedenfalls wohltun.

Wir aber schlagen eine solidere Anlage vor, die das Mindeste darstellt, was die Arbeiter an Sicherheit bei der Arbeit verlangen können. Wir verlangen ausreichende Sicherheitsvorrichtungen überall, so daß schwere Unfälle überhaupt vermieden werden.

Herr Meier, der Mann mit der hängenden Leiter, der nicht in Gefahr schwebt, vom Kranen erdrückt zu werden, oder vom Kranen oder der Leiter herunterzustürzen, *hat ein Einkommen von 49900.– Fr., Vermögen 184000.– Fr.*

Sulzer-Prolet, Hg. Kommunistische Betriebszelle, Nr. 4, Okt. 1930.

116 Ausbeutung der Bankangestellten

... Die Wahrheit ist auch, was jeder Kenner bestätigen wird, folgendes: Durch jahrzehntelange unwürdige Knebelungen mit oft kleinlichsten Mitteln und Schikanen hat man diesen sonst so geduldigen kaufmännischen Angestellten so weit hinabgedrückt, daß er nicht einmal heute – im Jahre 1920 – sich getraut, seine innere Überzeugung offen und ehrlich herauszusagen, wenn er weiß, daß sein Chef über die betreffende Sache anders denkt. Daß es so ist, wird auch der Anonymus in Nr. 36 der «Neuen Zürcher Zeitung» nicht bestreiten wollen. Uns wird diese Binsenwahrheit täglich in offenen Versammlungen zugestanden, und mit vollstem Recht behaupten die Angestellten und vorab der unterzeichnete Verband, daß derart geknebelte Arbeitnehmer keine vollwertigen Staatsbürger sind, denn ein solcher muß den Mut aufbringen können, eine abweichende Ansicht auch gegenüber seinem Vorgesetzten frei zum Ausdruck zu bringen. Wie unendlich weiter sind doch in diesem Punkte die Arbeiter! Allein, das kann ja der Anonymus kaum wissen; er ist Meister auf dem Schachbrett, also Spieler, folglich nicht Arbeiter oder Angestellter. Nachdem man dann das nicht genug verdammenswerte Knebelungswerk glaubte genügend gefördert zu haben, schritt man dazu, weil alles in der Welt einen Zweck hat, das «Objekt» nach allen Regeln zynischster Frechheit auszubeuten: Der Angestellte mußte um geringen Lohn arbeiten. War er verheiratet und langte es nicht mehr, so mußte er das

Konsumbüchlein vorweisen und der Chef kontrollierte die Ausgabenposten, von denen welche beanstandet wurden mit Bemerkungen, wie: «Eine Angestelltenfamilie braucht keinen Mokka, Kakao etc. zu trinken usf.» Noch nicht lang her ist es, daß geschulte Kräfte ein bis zwei Jahre lang auf einer Bank «im Taglohn» arbeiten mußten, nur damit der Millionengewinne erzielende Arbeitgeber die paar Ferientage nicht zu bezahlen brauchte. Bekannt sind weiter die Fälle, wo Bankdirektoren – also auch um Lohn (nur nicht Taglohn) arbeitende Angestellte – ihren Untergebenen (rechtlich: Kollegen) die schriftliche Beantwortung von Fragen abpreßten, wie:. «Sind Sie Mitglied des Bankpersonalverbandes? Wie haben Sie an der Versammlung dieses Verbandes vom 31. August 1918 gestimmt? Wie gedenken Sie sich zu verhalten im Falle eines Streiks?» Ein höherer Offizier hat uns in jenen Tagen erklärt: «Wer Soldat ist und derartige Fragen beantwortet, den halte ich für einen Schlappschwanz (wörtliche Wiedergabe).» Als weitere (fast möchten wir sagen «natürliche») Frucht unschweizerischer Knebelung mutete man dem Angestellten, besonders in jener Zeit, wo Hungerlöhne verheirateten Bankangestellten das Recht zu Notstandsunterstützungen verliehen hätten (unsere Enquête[1] hat dies einwandfrei festgestellt), zu, Überstunden *«gratis»* zu leisten. Und hat das Publikum eine Ahnung, in welchem Umfange? Kaum! Also wollen wir aus den Resultaten unserer Enquête ein Beispiel erwähnen, wonach ein Angestellter mit 25 Dienstjahren bereits so viele «unbezahlte» Überstunden geleistet hatte, daß dieselben volle «sechs» Dienstjahre ausfüllten. Somit hat die Bank – eine Staatsbank, jedoch nicht die Kantonalbank – sich von dem armen Familienvater ein Geschenk in Form von sechsjähriger unbezahlter Arbeit machen lassen, nicht beachtet die Störungen im Familienleben, wenn der Ehemann und Vater nur so gelegentlich auch einmal wieder zur Zeit mit den andern am Tische sitzen kann. Unbekannt ist ohne Zweifel auch, daß die Knebelung auf einer andern Großbank die für einen aufrechten Staatsbürger so «herrliche» Blüte getrieben hat, daß eine Kontrolluhr beim Überschreiten der Schwelle ins Bureau auf die Sekunde genau automatisch angibt, wann jeder einzelne erschienen ist. Beim Antritt der Arbeit also preußischer Schneid, auf die Sekunde! Bei unbezahlten Überstunden unbegrenzte Ausdehnung!

So könnten wir, alles streng der Wahrheit entsprechend, Müsterchen auf Müsterchen tagelang erzählen. Jeder Angestellte weiß dies ganz gut, er darf es nur nicht sagen. Sonst fliegt er raus! So geht es eben zu: Wer muckst, fliegt!, sei er auch ein noch so guter Arbeiter, und habe er 10 oder 20 Dienstjahre hinter sich. Bestenfalls entläßt man ihn «unter Beobachtung der gesetzlichen Kündigungsfrist». Diese Unsicherheit der Stellung vor Augen, mag dann leider auch der gutqualifizierte Beamte mit der Wahrheit nicht herausrücken; deshalb tun wir es, besonders wenn, wie jetzt wieder, die Zeitungen versagen, weil auch sie, wie die Angestellten, vom Großkapital ganz und gar abhängig sind. ...

An die zürcherische Bevölkerung! Flugblatt des Bankpersonalverbands Zürich, Januar 1920, SSA Zürich, 331-88/89.

[1] *Untersuchung*

117 Propaganda für die «Lex Schulthess»

Obwohl die Arbeitszeit nur für die Fabrikarbeiter gesetzlich geregelt war, die Bauern also von der Vorlage nicht direkt betroffen wurden, fanden die Unternehmer kräftige propagandistische Unterstützung durch den Bauernverband, der dafür auf Gegengeschäfte, zum Beispiel in der Frage der Schutzzölle für landwirtschaftliche Produkte, rechnen konnte.

Flugschrift zur Abstimmung vom [illegible]. Januar 1924. Verfaßt von Dr. E. Laur, schweiz. Bauernsekretär. Herausgegeben vom Schweiz. Bauernverbande.

Warum

stimmen wir bei Revision von Artikel 41
des Fabrikgesetzes betreffend die

Verlängerung der Arbeitszeit

Ja!

Weil der Achtstundentag die Exportindustrie schädigt, die Arbeitslosigkeit vermehrt, die Produktion und die Lebenshaltung verteuert.

Weil kein einziger wichtiger Industriestaat der Welt die Arbeitszeit in den Fabriken allgemein tatsächlich so beschränkt hat wie die Schweiz.

Weil es einem gesunden Menschen nichts schadet, wenn er statt 48 Stunden 54 Stunden in der Woche arbeitet.

Weil auch viele Arbeiter es nicht verstehen, daß man ihnen verbietet, etwas länger zu arbeiten und so mehr zu verdienen.

Weil, wenn die Revision verworfen wird, die siegesfreudigen Sozialdemokraten und das Internationale Arbeitsamt in Genf auch noch den Bauern den Normalarbeitstag aufzwingen möchten, und das Schweizervolk nun einmal sagen soll: Bis hieher und nicht weiter!

Flugschrift zur Abstimmung vom 17. Februar 1924, Verfaßt von Dr. E. Laur, schweizerischer Bauernsekretär, Hg. Schweizerischer Bauernverband, SSA Zürich, 331. 95. Z z.

118 Abwehrkampf bei BBC Münchenstein

Die Unternehmer versuchen, mit wenigen Ausnahmen, die Abstimmung vom 17. Februar über die Arbeitszeitverlängerung mit entsprechenden Maßnahmen in ihren Werkstätten zu unterstützen. Die berühmte Generaldirektion B.B.C. Baden durfte da natürlich nicht zurückbleiben. Beim Volkswirtschaftsdepartement kam sie um eine Bewilligung, nach dem bestehenden Art. 41 des Fabrikgesetzes, der 52stundenwoche für ihre beiden Betriebe Baden und Münchenstein ein. Auch wieder selbstverständlich wurde die Bewilligung für sechs Monate und für 500 Arbeiter für Münchenstein und für 1200 für Baden erteilt. Die betreffenden kantonalen Regierungen (Aargau und Baselland) unterstützten diese Gesuche noch. Nur die Arbeiterschaft wurde nicht befragt, weder eine Arbeiterkommission der beiden Betriebe noch eine Organisation. Das scheint den Herren nun einmal vollständig überflüssig zu sein.

Der Arbeiterkommission B.B.C. Münchenstein teilte die Direktion am 9. Januar kurz und bündig mit, daß die auf 52 Stunden pro Woche verlängerte Arbeitszeit am Montag den 21. Januar beginnen werde; *eine Diskussion über die Verlängerung fände nicht statt;* die Arbeiterkommission habe sich nur zu äußern über den Stundenplan, wie er nun neu aufgestellt sei. Die Arbeiterkommission mußte ihrerseits ebenso eine Diskussion des neuen Stundenplanes ablehnen, da sie einstimmig eine Verlängerung der Arbeitszeit grundsätzlich ablehnte.

Die auf 10. Januar einberufene Betriebsversammlung zeigte auch, daß die Arbeiterkommission mit diesem ihrem Standpunkt die Meinung der Arbeiterschaft des Betriebes wiedergab. Das Versammlungslokal war gestoßen voll; noch nie hatte B.B.C. Münchenstein im Verhältnis zur Arbeiterzahl eine solche Versammlung gesehen. Nachdem Genosse Hirsbrunner[1] einen Bericht über die Versammlung in Baden und die allgemeine Lage gegeben, sprachen sich verschiedene Diskussionsredner scharf gegen das rigorose Vorgehen der Direktion aus. Besonders wurde auf die Anordnung der «Extrastunden» aufmerksam gemacht: Montag, Dienstag, Mittwoch und Samstag soll je eine Stunde länger gearbeitet werden. Um natürlich einer Verlängerung auch am Donnerstag und Freitag Platz zu lassen, sollte im Falle am 17. Februar die Revision des Fabrikgesetzes angenommen werden. Der Appetit kommt bekanntlich mit dem Essen; sorgen wir also für eine saftige Antwort am 17. Februar. ...

Schweizerische Metallarbeiter-Zeitung Nr. 3, 19.1.1924.

[1] *W. Hirsbrunner, Mitglied des Zentralvorstandes des SMUV.*

119 Metallarbeiter streiken in Winterthur und Schaffhausen

Nach Ablehnung der «Lex Schulthess» im Februar 1924 reichten die Unternehmer der Metall- und Maschinenindustrie verstärkt Gesuche um eine verlängerte Arbeitszeit von 52 Stunden pro Woche ein, die vom Volkswirtschaftsdepartement ohne jede Befragung der Arbeiter bewilligt wurden (vgl. 118). Zum Teil waren mit der Arbeitszeitverlängerung noch Lohnkürzungen verbunden. Aus den zahlreichen Protesten der betroffenen Arbeiter entwik-

Sie hat ausgelitten.

Hier geht bei tiefgedämpftem Trommelklang
die 54 ihren letzten Gang.
Und traun, wenn auch die Glocke manchem schlug:
So ehrlich war noch nie ein Trauerzug.
Aufrichtig ist der Augen feuchter Glanz
und wohlgemeint der letzte Trauerkranz.
Du fühlst: Hier wird auf florbehangnem Wagen
die Hoffnung auf Profit zu Grab getragen.
Und wir gestehen neidlos, ohne Arg:
Auch unser Segen geht mit diesem Sarg.

kelten sich im April längere Streiks bei den Firmen Rieter u. Jäggli in Winterthur, denen sich bald die Belegschaft der Firma Rauschenbach in Schaffhausen anschloß. Im Mai gelang es den Schaffhauser Kommunisten, die Arbeiter der Eisen- und Stahlwerke zu einem Solidaritätsstreik zu bewegen. Im folgenden schildert die Arbeitgeber-Zeitung den Beginn dieses neuen Konflikts aus ihrer Sicht.

Zur Streiklage in Schaffhausen.

... Auf Mittwoch den 21. Mai, abends, war eine große Versammlung zum Schwabentor einberufen worden und die Gewerkschaftsorgane trugen dabei namentlich Sorge, daß vor allem die Arbeiter der *Eisen- und Stahlwerke vorm. Georg Fischer A.-G.* zu dieser Versammlung erscheinen mußten, indem sie durch ein starkes Aufgebot von Streikposten die Leute nach Fabrikschluß einfach zwangen, den Weg via Schwabentor einzuschlagen; die übrigen Straßen waren abgesperrt. Der gesuchte Zweck ist erreicht worden. Seit Donnerstag den 22. Mai stehen die Betriebe der Eisen- und Stahlwerke im Mühlental vollständig still – was seit 25 Jahren nicht mehr zu verzeichnen war. Die Zahl der Streikenden beläuft sich auf rund 2000 Mann. Von diesen waren aber bisher nur etwa 600 Mann während 52 Stunden in der Woche beschäftigt worden, während die übrigen 1400 Mann seit dem vergangenen September nicht einmal volle 48 Stunden Arbeit hatten, indem wegen Mangel an Aufträgen seit etwa acht Monaten in den Werken I, II und IV die Arbeit am Samstagvormittag eingestellt war. Wie es scheint, haben aber auch diese, ohnehin nicht vollbeschäftigten Arbeiter für gut befunden, ebenfalls «in Streik zu machen» und den Ratschlägen der Gewerkschaftsorgane, der Streikführer und der Redaktion der «Arbeiterzeitung» Folge zu geben.

Über die Art und Weise, wie der Streik in Szene gesetzt wurde, wird uns mitgeteilt, daß am Donnerstagvormittag – also am Morgen nach der Schwabentorversammlung – durch ein starkes Aufgebot von Streikposten die zur Arbeit ankommenden Arbeiter des Mühlentals derart eingeschüchtert wurden, daß sie es nicht wagten, die Arbeit aufzunehmen, sondern ihre Arbeitsplätze ohne weiteres wieder verließen. Zur Vermeidung von Ruhestörungen und allfälligen Tätlichkeiten war allerdings ein sehr starkes Polizeiaufgebot am Platze, doch hatte dieses am Vormittag keinen Anlaß einzuschreiten, da keine Konflikte zwischen Arbeitswilligen und Streikenden konstatiert werden mußten. ...

Die Zukunft wird lehren, ob dieser Solidaritätsstreik den gewünschten Erfolg haben wird oder nicht. ...

Schweizerische Arbeitgeberzeitung Nr. 22, 31.5.1924.

120 Das Abkommen von Bern – eine Notwendigkeit?

Während die Kommunisten in Schaffhausen den Kampf noch ausdehnten, stand die Leitung des SMUV bereits in Unterhandlungen mit dem Arbeitgeberverband über eine Beilegung des Konflikts. Unter Vermittlung von Bun-

desrat Schultheß wurde ein Abkommen geschlossen, welches den Unternehmern das Recht auf eine verlängerte Arbeitszeit einräumte. Die Streiks mußten daher ergebnislos abgebrochen werden. Der Metall- und Maschinenindustrie stand es frei, die Arbeitszeit für einen großen Teil der Arbeiter zu verlängern:

Wöchentliche Arbeitszeit in der Metall- und Maschinenindustrie: (in Prozent aller Arbeiter)

	Unter 48 Std.	*48 Std.*	*über 48 Std.*
Ende 1923	*12,9%*	*73,2%*	*13,9%*
Ende 1924	*0,9%*	*59,5%*	*39,6%*
Ende 1925	*4,9%*	*61,7%*	*33,4%*

Konrad Ilg, Präsident des SMUV, verteidigte das Abkommen und richtete heftige Angriffe gegen die Kommunisten.

Zum Abkommen in der Maschinen-Industrie

... Die Rolle, die die kommunistischen Größen in Schaffhausen während dem Verlauf des Streiks im Mühletal spielten, gehört zum größten Unfug, der mit den Gewerkschaften in der Schweiz jemals getrieben wurde. Die Bewegung im Mühletal war schon seit Monaten anhängig. Trotz allen Aufforderungen, der Gewerkschaft beizutreten, waren beim Streikausbruch im Mühletal keine 20 Prozent der dort Beschäftigten organisiert. Die Frage bleibt offen, ob den Verbänden fortwährend zugemutet werden kann, und ob sie überhaupt immer imstande sein werden, die notwendigen Mittel bereitzuhalten, um den Unorganisierten, wenn sie sich entschließen sollten, in Streik zu treten, die Streikunterstützung auszurichten. Tatsache ist, daß der Zentralvorstand, entgegen dem klaren Wortlaut der Statuten, die Streikunterstützung im vollen Umfang von der ersten Stunde des Beitritts an ausrichtete. ... In Schaffhausen herrschte von der ersten Stunde an, wie es übrigens bei unorganisierten Massen gar nicht anders möglich ist, die größte Konfusion und wilde Unordnung. Eine günstigere Situation konnten sich alle diejenigen, die aus Prinzip lügen und verleumden, gar nicht wünschen, was sie sich denn auch zunutze machten. Während der Verhandlungen in Bern wurde die Aufpeitschung der Streikenden gegen die Verbandsinstanzen bis zur Siedehitze getrieben. Daß es nicht leicht sein werde, ein Abkommen zu erlangen, womit sich die im Streik befindliche Arbeiterschaft einverstanden erklären werde, war einleuchtend. Das Ergebnis der Verhandlungen wurde noch Montagabend den 26. Mai einer größeren Konferenz von Verbandsvertretern aus verschiedenen Sektionen unterbreitet. Die Zustimmung war, ausgenommen einige Bemerkungen von seiten zweier Vertreter aus Schaffhausen, einstimmig. Es wurde dann verabredet, Dienstag nachmittag in Schaffhausen eine gemeinsame Sitzung der Streikkomitees in Töß, Winterthur und Schaffhausen abzuhalten, um das Abkommen gründlich und sachlich zu besprechen. Wir mußten aber bald wahrnehmen, daß wir die Rechnung ohne die kommunistische Regie gemacht hatten. ...

Der kommunistischen Regie gemäß entstand aus der Sitzung der Streikkomitees eine öffentliche Versammlung. Den Eingang, die Nebenlokale, Fenster und Tische hielten aufgehetzte Leute fast während der ganzen Versammlung besetzt. Obschon wir uns durchaus klar waren, an dieser Sitzung Spott und Schande zu ernten, unterließen wir es nicht, die Situation klarzustellen. Herr Bringolf[1] versuchte zu opponieren; sachlich konnte er jedoch nichts widerlegen. Was dieser nachher in seiner Zeitung schrieb, ist wissentliche Lüge. Er befahl einfach, daß der Sulzerbetrieb und andere in den Streik zu treten haben. Damit war er fein raus. Wie dies gemacht werden sollte und ob eine Möglichkeit auf Erfolg vorhanden sei, kümmerte diesen wenig. ...

Bei der ganzen Bewegung handelte es sich einfach darum: *Ist es in Anbetracht der gegebenen Verhältnisse möglich, durch einen Großkampf eine vorübergehende Verlängerung der Arbeitszeit auf 52 Stunden pro Woche, wie dies das Gesetz vorsieht, dauernd abzulehnen?* Nach reiflicher Überlegung waren alle Instanzen fast einstimmig der Ansicht, daß dies nicht erreicht werden kann. Diesbezügliche Beschlüsse des Zentralvorstandes, der großen Konferenz in Winterthur, der nachherigen Konferenzen in Zürich und Bern, wurden stets nahezu einstimmig gefaßt. Aus welchen Gründen geschah dies? Daß es der Arbeiterschaft schlecht geht, daß die Löhne nicht ausreichen, daß geschunden und geschuftet werden muß und daß die Unternehmer die durch die Krise geschaffene Lage ausnützen und daß die 52stündige Arbeitszeit besonders in der Maschinen- und Metallindustrie schon aus rein menschlichen Erwägungen heraus nicht gerechtfertigt ist, war nicht streitig und wurde auch von niemand bestritten. Was zu überlegen war, *war einzig und allein eine erfolgreiche Möglichkeit des Kampfes. ...*

Es ist leider Tatsache, daß die Maschinen- und Metallindustrie zum weitaus größten Teil auf den Export angewiesen ist. Als Exportindustrie ist sie ganz selbstverständlich den Einflüssen des Auslandes unterworfen. Dazu kommt, daß unsere größten Firmen im Auslande, abgesehen von den finanziellen Beteiligungen, schon längst größere Betriebe besitzen als im Inland. Die Lohn- und Arbeitsbedingungen im Auslande sind uns durchaus bekannt. Die Behauptung, daß in vielen Fällen die ausländische Konkurrenz um 40 Prozent billigere Offerten machen könne als die inländische, kann ohne Gegenbeweise nicht bestritten werden. Wenn wir dies feststellen, so geschieht dies durchaus nicht aus Rücksicht auf das Unternehmertum, sondern daraus ergibt sich einfach die unerbittliche Tatsache, daß ein Erfolg bei einem Großkampf zum voraus in Frage gestellt ist. Darin soll also nun, nach der kommunistischen Verleumdung zu schließen, unser Verbrechen bestehen, daß wir, entgegen besseren Wissens, unsere Kollegen nicht plan- und gewissenlos in den Kampf getrieben haben. ...

Schweizerische Metallarbeiter-Zeitung Nr. 23, 7. 6. 1924.

[1] *Walther Bringolf, führender Schaffhauser Kommunist. Gründete 1930 die Kommunistische Partei Schaffhausen (Opposition), mit der er 1935 zur SP zurückkehrte.*

121 Das Abkommen von Bern – eine Kapitulation?

An die klassenbewußte Arbeiterschaft der Schweiz!

... In Winterthur und Schaffhausen standen anfangs 1100 Arbeiter im Kampfe gegen die Verlängerung der Arbeitszeit. Es war für jeden klar, daß die Arbeiter dieser drei mittleren Betriebe (Schaffhausen 1, Winterthur 2) – auf sich allein gestellt – unterliegen mußten. Nur eine

Ausdehnung der Kampfbasis auf die großen, auschlaggebenden Metallbetriebe und *die weitestgehende Unterstützung der Kämpfenden durch die Gesamtarbeiterschaft* konnte den Sieg der Arbeiter ermöglichen. ...

In Schaffhausen haben die *Arbeiter* es verstanden, die Kampfbasis zu erweitern. 1800 Arbeiter der Eisen- und Stahlwerke traten in den Streik zur Unterstützung der schon im Kampfe Stehenden und um die verlängerte Arbeitszeit im eigenen Betrieb abzuwehren. Zur selben Zeit, da die Agenten Ilgs in Schaffhausen selber für die Ausdehnung des Kampfes, ja sogar für einen «lokalen Generalstreik» eintraten, diesen provozieren wollten, hatte der Zentralvorstand des Metallarbeiterverbandes in Verhandlungen mit dem Industriellenverband diesem versprochen, keine Ausdehnung des Kampfes vorzunehmen. Damit war der Bewegung das Genick gebrochen und das Abkommen von Bern, welches der Zentralvorstand und die Metallindustriellen unter dem Vorsitz des Reaktionärs Schultheß getroffen, war nur noch die Krone des Verrats an der kämpfenden Arbeiterschaft. ...

Der Zentralvorstand des Metallarbeiterverbandes versucht nun, die schmähliche Preisgabe des 8-Stundentages, seine Arbeitsgemeinschaft mit den Industriellen dadurch zu verdecken, daß er eine gemeine und verlogene *Kommunistenhetze* eingeleitet hat. Neben dieser Hetze bringen diese Leute noch ein Argument für den Abbruch des Kampfes, nämlich die mißliche Lage der Metallindustrie. Ilg ist plötzlich der Anwalt der Exportindustrie geworden. Nicht die Arbeitszeit der Arbeiter und die Löhne der Proletarier sind es, um die sich die Verbandsfunktio-

Arbeitsgemeinschaft

Der Kapitalist füttert sein braves Tier und spricht:

Einst schien ein Hengst er, feurig wild
Was heut er ist, zeigt dieses Bild.
Pack-Esel nennt man ihn mit Namen
Er sagt zu allem I-a und Amen.
Schenk ich ihm noch ne Decke rot
So dient er mir bis in den Tod.

näre interessieren, sondern die Frage, ob die Industrie konkurrenzfähig ist, mag der Arbeiter dabei hungern. ...

Arbeiter, Genossen!

Nach diesem schmählichen Verhalten der reformistischen Führer sind viele Stimmen aus den Kreisen der Arbeiter laut geworden, die sagten, sie wollten nicht mehr in Verbänden Beiträge bezahlen, um Verbandsfunktionäre zu halten, die sich den Interessen der Arbeiter entgegenstellen. Diese Einstellung ist durchaus falsch und ungemein schädlich. Gerade jetzt, wo die Reformisten ihr wahres Gesicht gezeigt haben, müssen alle Anstrengungen gemacht werden, um die weitesten Kreise der Arbeiter in die Gewerkschaften zu bringen. Gerade jetzt müssen die klassenbewußten Arbeiter in den Gewerkschaften ihre Anstrengungen verdoppeln, damit *der Wille der Arbeiter* und nicht derjenige der unternehmerfreundlichen Sekretäre im Verband zur Geltung kommt. ...

Basel, 13. Juni 1924 Die Zentrale der K.P.S.

Schaffhauser AZ, 14.6.1924.

122 Aus der Arbeit der Bildungsausschüsse*

Bildungsbestrebungen spielten in der Arbeiterbewegung von Anfang an eine wichtige Rolle. Eine gewisse Koordination der verschiedenen Bemühungen wurde 1922 erreicht mit der Gründung der «Schweizerischen Arbeiterbildungszentrale», die bis heute besteht. Der folgende Bericht zeigt einige der Schwierigkeiten, denen die Versuche der Arbeiterbildung begegneten.

Langenthal. Hier ist es sehr schwer, eine ausgedehnte und tiefe Bildungsarbeit unter die Arbeiterschaft zu bringen. Während der Sommerszeit schien es überhaupt unmöglich, nur daran zu denken, daß irgendein Bildungskursus durchgeführt werden könne. Der halbstädtische und halbländliche Charakter der Gemeinde drückt den Massen seinen Stempel auf. Viele Arbeiter haben ihre freie Zeit mit Gartenarbeit zu verwenden, und des «Gemüses» wegen lassen sich die wenigsten stören.

Der Bildungsausschuß mußte die Momente sorgsam auswählen, um die Leute für kurze Zeit fassen zu können. Am 17. September 1920 wurde der B.A. an der Unionsversammlung neugewählt. Sofort besprach man die Organisierung des Bildungswesens. Es zeigte sich bald, daß im Ausschusse selbst zwei Richtungen herrschten, die sich aber auf rein taktische Erwägungen aufbauten. Der Präsident, Genosse Lehrer Iseli, und der Sekretär, Genosse Diggelmann, waren der Auffassung, daß vor allem eine marxistisch-sozialistische Bildung unter die Arbeiter gebracht werden müsse. Die politische Schulung soll gefördert werden. Zuerst müssen die Leute aufgeklärt werden über das Wesen des Kapitalismus, damit sie zu sozialistischen Klassenkämpfern heranwachsen. Die «Bildung» soll vor allem vom Willen beseelt sein, die Sozialdemokratie zu stärken. Es ist noch wenig getan, wenn Leute ihre Sympathie dem Sozialismus zuwenden, aber vor der Konsequenz zurückschrecken, sich als sozialdemokratisches Parteimitglied zu organisieren. – Genosse Pfarrer Gerber betrachtete die heutige Bildungsweise für oberflächlich. Man wirft mit Schlagwörtern um sich, ohne auf den Grund einer Sache tiefer einzugehen. Man hört einen Referenten, zollt ihm Beifall. Die Ausführungen selbst nehmen die Arbeiter nicht kritisch auf. An einem einzigen Abend ist eine rege Aussprache auch nicht möglich. Die politische Erziehung hätte den Nachteil, daß eine allgemeine Bildung vernachlässigt wird.

An drei Abenden wurde dann im Januar, Februar und April 1921 ein Kursus durchgeführt, der das Genossenschaftswesen behandelte. Die zwei ersten Abende wiesen einen starken Besuch auf. Der zweite Vortrag war mit Lichtbildern verbunden. Die Ausführungen des neu herbeigezogenen Referenten aus Basel waren zum Teil Wiederholungen, was der Leiter des Kurses, Genosse Pfarrer Gerber, bereits am ersten Abend erwähnte. Dies mag ein Grund gewesen sein, warum am letzten Abend die Besucherzahl so schwach war.

Im Bildungsausschuß fiel die Anregung auf Gründung einer sozialistischen Sonntagsschule. Eine solche wurde dann geschaffen, aber ging nach wenigen Monaten leider ein. Nicht weil zuwenig Kinder der Schule angehörten, sondern weil von *allen* Seiten eine gehässige Propaganda einsetzte. Selbst Parteigenossen konnten es nicht verstehen, daß die Leiter das «Gebet» nicht pflegten.

Kurz vor Weihnachten 1920 organisierte man eine Bücherausstellung, die in die Zeit der

Gemeinderatserneuerungswahlen fiel. Der Besuch war ein reger. Für über 350 Fr. konnten der Parteibuchhandlung Bern Bücherbestellungen übergeben werden. Genosse Iseli hielt damals ein gut aufgebautes Referat «Was soll der Arbeiter lesen?»

Im Januar bis April 1920 fand unter der tüchtigen Leitung von Genosse Lehrer Arni ein Stenographiekursus für Anfänger statt. Die anfängliche Teilnehmerzahl von 28 schrumpfte am Ende auf 9 zusammen.

Der Bildungsausschuß wird gewiß in Zukunft noch viel leisten können, wenn er es versteht, die Leute für Tagesfragen zu interessieren, um dies als Ausgangspunkt für seine Bestrebungen zu benützen. Das vergangene Jahr darf als ein arbeitsreiches bewertet werden, wenn man beachtet, auf welche harte Widerstände der Bildungsausschuß stossen mußte.

Für den Bildungsausschuß der Arbeiterunion Langenthal:
Der Sekretär: *Ernst Diggelmann*

Sozialistische Bildungsarbeit Nr. 10, Oktober 1921.

123 Probleme der proletarischen Erziehung

Die individuelle und gesellschaftliche Entwicklung des proletarischen Kindes ist heute durch den Kapitalismus in doppelter Weise gehemmt. Einmal *direkt* dadurch, daß es der ausgebeuteten und rechtlosen Klasse angehört, und daß deren Feind, die Bourgeoisie, nicht nur Herr über seinen Leib und sein Leben, sondern durch Schule und Kirche auch Herr über seinen Geist und seine Seele ist; dann *indirekt,* indem seine eigenen Eltern und Klassengenossen unter der verdummten, irreführenden bürgerlichen Erziehung aufgewachsen, deshalb in ihrer Psychologie und ihren geistigen Bedürfnissen Kleinbürger geblieben und nicht imstande sind, dem Kinde eine für seine eigene Person wie für seine Gesellschaftsklasse richtige Erziehung zu geben.

Es ist deshalb die Pflicht aller kommunistischen Eltern, sich weit mehr, als es bisher geschehen ist, mit der Erziehungsfrage zu beschäftigen. Wir haben uns mit den bisherigen bürgerlichen Erziehungsmethoden und Dressuren auseinanderzusetzen und diejenigen Wege zu suchen, die unserem Ziele, dem Schaffen einer kommunistischen Gesellschaftsordnung entsprechen.

Unsere gegenwärtig übliche Erziehungsmethode ist, wie gesagt, eine kleinbürgerliche. Sie läßt sich wie alle Methoden und Handlungen des Kleinbürgers etwa auf folgende drei Sätze begründen:

1. Der Besitz ist das Höchste.
2. Das Geld und alle Dinge, die Geld kosten, wie Häuser, Möbel, Kleider usw., sind wertvoller und deshalb sorgfältiger und rücksichtsvoller zu behandeln als der Mensch.
3. Der Schein ist wichtiger als die Wahrheit, oder es ist wichtiger, was die Leute über dich sagen, als was du wirklich bist. ...

Und die Resultate dieser Erziehung sehen wir, wohin wir blicken. Die ganze grausige, verlogene heutige Welt ist das Resultat. Alle diese kleinlichen, kalten, herzlosen Leute, die für einen verlorenen Zwanziger ein halbes Dutzend Menschen in Bewegung setzen können, die sich nicht schämen, Hunderte und Tausende solcher Zwanziger draufgehen zu lassen, dort, wo es gilt zu zeigen, daß man es auch kann und vermag; und die nur Achselzucken, Kopfschütteln oder Schimpfworte haben, wenn ein Mensch in ihrer vergifteten Atmosphäre nicht leben kann und nach Befreiung sucht.

Die bürgerliche Gesellschaft hat recht, wenn sie ihre Leute so erzieht, denn sie braucht zu ihrem Bestand kleinliche, am Besitz hängende unoriginelle Durchschnittsmenschen, die sich dem Geld zuliebe in alles zu fügen vermögen.

Traurig aber ist es, wie in Tausenden von Proletarierfamilien, selbst bei solchen, die politisch das Bürgertum mit aller Energie bekämpfen, die sich Sozialisten und Kommunisten nennen, im Privatleben noch die gleichen Grundsätze herrschen, wie beim Kleinbürgertum, und deshalb auch die Kinder so erzogen werden. Es ist deshalb traurig, weil der Sieg der Revolution und des Kommunismus nicht zuletzt auch von den Menschen abhängt, mit denen wir die Revolution zu machen haben. Und es ist traurig, weil unsere Kinder, die unsere Hoffnung und Zukunft sein sollen und die wir lieben, die gleichen geistigen und seelischen Martern mitmachen müssen, die wir oben geschildert haben.

Wir müssen also sehen, auf welche Art wir dem Glück unserer Kinder besser dienen und dem Kommunismus brauchbarere Menschen schaffen können. ...

Nicht wir selbst dürfen es also sein, die das Kind in seiner Entwicklung *hindern,* sondern wir müssen es gerade sein, die es auch dann unterstützen, wenn ihm Schule, Kirche und andere Institutionen des Staates oder Privatpersonen aufdrängen wollen, was es nicht verdauen kann, oder ihm versagen, was es zu seiner Selbsterhaltung braucht. Das Selbstbewußtsein des Kindes stärken, ihm den Glauben und Willen zu *seiner* Aufgabe erhalten, ihm Mut und Freudigkeit zu Spiel und Arbeit geben, das ist Erziehen! ...

Ein so erzogenes Kind wird auch sehr bald die Widersprüche zwischen den von uns gegebenen Aufklärungen über das auf gegenseitige Hilfe und Rücksichtnahme zu begründende Zusammenleben der Menschen und den tatsächlichen Verhältnissen der bürgerlich-kapitalistischen Welt empfinden und erkennen. ...

Kämpfer, Beilage «Für die proletarische Frau», 23.4.1921.

124 Bundesratsbeteiligung der SPS?

Am Parteitag der SP in Basel 1929 wurde die Frage einer Beteiligung am Bundesrat diskutiert. Die Gegner einer Kandidatur unterlagen mit 137 gegen 324 Stimmen. Emil Klöti, Stadtpräsident des «Roten Zürich», wurde nominiert, von den bürgerlichen Parteien in der Bundesversammlung allerdings abgelehnt.

Robert Bratschi, Bern, deutscher Berichterstatter der Mehrheit des Parteivorstandes: ... Wir haben es immer abgelehnt, was uns die bürgerlichen Parteien unterschoben haben, daß wir nur auf dem Wege der Diktatur die sozialistische Gesellschaftsordnung einführen wollten. Das ist tatsächlich eine Unterschiebung; denn das Parteiprogramm sieht diesen Weg nur vor für den Fall, daß die Partei durch das Verhalten des Bürgertums dazu gezwungen wird und keine andern Mittel in Frage kommen können.

Es ist also so, daß der größte Teil der Erfolge in der letzten Zeit und auch der größte Teil der Erfolge, die wir in nächster Zeit erringen werden, zurückzuführen ist und sein wird auf Mittel, die man gerne als reformistisch verhöhnt, die aber auch von all denen angewendet werden, die mehr oder weniger revolutionär reden. ...

Es ist ja klar, daß ein sozialistischer Bundesrat oder auch deren zwei die Politik des Gesamtbundesrates nicht entscheidend ändern werden; aber sie werden die Politik des Gesamtbundesrates beeinflussen können, gerade wie die 50 sozialistischen Nationalräte, die ja auch in Minderheit sind, die Politik des Parlaments beeinflussen können ...

Wir hatten in Bern eine Vertretung im Gemeinderat, ohne Proporz, und ich behaupte, daß die rote Mehrheit in Zürich und das Anwachsen unserer Stimmen in Bern nicht zuletzt zurückzuführen ist auf die Arbeit unserer Genossen in der Minderheit der betreffenden Exekutiven. (Sehr richtig!) Nicht nur durch das Reden macht man Propaganda, sonst könnten wir längst Mehrheitspartei sein. (Große Heiterkeit.)...

Arthur Schmid, Oberentfelden, deutscher Berichterstatter der Minderheit des Parteivorstandes: ... Es ist gesagt worden, wir müßten heute einen Bundesrat haben, um zu verhindern, daß ein Bürgerlicher gewählt werde. Das hängt nicht von uns ab, das hängt von der Bourgeoisie ab, von den 190 bürgerlichen National- und Ständeräten, und auch in Zukunft wird das so sein, wenn nicht eine klassenbewußte, starke und zukunftsgläubige Arbeiterschaft in der Schweiz besteht. Das Arbeitszeitgesetz, die 48-Stundenwoche, den Proporz und all diese Errungenschaften verdanken wir der unbeugsamen und unerschütterlichen Einstellung der sozialdemokratischen Arbeiterschaft des Jahres 1918 und nicht irgend einem Bundesrat. (Sehr richtig.) Wir haben damals trotz einer Niederlage geerntet, weil die Bourgeoisie unsere Macht fürchtete. Die Bourgeoisie wird einzelne Genossen nur dann respektieren und fürchten, wenn hinter ihnen wieder diese Macht steht, und mir liegt daran, alle andern Mittel, wenn sie nur einen kleinen Wert haben, auch wenn sie übermäßig groß erscheinen können, heute nicht zu verwenden. Genosse Bratschi und andere Gewerkschaftsführer können *nur dann* mit Erfolg unterhandeln, wenn hinter ihnen diese Macht steht. Die gescheitesten, die erfahrensten, die klügsten Köpfe vermögen nichts auszurichten, wenn nicht die klassenbewußte, kampfentschlossene

Arbeiterschaft hinter ihnen steht. Ich habe aber starke Bedenken, daß durch die Diskussion, wie sie nun gepflogen worden ist, in den Köpfen der Arbeiterschaft ein anderer Weg gewiesen wird. Die Arbeiter sind nur zu leicht geneigt, auf ihre eigene Kampfesfähigkeit zu verzichten, sich selber wenig zuzutrauen und sich dafür umso stärker den andern anzuvertrauen. Mit solchen Geistesverfassungen kommen wir nicht vorwärts. ...

Protokoll über die Verhandlungen des ordentlichen Parteitages des SPS vom 30. November und 1. Dezember 1929 in Basel, Aarau 1930, S. 58, 62f, 90f.

125 Kurswechsel der KPS 1929

Der VI. Weltkongress der III. Internationale 1928 in Moskau beschloß unter der Führung Stalins eine Änderung der bisherigen Politik gegenüber Sozialdemokratie, Gewerkschaften und bürgerlicher Demokratie. Die Delegierten der KPS hatten am Kongress Vorbehalte gegen die neue Linie geäussert. Erst auf Druck der Komintern dekretierte das erweiterte Zentralkomitee der KPS in Basel 1929 auch für die Schweiz den Kurswechsel.

... *Die Beschlüsse des Zentralkomitees bedeuten eine große politische Wendung und Änderung des bisherigen Kurses. Sie sind ein entschlossener Anfang in der Liquidation der opportunistischen Linie, sie sind aber auch die ernsthafte Vorbereitung der Partei auf die großen Kämpfe, die dem Proletariat bevorstehen und die nur unter der Führung der Kommunistischen Partei erfolgreich bestanden werden können.*

... Gehen wir zunächst, wie das Zentralkomitee, auf *die schweizerischen Fragen* ein.

Unsere Partei hat im Kampfe um das Besoldungsgesetz, im Kampfe um die Erhaltung der Einheit der Gewerkschaften, der Verteidigung der demokratischen Rechte der Mitglieder in den Gewerkschaften, in der Frage des Kampfes gegen den Faszismus die verräterische Rolle der sozialdemokratischen Führerschaft aufgezeigt. Bei der Prüfung des *Gesamt*-komplexes der Frage des Verhältnisses unserer Partei zur Sozialdemokratie, mußte aber jeder zur Überzeugung kommen, *daß die Haltung der Partei eine falsche, eine opportunistische war ...*

Die Sozialdemokratie ist eine bürgerliche Arbeiterpartei.

Hierfür brauchen wir nach den Erfahrungen der letzten Jahre die Beweise nicht auf internationalem Gebiet zu holen, sondern die sozialdemokratische Partei der *Schweiz* liefert genügend Beweise für die Richtigkeit dieser Behauptung. Statt nun mit aller Konsequenz der Arbeiterschaft aufzuzeigen, daß die *Führerschaft* der Sozialdemokratie im Lager des Bürgertums steht, daß deshalb diese Partei eine Partei der Konterrevolution ist, hat unsere Partei bei ihrer Propaganda die Sozialdemokratie als die zweite Arbeiterpartei neben der K.P. bezeichnet, mit der gemeinsam ein Block gebildet werden könnte, um das Bürgertum zu bekämpfen. Sie machte die Angebote auf Blockbildung, Listenverbindung, eventuelle Unterstützung bei Regierungsratswahlen, weil der Sozialdemokratie noch große Arbeitermaßen angehören, und in der Hoffnung, die klassenbewußten Arbeiter rascher von der verräterischen Führerschaft abzulösen und für die kommunistische Bewegung zu gewinnen. In Wirklichkeit wurde durch diese Art der Propaganda die *Illusion* der Arbeiter in der Richtung, daß die Sozialdemokratische Partei die Interessen der Arbeiter vertrete, *gestärkt* ... Wenn die Sozialdemokratie eine bürgerliche Arbeiterpartei ist, und sie ist es, dann kann es mit dieser Partei *keine Kampfgemeinschaft* geben. Denn man kann nicht mit einem Teil der *bürgerlichen* Front gegen das Bürgertum kämpfen. Die richtige Schlußfolgerung kann nur sein: schärfster Kampf gegen die Sozialdemokratie.

Dies bedeutet selbstverständlich nicht Verzicht auf die Einheitsfront, das bedeutet nicht Kampf gegen den einfachen sozialdemokratischen Betriebsarbeiter. Das bedeutet die breiteste Anwendung der Taktik der Einheitsfront von unten. Das bedeutet Kampf gegen die Führerschaft und ihr williges Funktionärkader, Entreissung der Arbeiter dem Einfluß dieser Partei, Bildung der einheitlichen Kampffront aller kommunistischen, sozialdemokratischen und parteilosen Arbeiter in den Betrieben und in den Massenorganisationen der Arbeiter gegen das Bürgertum und die mit ihm verbündete S.P.-Führerschaft ...

In diesem Zusammenhang zeigte sich der weitere große Fehler, daß die Partei der Arbeiterschaft den Inhalt der bürgerlichen Demokratie nicht klar aufzeigte. Die Berufung auf die in der Verfassung festgelegten Rechte und Freiheiten kann bei der Arbeiterschaft die Meinung entstehen lassen, als würde die Arbeiterschaft, unter der Führung der Kommunistischen Partei zur Macht gelangt, diese Verfassung innehalten. Die Partei muß der Arbeiterschaft ganz deutlich sagen, daß diese Verfassung nur ein Fetzen Papier ist.

Die bürgerliche Demokratie ist nur das Machtinstrument der herrschenden Klasse, sie ist ebenso wie eine andere kapitalistische Staatsform die Diktatur der Bourgeoisie gegen die Arbeiterklasse. Es ist eine wichtige Aufgabe der Kommunistischen Partei, dem Proletariat klar zu machen, daß es sich bei der bürgerlichen Demokratie um die geeignete Form der Ausbeutung der Werktätigen handelt, und daß diese «demokratische» Diktatur sofort in eine faszistische umgewandelt wird, wenn dies den Kapitalisten für die Verteidigung ihrer Privilegien als notwendig erscheint. ...

Das Zentralkomitee stellte aber auch fest, daß die Partei den *Radikalisierungsprozeß,* der auf Grund der Verschärfung der Klassengegensätze in der Arbeiterschaft vor sich geht, nicht sah, jedenfalls nicht analysierte und keine Schlußfolgerungen daraus für ihre Tätigkeit zog. *Wo es schon ganz offensichtlich zutage trat, daß in der Arbeiterschaft die Unzufriedenheit mit der sozialdemokratischen und reformistischen Gewerkschaftspolitik wächst, da gab und gibt es immer noch Genossen, die diese Erscheinungen bestreiten, auf irgendwelche Zufälle zurückführten oder noch führen.* ...

Die zweite Frage, die das erweiterte Zentralkomitee behandelte, war *die Lage in der Komintern* und die bisherige Stellung zu den Streitfragen in der Internationale. Der sechste Weltkongreß hat eine genaue Darstellung der Weltlage gegeben. Er zeigte, daß die Stabilisierung der kapitalistischen Wirtschaft eine morsche und faule ist, daß sich in der dritten Nachkriegsperiode die Steigerung der Produktion, die internationalen Gegensätze verschärfen und damit die Kriegsgefahr vergrößert und akuter wird. Der Kongreß stellte die Kriegsgefahr der Imperialisten gegenüber der Sovietunion an erste Stelle. ...

Die falsche Stellungnahme zu diesen Fragen durch das Z.K. der K.P. Schweiz war nur möglich, weil die Partei im Lande selbst eine falsche, opportunistische Politik befolgte und ferner die Beschlüße des 6. Kongresses nicht durchgearbeitet und deren praktische Anwendung auf die Verhältnisse und Arbeit der Partei in der Schweiz außer acht gelassen hat. *Das erweiterte Zentralkomitee hat hier mit der schärfsten Selbstkritik die bisherige Stellungnahme verurteilt und eine Linie bezogen, die die volle Übereinstimmung mit der Kommunistischen Internationale und ihrer führenden Organe wieder herstellt.* ...

Die Beschlüsse des Zentralkomitees, die jetzt in der Parteipresse abgedruckt werden, müssen jetzt in der Mitgliedschaft gründlich durchdiskutiert werden. Die Diskussion aber darf nicht in allgemeinen Parteiversammlungen erfolgen, sondern muß in den *Zellen* durchgeführt werden. ... Nach Abschluß der Diskussion werden alle Zellen und kantonalen Leitungen auf Grund der Diskussionsergebnisse neu gewählt und im Laufe des Herbst wird der schweizerische *Parteitag* stattfinden, der die Ergebnisse der Diskussion zusammenfassen und die weitern Aufgaben der Partei festlegen wird. ...

Kämpfer, 23.5.1929.

126 Zur inneren Entwicklung von SP und KP

Nachdem Fritz Brupbacher (vgl. 75) 1932 auch aus der KP ausgeschlossen worden war, schilderte er in seinen 1935 erschienenen Erinnerungen seine Erfahrungen und übte heftige Kritik an gewissen Erscheinungen in der Sozialdemokratischen und der Kommunistischen Partei.

... Die S.P. der Schweiz hatte mich 1914 aus der Partei ausgeschlossen wegen revolutionärer Umtriebe. In jener Zeit schon war es ganz klar, daß ihre Haupttätigkeit die Stellenjägerei sei. Sie hat Macht, da sie Stellen, besonders in der Gemeindeverwaltung, zu vergeben hatte. Ihr Funktionärkorps bestund zu neun Zehnteln aus sehr eifrigen Leuten, denen irgendeine gutbezahlte Stelle winkte. Gutbezahlt im Verhältnis zu den Stellen, die die betreffenden Leute ohne S.P. erhalten hätten. Die breite Masse der Parteimitglieder und der Wähler hätte sich entsetzt, wenn man ihnen das offen gesagt hätte. Für jeden, der den Betrieb aus der Nähe kannte, war das eine selbstverständliche Tatsache. Natürlich mußten diese Stellenjäger auch für die breite Masse etwas tun und ihr nach dem Munde reden, sonst wäre der Wähler anderswo hingelaufen.

So waren die Stellenjäger an die Masse gebunden, und die Masse hatte einen gewissen Einfluß auf sie. Und da die Masse proletarisch war, war auch die S.P. eine von den Proleten stark beeinflußbare Partei. Wo die Proleten radikaler waren, waren auch die Bonzen der S.P. radikaler.

Die S.P. war vielleicht eine verbürgerlichte, aber keine bürgerliche Partei, und auch Leute wie ich, die sie immer bekämpft und aus ihr ausgeschlossen waren, wußten das ganz genau. Wußten auch, daß die breite Masse der Anhänger der S.P. diese Partei für eine proletarische Partei hielten.

Man mußte deshalb sehr vorsichtig sein in seinem Verhalten zur S.P. Man konnte viele Einzelheiten an ihr kritisieren; aber sie en globe einfach als Feind der Arbeiterschaft betrachten, hieß sozialpsychologisch, die breiten gläubigen Massen der S.P. als Feind betrachten oder sich zum Feind machen.

Nun verhielt sich die K.P. eben so zu der S.P., daß sie sie als Nur-Feind betrachtete, und unsere Blätter waren zu drei Vierteln angefüllt mit ständigen und sehr oft ganz unbegründeten Angriffen auf die S.P., denen kein Material zugrunde lag, da die K.P.-Leute die Vorgeschichte weder der S.P. noch der Gewerkschaften recht kannten. ...

Man verbrauchte in unseren Blättern mehr Zeit und Kraft im Kampf gegen die S.P., als gegen die Kapitalisten.

Im Laufe der Zeit wuchs sich dieses Schimpfen zur Theorie aus und man nannte die S.P. *Sozial-Faschisten* und die wichtigste Stütze der Bourgeoisie. Das war nun vollendeter Unsinn. Wenn es auch wahr war, daß eine Minorität der S.P. geistig verbürgerlicht war, die ganze breite Masse der S.P. war es nicht.

Und nun kommt noch ein Punkt, an dem ich von Anfang an mich stieß. Am Versagen der Gewerkschaften und der S.P. bei Ausbruch des Krieges wurden von der K.P. nur die *Führer verantwortlich* gemacht. Alle Niederlagen des Proletariats nach 1918 sollten verschuldet sein einzig und allein durch die Führer – die Massen waren einfach unschuldige, verführte Opfer.

Jedesmal wenn ich mich hiergegen öffentlich wandte, gab's ein großes Knurren unter unseren Bönzchen. ...

In der nächsten Zeit wurde es in der K.P. immer schlimmer. Und zwar in allen Ländern. Ohne daß wir auf den innersten Grund dieses Schlimmerwerdens gekommen wären. Was ich hier erzähle, gilt für die ganze Komintern.

Aus allen Ländern der ganzen Welt, wo es K.P.-Sektionen gab, wurden immerfort junge Proleten zur Schulung nach *Moskau* geschickt. Sie wurden dort zu «Berufsrevolutionären» erzogen, das heißt zu Leuten, die, wenn sie heimkamen, fanden, sie möchten jetzt nicht mehr in

Der kommunistische Maulrevolutionär.

Hier seht ihr den Parolen-Mann,
Der — mit den Worten! — alles kann.
Macht Weiß zu Schwarz und Schwarz zu Weiß,
Genau nach Sinowjews Geheiß.

Bald so, bald anders, hin und her,
Ein Multi-Revolutionär!
Pack ein, den Sums! Streich dich nach Haus,
Denn deine Zeit, mein Freund, ist aus!

der Fabrik arbeiten und gehorchen, sondern in die Büros der Partei oder auf Redaktionen kommen und regieren.

Da die Stellen in der K.P. klein an Zahl und zudem schon besetzt waren, befanden sich diese Lenin-Schüler, wenn sie heimkamen, in einer schwierigen Situation. In die Fabrik wollten sie nicht mehr, und Stellen gab es keine. Und gegessen wollte man doch haben. So blieb ihnen nichts anderes übrig, als diejenigen, welche Stellen hatten, zu expropriieren. Das heißt, man mußte das Parteivolk gewinnen, daß es gegen die Alten für die Neuen Partei ergriff. Beim Parteivolk gewann man sofort Einfluß, wenn man behauptete, die Alten verständen die Linie von Moskau nicht oder wären gar bewußt gegen diese Linie.

Im Laufe der Zeit wurden dann die jungen Lenin-Schüler wieder von noch jüngeren Lenin-Schülern verdrängt, die auch wieder als Berufs-Revolutionäre von Moskau kamen und auch wieder Stellen haben mußten, um zu leben, und die nun ihre Vorgänger auch wieder wegintrigieren mußten, wie diese ihre Vorgänger wegintrigiert hatten.

Jede jüngste Generation von Lenin-Schülern stützte sich jeweilen auf die letzte Linie, die in Moskau ausgeknobelt wurde. Das gab eine sehr unangenehme Atmosphäre. Man fühlte zu sehr, daß der Kampf nicht so sehr um Linien als um Freßplätze ging, daß die Linien nur Vorwände waren, um sich Moskau, den besten Verbündeten, geneigt zu machen im Kampfe um den Freßplatz.

Da in der K.P. die Zahl der Freßplätze viel kleiner war als in der S.P., wurde der Kampf um dieselben noch viel intensiver als in der S.P. ...

Die *Organisation* der Komintern war ein wunderbares Instrument in den Händen der stalinistischen Parteibürokraten. Nehmen wir an, es stehe eine Resolution, die die Zentrale vorschlägt, zur Diskussion. Diese Resolution komme in der Parteizelle zur Behandlung. Mitglied Meier spreche gegen diese Resolution. Dann darf Meier nicht in die Delegiertenversammlung gewählt werden, die das Schicksal dieser Resolution zu entscheiden hat. Wer im kleinsten Kreise gegen die Resolutionen der Zentrale ist, die noch nicht angenommen, nur vorgeschlagen sind, wird faktisch aller Parteirechte beraubt. So ist's auch nicht verwunderlich, daß alle Resolutionen von den Parteitagen einstimmig gefaßt werden.

Gleich ist es natürlich auch bei Wahlen. In den Wahlkörper werden nur die linientreuen Genossen zugelassen. Die Zelle wählt die Delegiertenversammlung. Aber als Delegierter darf nur der Linienmann gewählt werden, und der wählt natürlich nur den Linienmann. Zellen, die nicht parieren, werden aufgelöst. So wird faktisch alles und jedes von dem Politbüro bestimmt. Es wählt sich selber und organisiert alles so, daß nur seine Resolutionen angenommen werden. Wer nicht im Politbüro oder mit dem Politbüro ist, ist ohne Einfluß.

Das ist Usus in der ganzen Komintern, und das nennt man den *demokratischen Zentralismus.*

Fritz Brupbacher, 60 Jahre Ketzer, Zürich 1935, S. 306f., 334ff.

VI. Weltwirtschaftskrise, Faschismus und Krieg: Die Arbeiterbewegung in der Defensive 1929–1943

Wirtschaftskrise, Abbaupolitik des Kapitals

Die dreissiger Jahre begannen mit der weltweiten Krise *des kapitalistischen Wirtschaftssystems: «Millionen haben kein Brot, weil zu viel Getreide gebaut wird. Millionen sind in Lumpen gehüllt, weil zu viel Textilwaren produziert wurden. Millionen sind obdachlos, weil zu viel Häuser gebaut wurden» (Eugen Varga). Der Absatz und die Produktion der Waren kamen ins Stocken, weil die ungeplante, profitorientierte Ausdehnung des Produktionsapparates in immer stärkeren Widerspruch zu den vorhandenen Absatzmöglichkeiten geriet. Die Kapitalisten reduzierten oder stoppten die Produktion, weil sie die Produkte nur noch zu tiefgedrückten Preisen oder überhaupt nicht mehr absetzen konnten.*

Die Krise wirkte sich in der Schweiz zuerst auf die Exportindustrie aus. Allein von 1930 bis 1932 gingen die Exporte der Maschinenindustrie von 332 auf 134 Mio Fr. zurück, diejenigen der Textilindustrie sanken von 555 auf 165 Mio. Fr. Etwas später griff der Schrumpfungsprozeß auch auf den Bausektor über. Weil dem Kapital die Geschäfte stockten, versuchte es, die Profite zu erhalten durch Abwälzung der Krisenlasten auf die Lohnabhängigen, Gewerbetreibenden und Bauern.

Besonders hart litt die werktätige Bevölkerung jener Gebiete, deren Existenz stark von einem ohnehin schon schrumpfenden Produktionszweig abhing, wie z.B. von der Textilindustrie in Regionen der Ostschweiz (128) oder der Uhrenindustrie in der Westschweiz.

Das Kapital versuchte, seine Profite vor allem durch Verminderung der Produktionskosten *zu sichern: Arbeitswillige wurden aus dem Produktionsprozeß geworfen (130), der Arbeitsrhythmus mittels ausgeklügelter Antreibermethoden verschärft (131), den Arbeitenden die Löhne abgebaut. Der Lohnabbau machte in einzelnen Wirtschaftsbereichen je nach Kampfbereitschaft der Arbeiterorganisationen bis zu 15 Prozent aus. Politische Vorstösse der Arbeitgeberverbände und des Vorortes des Handels- und Industrievereins zielten zusätzlich auf eine Preisreduktion für Lebensmittel ab, damit die Löhne umso mehr gedrückt werden konnten. Sie behaupteten, daß nur dadurch die Konkurrenzfähigkeit der Exportindustrie gewahrt werden könne.*

In Bundesrat Schultheß fanden sie einen entschiedenen Verfechter ihrer Postulate (144). Das zeigte sich auch darin, daß der Bundesrat die Löhne des Bundespersonals herabsetzen wollte. Nachdem dieser 7,5prozentige Lohnabbau in der Volksabstimmung vom 28. Mai 1933 vorerst verworfen worden war, setzte sich das Parlament über diesen Volksentscheid mit einem dringlichen Bundesbeschluß, *der nicht dem Referendum unterlag, einfach hinweg.*

In der Folge griff die bürgerliche Mehrheit im Parlament immer mehr zu diesem Instrument, weil sie sah, daß beim Volk für die Abbaupolitik keine Mehrheit zu finden war: Die Anzahl der dringlichen Bundesbeschlüsse stieg von 1 im Jahre 1929 auf 16 im Jahre 1934.

Faschismus und Offensive des Bürgertums

In der Krise wurde für das Kapital nicht nur die Sicherung der Profite *sondern auch seiner* politischen Herrschaft *zu einem Problem. Die Hoffnung der breiten Massen, daß das kapitalistische System ein kontinuierliches Wachstum des gesellschaftlichen Wohlstandes garantiere, wurde durch die Krise verstärkt in Frage gestellt. Damit war die Rechtfertigung der bürgerlichen Herrschaft in Gesellschaft und Staat gefährdet.*

Vor diesem Hintergrund müssen die Verschärfung des Klassenkampfes von rechts *und der Sieg der faschistischen Bewegung in Deutschland gesehen werden. Diese hatte ihre Anhänger durch eine antimarxistische und gegen das «Wucherkapital» gerichtete Propaganda vor allem unter kleinbürgerlichen Schichten, dann aber auch in Teilen der Arbeiterschaft rekrutieren können. In der Tat jedoch handelte die auf die Errichtung eines imperialistischen, autoritären Regimes hinzielende faschistische Bewegung im Sinne des deutschen Großkapitals, welches sie auf dem Höhepunkt der Krise 1932/33 zur Durchsetzung seiner Krisenbewältigungspolitik benutzen konnte. Das faschistische Regime zerschlug, auch wenn es nicht lediglich Agent des Großkapitals war, in dessen Interesse mit terroristischen Methoden die Arbeiterorganisationen und brachte durch eine forcierte Aufrüstungspolitik die Profite der Monopole wieder zum Steigen.*

Auch in der Schweiz verstärkten sich die autoritären Krisenlösungsvorstellungen im Bürgertum. In seinem aggressiven Kampf gegen die Arbeiterbewegung wurde es unterstützt durch die Fronten mit konservativer bis faschistischer Ausrichtung, die nach der NS-Machtergreifung im Frühling 1933 stark aufkamen. Hier zeigte sich, daß die Arbeiterorganisationen die einzige Kraft waren, die sich von Anfang an gegen den Faschismus wandte. Der Kampf verlief dabei in verschiedenen Formen auf drei Ebenen: 1. gegen die faschistischen Regimes im Ausland; 2. gegen deren Organisationen und Propaganda in der Schweiz; 3. gegen die schweizerischen faschistischen Gruppen und gegen faschistische Tendenzen im Bürgertum. Während die NZZ noch im Februar 1933 dem NS-Regime Anerkennung dafür zollte, daß es mit «Energie und Umsicht» die Arbeiterbewegung bekämpfe, protestierte die schweizerische Arbeiterschaft unmittelbar nach der endgültigen faschistischen Machtübernahme im März 1933 in eindrucksvollen Kundgebungen gegen die Barbarei der Faschisten (134). Die gewaltsame Zerschlagung der Arbeiterbewegung durch den Faschismus gab auch den bürgerlichen Parteien in der Schweiz die Hoffnung, mit Hilfe der Fronten die sozialistische Bewegung schwächen zu können (138).

Daß das Bürgertum auch nicht vor dem Einsatz von Waffengewalt *zurückschreckte, um gegen die Arbeiterbewegung vorzugehen, zeigt das Beispiel von Genf im November 1932 (132, 133), wo sich die Klassengegensätze besonders stark zugespitzt hatten. Als das Militär mit Gewalt eine antifaschistische Demonstration auflöste, kam es zu einem Massaker, das unter den Demonstranten 13 Tote und 70 Verwundete forderte. Zahlreiche Sozialisten und Kommunisten wurden verhaftet. Die Arbeiterorganisationen antworteten mit örtlichen Generalstreiks und Solidaritätskundgebungen in der ganzen Schweiz. Bürgerliche Scharfmacher verurteilten die Demonstration als Revolutionsversuch, in der Absicht, Stimmung für ein neues «Zuchthausgesetz» zu machen. Das Bundesgesetz zum Schutz der öffentlichen Ordnung (Lex Häberlin II), als Mittel zur Disziplinierung einer kämpferischen Arbeiterbewegung gedacht, wurde aber schliesslich 1934 vom Volk verworfen, nachdem die KP und SP, nicht aber der SGB, das Referendum dagegen ergriffen hatten.*

Auch bei den städtischen Wahlen in Zürich vom September 1933 galt es für die SP einen Abwehrkampf gegen die vereinigte bürgerlich-frontistische Allianz *zu führen. Diese glaubte, die rote Mehrheit im Gemeinde- und Stadtrat von Zürich brechen zu können. In einem erbittert und demagogisch geführten Wahlkampf versuchte die «Vaterländische Allianz», ihr Programm an den Mann zu bringen: Lohnabbau, Zurückdämmung der kommunalen Krisenbekämpfungsmaß-*

nahmen, Entfernung von SP-Anhängern aus den öffentlichen Ämtern (139). Die SP, welche in dieser Situation von der KP als «reformistisch» bekämpft wurde, wollte sich die (beschränkten) Möglichkeiten, auf kommunaler Ebene die Folgen der Krise für die Arbeiter und Angestellten zu mildern, bewahren: Öffentliche Arbeitsbeschaffung, Arbeitslosenunterstützung, Förderung des kommunalen und genossenschaftlichen Wohnungsbaus, Mithilfe bei der Förderung der Exportindustrie durch Übernahme von Ausfallgarantien usw. (140). Die SP konnte schließlich ihre Mehrheit in Gemeinde- und Stadtrat behaupten (141).

Krisenbekämpfung der Arbeiterorganisationen

Zu Beginn der dreißiger Jahre ergab sich für die Arbeiterbewegung die folgende Ausgangslage: SPS und SGB einerseits sowie KPS und RGO andererseits bekämpften sich. Besonders stark war die antikommunistische Ausrichtung im SGB, der, wie die SP, nicht bereit war, mit der KP zusammenzuarbeiten (135, 136, 137). Dazu mag auch die unterschiedliche Stärke der beiden Organisationen beigetragen haben. Während die SP bei den Nationalratswahlen 1931 243069 Wählerstimmen (28,7 Prozent) auf sich vereinigen konnte, brachte es die KP auf 15982 (ca. 2 Prozent).

Die vom Bürgertum befürchtete Radikalisierung der Arbeiterbewegung angesichts der Krise blieb fast völlig aus – im Gegensatz zur Entwicklung in anderen Ländern. Lohnabbau, Angst vor Arbeitslosigkeit, Zerschlagung der Arbeiterbewegung in Deutschland und Österreich verstärkten die vorsichtige Haltung von SP und SGB. Der SGB hatte schon 1927 in seinem Programm auf eine Politik des Klassenkampfs verzichtet. Eine geschlossene politische und ökonomische Bewegung wurde auch durch die Arbeitsteilung von SP und SGB verhindert. Der SGB, der sich als politisch neutral verstand, unternahm wirtschaftspolitische Vorstöße, seine Berufsverbände führten die Betriebsarbeit; die SP beschränkte sich auf die Arbeit in Exekutive und Legislative und auf die Teilnahme an Wahl- und Abstimmungskämpfen. Allerdings gelang es der Gewerkschaftsführung, in wichtigen Fragen auf die Partei einzuwirken (z.B. Landesverteidigung, Verhältnis zu den Kommunisten).

Die wirtschaftspolitischen Vorstöße des SGB zielten nicht auf eine Überwindung des kapitalistischen Systems. Vielmehr sollten durch Interventionen des bürgerlichen Staates die schlimmsten Folgen der Krise von den Arbeitern und Angestellten abgewendet werden. Theoretisch wurde dies im Arbeitsprogramm *1934 vom SGB festgelegt (142). Wenn auch sozialistische Elemente der Wirtschaft (Staatswirtschaft, Kommunalwirtschaft, Genossenschaften) gefördert werden sollten, so blieb doch letztlich die Herrschaft des Kapitals unangetastet. Ein erster praktischer Schritt zur Verwirklichung dieses Programms war die Lancierung der* Kriseninitiative *1934 (143). Alle von der Krise Betroffenen sollten miteinbezogen werden. So arbeiteten im Aktionskomitee neben dem SGB auch die Angestelltenverbände und die Jungbauernbewegung mit (145). Entsprechend weit gefächert waren die Forderungen: generell ging es darum, daß durch Maßnahmen des Bundes (Arbeitsbeschaffung, Lohn- und Preisschutz, Arbeitslosenversicherung, Entschuldung von Bauernbetrieben, Förderung der Exportindustrie usw.) die Kaufkraft des Volkes erhöht und den Arbeitern, Angestellten und Bauern ein genügendes Einkommen gesichert werden sollte. Die SP und nach anfänglichem Zögern auch die*

KP unterstützten die Initiative, waren im Aktionskomitee aber nicht vertreten. Das Bürgertum setzte alle Machtmittel ein, um sie zu bekämpfen (144, 147). Sie wurde schließlich bei 420000 Ja-Stimmen relativ knapp abgelehnt.

Da mit der bisherigen Abbaupolitik allein die internationale Konkurrenzfähigkeit der Exportindustrie nicht genügend verbessert werden konnte, entschloß sich der Bundesrat am 26. September 1936 zu einer 30prozentigen Abwertung *des Schweizerfrankens. Sie bedeutete Verbilligung der Schweizer Produkte im Ausland und Verteuerung der Importe. Die Arbeiterklasse hatte von der Abwertung mit Recht Preissteigerungen und damit einen Kaufkraftschwund ihrer Löhne zu befürchten (148, 149).*

Gewerkschaften: Vertragspolitik und Sozialpartnerschaft

Wenn auch die Verhältnisse in den einzelnen Verbänden unterschiedlich waren, so lassen sich doch einige gemeinsame Merkmale beim Kampf im Betrieb um bessere Arbeits- und Lohnverhältnisse feststellen. Die Tendenz ging dahin, von den Unternehmerverbänden als Verhandlungspartner akzeptiert zu werden, um möglichst landesweite Verträge mit umfassender Regelung von Lohn- und Arbeitsbedingungen abschließen zu können. Als das wichtigste Mittel zur Erreichung dieses Ziels sah man die zahlenmäßige Stärkung *der Organisationen an. Konrad Ilg, SMUV-Präsident, hatte 1928 zu diesem Punkt bemerkt: «Erst wenn der Verband die nötige Stärke erreicht hat, können wir den Unternehmern imponieren und daran gehen, mit ihnen in ein vertragliches Verhältnis zu kommen.» Die Gewerkschaftsführung betrachtete ihre Fähigkeit, spontane Bewegungen in den Betrieben unter Kontrolle zu halten, als ein weiteres Element ihrer Stärke. Mit einer* verstärkten Führung von oben *und einer möglichst großen Mitgliederzahl hofften die Gewerkschaftsspitzen, ihr Gewicht bei Verhandlungen zu stärken und die finanziellen Unterstützungsfunktionen (Arbeitslosen- und Krankenversicherung usw.) der Gewerkschaften in der Krise zu erhalten.*

Die Politik des SMUV und des SBHV wies zwar einige gemeinsame Merkmale auf, doch nahmen die Auseinandersetzungen zwischen Gewerkschaften und Unternehmern im Bau- und Holzgewerbe *einen wesentlich anderen Verlauf als in der Maschinenindustrie. Dem SBHV, nach dem SMUV und dem VPOD zahlenmäßig drittstärkster Verband, gelang es, in Verhandlungen und zahlreichen Streiks bis 1932 die Offensive der Unternehmer, die auf Kündigung der bisherigen Verträge, Verhinderung neuer Vertragsabschlüsse, Lohnabbau, Streichung oder Reduzierung von Ferien abzielte, abzuwehren. Fast 60 Prozent aller Kämpfe in der schweizerischen Wirtschaft der dreissiger Jahre spielten sich im Bau- und Holzgewerbe ab, wobei die Unternehmer auch zum Mittel der Aussperrung griffen. Bis 1939 erkämpfte sich der SBHV 234 örtliche, regionale und landesweite Kollektivverträge. Die Zahl der von Verträgen erfassten Arbeiter konnte von 31000 1929 auf 66500 1939 erweitert werden. Für die betreffenden Arbeiter bedeutete dies, daß sie dem Unternehmer nicht mehr allein und somit ohnmächtig gegenüberstanden, sondern durch kollektive Verträge eine minimale Garantie ihrer Lohn- und Arbeitsbedingungen erhielten.*

Im Bereich des Metallgewerbes *und der* Maschinenindustrie *war die Politik des SMUV schon seit den zwanziger Jahren darauf ausgerichtet, durch zurückhaltende Forderungen und*

Vermeidung von Kämpfen von den Unternehmern grundsätzlich als Sozialpartner anerkannt zu werden (119–121). 1929 wies der Arbeitgeberverband einen Vorstoß von Konrad Ilg auf Abschluß eines Friedensabkommens noch zurück.

Anfang der dreißiger Jahre wurde der SMUV mit dem Problem konfrontiert, die Folgen der Krise (Lohnabbau, Verschärfung der Rationalisierung, Arbeitslosigkeit) von den Arbeitern abzuwenden. Aber durch Verhandlungen allein konnte nicht verhindert werden, daß die Löhne um mindestens 10 Prozent abgebaut wurden. An bestehenden Verträgen wollte der SMUV unter allen Umständen festhalten – obwohl zur gleichen Zeit Unternehmer anderer Branchen die Vertragsbestimmungen nicht einhielten –, weil nur so die «Glaubwürdigkeit» der Gewerkschaften gewahrt werden könne. Als beispielsweise im Mai 1932 die Zürcher Heizungsmonteure unter Führung der RGO gegen einen geplanten Lohnabbau streikten, wurden sie vom SMUV bekämpft. Er begründete seine Haltung damit, daß der Vertrag von 1929 eine Lohnanpassung an den Lebenskostenindex gestatte. Die Auseinandersetzung ging so weit, daß der «rote» Stadtrat von Zürich im Juni 1932 eine Demonstration der Streikenden verbieten ließ und am folgenden Tag eine Kundgebung mit Gewalt auflöste. Der Einsatz der Polizei forderte unter den Demonstranten ein Todesopfer und Verletzte. Obwohl zahlreiche Streikende verhaftet wurden, endete der Kampf nach über zweimonatiger Dauer mit einem Teilerfolg. Begünstigt wurde dieser auch durch die Situation im Baugewerbe, wo die Krise 1932 noch nicht so stark wie in der Exportindustrie fortgeschritten war.

Auch im weiteren Verlauf der Krise hielt die Führung des SMUV an ihrer Stillhaltepolitik *fest. Im Sinne des SGB-Programms von 1934 wollte sie mit einer Vermeidung von Kämpfen «Reibungsflächen» innerhalb der Wirtschaft ausschalten, um so einen Beitrag zur Verbesserung der internationalen Konkurrenzfähigkeit der Maschinenindustrie zu leisten. Nach 1936 wurde die internationale Wirtschaft hauptsächlich durch die Aufrüstung wieder angekurbelt. Auch die Schweizer Exportindustrie profitierte davon, noch begünstigt durch die Abwertung. 1936 bis 1939 stiegen die Exporte der gesamten Metallindustrie (Maschinen, Apparate, Eisenwaren, Aluminium, Uhren) sprunghaft von 404 auf 650 Mio. Franken, diejenigen der chemischen Industrie von 146 auf 255 Mio. Franken.*

Die steigenden Profite der Unternehmen und die Reallohnreduktionen nach der Abwertung führten zu einer gesteigerten Kampfbereitschaft *unter den Arbeitern. 1937 wurden in etwa 70 Betrieben der Maschinen- und Metallindustrie Lohnforderungen gestellt. Doch während im Juni die Arbeiter in verschiedenen Betrieben das Mittel des Streiks in Erwägung zogen, um ihren Forderungen Nachdruck zu verleihen (150, 151), verhandelte Konrad Ilg im Namen der SMUV-Leitung bereits seit dem Frühjahr mit dem Arbeitgeberverband über den Abschluß eines Friedensabkommens. In einer weiten gewerkschaftlichen Öffentlichkeit wurde das Abkommen erst nach Abschluß am Verbandskongreß im September diskutiert und angenommen. Das Scheitern der Streikbewegung bei Sulzer und der unmittelbar folgende Abschluß des Friedensabkommens im Juli müssen in einem engen Zusammenhang gesehen werden. Die Gewerkschaftsführung war nicht gewillt, ihren auf lange Frist gedachten Ausgleich mit dem Arbeitgeberverband durch Unterstützung von Streiks zu gefährden (152), auch wenn sie kurzfristig Erfolg versprachen. Der Arbeitgeberverband war in dieser Situation um so mehr zu einer Anerkennung der Gewerkschaften als Vertragspartner bereit, wenn ihm diese dafür Gewähr boten, ihre Ordnungsmacht zur Verhinderung von Kampfhandlungen einzusetzen.*

Das Friedensabkommen, das am 19. Juli 1937 zwischen vier Gewerkschaften (unter Führung des SMUV) und dem Arbeitgeberverband der Maschinen- und Metallindustrie abgeschlossen wurde (153, 154, 155), war kein eigentlicher Arbeitsvertrag mit verbindlicher Regelung der Arbeits- und Lohnbedingungen. Es legte die Art und Weise fest, wie gegenseitige Forderungen unter Ausschluß von Kampfhandlungen nach «Treu und Glauben» behandelt werden sollten. Um die Dispositionsfreiheit der Unternehmer auf lange Sicht zu wahren, erklärte sich der SMUV bereit, auf seine gewichtigste Waffe – den Streik – zu verzichten. Von der «störungsfreien» Entwicklung der Wirtschaft erhoffte er sich auch für die Arbeiter vermehrte materielle Vorteile. Die soziale Versöhnung sollte gleichzeitig einen Beitrag zur nationalen Einheit darstellen. Mit dem Friedensabkommen wollte man auch eine vom Bundesrat nach der Abwertung vorgesehene staatliche Zwangsschlichtung von Arbeitskonflikten verhindern. Weder die Gewerkschaften noch der Arbeitgeberverband wollten nämlich ihre Vertragsfreiheit durch staatliche Vermittlung beeinträchtigen lassen.

Die Friedenspolitik blieb auch in der Nachkriegszeit beim SMUV prägendes Element. Seit 1939 wurde die Vereinbarung alle fünf Jahre wieder erneuert.

Integration der SP in den bürgerlichen Staat und verstärkte Repression gegen die KP

Analog zur Entwicklung der Gewerkschaftspolitik integrierte sich auch die SP im Verlauf der dreißiger Jahre zunehmend in den bürgerlichen Staat. War die SP 1931 zu den Nationalratswahlen noch mit dem Anspruch angetreten, es gelte nun angesichts der Krise, das kapitalistische System zu überwinden und einen Staat des Proletariats zu errichten (129), so ist nicht zu verkennen, daß ihre Praxis alles andere als revolutionär war. Auch wenn im Programm von 1920 die «Diktatur des Proletariats» propagiert wurde, so bestand in der Praxis weiterhin Unsicherheit darüber, wie das zu erreichen sei. Angesichts der Bedrohung der Arbeiterklasse durch die Krise, der faschistischen Gefahr von außen, der antidemokratischen Tendenzen im Bürgertum, der Tatsache, daß die SP ihren Wähleranteil auf Landesebene nie über 30 Prozent steigern konnte, nahmen innerhalb der Partei die Stimmen zu, welche die Zweideutigkeit von Theorie und Praxis durch eine grundsätzliche Anerkennung der bürgerlichen Demokratie überwinden wollten. Nur so sei es möglich, sich den Boden der bürgerlichen Demokratie, ohne den die Arbeiterschaft besonders in der gegenwärtigen Situation ihren Kampf nicht führen könne, zu erhalten. Die Auseinandersetzung innerhalb der Partei führte schließlich am Luzerner Parteitag 1935 zu einer grundsätzlichen Programmänderung (158). Anstelle einer «proletarischen Diktatur» sei von der Partei eine «weitergespannte Volksfront der Arbeit» anzustreben. Gemäß diesem programmatischen Verständnis der SP als Volkspartei wurde am selben Parteitag nach heftigen Auseinandersetzungen der militärischen Landesverteidigung grundsätzlich zugestimmt (156, 157). In der Praxis blieb die Militärfrage allerdings kontrovers bis 1937. Der Parteitag nahm auch den sogenannten «Plan der Arbeit» an, der als Aktionsprogramm der nun weitergespannten antikapitalistischen Volksbewegung betrachtet wurde. Dieser lehnte sich an einen ähnlichen Plan der belgischen Sozialisten an und sah im wesentlichen folgendes vor: Nationalisierung der Großbanken, Versicherungen und industriellen Monopole; Förderung der Landwirtschaft auf genossenschaftlicher Basis; öffentliche Siedlungs-, Bau- und Wohnungspolitik; Mitbestimmung der Arbeitnehmer auf allen Stufen. Die finanziellen Mittel sollte der Staat durch Steuern (Progressiv-, Erbschafts-, Luxus- und Grundstückgewinnsteuer) sowie durch Gewinne der vergesellschafteten Betriebe beschaffen.

Die neuen gesellschaftspolitischen Ziele der SP sind auch im Zusammenhang mit dem Wahlkampf zu den Nationalratswahlen 1935 zu sehen, in dem sie Stimmen innerhalb der von der Krise betroffenen Mittelschichten zu gewinnen hoffte. Da der erwartete Erfolg ausblieb, war auch weiterhin ungeklärt, auf welche Weise die zur Verwirklichung der SP-Postulate nötige Änderung der Machtverhältnisse erreicht werden sollte.

1937 gab der SP-Parteitag seine Zustimmung zur «Richtlinienbewegung» (161). Die Richtlinienbewegung verlangte eine Stärkung der geistigen und militärischen Landesverteidigung sowie öffentliche Arbeitsbeschaffungsmaßnahmen.

Nach dem Einmarsch der deutschen Armee in Österreich 1938 verpflichtete sich die SP in einer Erklärung aller Parteien der eidgenössischen Räte zur Zusammenarbeit und dazu, Auseinandersetzungen in «Würde und gegenseitiger Achtung» auszutragen. In Bezug auf die positive Einstellung der SP zur Landesverteidigung stellte der BGB-Bundesrat Minger im September 1938 befriedigt fest: «Über diesen geistigen Umschwung wollen wir uns aufrichtig freuen, und wir wollen einen Strich ziehen unter den Irrtum, den sie früher begangen hat.» Die nationale und soziale «Versöhnung» fand ihren bildhaften Ausdruck in der Landesausstellung («Landi») 1939.

Obwohl die KPS das kapitalistische System grundsätzlich angriff und entschieden an die Kampfbereitschaft der Arbeiter appellierte, trug u.a. die enge Anlehnung an die Politik der Komintern nicht dazu bei, ihre Anhängerschaft unter den Arbeitern zu vergrößern. Ihr Einflußbereich beschränkte sich vor allem auf die Städte Zürich, Basel und Schaffhausen. Dem Ziel der Komintern, den «Aufbau des Sozialismus in einem Land» (Sowjetunion) zu fördern, wurde auch die Taktik der KPS untergeordnet. Dies führte einige Male zu Richtungsänderungen: Schon vor 1935 hatte die KPS ihre grundsätzliche Bekämpfung der Sozialdemokraten und reformistischen Gewerkschaften («Sozialfaschismus»-Politik) gemildert und die «Einheitsfront von unten» proklamiert. Gemäß dieser Politik sollte unter Führung der KPS auch die «linke» Basis der sozialdemokratischen Parteien und Gewerkschaften vereinigt werden. Die «rechten» Führer von SP und Gewerkschaften hoffte sie so auszuschalten. Nach 1935 befürwortete die Komintern sodann eine «Volksfront»-Politik, um durch Stärkung der bürgerlich-demokratischen Staaten in Europa einen Wall gegen die drohende faschistische Expansion zu errichten. Im Rahmen der Volksfrontpolitik kam es in der Schweiz zu punktuellen Bündnissen zwischen KPS und SPS (159), und nach 1936 befürwortete die KPS die Landesverteidigung und unterstützte das Programm der Richtlinienbewegung.

Mittlerweile war die antikommunistische Stimmung in der Schweiz durch die Moskauer Schauprozesse gegen die parteiinternen Gegner Stalins jedoch so verstärkt worden, daß es dem Bürgertum nicht schwerfiel, zum Schlag gegen die KPS auszuholen. Während die SP zur Verteidigung der Demokratie eine Zusammenarbeit mit den bürgerlichen Parteien einging, war die kleinere und radikalere KP vermehrt Repressionen des bürgerlichen Staats ausgesetzt. Ab 1937 wurde die KP in einigen Kantonen verboten (162, 163) und – nachdem ihre Tätigkeit durch Maßnahmen des Bundesrats stark eingeschränkt worden war – 1940 gesamtschweize-

risch aufgelöst. In der Westschweiz gründeten Teile der Sozialdemokratie mit Kommunisten die «Fédération Socialiste Suisse» (FSS), die 1941 ebenfalls verboten wurde. Obwohl die SP die Verbote der KP als unangemessen empfand, setzte sie sich nicht ernsthaft dagegen zur Wehr.

Internationale Solidarität

Auch wenn sich der überwiegende Teil der Arbeiterorganisationen während der dreissiger Jahre stark an der Verteidigung der nationalen Demokratie orientierte, so fehlten internationale Solidaritätsbekundungen keineswegs.

Bedeutende internationale Hilfsorganisationen entfalteten auch in der Schweiz ihre Tätigkeit zur Bekämpfung der Auswirkungen der Krise und zur Unterstützung der Opfer des Faschismus; so die der KP nahestehende, jedoch überparteilich organisierte «Internationale Arbeiter-Hilfe» (128) und die kommunistische «Rote Hilfe».

Auch die schweizerischen Hilfsorganisationen unterstützten die internationale Solidaritätsbewegung. Im spanischen Bürgerkrieg *1936–39 leisteten das «Schweizerische Arbeiter-Hilfswerk» und die «Centrale Sanitaire Suisse» wirksame Hilfe. Gemeinsam mit KP und SP zeigten sie ihre Solidarität mit der spanischen Volksfront-Regierung, als diese von putschenden faschistischen Generälen im Interesse der Besitzenden bekämpft wurde. Während das Schweizer Bürgertum, das zum Teil Besitz in Spanien hatte, seine Interessen durch ein autoritäres, kapitalfreundliches Regime eher gewahrt sah, führten die Arbeiterorganisationen Kundgebungen und Geldsammlungen in der Schweiz durch zur Unterstützung der demokratisch gewählten spanischen Volksfront-Regierung. Gegen 800 Schweizer Freiwillige kämpften 1936–39 in Spanien in den Internationalen Brigaden gegen den faschistischen Angriff auf die Republik. 300 fielen (166). Die Heimkehrenden wurden von der Schweizer Justiz zu Gefängnisstrafen verurteilt, nachdem die eidgenössischen Räte ein Amnestiebegehren 1939 abgelehnt hatten.*

Während des Krieges setzte sich vor allem das Arbeiter-Hilfswerk gegen die restriktive Flüchtlingspolitik *des Bundesrates zur Wehr (167).*

Arbeiterbewegung im Krieg

Am 1. September 1939 verfügte der Bundesrat die allgemeine Kriegsmobilmachung. Er hatte allerdings schon vorher organisatorische Maßnahmen für den Kriegsfall getroffen. Neben der Beschaffung von Wehrkrediten war es dem Bundesrat darum gegangen, die Produktion und Verteilung der Güter im Krieg durch den Aufbau eines kriegswirtschaftlichen Apparats sicherzustellen. Dieser wurde mit führenden Leuten aus der Privatwirtschaft besetzt. Daher wurde der Handlungsspielraum des Kapitals vom Staat her kaum eingeschränkt. Die kriegswirtschaftlichen Maßnahmen sollten nicht nur die Verteilung der Rohstoffe und die Organisation des Arbeitsmarkts, sondern auch Ruhe und Ordnung in den Betrieben sichern. Der Staat förderte die Disziplinierung der Arbeiter durch Propagierung der Betriebsgemeinschafts-Ideologie (164).

Im August 1939 hatte sich der Bundesrat von der Bundesversammlung die Vollmacht *geben lassen, in Fragen der Sicherheit, Neutralität, Wirtschaft und Finanzen eigenmächtig zu entscheiden. Obwohl der Bundesrat versprach, von diesen Vollmachten zurückhaltend Gebrauch zu machen, verwandelte sich die Schweiz «fast zwangsläufig in eine autoritäre Demokratie» (Edgar Bonjour). So wurde der politische Spielraum der Arbeiterbewegung weiter reduziert.*

Während unter anderem Teile der Exportindustrie von den Lieferungen an kriegführende Länder stark profitierten, verschlechterte sich die Lage der Arbeiter während der Kriegsjahre wegen Teuerung und ungenügender Lohnersatzordnung. Die Unzufriedenheit der arbeitenden Bevölkerung äußerte sich in den Ergebnissen der Nationalratswahlen 1943. Die SP gewann zu ihren bisherigen 45 Mandaten 11 hinzu und erhob erneut Anspruch auf Bundesratsbeteiligung. Diesem wurde mit der Wahl von Ernst Nobs zum ersten sozialdemokratischen Bundesrat entsprochen: Angesichts der schwierigen Situation im Krieg waren Teile des Bürgertums bereit, Konzessionen zu machen, umso mehr, als mit der Integration der SP in die Kollegialbehörde diese nun auch die Mitverantwortung für eine bürgerlich geprägte Politik übernehmen mußte (165).

127 Das Schlemmerleben der Reichen – die Not der Proletarier*

St. Moritz, die Vergnügungsstätte der reichen Schmarotzer . . .

St. Moritz ist als Wintersportsort ein Weltbegriff. Spitzenleistungen des Sportes, eine seltene Gunst des Klimas und seiner wochenlang strahlenden Sonne und ein einzigartiges gesellschaftliches Leben haben zusammen den Ruhm von St. Moritz geschaffen. Wer will kann gut leben im Engadin — den größten Luxus genießen. Rauschende Feste und letzte Eleganz, die schönsten Frauen und die berühmtesten Künstler machen St. Moritz zu dem was es seit Jahren ist: zu einem Mittelpunkt mondänen Lebens im Hochgebirge, zu einer Insel der unbesorgt Glücklichen. (Aus: „Hallo! St. Moritz". — Prospekt Winter 1932/33.)

. . . das Stempelamt der Ort der Proletarier.

Die Schlange der Erwerbslosen beim Arbeitsamt in Zürich wächst fortgesetzt. Rücksichtslos werden die Arbeiter von den profithungrigen Kapitalisten auf die Straße geworfen. Ueber 150 000 Personen sind in der Schweiz von der Arbeitslosigkeit betroffen. Nur im unversöhnlichen Klassenkampf kann die Arbeiterschaft ihr Ziel erreichen.

IAH-Mahnruf, Kampforgan der Internationalen Arbeiterhilfe Schweiz, Januar 1933.

128 Hilfe den hungernden Ostschweizerkindern!*

Seit einem Jahrzehnt befindet sich die Stickereiindustrie in dauerndem Niedergang. Dieser ehemals blühende Erwerbszweig der Ostschweiz ist katastrophal zurückgegangen. Ein einziger Zahlenbeweis sagt mehr als viele Worte.

Stickereiwaren-Ausfuhr 1919 für 425 Millionen Fr. Durchschnittswert pro Kilo Fr. 72.10
Stickereiwaren-Ausfuhr 1930 für 68 Millionen Fr. Durchschnittswert pro Kilo Fr. 37.50

Tausende und Abertausende wurden arbeitslos; groß ist die Zahl derer, deren Existenz vernichtet worden ist. Auch breite Kreise des Mittelstandes (Gewerbetreibende, Kleinbauern) wurden bereits von der Krise betroffen und in das Heer der Lohnbezüger oder gar der Arbeitslosen versetzt. Das Wenige, das noch von der Stickereiindustrie übrig blieb, vegetiert kümmerlich dahin; die Fabrikanten verschlechterten die Lage noch durch eine zügellose Schmutzkonkurrenz. Die Preise sind gedrückt, miserabel kleine Löhne sind an der Tagesordnung.

Wohl gelang es einem Teil der Arbeiter umzusatteln und in andere Gebiete abzuwandern; trotzdem bleiben viele Arbeitskräfte, vor allem ältere Leute, dauernd teil- oder totalarbeitslos. Nun hat sich die Gesamtlage infolge der allgemeinen Wirtschaftskrise noch verschlechtert. Die Abwanderung in andere Gebiete wird schwieriger, fast unmöglich. Schulentlassene haben die größte Mühe, nach langem Warten irgendwo unterzukommen. Neue Industrien kommen nicht auf; im Gegenteil, die noch arbeitenden Betriebe anderer Branchen weisen Kurzarbeit auf; es sind Betriebsstillegungen zu verzeichnen. Wer noch arbeitet, kann bei den kleinen Löhnen sich kaum durchbringen.

Die Folgen der allgemeinen Wirtschaftskrise machen sich besonders in der Ostschweiz, dem ehemals blühenden Zentrum der Stickerei-Industrie bemerkbar. Graue Not ist an der Tagesordnung. Die karge Arbeitslosen-Unterstützung, die noch kargere Beihilfe der Gemeinden und der Kantone vermögen höchstens der buchstäblichen Verhungerung zu steuern. ...

Wenn die Not der Ärmsten der Armen in der Schweiz nicht breiteren Kreisen bekannt ist, so deswegen, weil viele Arbeitereltern aus falschem Stolz ihre Verarmung zu verheimlichen suchen. Dies rächt sich bitter an der Gesundheit der heranwachsenden Generation, die körperlich und auch sonst zurückbleibt. Es kommt eben nicht darauf an, daß die Kinder überhaupt vegetieren können, sondern darauf, wie sie sich entwickeln. Schon der erste Schritt, den die Internationale Arbeiterhilfe zur Unterstützung ostschweizerischer Kinder machte, bestätigte vollauf unsere Befürchtungen.

Durch die Solidarität der Arbeiter, vor allem der Basler Arbeiterschaft, konnten wir gegen 60 Kinder dorthin in Pflege und Erholung geben. Sie wurden sowohl in St. Gallen, wie in Basel ärztlich untersucht. *Beim ersten Transport von 23 Kindern wiesen sämtliche krankhafte Anzeichen auf. Bei der Untersuchung der Kinder durch den Basler Schularzt wurde die aufsehenerregende Tatsache festgestellt, daß ein erheblicher Teil der Kinder unterentwickelt und unterernährt war, ein Teil war zudem rachitisch. Auch beim zweiten Transport waren viele Kinder unterernährt und unterentwickelt, so daß auf insgesamt 55 Kinder beider Transporte, der Schularzt für 20 dringend Ferienverlängerung empfohlen hat. ...*

Weder die kurze Zeit, noch die allgemeinen Umstände erlaubten eine besondere Auswahl, darum ist das Resultat bezüglich des Gesundheitszustandes der Kinder ein unwiderlegbarer Beweis der allgemeinen Verarmung, der Hungerexistenz vieler Familien. Darum ist aber auch eine allgemeine, breit angelegte Hilfe für die Kinder der notleidenden Familien in der Ostschweiz dringendes Gebot.

Flugblatt der IAH, 1931, SSA Zürich, 335.390.b.10.

129 Aus dem Lande der Bourgeoisie ein Land des Proletariats!

Robert Grimm: ... In diesem Wahlkampf 1931 (1) geht es um das sozialistische Prinzip und geht es um die sozialistische Wirtschaft. Es handelt sich dabei nicht mehr um eine Theorie, wohl aber um eine wirkende Notwendigkeit. Die größte Aufgabe in diesem Kampf ist es, den breiten Schichten der Bevölkerung zu zeigen, wie unfähig der Kapitalismus ist, ihre Interessen wahrzunehmen, wie unfähig er ist, die Kultur und Zivilisation weiter zu entwickeln, und wie notwendig es ist, daß an Stelle der kapitalistischen Wirtschaft die Ordnung des Sozialismus, die Regelung des Wirtschaftens in sozialistischem Sinne trete. Wir haben hinzuweisen auf den Unterschied zwischen beiden Produktionsmethoden, wir haben festzustellen, daß in der kapitalistischen Gesellschaft der Profit die treibende Kraft ist, die Bereicherung des Einzelnen, in der sozialistischen Gesellschaft aber die Befriedigung des Bedarfes, und daß, wenn die Befriedigung des Bedarfes zum Zwecke der Produktion wird, gleich auch die Krise verschwinden muß. ...

Ein weiterer Grund, warum wir die Kontrolle der Wirtschaft verlangen, besteht in der maßlosen Bereicherung einzelner. Ich habe darauf verwiesen, daß das selbst einem freisinnigen Blatt kurios vorkommt – wenigstens vor den Wahlen –, daß es Schweizer gibt, die ein jährliches Einkommen, ohne die Berücksichtigung des Vermögensertrages, von mehr als 100000 Fr. haben. Es ist kein schlechter Zufall, wenn im Jahresbericht der Bankiersvereinigung der vorhin erwähnte Wunsch geäussert wurde, man möchte nun Schluß machen mit der Sozialpolitik, Schluß machen mit der Verbesserung der Lebenshaltung, wenn ausgerechnet dieser Wunsch geäussert wird von Herren, die, wie Herr Dr. Max Stähelin von Basel, ein jährliches Einkommen von 166000 Fr. haben, wie Herr Dr. von Waldkirch, Präsident der Eidg. Bank, von 109000 Fr., wie der Präsident der Bankgesellschaft, Dr. Ernst, von 101900, und wie der Bankier Sarasin in Basel von 112400 Fr. Meine Herren Bankiers, es braucht schon eine außerordentliche Unverschämtheit angesichts derartiger Jahreseinkommen, dem armen Teufel sagen zu wollen, er müße jetzt auf die Alters- und Hinterlassenenversicherung, auf die Verbesserung der Lebenshaltung verzichten, müsse Opfer bringen, auf daß eben diesen Bankiers das Einkommen gewahrt bleibe. Dagegen legen wir Verwahrung und Protest ein und erklären, daß wir uns an die Wünsche dieser Herren Bankiers nicht halten werden und uns um sie nicht kümmern. (Beifall.) ...

Mit der praktischen Arbeit, die die Fraktion und die Partei, die Genossen in den Parlamenten und draußen in den Versammlungen führen, muß immer die eine Erkenntnis verbunden sein, daß die Voraussetzung der Verwirklichung aller unserer Forderungen die politische Macht ist, daß ohne diese Erkenntnis die Arbeiterklasse aus der Misere nicht herauskommen wird. Wir müssen uns ganz klar sein, daß bei aller Kritik, die wir am Kapitalismus üben, bei aller Negation, die wir für seine Einrichtungen übrig haben, das eine wahr ist, daß mit der Kritik und mit dem Schimpfen über die andern die Verhältnisse nicht besser werden. Wir in der Schweiz haben umsomehr Ursache, uns diese Wahrheit einzuprägen, weil objektiv alle Voraussetzungen bestehen, um aus dem Lande der Bourgeoisie ein Land des Proletariats zu machen, ein Land, in dem das Proletariat nicht nur eine Tatsache, sondern ein politischer Machtfaktor ist. ...

Protokoll über die Verhandlungen des ordentlichen Parteitages der SPS vom 12. und 13. September 1931 in Bern, S. 50ff.

[1] *Wahlkampf für die Nationalratswahlen.*

Die Weltwirtschaftskrise 1929/31.

Sollen wir im Ueberfluß verhungern?

Während die Menschheit in nie dagewesenem Reichtum schwelgt, sind die Menschen ärmer geworden. Das ist der verbrecherische Widersinn der kapitalistischen Profitwirtschaft.

130 Arbeitslosigkeit

Die folgende Schilderung eines Arbeitslosen muß im Rahmen der allgemeinen Arbeitslosigkeit infolge der Weltwirtschaftskrise gesehen werden. Die durchschnittliche Zahl der Stellensuchenden betrug:

1929	*1930*	*1931*	*1932*	*1933*	*1934*
8131	*12881*	*24208*	*54366*	*67867*	*65440*

1935	*1936*	*1937*	*1938*	*1939*
82468	*93009*	*71130*	*65583*	*40324*

Arbeitslose und Berufsübungskurs

Von einem Arbeitslosen wird uns geschrieben: Es gibt Leute, die glauben, ein Arbeitsloser, das sei eben ein Mensch, der nichts zu tun habe, der alle zwei Tage mal seine Kontrollkarte abstempeln läßt. Und damit basta! Wenn die Sache nur so einfach wäre! Das ist sie aber gar nicht. ...

Begleiten wir also unsern Arbeitslosen auf seinem Rundgang. Er wohnt da irgendwo an der Zürcherstrasse in Höngg. Um 8 Uhr verläßt er seine Wohnung, steigt den bekannten Berg hinunter, landet an der Limmat und so gegen 9 Uhr im Arbeitsamt in Altstetten. Dort läßt er seine Karte abstempeln. Dann kann er wieder umkehren, das heißt, er könnte das tun. Der gesetzlichen Pflicht wäre Genüge getan. Sicher wäre aber, daß er auf diese Art seiner Lebtag keine Stelle mehr erhalten würde. Handelt es sich um einen gelernten Holz- oder Metallarbeiter, so wird er noch seinen respektiven Berufsnachweis aufsuchen. Die Holzarbeiter sind an der Flößergasse; die Metallarbeiter in der Nähe des «Stauffacher».

Unser Metallarbeiter geht also weiter. So um 10.30 Uhr ist er auf seiner Berufsstempelstelle. Dort besieht er sich das schwarze Brett mit den bekanntgegebenen offenen Stellen. Gesucht: «Ein junger Bauschlosser, nicht über 20 Jahre. Kost und Logis beim Meister.» Ferner: «Ein Sanitär-Monteur. Alter: 28 bis 32 Jahre.» «Ein Registrierkassen-Mechaniker.» (Letzterer steht schon monatelang dort.) Mahnung an die heranwachsende Jugend: «Werdet Registrierkassen-Mechaniker; sonst nichts!»

Unser Mann geht nach Hause. In Höngg angekommen, stellt er fest, daß er die ersten 12 Kilometer zurückgelegt hat. Das war vormittags.

Am Nachmittag verläßt er seine Wohnung um 14 Uhr. Um 14.30 Uhr ist er im Lesesaal Wipkingen im Kirchgemeindehaus. Dort sichtet er die Zeitungen. Gesucht: Vertreter – Reisende –. Halt, hier, ein Mechaniker für Garage auf dem Lande. Interesseeinlage 10000 Fr. Hol dich der Teufel! Ferner: Mechaniker nach Genf. Gut, ich will mir die Adresse notieren. In einer Stunde ist er mit dem Studium fertig. Erinnert sich, daß er bei seinem letzten Meister im Seefeld wieder mal vorsprechen könnte. Dort sagt man ihm: Bedaure, kommen Sie in 14 Tagen wieder. ...

Berufsübungskurs. Ich habe das Wort letzthin einem Kollegen gegenüber gebraucht. Er ist mir dabei fast ins Gesicht gesprungen. Er hatte auch Grund dazu. 15 Jahre hat er als Mechaniker gearbeitet, dann wird er arbeitslos. Um der fruchtlosen Arbeitssucherei für einige Zeit aus dem Weg zu gehen, besucht er einen Berufsübungskurs. 2 Wochen schweißt er, 2 Wochen feilt er an einem Stück Eisen herum, 2 Wochen schraubt er Motoren auseinander und wieder zusammen. Der Kurs ist fertig. Arbeit bekommt er keine. Klar, niemand reflektiert auf Schweißer und Motorenschlosser mit 14tägiger Praxis. Es gibt Tausende von Facharbeitern, die auf das eine oder andere spezialisiert sind und die auch nicht unterkommen. So arbeitet er einige Monate als Bauhandlanger. Nachher wieder stempeln!

Der Zufall will es, daß in einer hiesigen Fabrik ein Betriebsmechaniker gesucht wird. Er stellt sich vor. Er ist ein Mann von 35 Jahren, kräftig und kerngesund. Man sagt ihm, er sei ein wenig zu alt für die Stelle. Seine Antwort ist: Er fühle sich noch nicht im geringsten altersschwach. Man fragt: Können Sie Werkzeug machen? Ja! Maschinenreparaturen? Ja! Autofahren? Ja! Er legt die entsprechenden Zeugnisse auf den Tisch. Der Betriebsleiter kratzt sich ein wenig verlegen hinter dem Ohr. «Ja, sehen Sie», sagt er, «es ist eigentlich schade um Ihre vielen Kenntnisse. Jammerschade, daß heute Arbeiter wie Sie arbeitslos herumlaufen müssen. Aber sehen Sie, ich mache alles selbst. Der Mechaniker, den ich brauche, muß nicht sehr viel können, er soll mir nur ein wenig an die Hand gehen. Ich denke mir so einen jungen Mann von 18 Jahren. Kennen Sie vielleicht einen?» ...

Volksrecht, 16.11.1934.

131 Das Akkordsystem nach Bedaux*

Zur Verminderung der Produktionskosten zwecks Erhöhung der Konkurrenzfähigkeit wurden in den dreißiger Jahren vor allem in größeren Betrieben Rationalisierungsmaßnahmen durchgeführt, so z.B. auch bei Saurer in Arbon.

... Produktionssteigerung, Senkung der Kosten, Einsparungen mit dem angeblichen Zweck, die Konkurrenzfähigkeit zu steigern, Rationalisierung usw. usw., so tönt es heute aus dem Lager des Unternehmertums. Auf die Arbeiterschaft, auf deren Gesundheit und ihre Lebenshaltung wird keine Rücksicht genommen. Welche wunderbaren Blüten dieser Wahnwitz treibt, sehen und spüren die Arbeiter der Saurerschen Betriebe auf unserem Platze. Durch die Einführung des sogenannten *Bedaux-Systems* wird in den von dieser neuesten Errungenschaft auf dem Gebiete der Rationalisierung betroffenen Abteilungen eine Atmosphäre geschaffen, die die Arbeit zur Hölle macht. Zur Hölle auch für denjenigen, der heute Grund hat, froh zu sein, daß er noch im Produktionsprozeß drin steht. ...

Ein Arbeiter hat uns geschrieben:

«Das Bedaux-Akkord-System.»

Wohl ein jeder Saurer-Arbeiter hat dieses Wort schon gehört und es tönt nicht wohlklingend in seinen Ohren und gar viele sind es, die bei diesem Wort etwas nervös erregt werden. Was ist das für ein System, das Bedaux-System? Das neue Akkordsystem, bei dem jeder Arbeiter mit der Stoppuhr bei seiner Arbeit nach Tempo kontrolliert und gemessen wird. Ist schon die konstante Beaufsichtigung für jeden Arbeiter lästig unangenehm, so wirkt das Ergebnis in fast allen Fällen sich sehr schlecht auf den Geldertrag der Arbeit aus. Wird ein Arbeiter bei guter

Laufzeit kontrolliert, was fast immer zutrifft, ist eine Lohneinbuße von 15–30 Cts. per Stunde unvermeidlich, denn diese gute Zeit wird als Grundzeit berechnet und nur bei ganz außergewöhnlichen Leistungen kann der Einzelne noch etwas über diesen Satz hinaus kommen. Der Grundlohn wird willkürlich angesetzt. Dieser Lohnsatz ist garantiert und wird auf alle Fälle bezahlt, dabei ist aber nicht ausgeschlossen, daß Leute, die diesen Grundlohn nicht erreichen, tiefer eingesetzt werden können, oder im Laufe der Zeit wegen ungenügender Leistung im Betriebe ausgemerzt werden. Das sind Gefahren für die Existenz der Arbeiter, die vielen noch nicht bewußt sind, die früher oder später jedoch eintreten werden. Dieses System verlangt von jedem Arbeiter die Höchstleistung und nur dann ist es möglich, in gewissen Fällen den Grundlohn zu übersteigen. Wie sind nun die Wirkungen dieses Systems? Keine Minute darf verloren gehen, und wenn nicht jeder, was ja immer vorkommt, die sog. Verlustzeiten sich genau merkt und aufschreibt, wird er in seinem Lohne empfindlich gekürzt. Alles in allem bedeutet dieses Verfahren *eine Leistungssteigerung in wesentlichem Ausmaße bei kleinerem Lohn.* Ein weiterer und wesentlicher Nachteil dieses Systems ist der, daß es sehr schwer hält, daß der Arbeiter sein Lohnbetreffnis selbst ausrechnen kann, er ist heute darauf angewiesen, am Zahltag einfach zu nehmen, was man ihm gibt. ...

Zu bemerken ist noch, *daß vom Ueberschuß dem Arbeiter nur ¾ des Lohnbetrages gutgeschrieben wird.* Das andere Viertel kommt der Firma zu. Das Ganze bedeutet also kurz gesagt eine ganz gewaltige Verschlechterung der Arbeitsbedingungen und Lohnverhältnisse der betroffenen Arbeiterkategorien, das alles unter dem Drucke der Krise der Arbeiterschaft im Zeitraum von 7 Monaten aufgenötigt wurde.

Welche Stellung nimmt die Gewerkschaft zu dieser Frage ein? Mehrere Abteilungsversammlungen sind abgehalten worden, um die Leute auf dieses System aufmerksam zu machen. Eine größere Eingabe in dieser Frage an die Firma wurde sozusagen gründlich abgewiesen. Unter der Arbeiterschaft herrscht das Gefühl der Verlassenheit und viel wird geklagt und geschimpft. Dabei ist folgendes zu sagen:

Durch die Krise ist Not an die Leute gekommen. Es ist der Egoismus in vielen erwacht. Wenn ein Kollege mit der Arbeit besser betroffen wird, entsteht Neid. Der eine hat etwas mehr «Punkte» bei seinem Meister und die Folge ist, daß das Arbeitsverhältnis inbezug auf Arbeitsdauer und Verdienst ein günstigeres ist. Nachgewiesen ist, daß Leute, die sich für ihre Haut noch etwas wehrten, auf diese oder jene Art empfindlich büßen mußten und müssen. Auf diese Art sind die Verhältnisse so weit gediehen, wie wir sie heute haben: Mißtrauen und Verrat an den eigenen Arbeitskollegen, darum die Hemmung in gewerkschaftlichen Aktionen. ...

Die Schraube ohne Ende – Betrachtungen zum Akkordsystem nach Bedaux, Hg. SMUV, Bern, 1933, S. 1 ff.

132 Schweizer Soldaten schießen auf Genfer Arbeiter

Blutige Zusammenstöße in Genf.

Eine Provokation der faschistischen Union Nationale. – Truppenaufgebot. Es wird ohne Warnung in eine friedliche Menge geschossen. – Zehn Tote, 65 Verwundete, darunter viele Schwerverwundete.

Genf, 10. Nov. Insa. Im Laufe des gestrigen Abends und der vergangenen Nacht haben sich in Genf Ereignisse von furchtbarer Schwere und Tragweite abgespielt. Anlaß dazu gab eine von der faschistischen Sippe Oltramare und Konsorten, die sich «Union Nationale» betitelt, veranstaltete Versammlung, an der laut Maueranschlägen «öffentliche Anklage gegen Dicker und Nicole», die beiden bekanntesten Führer der Sozialdemokratie, erhoben werden sollte. ...

Während die Eingeladenen das Versammlungslokal betreten konnten, sammelte sich vor dem Gebäude an der Rue de Carouge die Masse der Arbeiter. Gegen 20 Uhr standen dort dichtgedrängt etwa 8000 Personen. Statt im Saal, rechneten nun die Führer der Arbeiterschaft vor dieser gewaltigen Versammlung in der Straße mit den Faschisten und der gesamten korrupten Genfer Bourgeoisie ab. Ansprachen hielten Nicole, Tronchet und Lebet. Zum Abschluß des Meetings sang die Menge die «Internationale», um dann langsam auseinanderzugehen. Viele Teilnehmer an der Kundgebung warteten auf das Herauskommen der Faschisten, um Oltramare, Steinmetz und die übrigen Redner mit ihren mitgebrachten Rollpfeifen zu begrüßen. Sie warteten aber umsonst, denn die Faschisten hatten durch eine Hintertüre das Lokal unter polizeilichem Schutz verlassen. ...

Als nun gegen 21 Uhr die Truppe in die Rue de Carouge, wo eben die Kundgebung stattgefunden hatte, einmarschieren wollte, war dies ein Ding der Unmöglichkeit, denn 7–8000 Personen in einer Straße können nicht plötzlich verschwinden. *Die Offiziere gaben der Truppe aber den Befehl den Durchgang zu erzwingen.* Da kam es natürlich zu Zwischenfällen; die Menge protestierte gegen die aussichtslose Zwängerei der Offiziere. Mehrere Soldaten riefen selbst, *«Das ist ja verrückt!»* Die Offiziere gaben aber nicht nach, der Durchpaß sollte um jeden Preis erzwungen werden. Als nun die Offiziere begannen mit den Säbeln auf die Masse loszuhauen, setzte sich diese zur Wehr. Die Offiziere wurden entwaffnet, auch einige Soldaten. Erst jetzt gab der *Kommandant der Truppe,* ein gewisser Major Favre, aus Genf, der in Genf als ein äußerst brutaler Kerl bekannt ist, den Befehl zum Rückzug. Der Mann schäumte vor Wut, weil ein paar Offiziere und Soldaten entwaffnet worden waren und Säbel und Gewehre an den Straßenecken und Trottoirrändern in Stücke gegangen waren. Die Truppe marschierte nun etwa 500 Meter zurück, begleitet von einem Teil der Volksmasse, die den Soldaten zurief: «Laßt euch nicht mißbrauchen!» Vor dem *Palais des Expositions nahm die Truppe Aufstellung,* immer gefolgt von der Volksmasse, die nun der Dinge wartete, die da kommen sollten. Antimilitaristische Lieder singend und pfeifend stand die Masse in unmittelbarer Nähe der Truppen.

Plötzlich, ohne daß irgend etwas besonderes vorgefallen wäre, gab Major Favre den Befehl, zu schießen. Die erste Salve war blind, doch unverzüglich darauf, als die Menge schrie und die hintersten Reihen sich zur Flucht wandten, wurde scharf geschossen, und zwar aus den leichten Maschinengewehren. Wie einige Augenzeugen erklären, traten auch schwere Maschinengewehre in Aktion.

Volle drei Minuten knatterten die Maschinengewehre. …

Volksrecht, 10.11.1932.

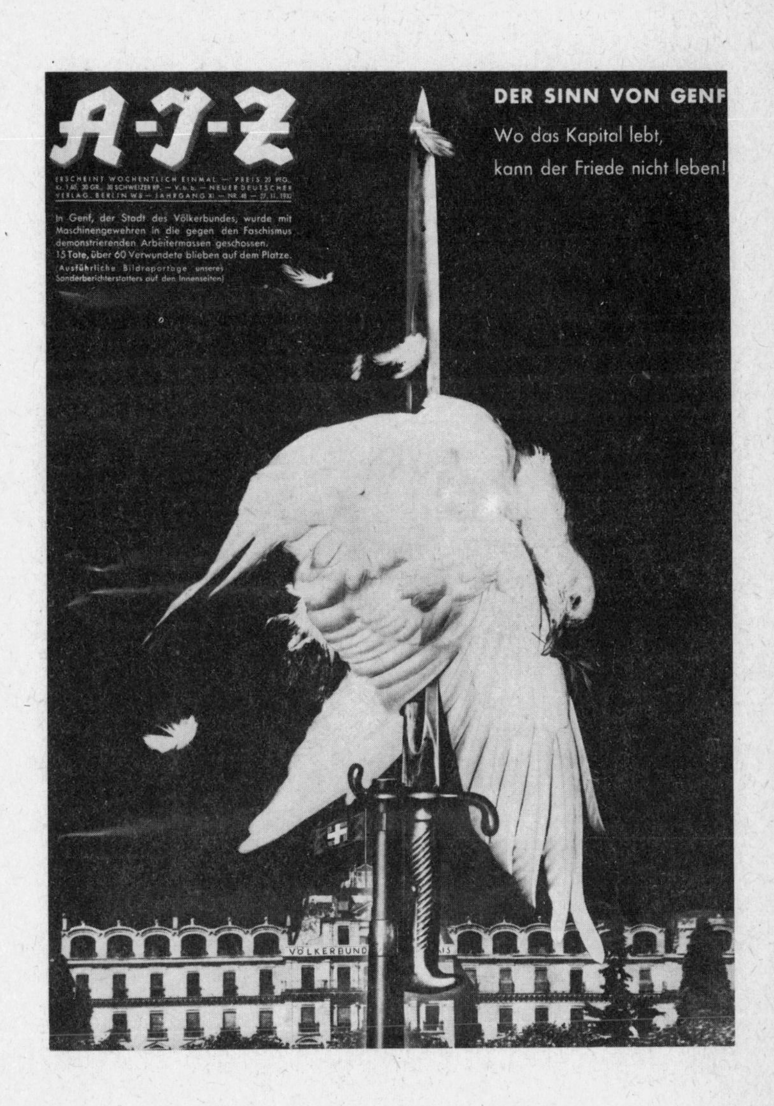

133 Ein Massaker voller Bestialität

An die Arbeiterklasse der Schweiz.

Ein Massaker voller Bestialität hat sich gestern abend in Genf ereignet. Eine von der Reaktion kommandierte Soldateska schoß mit Maschinengewehren in friedlich demonstrierende Volksmassen.

Acht tote Arbeiter, 39 Schwerverletzte, ungezählte Verwundete sind nach den ersten Feststellungen das Ergebnis.

Gegen diesen brutalen Arbeitermord, gegen diese Abschlachtung im Stile faschistischer Banditen erheben wir im Namen des schweizerischen Proletariats flammenden Protest.

Der für ihre Rechte gegen eine durch und durch korrupte Bourgeoisie kämpfenden Genfer Arbeiterschaft bekunden wir unverbrüchliche Solidarität und halten ihr die Treue.

Unsere Parteiinstanzen treten sofort zusammen. Sie werden den Organisationen Weisungen für die Solidaritäts- und Abwehraktion erteilen.

Die Sache der Genfer Arbeiter ist die Sache der Schweizer Arbeiter.

Hoch die Solidarität!

Nieder mit dem Faschismus!

Die Geschäftsleitung der Sozialdemokratischen Partei der Schweiz.

Volksrecht, 10.11.1932.

134 Antifaschistische Kundgebung der SP in Zürich

Die Ereignisse in Deutschland u. die internationale Lage

Große öffentliche Kundgebung

morgen Sonntag, vormittags 10 Uhr, auf dem Sportplatz Sihlhölzli

Es werden sprechen die Genossen: **Emil Vandervelde** aus Brüssel, Vorsitzender der Sozialistischen Arbeiter-Internationale; **Compton**-London, Vorsitzender der englischen Arbeiterpartei; ein **Genosse aus Skandinavien** und **Robert Grimm,** Nationalrat, Bern. Die Reden werden durch Lautsprecher übertragen. Zu Beginn und zum Schluß wird die **Stadtmusik Eintracht** einige Tendenzstücke vortragen

Arbeiter, Angestellte, Parteigenossen!

In Deutschland wütet die faschistische Konterrevolution mit beispielloser Grausamkeit. In dieser furchtbar tragischen Stunde, wo nicht nur zehntausende proletarischer Kämpfer in Deutschland in ihrem Leben unmittelbar bedroht sind, wo die faschistische Gefahr sich auch vor dem österreichischen Proletariat riesengroß erhebt, wo des ferneren auch in unserem Lande faschistische Strömungen unverhüllt zum Ausdruck gelangen, appellieren wir an die oft erprobte sozialistische Ueberzeugung und internationale Solidarität der Arbeiterschaft von Zürich. Unsere morgige Kundgebung soll aber auch in vieltausendfacher Zahl die Stimme der Menschlichkeit gegen ein Regime erheben, das in den wenigen Wochen seiner Herrschaft seine hemmungslose Barbarei zum Entsetzen aller human Gesinnter enthüllt hat.

Proletarier! Sozialisten! **Mehr als je müßt ihr heute zusammenstehen,** müßt ihr zeigen, daß ihr nicht gesonnen seid, euch zu ducken, mag die faschistische Konterrevolution auch noch so unverhüllt ihr Haupt erheben.

Die Kundgebung wird bei jeder Witterung auf dem Sihlhölzliareal durchgeführt.

In Massen heraus morgen Sonntag, den 19. März, vormittags 10 Uhr zu unserer Manifestation im Sihlhölzli!

Sozialdemokratische Partei der Stadt Zürich

Volksrecht, 18.3.1933.

135 SGB: Keine Zusammenarbeit mit den Kommunisten

Mit dem Beschluß vom 6. April 1933 lehnte das Bundeskomitee des SGB das Einheitsfrontangebot der kommunistischen Organisationen ab.

Das Bundeskomitee des SGB nimmt Veranlassung, zur Frage der Schaffung einer sogenannten Einheitsfront der schweizerischen Arbeiterschaft zur gemeinsamen Durchführung von Aktionen gegen den Lohnabbau, gegen den Faschismus usw. Stellung zu nehmen. Unter Hinweis auf frühere Beschlüsse des Gewerkschaftskongresses und des Gewerkschaftsausschusses, lehnt es derartige Vorschläge ab mit folgender Begründung:

Die Mitglieder der SGB rekrutieren sich aus allen Kreisen der unselbständig Erwerbenden, ohne Unterschied der Religion und der politischen Partei. Die Einheitsfront der Arbeiterschaft ist somit im Gewerkschaftsbund auf breitester Grundlage praktisch verwirklicht. ...

Wenn die Reaktion sich heute nicht begnügt mit einem Druck auf die Arbeitsbedingungen und die Sozialpolitik, sondern auch versucht, die demokratischen Staatsformen zu zertrümmern und verhüllt oder unverhüllt eine Diktatur zu errichten, so geschieht das, weil sie überzeugt ist, auf diesem Wege am leichtesten mit der Arbeiterbewegung fertigzuwerden und die unbeschränkte Herrschaft der rückschrittlich gesinnten Mächte aufrichten zu können. Wer sich daher nicht eindeutig auf den Boden der Demokratie stellt, unterstützt damit gewollt oder ungewollt die Bestrebungen der Reaktion und des Faschismus.

Die im SGB zusammengeschlossenen Verbände sind gewillt, alle Kräfte einzusetzen zur Verteidigung und für den weitern Ausbau der Errungenschaften der Arbeiterbewegung. Sie bekennen sich nach wie vor zur Demokratie und sind überzeugt, daß sie den besten Boden darstellt für eine freiheitliche und erfolgreiche Entwicklung der Arbeiterbewegung. Sie sind daher fest entschlossen, den schärfsten Kampf zu führen gegen den Faschismus, in welcher Gestalt immer er auftritt.

Gestützt auf diese grundsätzliche Stellungnahme lehnt das Bundeskomitee die Einheitsfront und das Zusammengehen mit Kommunisten und allen unter ihrem Einfluß stehenden Organisationen (Rote Gewerkschaftsopposition, Rote Hilfe usw.) bei Maifeiern und ähnlichen Veranstaltungen ab. Die angeschlossenen Verbände und deren Sektionen, die Gewerkschaftskartelle und Arbeiterunionen werden aufgefordert, dafür zu sorgen, daß diese Beschlüsse strikte durchgeführt werden. ...

Gewerkschaftliche Rundschau Nr. 5, Mai 1933, S. 171 ff.

136 Die SPS zur wirtschaftlichen und politischen Lage 1933

Die dem Parteitag vom Parteivorstand vorgelegten 10 Thesen enthalten in der neunten These die Ablehnung der «Einheitsfront» mit der KPS und der KPS-O. Die KPS-O (unter Bringolf) war die «rechte» Opposition gegen die

KPS in Schaffhausen. Sie trat 1930 aus der KPS aus und schloß sich fünf Jahre später der SPS an.

Der Kampf für den Sozialismus wird umso erfolgreicher sein und umso weniger Opfer heischen, je rascher es gelingt, die Arbeiterklasse zu einigen und sie in geschlossenen Reihen gegen die kapitalistische Herrschaft zu führen.

Die Sozialdemokratie tritt darum ein für die Schaffung einer machtvollen, proletarischen Einheitsfront, herausgewachsen aus den gemeinsamen Lebensinteressen und verankert in dem selbständigen Willen der arbeitenden Volksmassen.

Diese Einheitsfront wird nicht Ergebnis theoretischer Verhandlungen zwischen der Sozialdemokratie und der kommunistischen Splitterpartei sein. Solange die kommunistische Partei der Schweiz, abhängig von dem diktatorischen Willen der Führer der III. Internationale, kein selbständiges Eigendasein führt, ihre Politik und ihre Tätigkeit, statt von den gegebenen Bedürfnissen der schweizerischen Arbeiterschaft, durch schablonisierte, aus andern historischen Verhältnissen abgeleitete Parolen bestimmen läßt, ihre aktive Spaltungspolitik in der Arbeiterbewegung und ihre aktive Unterstützung der bürgerlichen Reaktion nicht aufgibt, werden solche Verhandlungen negativ verlaufen und die Verwirrung in den Reihen der Arbeiterschaft erhöhen.

Die Sozialdemokratie der Schweiz erblickt die Voraussetzungen für die Schaffung einer proletarischen Einheitsfront in der offenen, ehrlichen Führung des täglichen Klassenkampfes für die Interessen des arbeitenden Volkes, mit dem Ziel der Überwindung der kapitalistischen Gesellschaft.

In diesem Kampf wendet sie sich an die im Vergleich mit den Kommunisten weit zahlreicheren Arbeitermassen, die heute noch außerhalb der Organisationskaders, außerhalb der proletarischen Kampffront und ideologisch noch im Bann der bürgerlichen Weltanschauung stehen. Stärkung der sozialdemokratischen Partei, Stärkung der Gewerkschaften, Erziehung im sozialistischen Geiste, Schulung im Tageskampfe, so wird die proletarische Einheitsfront entstehen und den Sozialismus verwirklichen.

In diesem Kampfe wird die Sozialdemokratie alle parlamentarischen und außerparlamentarischen Möglichkeiten ausnützen, soweit sie geeignet sind, die Reihen des Proletariats zu stärken und das Vertrauen in seine Aktion zu heben. Die Sozialdemokratie lehnt illegale Kampfmethoden ab, solange die Bourgeoisie den Rahmen der Demokratie nicht sprengt und die demokratischen Rechte und Freiheiten des Volkes unangetastet läßt. Stellt sich die Bourgeoisie selbst außerhalb der Legalität, indem sie die allgemeinen demokratischen Volksrechte zu Klassenvorrechten der Herrschenden verfälscht, so hat die Arbeiterklasse das moralische Recht und die sittliche Pflicht der Notwehr, ihren Kampf mit andern Mitteln zu führen. Solange dieser Notwehrzustand nicht besteht, ist das Spiel mit illegalen Kampfmitteln nicht nur eine Schädigung der Arbeiterinteressen, es ist ein Verbrechen an der Arbeiterklasse. ...

Protokoll über die Verhandlungen des außerordentlichen Parteitages der SPS vom 8./9. April 1933 im Volkshaus in Biel (Bienne), S. 146ff.

Zum Nachdenken!

Der Mieterschutz wird abgebaut;
Der Mietzinswucher schießt ins Kraut.
Die Hausprotzen 12 Prozent einstecken;
Die Mieter dürfen vor Hunger verrecken
Und bleiben still?

137 Mit den Kommunisten gegen die Reaktion

Aus dem Referat von Ernst Walter, seit 1919 Parteisekretär der SP des Kantons Zürich, der am Bieler Parteitag der SPS 1933 gegen die neunte These des Parteivorstandes opponierte. Sein Änderungsantrag, der auf eine Zusammenarbeit zwischen SPS, KPS und KPS-O (Schaffhausen) hinzielte, wurde mit 421 gegen 72 Stimmen abgelehnt.

... Ich bin Sekretär der kantonalen Partei in Zürich und darf von mir in aller Bescheidenheit sagen, daß ich zehn Jahre mit an vorderster Front gestanden bin im Kampf gegen die Kommunisten, und ich darf sagen, daß mich heute noch die Kommunisten ganz scharf bekämpfen, weil sie ganz genau wissen, daß nicht die «droitiers», daß nicht die Rechtskrebser ihre gefährlichsten Feinde sind, sondern die Linken. (Beifall.) Ihr, die «droitiers», ihr, die «Rechten», ihr liefert ihnen die Argumente mit eurer Politik! (Lebhafter Beifall!) Weil die Kommunisten dies wissen, bekämpfen sie uns am schärfsten, während sie euch andern beiseite lassen; sie sind froh, daß ihr da seid. (Grosse Heiterkeit.) ...

Die Kommunisten sind nicht besiegt, sie sind immer noch da, sie haben ihre Organisationen, ihre Partei, ihre Presse. Sicher, es sind nur ungefähr 12000 «Stimmlein». Aber jeder, der mit Kommunisten zu tun hat,... der muß anerkennen, daß jeder einzelne unter diesen Kommunisten mehr Triebkraft, mehr Dynamo in sich hat als der Einzelne unter uns. (Bravorufe und mißbilligende Bemerkungen.)

In den letzten zehn Jahren haben wir diesen Kampf gegen sie noch führen können. Aber ich meine, die internationale Situation zeigt uns doch, daß die Kommunisten und wir Sozialdemokraten uns nicht mehr gegenseitig bekämpfen dürfen, sonst werden wir einzeln abgeschlachtet, ganz genauso wie in Italien, im Balkan, in Polen und jetzt in Deutschland. Werden wir endlich sehend, oder sind wir immer noch blind? Verstehen wir die Zeichen der Zeit nicht, Kommunisten wie Sozialisten, die wir auf dem Boden des Klassenkampfes, die wir auf dem Boden des Sozialismus stehen? ... setzen wir uns an einen Tisch, wir Sozialdemokraten, ihr Kommunisten, und sprechen wir miteinander von Genossen zu Genossen. Nun gibt es Leute, die bekommen einen Schreck: Was? Mir mutet man zu, mit einem Kommunisten an einen Tisch zu sitzen? Ist das nicht unerhört? Ist das nicht eine Beleidigung für mich? Und das sind die gleichen Sozialdemokraten, die jeden Tag mit den bürgerlichen Parlamentariern verkehren, «Küss die Hand, Gnädige!» und die nichts weiter daran finden, daß sie mit einem Bourgeois verkehren, die sich vielleicht noch geehrt fühlen dadurch! ...

... dann geht es nicht so, daß die Bonzokratie des Gewerkschaftsbundes kommt und einen Beschluß in die Welt setzt, wonach der Gewerkschaftsbund verbietet, mit den Kommunisten zu unterhandeln. Woher nimmt der Gewerkschaftsbund die Aktivlegitimation, um das zu verbieten? Die Gewerkschaften haben kein Wort dazu sagen können, ob sie der gleichen Auffassung sind oder nicht. Diese Gewerkschaftssekretäre sollen doch einmal in ihre Sektionen gehen und dort hören, ob man auch dieser Meinung ist. (Beifall.) ... Ich sehe nicht ein, wie wir international oder national den Kampf gegen die Reaktion führen können ohne die Kommunisten. Wir können die Reaktion Musy[1] nicht siegreich abwehren, wenn wir nur auf unsere eigene Kraft angewiesen sind; denn diese nationalen Angestellten verlassen uns an einem Punkte, dann nämlich, wenn die Situation brenzlig wird, wenn das Porzellan zum Brechen kommt; dann werden sie sich, noch ehe der Hahn dreimal kräht, mit allen Vieren wieder auf den nationalen Boden stellen und uns allein lassen. ...

So sage ich zum Schluß in dieser Situation, national und international, vor dieser schwarzen Perspektive, vor diesen vielleicht tragischen Zeiten, denen wir entgegengehen: Nie, Genossinnen und Genossen, nie, nie hat sich ein Wort prophetischer gestaltet und ... nie, nie ist es notwendiger gewesen, seinem Ruf zu folgen: Proletarier aller Länder, vereinigt euch. (Großer Beifall.) ...

Protokoll über die Verhandlungen des außerordentlichen Parteitages der SPS vom 8./9. April 1933 im Volkshaus in Biel, S. 74ff.

[1] *Jean-Marie Musy, konservativer Bundesrat (1919–1934), Finanz- und Zolldepartement.*

138 Freisinn, Fronten und der Kampf gegen die Sozialisten

Dr. Steinmann, der Generalsekretär der freisinnig-demokratischen Partei der Schweiz, äußerte sich zu den Fronten und zum Kampf gegen den Sozialismus.

... Das Erwachen des politischen Interesses wird vielfach den «Fronten» zugeschrieben. Nichts ist verkehrter als das. Die «Fronten» und «Wehren» waren lange vor dem Sieg Hitlers da. Dr. Tobler, Dr. Schüle, Elmer und wie die «Führer» alle heißen, sieht man seit Jahren auf der Tribüne von Versammlungen und in der Arena der eidgenössischen Politik. Wo nicht Stellung zu bestimmten Fragen oder Vorlagen bezogen wurde, wie z.B. (freilich in negativer Weise) zur Altersversicherung, blieb diese Tätigkeit ohne große Wirkung. Erst die Vernichtung der deutschen Sozialdemokratie und der Gewerkschaften brachte die Auftriebsmöglichkeit, weil sie den schweizerischen Sozialismus, mit dem man sozusagen als einem unausrottbaren Übel gerechnet hatte, bis auf den Grund erschüttert und dem schweizerischen Bürgertum die Überzeugung – die freilich bei uns immer vorhanden war – gebracht hat, daß ein energischer Kampf doch zum Ziele führen könne. Daß nicht den historischen Parteien, die diesen Kampf nicht mit dem nötigen Erfolg geführt haben sollen, das Vertrauen sich zuwandte, sondern den neuen Organisationen, ist ebenfalls psychologisch durchaus verständlich. Der Reiz des Neuen ist groß bei Jung und Alt. Aber man hat in der Eile vergessen, daß die bürgerlichen Parteien unter ganz andern Bedingungen diesen Kampf bisher führen mussten, nämlich gegen eine International verankerte, als unüberwindlich geltende Sozialdemokratie, die es heute in diesem Umfange und in dieser Form gar nicht mehr gibt. Vergessen hatte man in weiten Kreisen auch, daß das Bürgertum die historischen bürgerlichen Parteien, eben aus dieser erwähnten fatalistischen Stimmung heraus, nicht genügend unterstützt hatte. Dem Parlament, das mit der Lex Häberlin (früher eine odiose, jetzt eine positive Bezeichnung für etwas Gutes) das gesetzliche Instrument gegen Verhetzung, Klassenkampf und Unterhöhlung des Wehrgedankens schaffen wollte, hat das damals unschlüssige Volk die Waffe aus der Hand schlagen lassen. Den Parteien, welche die Vorlage unterstützten, warf man Reaktion vor: Es waren und sind die gleichen Parteien, denen von den «Fronten» heute Untätigkeit und Mangel an Entschlossenheit vorgeworfen werden. Ebenso ist dem schweizerischen Freisinn in andern wichtigen Fragen die Gefolgschaft vom Bürgertum versagt worden, von der versagenden finanziellen Unterstützung für die politische Aufklärung ganz zu schweigen, während einzelnen «Fronten» und andern Neugründungen heute sehr bedeutende Mittel zufließen.

Daß solche Feststellungen aus dem Munde des schweizerischen freisinnig-demokratischen Parteipräsidenten von 500 Mann (diesmal waren es wirklich so viel) in Bern mit donnerndem Beifall unterstützt worden sind, wollen wir als Zeugnis der richtigen Erkenntnis und Einschätzung hoch werten. – ...

Dr. E. Steinmann, Spreu und Weizen, in: Politische Rundschau, August 1933, S. 312ff.

139 Bürgerlich-frontistische Propaganda bei den Zürcher Gemeindewahlen 1933

Wahlinserat der «Vaterländischen Allianz», gebildet aus bürgerlichen Parteien und Fronten (a), sowie der Freisinnig-demokratischen Partei (b).

(a) Zürchervolk!

Sechs Jahre hat das rote Regime gewirtschaftet. Was hat es uns gebracht?

Verschleuderung der öffentlichen Gelder, eine Kastenwirtschaft ohnegleichen, Versorgungspolitik bei den Beamtenwahlen, verhetzte Jugend, Bauplatz-Terror, mächtige erhöhte Steuern und trotzdem leere Stadtkassen: Rot bringt Not!

Zürchervolk!

Genug der Zwietracht, genug des Geldvertuns, genug der Steuern und Günstlingswirtschaft! Gerechtigkeit für alle! Raffe Dich auf, wähle vaterländisch!

(b) Ihr roten Pleitegeier – schämt euch und schweigt!

Die rote Wahlpropaganda arbeitet mit den Mitteln der krassen Verleumdung. Jeder, der den roten Herdentrieb nicht mitmacht, wird als Bourgeois, Ausbeuter, Militarist und fauler Hund hingestellt.

Genug! Wir Angestellte, Handwerker, Gewerbetreibende, Kaufleute, Angehörige der freien Berufe – wir alle, die unser Leben nicht an der Staatskrippe verdienen, die uns abmühen und oftmals nachts nicht schlafen können, weil uns der Zahltag nicht vom Himmel fällt, wir stellen die Gegenfrage:

Was habt ihr Roten für das Volk getan, da, wo ihr, wie zum Beispiel in Deutschland, an der Macht waret? Ihr habt das Blaue vom Himmel versprochen, euch große Gehälter aus den Staatskassen angeeignet, das Volk geplündert und verhetzt, und als die Reaktion auf euer Tun kam, was habt ihr getan? ... Feig habt ihr euch aus dem Staub gemacht! ... Und diese Pleitegeier wollen sich als Beschützer der Werktätigen aufspielen! Eine Partei, die überall so jämmerlich versagt hat, hat zweierlei zu tun: Sich zu schämen und zu schweigen! Sie sollte nicht das Toupet haben, eine Stadt wie Zürich regieren zu wollen. ...

Du aber, Zürchervolk, ... sorge, daß endlich eine vaterländische Behörde ans Ruder komme! Wähle freisinnig! FP

Tagblatt der Stadt Zürich, 22.9.1933.

140 SP-Propaganda beim «Kampf um das rote Zürich»

Wir rechnen ab
Eure Schuld am Volke

Die alte Schuld:
Höchst ungern lassen die Parteien des Kapitalismus sich an ihre alten Schulden erinnern.
Und doch ist es wahr, und niemand – nicht einmal das Bürgertum – kann es bestreiten, daß die heutige Weltnot, die riesenhafte Krisenkatastrophe unvermeidliche Auswirkungen der kapitalistischen Wirtschaft sind. Auf ihr Schuldkonto kommt nicht bloß das weltweite Elend – auf ihr Schuldkonto kommt auch unsere heutige schweizerische Wirtschaftskrise mit ihrem Arbeitslosenelend, ihrer Verelendung weiter Schichten der Angestelltenschaft, ihrem sozialen Zerfall des Mittelstandes, ihrer Bauernverarmung!
Wer heute bürgerlich wählt, der wählt kapitalistisch! Wer kapitalistisch wählt, der wählt die Krise! Wer die Krise wählt, der wählt die Verschärfung der Klassengegensätze, – der wählt die Verschärfung der Notlage der Arbeitslosen und Arbeiter, des deklassierten Mittelstandes, der ausgepowerten Schuldenbauern!
Seit Jahrzehnten verspricht die bürgerliche Politik allen Volksklassen Wohlstand, gutes Auskommen, sorgenfreie glückliche Existenz!
Diese Zahlungsversprechen, diese Schuldurkunden hat der Kapitalismus bis heute nicht einzulösen vermocht. Im Gegenteil: Jetzt in der großen Wirtschaftskrise hat er sich selber zahlungsfähig, bankrott erklärt.
Ein Tor, wer heute noch angesichts des ungeheuren Versagens der bürgerlich-kapitalistischen Politik und Wirtschaft auf die Einlösung der alten Schuld rechnet. ...

Die neue Schuld:
... Gerade jetzt bereitet die bürgerliche Reaktion Ausnahmegesetze vor, die sich gegen die arbeitenden Volksschichten richten. Gerade jetzt bereitet man Gesetze vor, die die alten Volksrechte einschränken, unsere Freiheiten in Frage stellen. Im kapitalistisch eingestellten Bürgertum ist eine weitgehende Bereitschaft vorhanden, jener Demokratie, die das Ergebnis einer vielhundertjährigen Entwicklung ist, Abbruch zu tun.
Ein Teil unseres Volkes, und zwar ist es der arbeitsamste und am meisten notleidende Teil, die Arbeiter- und Angestelltenschaft, soll unter Ausnahmerecht gestellt werden. ...
Wer bürgerlich wählt, der wählt heute die Politik der Volks-Entrechtung und der Volks-Entmachtung –, der wählt die Politik der Volks-Ohnmacht und der Herren-Allmacht! ...

Die künftige Schuld:
Im Geschehen der Vergangenheit und Gegenwart bereitet sich künftige Schuld vor.
Der Kapitalismus ist nicht zu halten. Er ist im Volksurteil schon gerichtet.
Jene aber, die heute im Kampf gegen die wachsende sozialistische und antikapitalistische Volksbewegung an Unterdrückung, Entrechtung und Gewalttat denken und morgen Unterdrückung, Entrechtung und Gewalttat ausüben möchten, – sie laden allerschwerste geschichtliche Schuld auf sich. Eine Schuld, die sich schwer an jenen Klassen und ihren Führern und

Angehörigen rächen würde, die jetzt in Gemeinden, Kantonen und in der Eidgenossenschaft mit Unterdrückung, Entrechtung und Gewaltat gegen Volksabstimmungsmehrheiten und Wählermehrheiten vorgehen wollten! Die «autoritäre Demokratie» des schweizerischen Patriziats hat ein Ende mit Schrecken genommen. Der «autoritären Demokratie» des schweizerischen Faschismus würde es noch viel schlimmer ergehen. ... Darum genug der Schuld! Wir kreditieren die Reaktion nicht länger. Wir rechnen mit euch ab!

Die Sozialdemokratische Partei ist von allen politischen Parteien der Stadt Zürich die einzig wirkliche Volks- und Massenpartei. Sie steht stark und unerschüttert da. ...

Her zu uns, wer eine kraftvolle soziale und demokratische Gemeindepolitik dem bürgerlich-reaktionären Sechsparteien-Mischmasch entgegenstellen will!

Her zu uns: Volkswille gegen Herrentrotz!

Her zu uns: Volksforderung gegen Herrenschuld!

Wir rechnen ab!

Volksrecht, 21.9.1933.

141 Zwanzigtausend feiern den Sieg des roten Zürich*

Wie aus dem Boden gestampft, sammelten sich gestern abend riesige Menschenmassen um das Volkshaus in Zürich 4, auf dem Helvetiaplatz, bei der «Sonne» und in den anschließenden Straßen, bis hinauf zum «Volksrecht», wo Tausende mit heller Begeisterung den Wahlausgang, den prächtigen Erfolg zur Kenntnis nahmen.

Ein *Demonstrationszug,* ein *Siegeszug* durch die Straßen *Außersihls, Wiedikons* ins *Industriequartier* wurde formiert. Voran die Jugend mit ihren leuchtenden Sturmfahnen und ein wackeres *Trommlerkorps.* Fackeln waren auch noch da, die entzündet wurden – damit es weithin leuchte. In den Zug eingeordnet wurde die *Stadtmusik «Eintracht»,* die in der vergangenen Woche an Wahlpropaganda das menschenmögliche geleistet. Und dann kam ganz weit hinten die Arbeitermusik mit den Demonstranten aus dem Industriequartier. Das soll keine Zurücksetzung sein, sondern ein Hinweis darauf, *daß der riesige Demonstrationszug kein Ende nehmen wollte.* Etwa eine halbe Stunde dauerte der Vorbeimarsch der dichtgedrängten, oft die ganze Straßenbreite füllenden Massen, der Männer und Frauen, die sich mitfreuen wollten an der Rettung des roten Zürich. Man versicherte, daß noch keine Zürcher Maidemonstration eine solche Beteiligung aufgewiesen hätte.

Aber nicht allein die Marschierenden, deren Kolonnen sich ständig vermehrten, haben demonstriert. Zu ihnen zählen wir auch die Tausende und Tausende, die Spalier bildeten und begeisterte Zurufe austießen, die aus den Häusern Tücher schwenkten, die tosenden Beifall klatschten, die auf irgendeine Art ihrer Freude über den Erfolg der sozialdemokratischen Arbeiterschaft Ausdruck geben wollten. Die Arbeiterquartiere waren mit einem Wort voller Jubel.

Auf dem *Röntgenplatz* im Industriequartier suchte sich zu postieren, was Platz fand, während die roten Sturmfahnen in der Glut der zusammengeworfenen Fackeln leuchteten. Genosse Parteisekretär *Walter* würdigte in kurzer Ansprache die Bedeutung des Wahlerfolges, den die

Sozialdemokraten ganz allein errungen, und er dankte allen, den Jungen und den Alten, den Frauen und den Männern, allen, allen, die gegenüber der anstürmenden Reaktion die rote Fahne hochhielten. Vorwärts, vorwärts, auch fürderhin!

Wie der Genosse Stadtpräsident *Dr. Klöti* unter dem Fenster erschien, da brach die Menge in frenetischen Jubel aus. Arme reckten sich zu Tausenden empor, Hüte flogen in die Luft, die Sturmfahnen flatterten und die beiden Musiken intonierten die Internationale, die von der Menge mitgesungen wurde. Eine prächtige, spontane *Ovation* für den Stadtpräsidenten und die anderen Genossen, die in den letzten Wochen der bürgerlichen Schmähungen genug über sich ergehen lassen mußten. Und Genosse Dr. Klöti dankte nicht nur, er gelobte auch im Namen seiner Kollegen-Genossen im Stadtrat, nach bestem Wissen und Gewissen im Sinne unseres Programms zu wirken, das rote Zürich weiterhin zu einem sozialen Zürich auszubauen, was im Interesse aller, der Volksgemeinschaft liegt. ...

Volksrecht, 25.9.1933.

142 Arbeitsprogramm des SGB 1934

Das Arbeitsprogramm wurde in den Grundlinien gutgeheißen vom Gewerkschaftskongreß in Biel vom 18./19. November 1933 und in der Einzelbehandlung genehmigt in der Sitzung des Gewerkschaftsausschusses vom 26. Januar 1934.

Was will der Gewerkschaftsbund?

Das Ziel.

Das Ziel der Gewerkschaft ist eine Ordnung der Wirtschaft und Gesellschaft, die das Wohlergehen aller Menschen bezweckt und in der nicht nur politische, sondern auch wirtschaftliche und soziale Gleichberechtigung herrscht. Jeder muß, unbesehen seiner Herkunft und seines materiellen Besitzes, die Möglichkeit haben, seine Kräfte im Rahmen der Gemeinschaft voll zu entfalten und gemäß seinen Fähigkeiten Anteil zu nehmen an den Kulturgütern.

Die Aufgabe.

Die Aufgabe der Gewerkschaften besteht darin, der Arbeit einen möglichst hohen Anteil am Gesamtertrag der Volkswirtschaft zu verschaffen und diesen Anteil so gerecht wie möglich unter alle Schichten der Arbeitenden zu verteilen. Insbesondere liegt ihnen ob die wirtschaftliche, soziale und kulturelle Hebung aller Kreise der unselbständig Erwerbenden.

Der Weg.

Um dem Einfluß und dem Druck der organisierten Macht des Kapitals und der Unternehmer die Spitze bieten zu können, müssen die Arbeitenden aller Berufe (Arbeiter, Angestellte, Beamte) sich zusammenschließen zur Erkämpfung der Rechte, die die Arbeit beanspruchen muß. In diesem Kampf um ihre Menschenrechte verfügen die Arbeitnehmer nur über ihre Arbeitskraft und ihre Konsumkraft als wirtschaftliche Kampfmittel. Sie wahren sich daher das Recht, diese Kampfmittel für ihre, die Interessen der großen Volksmehrheit betreffenden Forderungen zur Anwendung zu bringen, genau wie das Kapital seine Wirtschaftsmacht einsetzt – zugunsten einer kleinen Minderheit der Besitzenden.

Der Schweizerische Gewerkschaftsbund ist in religiöser Beziehung neutral und politisch unabhängig.

Die Gewerkschaften bekennen sich zu den Grundsätzen der Demokratie. Durch Aufklärung und praktische Arbeit wollen sie die Bevölkerung gewinnen für ihre Ideen über eine gerechte soziale Ordnung. Voraussetzung für diese Arbeit ist das Bestehen eines demokratischen Staatswesens und der demokratischen Freiheitsrechte. Die Gewerkschaften werden daher alle Kraft einsetzen für die Demokratie und ihren Ausbau. Die Gewerkschaften beanspruchen auch für sich das freie Selbstbestimmungsrecht und werden jeden Versuch, ihre Freiheit und Selbständigkeit zu beschränken, energisch bekämpfen.

Förderung der Wirtschaft.

Eine Steigerung des Arbeitseinkommens ist nur möglich durch Verminderung des Kapitaleinkommens oder durch Vermehrung des volkswirtschaftlichen Ertrages. Die Gewerkschaften benützen beide Wege, um ihren Zweck, die Verbesserung der Existenzbedingungen des arbeitenden Volkes, zu erreichen.

Die Vermehrung des volkswirtschaftlichen Ertrages geht heute meistens vor sich durch Rationalisierung im einzelnen Betrieb. Sie wird ferner erreicht durch organisatorische Zusammenfassung der wirtschaftlichen Kräfte auf dem Wege genossenschaftlicher Selbsthilfe und staatlicher Wirtschaftsförderung. ...

Planwirtschaft.

Viel wichtiger noch als die Verbesserung der Technik und der Organisation im einzelnen Betrieb ist die volkswirtschaftliche Rationalisierung, das heißt die Ausschaltung der Vergeudung und der Verlustquellen, die durch die Konkurrenzwirtschaft entstehen. Eine erfolgreiche Behauptung der Schweiz im internationalen Konkurrenzkampf ist nur denkbar durch planmäßige Zusammenfassung aller Kräfte der schweizerischen Volkswirtschaft.

Das sollte aber nicht auf privatkapitalistischer Basis geschehen, wo der Kapitalprofit entscheidet, sondern durch gemeinwirtschaftliche Zusammenfassung sowohl der Produzenten wie der Konsumenten im Interesse des Volksganzen. Die maßgebenden Wirtschaftsverbände sind von den Behörden in allen Fragen der Wirtschaftspolitik zur Mitberatung heranzuziehen, um ein planwirtschaftliches Zusammenarbeiten zu ermöglichen. ...

Gemeinwirtschaft.

Die Wirtschaft kann ihren ursprünglichen Zweck, die Bedarfsdeckung der Menschen, nur dann richtig erfüllen, wenn nicht mehr private Kapitalinteressen die wirtschaftliche Führung haben. Der Gewerkschaftsbund tritt daher für die Förderung und den Ausbau der Gemeinwirtschaft ein in allen ihren Formen: Staatswirtschaft, Kommunalwirtschaft und genossenschaftliche Bedarfsdeckung. Die Gemeinwirtschaft vermindert auch die Krisengefahr, da sie auf ihrem Gebiet planmäßig wirtschaftet.

Öffentliche Unternehmungen dürfen nicht durch fiskalische oder politische Ansprüche ausgenützt werden. ...

Arbeitsprogramm des Schweizerischen Gewerkschaftsbundes, Hg. Schweizerischer Gewerkschaftsbund, Bern 1934, S. 3ff.

143 Initiative zur Bekämpfung der wirtschaftlichen Krise und Not

Die Krisen-Initiative wurde am 30. Nov. 1934 mit 334699 Unterschriften eingereicht und am 2. Juni 1935 mit einem Volksmehr von 567425 Nein gegen die beachtliche Zahl von 425242 Ja vorworfen.

... A. Der Bundesverfassung wird folgender Artikel beigefügt:

1. Der Bund trifft umfassende Maßnahmen zur Bekämpfung der Wirtschaftskrise und ihrer Folgen.

Diese Maßnahmen haben zum Ziel die Sicherung einer ausreichenden Existenz für alle Schweizerbürger.

2. Der Bund sorgt zu diesem Zwecke für:

a) Erhaltung der Konsumkraft des Volkes durch Bekämpfung des allgemeinen Abbaues der Löhne, der landwirtschaftlichen und der gewerblichen Produktenpreise;

b) Gewährung eines Lohn- und Preisschutzes zur Sicherung eines genügenden Arbeitseinkommens;

c) planmäßige Beschaffung von Arbeit und zweckmäßige Ordnung des Arbeitsnachweises;

d) Erhaltung tüchtiger Bauern- und Pächterfamilien auf ihren Heimwesen durch Entlastung überschuldeter Betriebe und durch Erleichterung des Zinsendienstes;

e) Entlastung unverschuldet in Not geratener Betriebe im Gewerbe;

f) Gewährleistung einer ausreichenden Arbeitslosenversicherung und Krisenhilfe;

g) Ausnützung der Kaufkraft und der Kapitalkraft des Landes zur Förderung des industriellen und landwirtschaftlichen Exports sowie des Fremdenverkehrs;

h) Regulierung des Kapitalmarktes und Kontrolle des Kapitalexports;

i) Kontrolle der Kartelle und Trusts.

3. Der Bund kann zur Erfüllung dieser Aufgaben die Kantone und die Wirtschaftsverbände heranziehen.

4. Der Bund kann, soweit es die Durchführung dieser Maßnahmen erfordert, vom Grundsatz der Handels- und Gewerbefreiheit abweichen.

5. Der Bund stellt zur Finanzierung dieser besonderen Krisenmaßnahmen in Form zusätzlicher Kredite die notwendigen Mittel zur Verfügung. Er beschafft diese Mittel durch Ausgabe von Prämienobligationen, Aufnahme von Anleihen und aus laufenden Einnahmen.

6. Die Bundesversammlung stellt unverzüglich nach Annahme dieses Verfassungsartikels endgültig die erforderlichen Vorschriften für dessen Durchführung auf.

7. Der Bundesrat erstattet der Bundesversammlung auf jede ordentliche Session einen Bericht über die getroffenen Maßnahmen.

B. Dieser Verfassungsartikel bleibt während der Zeit von 5 Jahren, vom Tage seiner Annahme hinweg, in Kraft. Die Gültigkeitsdauer kann durch Beschluß der Bundesversammlung höchstens um weitere 5 Jahre verlängert werden. ...

Initiative zur Bekämpfung der wirtschaftlichen Krise und Not, SSA Zürich, 338.105.z

144 Bundesrat: Die Kriseninitiative ist eine Sünde

Bundesrat Schulthess verteidigte in seiner Aarauer Rede vom 29. November 1934 die Krisenpolitik des Bundesrates und die Krisenlösungsrezepte des Kapitals und bekämpfte die Politik der organisierten Arbeiter, Angestellten und Jungbauern.

... Die Kriseninitiative verkörpert den *Irrtum* von der *Allmacht* des *Staates*. Sie möchte durch eine Garantie der Preise und Löhne Landwirtschaft, Gewerbe und Arbeiterschaft zu einer Aktion zusammenführen und den gleichen Kreisen überdies durch ein grosses Arbeitsbeschaffungsprogramm Arbeitsgelegenheiten bieten. Die Festsetzung von Minimallöhnen und -preisen auf dem Papier bleibt ohne Wirkung. Nur wenn dem Arbeits- und Warenangebot die entsprechende Nachfrage gegenübersteht, lassen sich Preise halten. Ein allgemeines Dazwischentreten des Staates, um durch Zuschüsse diesen Effekt zu erreichen, ist undenkbar und würde zum Ruin des Staatswesens führen. ...

Die Kriseninitiative ist eine Sünde am praktischen Sinn. Sie vergißt, daß in der Wirtschaft eine höhere Macht gebietet, und daß der Staat alle die materiellen und geistigen Faktoren, die die Wirtschaft beeinflußen und bilden, nicht hervorzaubern kann. ...

Die Wirtschaft der Schweiz ist auf auswärtigen Lebensraum eingestellt, da deren Bevölkerung sonst niemals eine genügende Beschäftigung fände. Der *Export* ist daher die *Schlüsselstellung* für die Lösung des gesamten wirtschaftlichen und finanziellen Problems und für die *Arbeitsbeschaffung.* Der Staat kann mit künstlichen Mitteln die Arbeitslosigkeit reduzieren oder deren Folgen erträglicher gestalten. Soll aber die Schweiz wieder gesunden, so muß die *Ursache* des wirtschaftlichen Schrumpfungsprozesses, der die Folge der Unterbindung des Exportes ist, so gut wie möglich durch dessen Hebung *eliminiert* werden. Da aber die künstliche Exportförderung keine bedeutenden und greifbaren Erfolge bietet, und, im großen Umfange praktiziert, für den Staat finanziell ruinös wäre, so bleibt als *einzige Möglichkeit die tunlichste Anpassung* der Produktionsbedingungen unseres Landes an die Weltwirtschaft. Diese Anpassung muß sich auf alle Produktionsfaktoren ausdehnen. ...

Industrielle Kreise haben errechnet, daß, um die Konkurrenzfähigkeit der Schweiz etwelchermaßen herzustellen, eine Senkung der Produktionskosten von *20 Prozent* notwendig wäre. Wir möchten diese Schätzung nicht bestreiten. Wahrnehmungen, die wir bei der Erledigung von Gesuchen um Exportunterstützung unter dem Titel der produktiven Arbeitslosenfürsorge machten, zeigen die große Differenz, die häufig zwischen den erzielten Preisen und den Selbstkosten besteht. Allein man muß sich Rechenschaft geben, daß eine so große Preissenkung nicht von heute auf morgen erzielbar ist. ...

Schließlich muß man sich Rechenschaft geben, daß wohl oder übel eine weitere *Reduktion* der *Löhne* und *Saläre* in den *öffentlichen Diensten* und in den Berufen, in denen eine solche noch nicht oder in ungenügendem Maße eingetreten ist, unter dem Drucke der Verhältnisse sich aufdrängt. ...

Ein vernünftiger Abbau ist auch für die Betroffenen vorteilhafter als ein Festhalten am heutigen Zustand, das schließlich notwendigerweise zu einer Katastrophe führen müßte. ...

Was aber nottut, ist, daß die Lebensinteressen des Volkes herausgehoben werden über den Streit und Hader der Parteien und daß alle um das Wohl des Landes und des Volkes besorgten Bürger zusammenarbeiten und sich finden. Weg mit der Demagogie und den Schlagworten! *Verantwortungsbewußtsein* und *Opferwilligkeit* fordert die Stunde!

NZZ Nr. 2153, 30.11.1934.

145 Stellungnahme des Initiativkomitees zur Kriseninitiative

... Wenn die Kriseninitiative mit einer Intensität und mit einem Geldaufwand bekämpft wird, wie bisher noch nie ein Volksbegehren bekämpft worden ist, so geschieht das weniger wegen der darin enthaltenen Forderungen als deshalb, weil die Kriseninitiative der erste Versuch ist, um die Arbeitenden in Landwirtschaft, Gewerbe und Industrie zu einem gemeinsamen positiven Wirtschaftsprogramm zusammenzubringen. Es liegt dem Großkapital außerordentlich viel daran, diesen Versuch zunichte zu machen, um weiterhin das Schweizervolk beherrschen zu können nach der Devise der römischen Caesaren: Teile und herrsche! ...

Überwindung der Krise durch die Kriseninitiative, Hg. Schweizerisches Aktionskomitee zur Bekämpfung der Wirtschaftskrise, S. 127, SSA Zürich, 338.105.1.

146 Durch die Kriseninitiative zum demokratischen Wohlfahrtsstaat

Aus dem Aufsatz «Eine neue Politik» von Robert Grimm, 1935; vergleiche dazu Grimms Einschätzung der Krise im Jahre 1931 (129).

... Die kommende schweizerische Politik, die Konzentration der Mitte, wird nicht das Ergebnis ausgeklügelter Schlauheit sein. Sie wächst aus dem Volk, aus der Krise, aus dem Zwang zur Selbstbehauptung der werktätigen Bevölkerung hervor. Sie ist nicht eine Angelegenheit der Politiker, nicht Sache geriebener Parlamentarier. Sie ist eine Sache des Volkes.

Daß diese Politik nicht sozialistisch im Sinne der unmittelbaren Endzielpolitik sein kann, versteht sich am Rand. Sie kann es schon deswegen nicht, weil sie nicht ausschließlich von der sozialistischen Arbeiterbewegung getragen sein wird. Konzentration der Mitte, das heißt Erfassung aller gutwilligen, am Bestand der Schweiz und ihrer demokratischen Einrichtungen interessierten Volkskreise. Konzentration der Mitte, das heißt gleichzeitig Erfassung aller Volkskreise, die durch den Kapitalismus in ihrer Existenz bedroht sind. Das Verbindende ist der Wille zum Leben, ein Wille aus der allgemeinen Notlage heraus geboren mit dem Ziel, sie zu überwinden. Es ist die Praxis des Lebens, nicht Theorie, die hier den Kitt bildet.

Dieser Wille hat in den Forderungen der Kriseninitiative seinen Niederschlag gefunden. Die Forderungen sind eigentlich Selbstverständlichkeiten. Sie entsprechen dem Geist, der in der schweizerischen Bundesverfassung enthalten ist. Die Bundesverfassung wollte einen Wohlfahrtsstaat schaffen. Sie sucht seine Verwirklichung auf dem Boden der individuellen Wohlfahrt und nennt als Mittel das Zusammenwirken aller. Die Kriseninitiative will nichts anderes, sie will es nur unter andern Umständen und Verhältnissen. Sie will den Grundsatz, der in der Verfassung enthalten ist, präzisieren und ihn endlich verwirklichen.

Diese Forderungen sind identisch mit dem andern Zweck der Bundesverfassung, mit der Erhaltung der Schweiz, ihrer Demokratie und ihrer Einrichtungen. ...

Rote Revue Nr. 4, April 1935, S. 25f.

147 Die Methoden des 2. Juni*

Das Schweizervolk hat am 2. Juni die Kriseninitiative mit einer Mehrheit von 140000 Stimmen verworfen. Wir haben schon in unserem ersten Abstimmungskommentar darauf hingewiesen, daß dieses Ergebnis angesichts des ungeheuren Druckes, der seitens des Industrie- und Finanzkapitals auf die Stimmberechtigten ausgeübt wurde, nicht überraschend war. Seither hatten wir Gelegenheit, in die Methoden, die in den verschiedenen Landesteilen angewendet worden sind, Einblick zu nehmen, und wir müßen sagen, daß wir es heute fast als eine Überraschung bezeichnen müssen, daß sich trotz diesen Methoden 425000 Bürger durch ein Ja zur Initiative bekannt haben.

Wohl noch bei keiner Volksabstimmung, auch bei der Abstimmung über die Vermögensabgabe nicht, ist der ganze staatliche und wirtschaftliche Machtapparat in dieser Weise in den Dienst einer Parole gestellt worden, wie das vor dem 2. Juni für die Nein-Parole geschehen ist. Der Bundesrat selbst hat hiefür Ton und Richtung angegeben. Die tendenziöse Partei-Botschaft des Bundesrates hat den nötigen Stoff geliefert und die Beschlagnahmung des Radio ausschließlich für die Nein-Parole hat auch andere Behörden und die Spitzen der Wirtschaft veranlaßt, alle Hemmungen fallen zu lassen und alle Machtmittel in den Dienst ihrer Sonderinteressen zu stellen. ...

Druck und Terror der Unternehmer.

Dem schweizerischen Atkionskomitee zur Bekämpfung der Wirtschaftskrise ist auf die Aufforderung hin, Terrormaßnahmen der Unternehmer zu melden, sehr viel Material zugegangen. Eine Sichtung dieses Materials hat ergeben, daß das Vorgehen der Firmen gegenüber ihren Arbeitern und Angestellten – wie bei den Banken und Versicherungsgesellschaften – auf *Anregung von zentraler Stelle* aus eingeleitet worden ist. Hier wie dort hat man den einzelnen Unternehmungen Musterzirkulare zur Verfügung gestellt, bei denen dann einzelne Stellen ergänzt oder gestrichen worden sind, worauf sie dem Personal mit persönlicher Unterschrift der Leitung zugestellt wurden. ...

Über den Inhalt wollen wir an dieser Stelle wenig sagen. Er ist fast überall derselbe. Zuerst wird zur Beruhigung erklärt, daß es «sonst» nicht den Gepflogenheiten der Firma entspreche, sich in die politischen Angelegenheiten ihres Personals einzumischen; da es sich aber nicht um eine politische, sondern um eine *wirtschaftliche* Frage handle (man höre und staune!), fühle man sich verpflichtet, auf die Folgen hinzuweisen, die bei einer Annahme der Kriseninitiative eintreten müssten. Und dann folgen die bekannten Tiraden über neue Steuern, über die bereits gebrachten Opfer, über die Krisengewinnler beim Staatspersonal, über die Inflation, die vor der Türe stehe usw. ...

Zur Bekräftigung dieser allgemeinen Betrachtung wird dann jeweilen zum Schluß auf die besonderen Verhältnisse des betreffenden Betriebes Bezug genommen, und es wird für den Fall der Annahme der Initiative ganz unverblümt mit *Einschränkung der Sozialleistungen* (Krankengelder, Pensionen usw.) und mit *Entlassungen* gedroht. Immer wieder begegnet man dem Satz: «Wird durch Betriebseinstellung und Entlassungen dem einzelnen geholfen? Ist es besser, einer erträglichen Anpassung zu trotzen, um dann in einem katastrophalen Abbau unterzugehen?» Wie die «erträgliche Anpassung» aussieht, haben die Arbeiter und Angestellten wahrhaftig zur Genüge erfahren! Daß die guten Patrioten auch ohne Scham mit der *Verlegung der Betriebe ins Ausland* drohen, wird niemand, der sie kennt, stark verwundern... Sie haben auch sonst keine große Scheu an den Tag gelegt und sich ausgesprochene Geschmacklosigkeiten geleistet, wie aus den nachfolgenden Beispielen hervorgeht.

Wenn zum Beispiel die *Chemische Fabrik, vormals Sandoz,* in *Basel,* ihren Arbeitern eröffnet, daß jede neue Steuerbelastung den Export, «diese für uns alle lebenswichtige Ertragsquelle zu weiterem Schwinden bringen werde», so mag das bei Uneingeweihten Eindruck machen, aber nicht bei dem, der weiß, daß diese Firma in den vergangenen Krisenjahren eine *durchschnittliche Dividende von 18 bis 20 Prozent* und für das Jahr 1934 dazu noch 25 Prozent extra ausbezahlt hat. ...

Zahlreiche Unternehmungen haben es übrigens mit der Versendung von Zirkularen nicht bewenden lassen. Wo man sich von solchen Schreibebriefen nicht die gewünschte Wirkung versprach, ist man zu handgreiflicheren Methoden übergegangen. Auch dafür einige Beispiele:

Im Kanton Schwyz, im Kanton Aargau und in andern Landesgegenden sind Arbeiter und Angestellte, die sich in den Aktionskomitees für die Kriseninitiative betätigten, vor die Direktion zitiert worden, und es wurde ihnen eröffnet, daß sie zwischen der Weiterbeschäftigung im Betrieb und der Mitgliedschaft in den betreffenden Aktionskomitees zu wählen hätten. Dutzende solcher Fälle sind vorgekommen, ganz besonders auch gegenüber bürgerlichen Anhängern der Kriseninitiative. Was soll ein verheirateter Mann tun, wenn er vor diese Alternative gestellt wird? Er wird vielleicht die Faust im Sack machen, aber er wird klein beigeben, weil ihm bei der heutigen Lage auf dem Arbeitsmarkt ja gar nichts anderes übrig bleibt. Dafür wird jetzt auf den zahlreichen Schützenfesten im Lande herum wieder in ausgiebigem Maße das Hohelied von der *Schweizerfreiheit* gesungen. ...

Gewerkschaftliche Rundschau Nr. 8, August 1935, S. 241 ff.

148 Der SGB zur Abwertung: Lieber sofort handeln

Stellungnahme von Max Weber, Sekretär des Schweizerischen Gewerkschaftsbundes, zu der 1936 erfolgten Abwertung des Schweizer Frankens.

... Wir müssen gestehen: Diesmal hat der Bundesrat überraschend *rasch gehandelt.* Und wir glauben, er tat recht daran, daß er der «NZZ» nicht gefolgt ist. Er hat damit der Nationalbank einen Goldverlust von einigen hundert Millionen erspart und vielleicht dem Lande einen weiteren Abbau und lange dauernden wirtschaftlichen Zerfall. Wäre der erste Bundesratsbeschluß vom Samstagfrüh, den Kurs weiter zu verteidigen, durchgeführt worden, so wären wohl innert wenigen Tagen Hunderte von Millionen geflüchtet. Das wäre währungstechnisch zwar auch diesmal noch zu verstehen gewesen, doch die Währungskrise wäre später immer erneut ausgebrochen und hätte unser Wirtschaftsleben in ständiger Unsicherheit gelassen, bis *das Unvermeidliche doch eingetreten* wäre. Gewiß wäre es besser gewesen, die Währungspolitik *früher* zu ändern, dann wären wir heute schon wesentlich weiter, doch besser heute als erst in einem Jahr. Wenn schon operiert werden muß, dann lieber sofort. ...

Fast noch entscheidender als die Abwertung selbst ist das, *was nun kommt.* Denn von den Maßnahmen, die in Verbindung mit der Wechselsenkung und im Anschluß daran vorgenommen werden, hängt es weitgehend ab, ob die günstigen oder die ungünstigen Folgen überwiegen werden. Wenn eine *positive, zielbewußte Wirtschaftspolitik* getrieben wird, kann die Abwertung ein Anfang sein, um aus der Sackgasse der Deflation herauszukommen und von der Besserung, die in großen Teilen der Weltwirtschaft eingesetzt hat, zu profitieren. ...

Das Schweizervolk hilft am besten zum Gelingen des schwierigen Experimentes, wenn es ruhig bleibt und allen denen, die einen Sondervorteil ergattern möchten (womit sie sich aber selbst schaden) das Handwerk legt. Es darf *keine Warenhamsterung* eintreten, und alle, die über ihren normalen Bedarf einkaufen wollen, müssen vom Handel und vom Publikum zurückgewiesen werden. Es darf *keine sprunghafte Preissteigerung* erfolgen. Mit der Zeit werden die aus dem *Ausland* bezogenen Waren teurer werden. Doch Milch, Milchprodukte, Fleisch, Kartoffeln usw. werden ja fast zu 100 Prozent im Inland erzeugt, wo jetzt kein Anlaß zu einer Preiserhöhung vorliegt. Es sollen *keine Geldabhebungen* bei den Banken eintreten. Sie wären ja ganz sinnlos und würden nur die Abheber schädigen. Die Sparer werden bald einsehen, daß sie genau gleich viel Franken auf der Sparkasse haben wie vor der Abwertung. Die Banken selbst erfahren durch die Abwertung eine *Stärkung,* denn mit dem Aufhören des Abbaus sind sie vor weiterer Entwertung ihrer Guthaben gesichert. Auch das gehamsterte Geld kann deshalb wieder aus den Kästen und Strümpfen hervorkommen. Der Hauptschrecken ist ja nun vorbei.

Je besser die Bevölkerung Disziplin hält und je nachhaltiger sie für die von den Organisationen des arbeitenden Volkes gestellten Forderungen eintritt und sie durchsetzt, um so rascher werden wir die gegenwärtigen Schwierigkeiten überwinden können. Jeder arbeite dafür auf seinem Posten!

Volksrecht, 29.9.1936.

149 KP: Abwertung bedeutet Teuerung

Die kommunistische Tageszeitung «Freiheit» bekämpfte die Abwertung. Das Blatt war 1936 durch Fusion des «Kämpfer» mit dem «Basler Vorwärts» entstanden.

... Die schlimmste Folge für das werktätige Volk wird darin bestehen, daß *eine Welle der Verteuerung der Lebenshaltung* eintreten wird. Für die Arbeiterschaft der Schweiz wird es um so fühlbarer sein, weil hier im Gegensatz zu andern Ländern, die vor Jahren die Geldentwertung durchführten, bereits zwei, drei und noch *mehrmals* die Löhne abgebaut und auch die Unterstützungen geschmälert worden sind. Nach dem Abbau des Lohnes und der Unterstützung kommt der Bundesrat mit diesem *kalten 30prozentigen Lohnabbau.*

Es ist eine Schädigung des arbeitenden Volkes, in einem Ausmaße, das heute noch nicht zu ermessen ist.

Die durch den Bundesrat Geschädigten werden aber nicht nur die Lohn- und Unterstützungsempfänger sein, sondern auch *die kleinen Sparer, Rentner, die Pensionsberechtigten* – alle jene, die, sei es in Banken, Sparkassen oder in Versicherungsinstituten ihre *vollwertigen* Franken einbezahlt haben. Die Leute, die ihr Leben lang geschuftet und ratenweise die Beträge zusammengelegt haben, um sich für die alten Tage einigermaßen zu sichern, sie werden durch diese Abwertung betrogen und aufs schwerste geschädigt.

Auch die Masse der armen und Schuldenbauern wird durch diese Abwertung getroffen werden. Selbst jenen, die verschuldet sind, nützt diese Abwertung nichts, weil durch die weitere Verarmung der breiten Volksmassen die Absatzmöglichkeiten für die landwirtschaftlichen Produkte immer geringer werden. ...

Wer sind die Nutznießer dieser Abwertungsmaßnahme?

In erster Linie *Hitler-Deutschland* und andere faschistische Staaten, wo gewaltige Summen

Schweizergeldes investiert sind. Diese Geldanlagen werden mit einem Schlag um 30 Prozent entwertet. *Die Gewinnenden sind aber auch die großen Versicherungsgesellschaften,* die die guten Schweizerfranken einkassierten, sie in Sachwerten angelegt haben und nun die Einzahler mit dem entwerteten Papierfranken beglücken. Gewinnende sind ebenfalls die *Großindustriellen,* die die Gelder in Industrieanlagen angelegt haben und teilweise bei den Banken verschuldet sind. Selbstverständlich auch *die Banken,* die den vollwertigen Schweizer Franken kassierten und ihn nun entwertet zurückbezahlen – insofern sie überhaupt noch bezahlen. ...

Freiheit, 28.9.1936.

150 Streik! Sulzer-Arbeiter wollen nicht länger Krisenlöhne*

Nachdem bereits eine Betriebsversammlung vom 26. Juni 1937 sich für die Ergreifung von Kampfmaßnahmen entschieden hatte, stimmten am 28. Juni in einer Urnenabstimmung 1996 Sulzerarbeiter für Streik, 614 für die Aufnahme von Verhandlungen. Zur vom SMUV statutarisch geforderten Dreiviertelmehrheit fehlten 13 Stimmen. Über den Kampf berichtete die kommunistische Tageszeitung wie folgt:

Die Metallarbeiter der berühmten Sulzer AG haben entschieden: Der magere Lohn muß verbessert werden. Wir hocken nicht länger auf des Lebens schmälster Seite, *die Zahltagstaschen müssen erhöhten Inhalt bekommen!*

Die Sulzer-Arbeiter sind zum Kampfe bereit. *Der Streik ist beschlossen,* wenn die Firma einlenken will, gut so; wenn nein, dann schließt die Tore der Fabrik, wir streiken!

Jahrelang prasselten die Krisenmaßnahmen auf die Schultern der Metallproleten. *Sulzerlohn wurde zum Armenlohn.* Selbst die Fürsorgebehörden mußten öffentlich feststellen, daß in Arbeit stehende Sulzer-Berufsleute sich an das Fürsorgeamt wenden mußten, um die Familie nicht darben zu lassen. Die Firma versprach Einsicht bei bessern Zeiten. Hunderte und Hunderte lagen auf dem Pflaster und der Stadt Winterthur erwuchsen schwere und drückende Auslagen.

Kein Aktionär befand sich in gedrängter Lage. Die Not der Zeit strich in sanftem Bogen um die Herren und die graue Kolonne der verdienstlosen Sulzer-Metallarbeiter berührte sie nicht.

In den letzten Monaten hat sich die Lage gebessert. Bedeutende Bestellungen sind eingetroffen, in den Werken herrscht Hochbetrieb, Überzeit wird gearbeitet, schichtweise gekrampft, hunderte neuer Arbeiter eingestellt und mit rationalisierten Arbeitsmethoden das äußerste aus den Arbeitern gepreßt. Im ersten Halbjahr nach der Abwertung ist der Export um 122 Millionen Franken oder 29 Prozent gestiegen. Die Sulzer AG hat dabei eine große Schnitte aus diesem Exportkuchen genommen. Im *Inlandsmarkt* werden die industriellen Produkte *teurer verkauft,* die Lieferungen von Maschinen an Milchbetriebe, an Pumpwerke, an städtische und kantonale Werke erfolgen zu erhöhten Preisen.

Die Maschinen werden zu höheren Preisen verkauft, aber die Arbeitskraft soll billig bleiben. Den Maschinen hohe Preise, den Menschen niedrige Löhne.

Damit wollen die Sulzer-Arbeiter gerechterweise Schluß machen. Lange Verhandlungen sind gepflogen worden. Was fordern die Arbeiter?

1. *Die Stundenlöhne sind ab 1. Juli für sämtliche Arbeiter um 5 Rappen zu erhöhen.*
2. *Die Akordansätze sind um 7 Prozent zu erhöhen.*
3. *Die Zulagen bei Stundenlohnarbeitern sind ebenfalls um 7 Prozent zu erhöhen.*

Das sind Forderungen der Familien, der Frauen, der Kinder all dieser Metallarbeiter. Jahrelang mußten die Arbeiter auf Anschaffungen Verzicht leisten, davon wissen die Geschäfte der Stadt Winterthur mit trübseligen Augen zu berichten.

Schluß damit! *Die Forderungen müssen erfüllt werden oder die Fabrikhallen werden leer und ab Montag, den 5. Juli, wird gestreikt.* Der Entschluß der Arbeiter ist ein *mächtiger,* die Abstimmung eine *nachdrückliche.* Von diesen Minimalforderungen am grünen Tisch abzulassen, magere Konzessionen einzuhandeln, davon kann gar keine Rede sein. Von einer kampfgegnerischen Zentralleitung wurde zu oft der Schwanengesang von einer nicht kampfgewillten Arbeiterschaft gesungen. Ein *falsches Lied.* Der Entscheid bei Sulzer und die Stimmung der gesamten Belegschaft beweisen eindrücklich: für ihre Lebensrechte werden diese Metallarbeiter kämpfen. Die hinzögernde Haltung der SMUV-Zentrale wurde verschiedentlich aber eindeutig zurückgewiesen.

Bei Sulzer gibt es noch verheiratete Berufsarbeiter mit *85 Rappen Stundenlohn.* Da kann nur die *restlose* Erfüllung der gestellten Forderungen Abhilfe schaffen. Und ein entschlossenes Eintreten der Sulzer-Belegschaft wird auch die Verhandlungen anderer Betriebe, wie der Locki[1], günstig beeinflussen.

Die Krisenlöhne müssen verschwinden.
Jetzt bei Sulzer und dann bei andern Betrieben.

Freiheit, 2.7.1937.

[1] *Locki: Schweizerische Lokomotivfabrik Winterthur.*

151 3081 Sulzerarbeiter ringen um 5 Rappen*

In einer weiteren Betriebsversammlung unter Anwesenheit von Sulzer-Direktoren wurde am 3. Juli der Streikbeschluß zurückgenommen und die Einsetzung eines Schiedsgerichtes beschlossen. Diesem gehörten keine Arbeitervertreter an.

Streik in letzter Minute verhindert – «Betriebsversammlung» mit Direktoren – 12 Stimmen mehr für Schiedsspruch.

Streik bei Sulzer. Der Kampf stand fest, die gesamte Presse berichtete davon. Um fünf Rappen Lohnerhöhung wollten die Sulzer-Arbeiter streiken, um die starre, unnachgiebige, aktionär- und dividendeninteressierte Haltung der Firma zu brechen. Berechtigte Forderung, notwendiger Streik!

Die Firma griff zum letzten Mittel. Es ist unverständlich und *hätte niemals erfolgen sollen,* daß die Arbeiterkommission ihre Einwilligung gab zur Durchführung einer Belegschaftsversammlung unter Führung und Anwesenheit von Sulzer-Direktoren. Schon bei der Abstimmung um das Arbeitslosenversicherungsgesetz griff Sulzer zu solchen Methoden. Die Arbeiterpresse prangerte dies mit Recht an und nun beugte sich die Kommission selbst dieser Methode.

Der Betrieb Sulzer hat viele Stammarbeiter, die jahrzehntelang um ihre Pension schaffen. Sulzer ist diejenige Firma, wo die persönlichen Bindungen (Darlehen bewilligen, Fabrikwohnungen etc.) noch in bedeutendem Maße vorhanden sind. Die Anwesenheit der mächtigen Direktoren, die mit einem Federstrich den einzelnen Arbeiter entlassen, hat dem Schweigen und zaghaften Entscheid der Arbeiter gerufen. *Der Entscheid der vorherigen Abstimmung und wirklichen Betriebsversammlung fand durch den Sekretär der Metallarbeiter keine Verfechtung.* Das Schiedsgericht wurde angepriesen.

In der Abstimmung fielen auf den *Vorschlag des Schiedsgerichtes 1150 Stimmen, für Streik am Montag stimmten 1138 Stimmen. Mit 12 Stimmen Unterschied wurde in letzter Minute unter rationeller Anwendung der Macht der Sulzer-Direktoren der Kampf auf das Geleise von neuerlichen Verhandlungen geschoben.*

Dieser Entscheid ist nicht gut und schwächt die Position der Gewerkschaft. Die Organisationsverhältnisse im Betriebe Sulzer sind nicht mehr die gefestigten von früher. Die entschlossene Erkämpfung der minimalen Lohnforderung hätte die beste Förderung der Gewerkschaft gebracht.

Die minimale Lohnforderung, 5 Rappen pro Stunde und 7 Prozent die Akkorde, die sind dem Sulzer-Arbeiter lebensnotwendig. *Die Forderung bleibt, der Kampf muß neu beginnen.*[1]

Freiheit, 5.7.1937.

[1] *Die Forderungen der Arbeiter wurden vom Schiedsgericht in seiner Sitzung vom 19. Juli nur teilweise erfüllt.*

152 Die Rolle der SMUV-Führung

Am SMUV-Verbandskongreß vom 16.–18. September 1937 nahm Verbandspräsident Konrad Ilg zur Rolle der Gewerkschaftsführung im Sulzer-Konflikt Stellung.

.... Der Zentralvorstand hat sich anfänglich in die Bewegung in Winterthur gar nicht eingemischt; wir nahmen uns der Sache erst an, als wir sahen, daß die Bewegung ganz ernst wurde. Zuerst ging Genosse Arthur Steiner in die Vertrauensmänner-Versammlung, ein paar Tage später nahm ich an der berühmt gewordenen Betriebsversammlung teil. Es haben natürlich viele mit Genugtuung – selbstverständlich vorab die Kommunisten, aber auch Parteimitglieder – vernommen, daß Ilg in der Betriebsversammlung bei Sulzer ausgepfiffen worden sei. Das Risiko, ausgepfiffen zu werden, mußte ich zum voraus in Kauf nehmen; weder ich, noch Genosse Arthur Steiner, noch ein anderes Mitglied des Zentralvorstandes waren in der Lage, der Masse zu Gefallen zu reden. Ich habe heute morgen schon erklärt, daß ich mich in solchen Fällen der Masse, komme, was wolle, nicht um Haaresbreite beugen werde. ...

Es handelte sich vor allem darum, gegen eine Massenstimmung zu reden, und in solchen Situationen ist es fast unmöglich, ohne einen Proteststurm auszukommen. Hätte ich fest vom Leder gezogen und zugunsten des Streiks gesprochen, so hätte das sehr wahrscheinlich einen Beifallssturm zur Folge gehabt. Das konnte und durfte ich nicht tun; schließlich bestand ja ein Beschluß, daß in den Großbetrieben, wenigstens vorläufig, keine Streiks ausgelöst werden dürfen. ...

Ich gebe zu, daß, wenn wir so gehandelt hätten, wie dies von vielen verlangt wurde, hätten wir einige hundert neue Mitglieder gewinnen können. Aber das wollten wir ja gar nicht; wir wollten keine Bewegungen um der Propaganda willen. Wir haben immer erklärt, daß die Bewegungen von der Propaganda getrennt werden müßten. Die Propaganda ist mit anderen Mitteln zu führen. Gewiß hätten wir eine Anzahl neuer Mitglieder gewonnen, das ist keine Frage, aber wir wissen auch aus Erfahrung, daß Mitglieder, die erst durch Bewegungen und aufgeregte Versammlungen der Organisation beitreten, nicht zu den besten gehören. ...

Es ist richtig, daß die Bewegung schließlich doch noch einen guten Verlauf genommen hat; es mag sein, daß ohne das forsche Zugreifen die Firma Sulzer weniger pressiert gewesen wäre, zu einem Abschluß zu kommen. Das mag stimmen; andererseits wurde aber durch diese ganze Bewegung das Abkommen[1] gefährdet.

Die Unternehmer standen, das steht fest, angesichts dieser Bewegung unter dem Eindruck, daß der Streik sowieso nicht zu vermeiden sei. Sie hatten sich auf den Ausbruch vorbereitet und glaubten sogar, daß es nicht beim Streik in Winterthur bleiben werde, sondern daß auch andere Orte von der Streikwelle erfaßt werden und rechneten schon in den nächsten Tagen mit 15000 bis 20000 streikenden Metallarbeitern. ...

Nachdem der Antrag auf Einsetzung eines Schiedsgerichtes von verschiedenen Instanzen der Arbeiterschaft abgelehnt worden war, gaben wir uns alle Mühe, um die Firma zu Vorschlägen einer generellen Lohnerhöhung zu bewegen. Die Unternehmer waren aber von ihrem Antrag und ihrer Einstellung nicht abzubringen.

Die Bewegung in Winterthur ist eigentlich ein Musterbeispiel, was die Voreingenommenheit und Mentalität bei Lohn- und Arbeitskonflikten zu verursachen mögen. Der Streik, wenn er wirklich ausgebrochen wäre, hätte sicher, sowohl in der Öffentlichkeit wie für unseren Verband ganz unabsehbare Auswirkungen nach sich gezogen.

Es gab zwar Kollegen, die glaubten, daß ein Streik sogar dem Abkommen förderlich gewesen wäre. Das stimmt allerdings nicht. Die Verhandlungen über das Abkommen wurden vom Maschinenindustriellen-Verband während der Bewegung in Winterthur ausdrücklich ausgesetzt; man wolle zuerst sehen, wie sich die Sache in Winterthur gestalte, wurde erklärt. Tatsächlich kamen die Verhandlungen erst wieder in Gang, nachdem die Bewegung in Winterthur erledigt und das Schiedsgericht eingesetzt worden war. ...

Protokoll des SMUV-Verbandskongresses vom 16.–18. September 1937 in Bern, S. 44ff.

[1] *Gemeint ist das Friedensabkommen.*

153 Das Friedensabkommen vom 19. Juli 1937

Im Bestreben, den im Interesse aller an der Erhaltung und Fortentwicklung der schweizerischen Maschinen- und Metallindustrie Beteiligten liegenden *Arbeitsfrieden* zu wahren, verpflichten sich der *Arbeitgeberverband schweizerischer Maschinen- und Metall-Industrieller* einerseits, und die vier nachstehenden Arbeitnehmerverbände, nämlich: der *Schweizerische Metall- und Uhrenarbeiter-Verband,* der *Christliche Metallarbeiter-Verband der Schweiz,* der *Schweizerische Verband evangelischer Arbeiter und Angestellter,* der *Landesverband freier*

Schweizer Arbeiter, anderseits, wichtige Meinungsverschiedenheiten und allfällige Streitigkeiten nach Treu und Glauben gegenseitig abzuklären, nach den Bestimmungen dieser Vereinbarung zu erledigen zu suchen und für ihre ganze Dauer unbedingt den Frieden zu wahren. Infolgedessen gilt jegliche Kampfmaßnahme, wie Sperre, Streik oder Aussperrung als ausgeschlossen, dies auch bei allfälligen Streitigkeiten über Fragen des Arbeitsverhältnisses, die durch die gegenwärtige Vereinbarung nicht berührt werden. In diesem Sinne wird weiter vereinbart:

Art. 1. Meinungsverschiedenheiten und allfällige Streitigkeiten sind in erster Linie *im Betrieb* selbst zu behandeln und zu lösen zu suchen.

In allen Betrieben werden, soweit möglich, entsprechend der bisherigen Übung in der Maschinen- und Metallindustrie *Arbeiterkommissionen* bestellt.

Art. 2. Strittige Fragen, die sich auf nachstehende Gebiete des Arbeitsverhältnisses beziehen und über die zwischen den Arbeitgebern und den Arbeitnehmern keine gütliche Verständigung erfolgt ist, werden den *Verbandsinstanzen* zur Abklärung und Schlichtung unterbreitet:

a) *allgemeine Lohnänderungen* (unter Ausschluß der Lohnformen und der Lohnverabredung nach Art. 330 OR., die nach bisheriger Übung in der Maschinen- und Metallindustrie weiterhin auf dem Wege des individuellen Dienstvertrages d.h. ohne Zuhilfenahme von Mindest-, Durchschnitts- oder Tariflöhnen geregelt werden);

b) die *Mehrarbeit;*

c) die allfällige Einführung des *Bedaux-Systems* in den Betrieben.

Im Einverständnis beider Parteien können weitere Fragen, die eine Änderung der derzeitigen allgemeinen Arbeitsbedingungen in der Maschinen- und Metallindustrie bezwecken, und die nach Ansicht beider Parteien einer Abklärung bedürfen, von den Verbandsinstanzen gemeinsam besprochen werden und allfällig Gegenstand besonderer Verabredung bilden.

Art. 3. Können die Verbandsinstanzen keine Einigung herbeiführen, so werden die in Art. 2 vorgesehenen strittigen Fragen einer *Schlichtungsstelle* unterbreitet, deren Zweck darin besteht, Kollektivstreitigkeiten nach Möglichkeit im Entstehen beizulegen und tunlichst eine Einigung zu erzielen. Ebenso werden Streitigkeiten über die Auslegung dieser Vereinbarung der Schlichtungsstelle unterbreitet. ...

Art. 8. Die Parteien übernehmen die Verpflichtung, ihre Mitglieder zur Beachtung der Bestimmungen dieser Vereinbarung anzuhalten, widrigenfalls die schuldige Partei vertragsbrüchig wird.

Von jeder Partei wird eine *Kaution* von Franken 250000.– als Garantie für die Einhaltung der Vereinbarung und als Sicherheit für allfällige Konventionalstrafen bei der Schweiz. Nationalbank hinterlegt. ...

Sinn und Bedeutung des Abkommens in der schweizerischen Maschinen- und Metallindustrie, Hg. SMUV, 1937, SSA 331.29.7.

154 Burgfrieden oder Klassenkampf*

Der «Friedensvertrag», den der SMUV mit dem Verband der Maschinenindustriellen abgeschlossen hat, löst bei den Metallproleten bestimmt keine Begeisterung aus. Sie sind mit Recht unzufrieden mit einem «Frieden», der den Verzicht auf den Streik festlegt, aber *keine Regelung der Lohn- und Arbeitsbedingungen* enthält. Der Hinweis darauf, daß die Unternehmer als «Gegenleistung» auf die Anwendung der Aussperrung verzichten, ist bei der gegenwärtigen günstigen Geschäftslage in der Metall- und Maschinenindustrie ein Zugeständnis, das die Unternehmer nichts kostet. Die großen Betriebe der Metallindustrie sind auf viele Monate hinaus mit Aufträgen versorgt. Die Unternehmer fürchten Streiks für Lohnerhöhungen, bezahlte Ferien und bessere Arbeitsbedingungen, für die 40-Stundenwoche. Sie wissen genau, daß sie einer einheitlichen Aktion des Metallarbeiterverbandes nachgeben müßten. ...

Natürlich sind die Metallproleten nicht Anhänger des *Streiks um jeden Preis.* Wenn ihre Forderungen durch Verhandlungen mit den Unternehmern zugestanden werden, wird es keinem von ihnen einfallen, den Streik zu fordern. *Aber sie wollen nicht auf den Streik als ihre wirksamste Waffe verzichten, wenn diese gerechten Forderungen nicht bewilligt werden.* Aber gerade das verfügt der sogenannte «Friedensvertrag» von Konrad Ilg.

Zur Begründung verweist Konrad Ilg auf das angeblich *«gemeinsame Interesse»* der Unternehmer und Arbeiter an der Erhaltung der Konkurrenzfähigkeit der Maschinen- und Metallindustrie. Es wird so dargestellt, als würden Lohnerhöhungen und bessere Arbeitsbedingungen die Konkurrenzfähigkeit vermindern. Das ist eine grobe Täuschung. *Die Konkurrenzfähigkeit kann gewahrt werden bei hohen Löhnen und guten Arbeitsbedingungen, wenn die besseren Löhne und Arbeitsbedingungen auf Kosten der Profite der Unternehmer und Aktionäre herausgeholt werden. ...*

Freiheit, 30.7.1937.

155 Das Abkommen in der Metallindustrie*

Emile Giroud, Sekretär des Schweizerischen Metall- und Uhrenarbeiter-Verbandes, rechtfertigte den Abschluß des Friedensabkommens aus der Sicht der SMUV-Führung.

... Welche materiellen Gründe sprachen für den Abschluß eines solchen Vertrages? Wir werden versuchen, sie kurz und bündig auseinanderzusetzen.

28 Prozent der Fabrikarbeiter sind in der Maschinen- und Metallindustrie tätig, die ihrerseits mit 25 Prozent am Umfang oder vielmehr am Gesamtwert unserer Ausfuhr beteiligt ist. In normalen Zeiten beliefen sich die von dieser Industriegruppe gezahlten Löhne auf mehr als 200 Millionen Franken jährlich. Die volkswirtschaftliche Bedeutung dieses Gewerbezweiges ist daher enorm. Während der Krise ging der Export um 60 Prozent zurück. Seit einem Jahre ist ein ernsthaftes Anziehen des Geschäfts zu beobachten, ohne daß indessen die Ziffern von 1929 schon erreicht wären.

Dieses Anziehen ist zurückzuführen auf die Abwertung, auf die allgemeine Erholung des Weltmarktes, auf den überall fühlbar werdenden Maschinenbedarf für Rüstungszwecke und die Tatsache, daß zum Beispiel Deutschland, welches mit der eigenen Kriegsindustrie zu sehr beschäftigt ist, auf den ausländischen Märkten dem schweizerischen Erzeugnis so gut wie gar keine Konkurrenz mehr bereitet. Wir sehen uns daher einer zwar günstigen, doch teilweise ungesunden Konjunktur gegenüber.

Wenn dieser Rüstungswettlauf einmal zu Ende ist, werden die ausländischen Betriebe ihren Platz auf dem Weltmarkt zurückerobern wollen, und wir erleben dann einen furchtbaren Konkurrenzkampf. Für die Schweiz wird das Risiko weniger groß sein, wenn es der Maschinenindustrie gelingt, die augenblickliche Konjunktur auszunutzen, innert wenig Zeit neue Absatzmöglichkeiten auf dem Weltmarkt zu gewinnen und sich diese dank der Qualität der Arbeit und der Ware zu erhalten. Um das zu ermöglichen, muß in der Industrie Arbeitsfrieden herrschen.

Arbeitsfrieden und Arbeitsbedingungen.

Arbeitsfrieden bedeutet nicht etwa die Beibehaltung der augenblicklichen Arbeitsbedingungen. Denn diese haben sich während der Krise verschlechtert. Lohnansätze und allgemeine Arbeitsbedingungen müssen unverzüglich verbessert werden. Dazu hat das Abkommen schon erheblich beigetragen.

Wir sind daher der Meinung, daß dabei auch die Arbeiterschaft auf ihre Rechnung kommen muß, denn es hat sich längst erwiesen, daß es leichter ist, angemessene Arbeitsbedingungen zu erlangen, wenn die Industrie in Ruhe eine Prosperitätsperiode durchläuft, als wenn sie von sozialen Konvulsionen[1] aller Art geschüttelt wird.

Mit der Bereitschaft, sogenannte Arbeitskonflikte im Geist des Friedens zu erörtern, haben die Parteien dem am tiefsten in unserem Volk verwurzelten Wunsche entsprochen und ein gut Teil zur Erhaltung der Demokratie beigetragen.

Der Metall- und Uhrenarbeiter-Verband hat durch die Unterzeichnung des Abkommens seinen festen Willen bezeugt, die in seiner Obhut stehenden Arbeiterinteressen wahrzunehmen in einer Atmosphäre des gegenseitigen Vertrauens und ohne jede Behinderung der Fortentwicklung unserer Exportindustrie, deren unsere Volkswirtschaft so sehr bedarf. Ungeachtet der Macht, die ihm schon seine Mitgliederzahl von 65 000 verleiht, hat er ein ansehnliches Maß geistiger Reife bewiesen.

Gewerkschaftliche Rundschau Nr. 2, Februar 1938, S. 77 ff.

[1] *Konvulsionen: Erschütterungen.*

156 Militärische Verteidigung der Demokratie

Reinhard[1]: ... Und wenn wir heute in der Militärfrage eine Haltung einnehmen, die vielen vielleicht unverständlich ist, so ist sie diktiert von der Sorge um die Demokratie, aus dem Zwang zur Notwehr, der ohne uns geschaffen worden ist. ...

Ich darf für die Sozialdemokratische Partei der Schweiz etwas in allem Ernst in Anspruch nehmen. Solange irgend eine Hoffnung bestand, daß durch die Abrüstung der Friede gesichert werden könne, haben wir unsere Pflicht bis zum letzten erfüllt. Ich weiß, wir haben auch da, als wir konsequent die Ablehnung des Militärbudgets empfahlen, als wir in den Versammlungen gegen das Militärbudget sprachen, nicht den Dank aller ganz radikalen Pazifisten gehabt; man hat uns auch damals sogar angegriffen. Aber wer die Verhältnisse in der Internationale kannte, wußte folgendes: In der Kommunistischen Internationale haben die gleichen Leute, die uns im Jahre 1917 in Bern den Militärbeschluß aufoktroyierten, für sich das Recht in Anspruch genommen, zu rüsten, wie es das Bedürfnis ihres Staates verlangte, und in der Sozialistischen Internationale sind wir immer in glänzender Isolierung dagestanden. An den Kongressen, an denen wir teilgenommen haben, hat man unsere radikale Haltung angehört und hat gelächelt. Wir haben uns dadurch nicht beirren lassen, sondern haben unsere konsequente Haltung beibehalten und haben verlangt, daß dieses kleine, vom Krieg aufs schwerste bedrohte Land durch die Abrüstung das Beispiel gebe, damit die andern Staaten ebenfalls abrüsten könnten. Ist es unsere Schuld, daß heute das Problem nicht mehr so steht, ob wir den Krieg verhindern können? Heute ist die Frage nicht mehr die, ob die Internationale der Arbeiter den Krieg verhindern kann, sondern sie lautet nun doch so, wie sich diese Internationale im Krieg einstellt. Wir täuschen uns doch nicht darüber, wir lügen uns selbst an, wenn wir glauben, daß durch eine konsequente antimilitaristische Haltung unserseits der Krieg auch nur um 5 Minuten hinausgeschoben würde. Es ist nicht wahr, daß dies der Fall wäre. Diese Periode liegt hinter uns, wir müssen uns damit abfinden. Ein Litwinoff hat es schon 1933 anerkannt: Die Periode der Abrüstung ist vorbei, es beginnt die Periode, da die sozialistischen Staaten sich gegen den Fascismus von innen und außen mit den Waffen in der Hand wehren müssen. ...

Wir betreiben ja auch keine Burgfriedenspolitik. Was wir wollen, ist jene alte jakobinische Landesverteidigung: Aufräumen im Innern und Festhalten gegen die Feinde von außen. Denn im Grunde genommen handelt es sich für uns ja nicht um die Verteidigung des Landes, sondern um die Verteidigung der Demokratie. Oh, ich weiß, es gibt heute noch bei uns Genossen, die leninistischer sind als Lenin und faule Witze machen über die Demokratie. Fragen Sie heute jene deutschen Genossen, die in der Emigration leben, was sie dafür gäben, wenn auf deutschem Boden nur ein Stück jener demokratischen Rechte hergestellt würde, die wir heute noch im Übermaß besitzen. Wir sind der Meinung, daß die Arbeiterklasse nur kämpfen kann auf dem Boden der Demokratie. Und weil wir das wissen, darum sind wir auch gesonnen, diese demokratischen Rechte zu verteidigen gegen alle Feinde von innen – wir haben das getan – zu verteidigen gegen den Fascismus von innen, aber auch gegen den Fascismus von außen. (Bravo.) ...

Protokoll über die Verhandlungen des außerordentlichen Parteitages der SPS vom 26. und 27. Januar 1935 im Kongreßhaus in Luzern, S. 110ff.

[1] *Ernst Reinhard, Präsident der SPS.*

157 Die Armee als Kampfinstrument der Bourgeoisie

Schneider[1]: ... Aber, wird man mir entgegnen – und das schreibt Arthur Schmid und schreiben andere jeden Tag –, drüben über dem Rhein ist der große Feind für die Freiheit des Schweizervolkes; drüben über dem Rhein ist jene barbarische Herrschaft, die auch die gehobene Lebenshaltung unserer schweizerischen Arbeiterklasse bedroht. (Schmid: Ist das etwa nicht wahr?) Einen Augenblick, bitte! Und weil diese Bedrohung von draußen besteht – so fahren diese Genossen dann fort –, deswegen müssen wir uns auf den Boden der Mehrheit stellen. Es ist richtig, draußen in Deutschland herrscht der Fascismus. Es ist richtig, daß das ein barbarisches Regime ist. Es ist richtig, daß es die Arbeiterschaft zerschlagen hat. Es ist ebenso richtig, daß es die Arbeiterschaft Deutschlands in eine Art Sklaverei geführt hat, daß die Lebensbedingungen dort auf ein Niveau heruntergedrückt worden sind, wie man das nie für möglich gehalten hätte. Das alles ist durchaus richtig und nicht zu bestreiten. Aber ist der Fascismus irgend ein Ding, das uns der Herrgott vom Himmel heruntergeschickt hat, oder der Teufel aus der Hölle? Oder ist es nicht vielmehr eine Erscheinung, die mit dem gegenwärtigen Stand der kapitalistischen Entwicklung identisch ist und übereinstimmt? Ist nicht der Fascismus schließlich die politische Seite des Monopol- und Kartellkapitalismus? Und hat nicht der Fascismus in jedem einzelnen Lande ebenfalls seine Wurzeln und seinen Boden, wo der Kartell- und der Monopolkapitalismus die Herrschaft hat? Das wird sich im Ernste nicht bestreiten lassen; die Praxis in unserem Lande auf wirtschaftlichem und politischem Gebiet zeigt uns, daß dem so ist. Ich möchte fragen: Wer baut in der Schweiz der Arbeiterschaft den Lohn ab? Ist es Adolf Hitler, oder sind es unsere einheimischen Unternehmer? Wer versucht bei uns die Volksrechte zu zerschlagen? Wer hat uns die verschiedenen Zuchthausgesetze offeriert, Hitler oder unsere eigene Bourgeoisie? Wer hat in Aarau eine Rede gehalten, die proklamiert, daß die Lebenshaltung des Schweizervolkes um 20% verschlechtert werden solle? Ist das Hitler oder Edmund Schultheß gewesen? Wenn wir sehen, daß wir in unserem eigenen Lande von diesen Gefahren, wie sie in Deutschland bereits Gestalt angenommen haben, von unserer eigenen Bourgeoisie aus bedroht sind, dann behaupte ich, es sei falsch und verhängnisvoll, wenn die Partei einfach starren Auges auf den Rhein hinblickt und damit den Massen eigentlich die Meinung vermittelt, die ganze Gefahr komme nur von dorther.

Wenn man von diesem Gesichtspunkt aus die Frage behandelt, dann kann man selbstverständlich die fascistische Gefahr des Auslandes nicht leugnen. Aber man darf sich auch nicht über die Tatsache hinwegsetzen, daß diese Gefahr vielleicht 10% des ganzen drohenden Verhängnisses ausmacht, während 90% in unserem eigenen Lande vorhanden sind. Von diesem Gesichtspunkt aus müssen wir an die Frage herantreten....

Aber wir haben ja eine jahrzehntelange Erfahrung darüber, wie die Armee verwendet wird. Ich erinnere an die Generalstreiks in der Westschweiz zu Ende der neunziger Jahre des letzten Jahrhunderts und zu Anfang dieses Jahrhunderts. Ist da nicht bei jeder Gelegenheit, wenn 200 Bauarbeiter in den Streik getreten sind, Militär gegen sie aufgeboten worden? Und kennen Sie nicht diese ganze Kette von Truppenaufgeboten bis zum 9. November 1932 in Genf? (Beifall). Immer und überall ist die Armee gegen die Arbeiterklasse verwendet worden. Stellen Sie sich einmal vor, wie das auf die Arbeiter wirkt, aber auch auf andere Kreise, wenn die herrschende Klasse, die die Armee gegen die kämpfende Arbeiterschaft aufbietet, darauf hinweisen kann, daß die Sozialdemokratische Partei ja die Mittel für diese Armee mit bewilligt habe! Glauben Sie, daß Sie damit die Werbekraft der Partei heben? Glauben Sie nicht vielmehr, daß diese Werbekraft damit untergraben wird? ...

Protokoll über die Verhandlungen des außerordentlichen Parteitages der SPS vom 26. und 27. Januar 1935 im Kongreßhaus in Luzern, S. 131 ff.

[1] *Fritz Schneider, Basler Nationalrat.*

158 Für eine Volksfront der Arbeit

Aus der Rede des SP-Präsidenten Reinhard am Luzerner Parteitag 1935 zu der vom Parteivorstand beantragten Programmänderung.

... Und, Genossen, heute sagen Sie: Die Schweiz ist nicht Deutschland! Noch immer glauben wir daran, der Fascismus sei nicht imstande, auch auf diesem Boden sein Regiment auszuüben, wenn wir ihm nicht den Platz dafür ebnen. Noch heute kommt uns nicht zum Bewußtsein, daß der Fascismus genau das wird, was wir ihn werden lassen und was er aus uns und durch uns wird. Genossen, es ist keine Redensart, daß der Fascismus auch heute in der Schweiz zum Stoß ausholt. Zwar nicht die frontistischen Büblein sind es, die ihn ausführen wollen, nicht die Scherenschleifer um die Hennen und Hähne herum (Heiterkeit), nicht die traurigen Subjekte um die Leonhardt und Fonjallaz[1], die werden nie gefährlich werden. Die fascistischen Organisationen in der Schweiz haben keine Zukunft; aber eine Zukunft hat der Fascismus in den bürgerlichen Parteien. (Sehr richtig!) ...

Und nun, Genossen, sollten wir das nicht sehen? Wir sollten tun, als ob wir noch den Gegner von 1920 vor uns hätten? Wir sollten tun, als ob nicht ein neuer Gegner mit neuen Methoden da wäre? Und wir sollten blind sein, nicht einsehen, daß neuen Kampfmethoden des Gegners neue Kampfmethoden der Arbeiterschaft gegenübergestellt werden müssen? Wir sollten das nicht tun dürfen? Wir müssen es tun, denn wichtig ist nicht die Methode und die Taktik – wichtig allein ist der Sieg und der Wille zum Sieg. (Beifall.) ...

Wir waren in der Schweiz überzeugt, daß der neue Staat kommen müsse, getragen vom Proletariat. Oh, wir hatten es einfach. Wir nahmen das Statistische Jahrbuch in die Hand: 52% Industriearbeiterschaft, 10% Verkehr, 8% Transporte, das gibt zusammen 70%. Dann 26% Bauern und 4% Faulenzer. Und da müßte es doch merkwürdig aussehen, wenn wir nicht gegen den Widerstand dieser Bauern, die uns im Jahre 1918 und 1919 ihre Regimenter in Zürich und Bern und Basel auf den Hals gehetzt hatten, uns durchsetzen könnten. Wenn nur das Volk begreift, um was es geht, die Dreiviertelmehrheit muß uns sicher sein! Genossen, wir haben heute nicht drei Viertel, wir haben ein Viertel gemustert und sind stolz darauf gewesen. Warum nicht mehr? Weil die Statistik uns irregeführt hat. 52% Industrieproletariat – ja, aber wieviele Tausende und Zehntausende darunter sind Arbeiter, die in die Fabrik gehen und abends zu Hause ihr Kühlein melken und ihre Ziegen pflegen, die Säcklibauern, die tagsüber von der Statistik als Proleten erfaßt werden und abends zu Hause Bauern sind, politische Bauern sind und bäurisch denken! Und wieviele Tausende und Zehntausende von Arbeitern haben wir aus der systematischen Agitation der katholischen Kirche nicht losreißen können? Nehmen Sie so stark industrialisierte Kantone wie St. Gallen und sehen Sie, welch unerhörten Druck geistiger Art die katholische Kirche auf den Arbeiter ausübt. Nehmen Sie einen gut industrialisierten Kanton wie Freiburg und fragen Sie unsere Freiburger Genossen, wieviele oder wie wenige sie aus dem Bannkreis der katholischen Kirche losreißen konnten. Nehmen Sie den stärkstindustrialisierten Kanton der Schweiz, den Kanton Zug. In Zug müßte unsere Arbeiterschaft eine Dreiviertelsmehrheit haben – sie hat knapp den fünften Teil gemustert. Und wir haben jenen unerhörten kapitalistischen Terror zu wenig eingeschätzt. Fragen Sie unsere Solothurner Genossen in Grenchen und Schönenwerd, was Terror heißt, sie werden Ihnen Dinge davon erzählen können. So ist es gekommen, daß die Zahl 52% sich nicht halten ließ und zusammensank auf 26–28%.

Aber während wir so vor einer Offenbarung standen, hat die Krise ihren Fortgang genommen und ist zur Dauerkrise geworden. Sie hat die Arbeiter getroffen: 91 000 Arbeitslose im Dezember des letzten Jahres, Arbeitslosigkeit und Lohnabbau. Was ist da unter der Arbeiterschaft an Werten zerstört worden! Aber nicht die Arbeiterschaft allein, auch die Bauernschaft hat's getroffen. Auf einer Million Hektaren nutzbarer Oberfläche der Schweiz sind 5 Millionen[2] Franken Bodenverschuldung, 5000 Fr. Bodenverschuldung pro Hektare. Beispiele wie aus dem Kanton Bern: Grundsteuerschatzung 32000 Fr., Verschuldung 56000 Fr. – und außerdem für 112000 Fr. Bürgschaften übernommen! Da begreift man, was Schuldknechtschaft bei der Bauernschaft heißt. Die Krise schlägt sie, vernichtet ihre Existenz und schafft in ihnen einen rebellischen Geist, einen Geist des Antikapitalismus.

Wie steht es mit den Angestellten? Ingenieure der Technischen Hochschule mit dem Doktordiplom, die froh sind, wenn sie für 125 Fr. im Monat arbeiten können. Wie steht es mit dem Kleingewerbe? Verschuldet und aufgerieben, die Kleinunternehmungen sinken dahin, zerrieben unter dem Kapitalismus. Die Krise schlägt sie alle.

Und nun, Genossen, da steht in unserem Programm: Diktatur des Proletariats. Über wen? Über diese Opfer der Krise? Ergibt es sich nicht viel notwendiger, daß statt der Diktatur die Solidarität aller Opfer der Krise hergestellt werden muß? (Sehr richtig!) Diese Mittelschichten haben in ihrem antikapitalistischen Denken zwei Auswege. Der Fascismus sagt ihnen: Wir retten dich. Und wie sagt er es ihnen? Indem er behauptet: Ich schaffe den wahren Sozialismus. Der deutsche Fascismus behauptet, Sozialismus in Reinkultur zu sein. Sie haben einen andern Ausweg: den Weg zur Solidarität aller Volksgenossen, aller Arbeiter – und wir verbarrikadieren diesen Weg durch ein Parteiprogramm, das von falschen Voraussetzungen ausging. Dürfen wir es vor uns verantworten, diese Mittelschichten auch in der Schweiz zum Rekrutierungsgebiet des Fascismus werden zu lassen, oder wollen wir nicht vielmehr aufbrechen und in diese schwankenden Mittelschichten – jawohl, Genossen – in diese schwankenden Mittelschichten hineinbrechen mit unserer Zielklarheit und sagen: Wir weisen euch den Weg zum demokratischen Sozialismus und zur Herrschaft der Arbeit in der Schweiz? Wir müssen das tun, und weil wir es tun müssen, müssen wir auch imstande sein, Ballast über Bord zu werfen, die neuen Methoden zu wählen, die der heutigen Situation angepaßt sind. Wir müssen die Gesetze befolgen, die der Fascismus vielleicht vor uns erkannt hat. Darum weg von der rein klassenmäßigen Bindung, hinüber von der proletarischen Diktatur zur weiter gespannten Volksfront der

Arbeit, zur Solidarität aller Volksgenossen, die arbeiten und mit uns vom Fascismus bedroht sind, von der Krise zerrieben werden. ...

Protokoll über die Verhandlungen des außerordentlichen Parteitages der SPS vom 26. und 27. Januar 1935 im Kongreßhaus in Luzern, S. 102ff.

[1] Hennen: Gemeint ist Dr. Henne, Führer der faschistischen «Nationalen Front»; Leonhardt, Fonjallaz: Schweizerische Faschisten.
[2] Fehler im Original, richtig Milliarden

159 Wahlbündnis zwischen KP und SP in Basel und Zürich 1935

1935 gab die SPS-Geschäftsleitung ihren grundsätzlichen Widerstand gegen gemeinsame Aktionen mit der KPS auf.

Zürich, den 2. Oktober 1935

Vereinbarung zwischen der Sozialdemokratischen Partei des Kantons Zürich und der Kommunistischen Partei des Kantons Zürich betr. die Listenverbindung bei den Nationalratswahlen 1935

1. Die beiden Parteien erklären ihre Listen bei den Nationalratswahlen als verbunden. Als Voraussetzungen gelten:
a) Die beiden Parteien verpflichten sich, den Wahlkampf in der Linie des gemeinsamen Kampfes gegen die gemeinsamen Gegner zu führen; gegenseitige Angriffe, insbesondere gehässige und persönliche Polemik zu unterlassen, wobei die Freiheit der sachlichen Kritik vorbehalten bleibt.
b) Die KP wird eine rein kommunistische Liste aufstellen und diese als Parteiliste bezeichnen, keine Mitglieder der Sozialdemokratischen Partei auf ihre Liste nehmen und auch keine Kandidaten als sogenannte Linkssozialisten bezeichnen.
c) Die KP wird in den Kantonen Schaffhausen, St. Gallen, Aargau keine eigene Liste aufstellen und erklärt sich bereit, dort die sozialdemokratische Liste zu unterstützen.
2. Die beiden Parteien führen den Wahlkampf grundsätzlich selbständig.
3. Der Arbeiterschaft wird von dem Eingehen der Listenverbindung auf Grund der gemeinsam festgelegten Mindestforderungen Kenntnis gegeben.
4. Die beiden Parteien nehmen in Aussicht, bei weiterer Zuspitzung der Kriegsgefahr oder evtl. wichtigen innenpolitischen Maßnahmen, die sich gegen das werktätige Volk richten, gemeinsame Kundgebungen zu diesen Fragen durchzuführen. Insbesondere wird der Sozialdemokratischen Partei der Stadt Zürich empfohlen, eine solche Kundgebung gemeinsam mit der KP durchzuführen.

Für die Sozialdemokratische Partei des Kantons Zürich
Henggeler Nägeli

Für die Kommunistische Partei des Kantons Zürich
Brunner Bodenmann

Archiv der SP des Kantons Zürich.

160 Volksfrontpolitik der KPS

... Angesichts der von den faschistischen Staaten, besonders seitens Hitler-Deutschland, heraufbeschworenen Verschärfung der Kriegsgefahr, angesichts der großartigen Erfolge der Volksfront in Frankreich und Spanien und in voller Übereinstimmung mit den Beschlüssen des 7. Weltkongresses der Kommunistischen Internationale, bekräftigt die KPS die Notwendigkeit, die Einheitsfrontpolitik in unserem Lande auf breitester Basis fortzusetzen. ...

Der Kampf für die Einheitsfront und die Gewerkschaftseinheit. ...

Der Kongreß der KP richtet ... an alle revolutionären Arbeiter den dringenden Appell, sich dem SGB anzuschließen, und macht es ihrer eigenen Organisation zur Pflicht, raschestens Maßnahmen zu ergreifen, um die Gewerkschaftseinheit durch den Eintritt aller Mitglieder der roten Gewerkschaften in den SGB und die Wiederaufnahme der Ausgeschlossenen zu verwirklichen. Die Basler Parteiorganisation wird verpflichtet, durch eine systematische und energische Aufklärungsarbeit in den eigenen Reihen der roten Gewerkschaftsorganisationen die sektiererischen Widerstände und die Passivität gegenüber der Verwirklichung der Gewerkschaftseinheit zu beseitigen. ...

Die KP ist im Verfolge ihrer Einheitsfrontpolitik auf verschiedene Schwierigkeiten gestoßen:

1. Die reformistische Politik der SP, welche die Einheitsfront manchmal nicht zum Kampf gegen die Bourgeoisie, sondern zur Förderung ihrer Arbeitsgemeinschaft mit dem Bürgertum namentlich als Regierungspartei in den Kantonen und Gemeinden ausnützen wollte.

2. Den hartnäckigen Widerstand des SGB, der sich gegen die Einheitsfront mit der KP erklärt hat, um der Bourgeoisie Garantien seiner Mäßigung zu geben.

3. Das Mißverhältnis der Kräfte zwischen der teilweise noch sektiererischen und opportunistischen Politik der KP einerseits und der reformistischen Einstellung der Sozialdemokratie und des Gewerkschaftsbundes andererseits. ...

Die Einheitsfront ist möglich!

Letztes Jahr[1] stellte die schweizerische Sozialdemokratie einige Fragen bezüglich der Einheitsfront. Der 6. Parteitag der KP gibt darauf wiederholt folgende Antwort:

1. Die KP ist bereit, gewissenhaft alle Verbindlichkeiten, die sie eingeht, zu erfüllen und jede Kritik an Mitgliedern und sozialistischen und gewerkschaftlichen Organisationen, die loyal die Einheitsfront unterstützen, einzustellen.

2. Die KP betont, daß sie die Einheitsfront nicht als ein gegen die SP gerichtetes Manöver betrachtet, sondern als das große, wirksame Mittel, um die Massen zu organisieren und für die Aktion gegen Krieg, Faschismus und Kapitaloffensive zu gewinnen.

3. Die KP erklärt ihre Bereitwilligkeit, sich der demokratischen Disziplin der Einheitsfront und der Volksfront zu fügen, sofern sie die Möglichkeit haben wird, ihren Standpunkt zu vertreten und sich die Arbeiter über ihre Vorschläge aussprechen können.

Die KP ist der Auffassung, daß die so beschlossene Einheitsfront die Vorbedingung ist *für die kommende Einheitspartei der schweizerischen Arbeiterklasse,* gemäß den Grundsätzen, die von Dimitroff[2] am 7. Weltkongreß der KI[3] als unerläßlich proklamiert worden sind. ...

Was will die Kommunistische Partei der Schweiz? Resolutionen und Beschlüsse des 6. Parteitages der KP Schweiz, Zürich 1937, S. 12ff., SSA 335.390a/10.

[1] *1935.*
[2] *Georgi Michailovič Dimitroff, bulgarischer Kommunist, seit 1935 Generalsekretär der Komintern.*
[3] *Kommunistische Internationale.*

161 Richtlinienbewegung: Für die Freiheit und Unabhängigkeit der Schweiz

Der Richtlinienbewegung, einer im Gefolge der Kriseninitiative entstandenen Aktionsgemeinschaft der fortschrittlichen und demokratischen Kräfte der Schweiz, gehörten unter anderen an: SGB, SPS, verschiedene Angestelltenorganisationen, einige demokratische Kantonalparteien, Jungkatholiken.

Das Große Komitee der Richtlinienbewegung hat ein *Sofortprogramm* aufgestellt, dessen Propagierung und Verwirklichung der Stärkung des Abwehrwillens und dem Ausbau der Verteidigungsmöglichkeiten für unsere schweizerische Demokratie dienen soll. ...

Wir glauben, daß der Kampf gegen die Diktatur vor allem darin besteht, auf unserem Staatsgebiet die Demokratie zu sichern und möglichst unangreifbar zu machen. Deshalb legen wir ein Arbeitsprogramm und Forderungen vor, die dem *Ausbau* der Demokratie zu einer *sozialen Demokratie* dienen, zu einer Demokratie, die vor allem den arbeitenden Menschen Gerechtigkeit widerfahren läßt. ...

I. Der geistige Kampf

Unser Volk muß sich bewußt sein, was Freiheit ist, und was ihr Verlust bedeuten würde. Die Freiheit muß daher unangetastet erhalten bleiben. Nur die Freiheit zur Untergrabung der Demokratie und ihrer Einrichtungen darf nicht mehr bestehen. Wir verlangen daher:

1. *Volle Aufrechterhaltung* der politischen und geistigen *Freiheitsrechte,* soweit sie in demokratischer Weise ausgenützt werden.
2. Insbesondere die *Preß-* und die *Versammlungsfreiheit* sind aufrecht zu erhalten. Dazu gehört auch das Recht, die ausländischen Ereignisse zu kommentieren und zu kritisieren vom demokratischen Standpunkte aus. *Jede Einmischung des Auslandes* in unsere Presse ist *abzulehnen.*
3. Jede kulturelle Betätigung muß von wahrhaft demokratischem Geiste erfüllt sein. Undemokratische Einflüsse sind zu bekämpfen. In diesem Sinne wollen wir die schweizerische Literatur und Kunst fördern und eine scharfe Kontrolle ausüben über ausländische Einflüsse in der Presse, auf dem Büchermarkt, im Kino und im Theater.
4. Der *Rundspruch* als eines der wichtigsten Mittel zur Bildung der öffentlichen Meinung muß in unabhängigem, aufgeschlossenem Geiste benutzt werden zur Aufklärung des Volkes auf wahrhaft demokratische Weise.

II. Die Aufgaben der Wirtschaftspolitik

Das Ziel der Wirtschaftspolitik muß sein *die Überwindung der Arbeitslosigkeit* und *die volle Ausnützung aller produktiven Kräfte des Landes.* Das ist notwendig, um alle Krisenherde, die den antidemokratischen Kräften willkommene Angriffsmöglichkeiten geben, zum Verschwinden zu bringen, und anderseits, um für alle Kreise des arbeitenden Volkes ausreichende Lebensbedingungen zu schaffen, und um die vermehrten Lasten der Landesverteidigung ohne Beeinträchtigung der Lebenshaltung tragen zu können.

Wenn auch in erster Linie die private Wirtschaftstätigkeit zu fördern ist, so muß der Staat doch regulierend eingreifen zugunsten der wirtschaftlich Schwachen. ...

III. Die soziale Landesverteidigung.

Wir wollen unserem Volke zeigen, daß sich die sozialen Leistungen der schweizerischen Demokratie sehen lassen können neben denen der Diktaturstaaten, und daß das Niveau der Lebenshaltung bei uns höher ist als dort. ...

IV. Die militärische Landesverteidigung.

1. Die geistige und militärische Wehrbereitschaft ist unter Einsatz aller verfügbaren Kräfte zu verstärken.

2. Die außerordentlichen Wehrausgaben, die nicht im ordentlichen Bundesbudget gedeckt werden können, sind durch eine *Sonderbelastung des Besitzes* zu finanzieren; durch eine Wehrsteuer auf großen Vermögen und Einkommen und eventuell ein Wehropfer vom Vermögen.

3. Aus allen Stellen, die für die Landesverteidigung wichtig sind, müssen Elemente, die sich als nicht absolut zuverläßige Verteidiger der Demokratie erweisen, entfernt werden.

Die Heranziehung der Arbeitnehmerschaft zur Mitarbeit und Mitverantwortung und eine gerechte Vertretung aller Volkskreise bei der Lösung der gestellten Aufgaben wird wesentlich dazu beitragen, um die *Vertrauensgrundlage* zu schaffen, die unerläßlich ist für eine wirksame Vorbereitung der Landesverteidigung.

Richtlinienbewegung

Gewerkschaftliche Rundschau Nr. 5, Mai 1939, S. 159ff.

162 Unterzeichnet die Initiative für das Kommunistenverbot!*

Wie in anderen Kantonen versuchten auch in Zürich bürgerliche Kreise ein Verbot der KP zu erreichen. Diese Initiative gelangte zwar nicht zur Abstimmung, die darin enthaltene Argumentation darf aber doch als typisch gelten.

Es ist für das vaterländisch gesinnte Zürcher Volk ein *unerträglicher Zustand,* daß die *Kommunisten* in unserem Kanton unter Mißbrauch der Vereinsfreiheit ihr landesverräterisches Wesen treiben können. Nach den Weisungen der Dritten Internationale und mit der geistigen und finanziellen Hilfe Moskaus arbeiten sie planmäßig an der *Unterhöhlung unseres Staates* und an der Zersetzung der Religion und Kultur und an der Vergiftung des Volkes. Zur Verschleierung ihrer verwerflichen Tätigkeit hat sich die kommunistische Partei Organisationen angegliedert, die unter dem Deckmantel kultureller und sozialer Tätigkeit der Partei Zubringerdienste leisten, um ihren Einfluß auf weitere Volkskreise auszudehnen.

Unsere Verfassung garantiert die Vereinsfreiheit, nimmt aber rechtswidrige und staatsgefährliche Vereine ausdrücklich von ihrem Schutze aus. Getreu dem Sinn und Geist der Verfassung will die vorliegende Initiative die staatsgefährliche Tätigkeit revolutionärer Organisationen verhindern. Sie trifft deshalb in erster Linie die *kommunistische Partei* und ihre Nebenorganisationen, ermöglicht aber auch die Bekämpfung anderer Vereinigungen mit *ausländischen Bindungen,* welche die Existenz unseres Staates gewaltsam bedrohen.
Revolutionären Umtrieben soll im Kanton Zürich der Boden ein für allemal entzogen werden. Wir fordern daher das Zürcher Volk auf, diese Initiative zu *unterzeichnen.*

Das Initiativkomitee ...

Unterschriftenbogen können an folgenden Stellen bezogen werden:
Zürcher Bauernsekretariat, Sihlstraße 43, Zürich 1.
Freisinniges Parteisekretariat, St. Urbanstraße 4, Zürich 1.
Sekretariat der Christlichsozialen Partei, Rotwandstraße 50, Zürich 4.
Sekretariat der Eidgenössischen Aktion, Auf der Mauer 8, Zürich 1.
Geschäftsstelle des Vaterländischen Verbandes, Bahnhofstraße 32, Zürich 1.

NZZ Nr. 1837, 13.10.1937.

163 Die Kommunistische Partei wehrt sich gegen die Verbotsdrohungen

Wer bedroht die Demokratie?

Es ist Lüge und Verleumdung zur Täuschung der Volksmassen, wenn die Reaktion behauptet, die Kommunistische Partei bedrohe die Schweizer Demokratie. Die Feinde der Demokratie und des Schweizerlandes stehen *rechts.* Sie sind im Lager der *Frontisten* und der Union

Nationale, der Musyzentrale, des reaktionären Großkapitals, das seine Milliarden in Hitlerdeutschland und Italien investiert hat; es sind die Führer in der katholisch-konservativen Partei Mottas, in der reaktionären Bauern- und Bürgerpartei Mingers und des rechten Flügels der Freisinnigen Partei.

Die Kommunistische Partei ist entschlossen, mit aller Kraft die Schweizer Demokratie gegen Reaktion und Faschismus zu verteidigen. Sie hat immer in den vordersten Reihen gegen alle Einschränkungen der demokratischen Volksrechte und gegen verfassungswidrige Beschlüsse des Bundesrates und kantonaler Regierungen gekämpft. Sie kämpft nicht nur um die *Erhaltung,* sondern für die Erweiterung der demokratischen Rechte und Freiheiten des Volkes. Sie ist für die *vollkommene Demokratie* und steht daher unverbrüchlich treu zu ihrem Endziel, dem *Sozialismus.*

Die Kommunistische Partei steht für die geistige, wirtschaftliche und militärische Landesverteidigung ein.

Für die wirksame Landesverteidigung ist vor allem notwendig, daß die demokratischen Rechte des Volkes respektiert werden. Die von der Kommunistischen Partei angebrachten Vorbehalte gegen die Wehrkredite richten sich nicht gegen die Landesverteidigung und nicht gegen die Schlagkraft der Armee. Sie richten sich gegen die Gefahr, daß die politischen und militärischen Machtmittel in den Händen des volksfeindlichen Bundesrates und der faschistisch eingestellten hohen Offiziere gegen das Volk und die Demokratie, in den Dienst der Reaktion und des Faschismus gestellt werden. ...

Vorwärts! Für den Frieden, für die Freiheit, für Arbeit und Verdienst!

Die Kommunistische Partei verteidigt die Sache des Volkes und der Demokratie. Sie fürchtet nicht das Urteil des Volkes und der Geschichte. Der Bundesrat möchte die Stimme dieser Partei ersticken, weil sie das Volk zum Kampfe gegen seine reaktionäre, antidemokratische Politik aufruft.

In allen entscheidenden Stunden seiner Geschichte ist das Schweizervolk zusammengestanden, um seine Freiheit gegen fremde und eigene Tyrannen und Vögte zu verteidigen. Steht auch heute zusammen! Kämpft für eine demokratische Politik! Richtet eine unüberwindliche Barrikade auf gegen den Faschismus. Reicht Euch über alle Parteischranken hinweg die Hand zu einer mächtigen Kampffront gegen den fremden Faschismus, der uns in Krieg und Knechtschaft führen will, gegen die einheimische Reaktion, die im Bunde mit den fremden Tyrannen unserem Volke Freiheit und Demokratie rauben und es in das graue Elend der faschistischen Staaten zwingen wollen.

Zürich, im März 1938. Zentralkomitee der Kommunistischen Partei der Schweiz.

Appell an das Schweizervolk! Arbeiter, Angestellte und Bauern, freie Schweizer in Stadt und Land!, Zürich 1938, SSA 335.391 Z. VI.

164 Richtlinien zur Wahrung der Betriebssicherheit und des Arbeitsfriedens in Industriewerken.*

Die Richtlinien dienten der Propagierung des Klassenfriedens im Betrieb, indem sie die Zusammenarbeit von Arbeit und Kapital in der «Betriebsgemeinschaft» forderten.

I. Die Gefahren für die Betriebssicherheit

Die schweizerische Arbeitnehmerschaft, die seit Kriegsausbruch große Lasten tragen muß, hat ihre Pflicht dem Vaterlande gegenüber treu erfüllt und im Bewußtsein dessen, was es zu erhalten gilt, die notwendigen Opfer gebracht. Das Leben im Zustande der bewaffneten Neutralität und einer immer weitere Gebiete erfassenden Kriegswirtschaft bringt von Jahr zu Jahr eine größere moralische und materielle Belastung des Einzelnen. Zunehmende Teuerung und teilweise ungenügende Anpassung der Löhne gefährden die Existenzgrundlage oder zwingen zu einer Herabsetzung der Lebenshaltung. Drohende Arbeitslosigkeit infolge von Rohstoffmangel und die Aussicht auf Arbeitseinsatz an fremdem Orte in vielleicht ungewohnter Arbeit, fern von der Familie, bedrücken die Betroffenen. ...

Unter solchen Umständen besteht eine gewisse Gefahr, daß Einflüsterungen ausländischer Propaganda, die sich an die verschiedensten Bevölkerungskreise wendet, Gehör finden. In Unkenntnis der wirklichen Verhältnisse, ohne Möglichkeit zu objektiver Prüfung und zu sachlichem Vergleich können die so Beeinflußten in einseitiger Betrachtung den Eindruck bekommen, unser Land ermangle des sozialen Fortschrittes und unsere Demokratie lasse sich von andern, in der Fürsorge um die wirtschaftlich Schwachen vermeintlich leistungsfähigeren Systemen überflügeln. Wenn es zunächst vielleicht auch nur einzelne sind, die so den Maßstab für eine zutreffende Beurteilung der Dinge verlieren, so können doch schon einige wenige Verblendete und Extremisten ihre Umgebung sehr ungünstig beeinflussen und die Arbeitsgemeinschaft ernstlich stören. ...

III. Maßnahmen

a) Aufklärung. Unsere Angestellten- und Arbeiterschaft, die in ihrer gewaltigen Mehrheit schweizerisch denkt und handelt, wird fremden Einflüssen nicht unterliegen, wenn sie weiß, wofür sie arbeitet, wozu sie Opfer bringt und was es zu erhalten gilt. Mit offenen Augen und klarem Sinn verfolgt sie die Ereignisse in der Welt. Sie sieht, wohin der Verlust der Freiheit führt, und ist bereit, für diese zu kämpfen. Das weiß auch die ausländische Propaganda, und darum sucht sie, von innen her das Vertrauen in unsere Wirtschaftsführung und in unsere Behörden zu untergraben. Diesen Versuchen begegnen wir am besten, indem wir unsere Angestellten und Arbeiter über die tatsächlichen Verhältnisse und über die Gefahren unserer Lage orientieren. In Betriebsversammlungen oder durch Vertrauensleute oder Angestellten- und Arbeiterkommissionen müssen die Arbeitnehmer über die Schwierigkeiten im Betriebe und in der Kriegswirtschaft überhaupt und über die zu deren Überwindung getroffenen Maßnahmen unterrichtet werden. Sie müssen wissen, was unser Land und seine Behörden von jedem Einzelnen verlangen, sie müssen die Bedeutung der Betriebssicherheit und des Arbeitsfriedens und die Bedeutung ihrer eigenen Einstellung und Haltung kennenlernen. Die Gewerkschaften und Arbeitnehmervertretungen haben in der überwiegenden Mehrzahl während der letzten Jahre bewiesen, daß sie – sofern auch der Untenehmer sich loyal zur Zusammenarbeit einstellt – wertvolle Arbeit für die Verbindung zur Arbeitnehmerschaft und für deren Orientierung leisten können. Solange sie, wie es heute meist der Fall ist, auf neutralem Boden stehen und die Aufrechterhaltung des Betriebes und der Betriebssicherheit als obersten Grundsatz anerkennen, soll auch der Arbeitgeber sie als legitime Vertreter der Interessen der Arbeitnehmer betrachten. ...

c) Betriebsschutz. Jeder Unternehmer ist für den Geist, der in seinem Betrieb herrscht, verantwortlich. Er hat dafür zu sorgen, daß sich unter seinem Personal keine zersetzenden Elemente breitmachen können. Wo er sich auf eine Mehrheit betriebsverbundener Mitarbeiter stützen kann, wird die Belegschaft unter Leitung der Personalkommission einen eigenen Fabrikschutz schaffen nach dem Grundsatz: Der Arbeiter schützt seine Arbeitsstätte selber.

Zuständig für die Betriebssicherheit aller nicht militarisierter Unternehmungen ist die Schweizerische Bundesanwaltschaft in Zusammenarbeit mit den kantonalen und lokalen Polizeibehörden. Deren Organe werden sowohl aus eigenem Antrieb wie auch auf Grund erstatteter Meldungen Überwachungen durchführen, Gefährdungen zu verhüten trachten und Straffällige zur Rechenschaft ziehen.

Für den Schutz lebenswichtiger Betriebe von nationalem Interesse ist der Territorialkommandant des betreffenden Kreises zuständig. Ihm stehen zu diesem Zwecke sowohl polizeiliche wie auch militärische Mittel zur Verfügung.

Der beste Betriebsschutz aber ist die Schaffung einer wirklichen Arbeitsgemeinschaft, in welcher Arbeitgeber und Arbeitnehmer sich auf Gedeih und Verderben verbunden fühlen. Indem jeder Betriebsangehörige sich um die Erhaltung des Arbeitsfriedens bemüht, sorgt er am besten und wirksamsten für den Schutz des Betriebes und leistet damit auch seinen Beitrag an die wirtschaftliche Verteidigung der Heimat.

Bern, den 21. Juli 1943

Kriegs-Industrie- und -Arbeits-Amt
der Chef: E. Speiser

Schweizerisches Handelsamtsblatt, 26.7.1943.

165 Der erste Sozialdemokrat im Bundesrat*

Was 1938 von einer unbelehrbaren Mehrheit – zum Teil aus damals herrschenden außenpolitischen Befürchtungen – verhindert wurde, die Heranziehung der Sozialdemokraten zur Mitarbeit in der obersten Landesbehörde, ist heute widerstandslos erfolgt. ...

Heute zieht nun ein Sozialist in den Bundesrat ein mit *grundsätzlich andern Konzeptionen von Staat und Wirtschaft* und ihrer gegenseitigen Abgrenzung. Bisher waren ausschließlich Anhänger der bürgerlichen Ordnung im Bundesrat, jetzt sitzt in seiner Mitte ein prinzipieller Gegner. Aus dieser Gegenüberstellung leuchtet ohne weiteres ein, daß der heutige Tag ein wirklich geschichtemachender, historischer Tag unserer Eidgenossenschaft ist, und wenn er es nicht in diesem angedeuteten Sinne wäre, würde er es aus einem anderen Grunde doch sein, als der Tag des Anfangs der Enttäuschung und Entmutigung in allen proletarischen Schichten unseres Volkes, die darauf rechnen, daß nun ein anderes Tempo und ein anderer Geist im Bundeshaus einziehe.

Gewiß, der sozialdemokratische Bundesrat muß es ablehnen, als Wundermann zu gelten, als treuer Moses, der mit seinem Stab aus dem trockenen Felsen Wasserquellen hervorzaubert. Eine wirkliche und entscheidende Änderung wird nur durch das Entstehen einer *neuen Mehrheit* im Volke und im Parlament herbeigeführt, aber diese Mehrheit muß durch unsere Mitarbeit im Bundesrat angebahnt, gefördert und beschleunigt werden.

Das ist der Sinn der Bundesratswahl vom 15. Dezember 1943. Daß ihr die bürgerlichen Parteien einen anderen Sinn unterlegen, ihre Hoffnungen in umgekehrter Richtung gehen, daß sie davon eine Abbremsung des sozialistischen Vormarsches erhoffen, die Verhinderung neuer und noch folgenschwerer Oktoberwahlen, ist nur natürlich und auch verständlich. An *uns* liegt es, nicht nur am sozialistischen Bundesrat, dem Tage seine wahre Bedeutung zu erhalten, ihn zum wirklich richtungändernden Gedenktag unserer eidgenössischen Politik zu machen, wobei unser Ziel die wahre Verwirklichung der Demokratie von der rein politischen zur sozialen bleiben muß. ...

Das Wahlresultat muß für uns ein Ansporn sein, die Arbeit kräftig fortzusetzen, nicht zu erlahmen und ja nicht in den Fehler zu verfallen, jetzt etwa die Politik der Mehrheit des Bundesrates und der ihn stützenden bürgerlichen Parteien mit andern Augen zu betrachten, als es gestern geschah. ...

Volksrecht, 16.12.1943.

166 Schweizer kämpfen für die spanische Volksfrontregierung

Der schweizerische Bundesrat verbietet die Verteidigung der Freiheit gegen den angreifenden Faschismus. Er verleugnet die freiheitliche Tradition des Schweizer Volkes. Er paktiert mit den faschistischen Machthabern. Er fördert den Sieg des Faschismus und läßt jene bestrafen, die der Spanischen Republik zu Hilfe eilen.

Die Aktionen der Bupo, die Beschlüsse des Bundesrates, die Urteile der Militärgerichte konnten nicht verhindern, daß eine große Zahl Schweizer in Spanien kämpft. Es sind mehr als allgemein angenommen wird. Die meisten Namen sind uns nicht bekannt, und die Bupo hat trotz großer Anstrengung noch lange nicht alle «Abwesenden» aufgeschnüffelt. Die Schweizer kämpfen an verschiedenen Frontabschnitten. Ein Teil von ihnen ist an der *Cordobafront,* wo Genosse *Otto Brunner* das Tschapajewbataillon kommandiert. Eine Gruppe war beteiligt an dem großen Erfolg an der *Guadalajara-Front.* In der 11. Brigade, die vor Madrid kämpft, ist ebenfalls eine größere Anzahl Schweizer. Genosse *Ernst Bickel* bekleidet hier die Funktion des politischen Kommissars im 3. Bataillon. Die meisten Tessiner sind in der Brigade Garibaldi, wo die Tessiner Kämpfer *Canonica* und *Albertoni* als mutige Offiziere wirken. Der junge *Gerla* und noch einige weitere Tessiner bekleiden Unteroffiziersfunktionen. Auch an der Aragonfront kämpfen Schweizer. Hier ist auch der frühere kommunistische Kantonsrat *Hans Thoma* von St. Gallen. ... Auch eine Reihe Genossinnen sind nach Spanien gereist. Von einigen wissen wir, daß sie als Verwundetenpflegerinnen aufopfernde und wertvolle Arbeit in den Lazaretten und Spitälern leisten.

Aus jedem Schreiben unserer Kämpfer in Spanien geht das tiefe Bewußtsein hervor, an dem entscheidenden Frontabschnitt zu stehen, wo der Entscheid nicht nur für Spanien, sondern auch für die übrige Welt, *auch für die Schweiz fällt.* Diese Kämpfer sind keine Söldlinge und keine Angeworbenen. Sie setzen ihr Leben ein ohne Aussicht auf irgendwelche persönliche Vorteile. Die Überzeugung, der Wille, die Freiheit vor dem Faschismus zu retten, sind das Leitmotiv ihres Handelns. Sie sind die bessern Schweizer als die Bundesräte, die sich vor den faschistischen Machthabern unablässig verbeugen. ....

Unter der Parole «Amnestie» hat die Volksfront in Spanien im Februar 1936 ihren Sieg errungen. Die Kerkertore wurden geöffnet und 30000 politische Gefangene erhielten die Freiheit wieder. Eine wuchtige Amnestiebewegung zugunsten der in Deutschland eingekerkerten Antifaschisten geht heute durch alle demokratischen Länder, und Tausende von Vertretern der Wissenschaft, der Kunst und des öffentlichen Lebens haben sich dieser Bewegung angeschlossen. Amnestie wird gefordert für die in Italien in den Kerkern und Verbannungsinseln leidenden Freiheitskämpfer.

Und nun fordern wir auch Amnestie hier in der Schweiz. Auch hier soll diese Bewegung keine Angelegenheit irgendeiner Partei, sondern die Sache aller freiheitlich Gesinnten sein.

Wir fordern Amnestie für die verurteilten Schweizer, die wegen irgendwelcher Hilfe für das republikanische Spanien schwere Strafen erhalten haben. Wir fordern Amnestie für *jene Schweizer, die in Spanien auf der Seite der Volksfront als Freiwillige für Freiheit, Demokratie und Republik kämpfen* und die hier in der Schweiz in Abwesenheit verurteilt werden. ...

Spanien – Ein Jahr Freiheitskampf, Beilage zur «Freiheit», 17.7.1937.

167 Schweizer Arbeiter helfen politischen Flüchtlingen

Regina Kägi-Fuchsmann[1]: ... Das Schweizerische Arbeiter-Hilfswerk verfügte bis jetzt über keine feststehenden Beiträge für die Flüchtlingshilfe, ausgenommen Fr. 3000.– von der Partei, Fr. 5000.– vom Gewerkschaftsbund sowie von einzelnen Sektionen und Privaten, nicht über Fr. 400.– im Monat. Die übrigen Mittel hat es durch Sammlungen und Verkäufe aufzubringen. Wir hoffen, daß die Gewerkschaftsverbände einen weitern wesentlichen Teil übernehmen werden. Das ist unbedingt notwendig, denn es ist heute, bei der großen Anzahl überparteilicher Sammlungen, praktisch für uns ausgeschlossen, öffentliche Sammlungen zu organisieren. Der neue Bundesratsbeschluß vom März 1941 über das Sammelwesen schränkt diese Sammel- und Verkaufsmöglichkeiten ohnehin weiter ein. Wenn das Arbeiter-Hilfswerk seine Aufgabe der Unterstützung der politischen Flüchtlinge weiter erfüllen soll, ist es auf die Hilfe der Arbeiterschaft und ihrer Organisationen angewiesen. Die Hilfe für die Flüchtlinge, die wegen ihrer politischen Überzeugung fliehen mußten, ist aber eine dringliche Pflicht der Arbeiterbewegung. Wenn wir es nicht mehr zustande bringen, den Opfern des Faschismus den bescheidensten Lebensunterhalt zu garantieren, ist es uns auch nicht sehr ernst mit dem Kampf gegen den Faschismus, oder dann haben wir noch nicht begriffen, um was es geht.

Wir müssen auch immer wieder betonen, daß wir unsere geflüchteten Genossen, falls wir sie nicht mehr unterstützen können, *der Gefahr der Internierung* aussetzen. Nach den jetzigen Bestimmungen der Fremdenpolizei kann der Emigrant, der sich nicht über genügend Existenzmittel ausweist, interniert werden, das heißt er wird in irgendeiner Strafanstalt eingesperrt und im ganzen und großen wie ein Strafgefangener behandelt. Diese Tatsache allein schon sollte uns bewegen, die äußersten Anstrengungen zu machen, daß dies nicht geschehen kann. ...

Die Flüchtlingshilfe ist aber nur *eine* Abteilung des Schweizerischen Arbeiter-Hilfswerks. ... Das Arbeiter-Hilfswerk führt in seinem Namen als Dachorganisation alle temporär begrenzten Aktionen durch, wie Österreicherhilfe, Spanienhilfe, Tschechen- und Finnenhilfe, Hilfe für Frankreich, wobei es selbstverständlich innerhalb der *allgemeinen* Hilfsaktionen für diese Länder sich der politischen Gesinnungsfreunde besonders annimmt. ...

Das Arbeiter-Hilfswerk ist nicht nur Vermittler praktischer Hilfe, sondern soll im letzten Sinne sein: Ausdruck der Solidarität der Arbeiterklasse, sowohl im nationalen wie im internationalen Sinne. Das Arbeiter-Hilfswerk soll sein, über die praktische notwendige Hilfe für unsere Arbeitslosenkinder, für die Flüchtlinge bei uns, für die Opfer des Faschismus im Ausland, *eines* der einigenden Bänder, welche die Arbeiterklasse heute noch verbinden. Heute leben wir in einem Prozeß der Zersplitterung der Arbeiterbewegung, sowohl im Lande drinnen wie international. Aber, wenn der Krieg vorbei sein wird, werden wir aufbauen müssen. Bewegungen, Einrichtungen wie das Arbeiter-Hilfswerk sind eines der Mittel, die über die Zeit der Zerstörung und der Zersetzung hinaus die Zusammenhänge bewahren und für die Zeit des Wiederaufbaus das Beste retten, das in der Arbeiterschaft lebt: die proletarische Solidarität. ...

Protokoll über die Verhandlungen des ordentlichen Parteitages der SPS vom 24. und 25. Mai 1941 in Zürich, S. 28ff.

[1] *Regina Kägi-Fuchsmann, Sekretärin des Schweizerischen Arbeiterhilfswerks.*

VII. Die Arbeiterbewegung nach dem Zweiten Weltkrieg: Kalter Krieg, Hochkonjunktur und Integration in den bürgerlichen Staat

Linksentwicklung bei Kriegsende und Einführung der AHV

Die Arbeiterklasse hatte, wie schon im Ersten, auch im Zweiten Weltkrieg die Hauptlast zu tragen: Teuerung (1939–45 rd. 50%), Überstunden (Knappheit der Arbeitskräfte), Lohneinbußen wegen langer Militärdienstleistungen, welche durch die «Lohn- und Verdienstersatzordnung» des Bundes nur ungenügend gedeckt wurden; daraus ergaben sich für die Arbeiter Reallohnsenkungen von rund 10%.

Entwicklung der Reallöhne von Industrie- und Bauarbeitern 1939–1950

1939	1940	1941	1942	1943	1944	1945	1946	1947	1948	1949	1950
100	93	87	87	89	92	96	108	110	112	114	116

Auf der anderen Seite konnten die Unternehmer, dank der Lieferungen in die kriegführenden Länder, zum Teil massive Gewinne erzielen.

Unter diesen Bedingungen wurden die Klassengegensätze, welche noch zu Beginn des Krieges durch die «Landi»-Ideologie hatten überspielt werden können, wieder deutlicher sichtbar: die soziale Einheit bröckelte auseinander. Viele Arbeiter begannen Forderungen nach gesellschaftlicher Veränderung zu stellen. Gefördert wurde diese Entwicklung auch durch die sich immer deutlicher abzeichnenden militärischen Erfolge der Sowjetunion, die in weiten Kreisen der Bevölkerung große Sympathien besaß.

Ihren Audruck fand diese Linksentwicklung *1943 im Erfolg der SPS bei den Nationalratswahlen, in steigenden Mitgliederzahlen von SGB und SPS (vgl. Anhang); deutlicher aber in der Gründung einer kommunistisch orientierten Arbeiterpartei und in den vermehrten Arbeitskämpfen (vgl. Anhang).*

In zahlreichen Streiks *und* Lohnbewegungen, *vor allem in der Textilbranche und im Baugewerbe, kämpften die Arbeiter vorerst für die Anhebung der Reallöhne auf das Vorkriegsniveau. Darüber hinaus verlangten sie, nicht zuletzt wegen der Erfahrungen der Krisenjahre, kollektive Arbeitsverträge. Mit der Durchsetzung ihrer Forderungen erreichten sie nicht nur, daß die höheren Löhne vertraglich gesichert, sondern auch, daß ihre Position gegenüber den Unternehmern gestärkt wurde (171).*

Nach dem Verbot der KPS (1940) und der «Féderation Socialiste Suisse» (1941) durch den Bundesrat hatten beide Organisationen in der Illegalität weitergearbeitet. Mit Polizeiverfolgungen, Hausdurchsuchungen, Presseverboten, Entzug der Mandate gewählter Vertreter und mit Prozessen gegen ihre Führer usw. sollte die illegale Arbeit gestört werden. Je mehr sich jedoch das Kriegsgeschehen zugunsten der Sowjetunion entwickelte, desto larger wurde die Verfolgung von Kommunisten. Damit stellte sich für diese die Organisationsfrage als immer wichtigeres Problem. Ein Angebot der verbotenen KPS an die Sozialdemokraten, eine organisatorisch und politisch einheitliche Arbeiterpartei zu schaffen, wurde am SPS-Parteitag 1943 diskutiert. Zum Zusammenschluß kam es aber nicht, weil das Mißtrauen in der SPS zu groß war. In der Folge entstanden unter Duldung der Behörden in verschiedenen Kantonen «Parteien der Arbeit», *welche sich im März 1944 zur «Föderation der Parteien der Arbeit» zusammenschlossen; die Gründung der gesamtschweizerischen PdA erfolgte im Oktober 1944.* Die neue Arbeiterpartei *vereinigte aber nicht nur die «alten» Kommunisten; mit ihrem Eintreten für eine konsequent antifaschistische Politik vermochte sie auch viele linke Sozialdemokraten anzuziehen, die mit der Burgfriedenspolitik der SPS nicht einverstanden waren (169). Zwar waren viele von der PdA vertretene Forderungen auch im SPS-Aktionsprogramm «Neue Schweiz» von 1943 (siehe unten) enthalten, doch unternahm die SPS zu wenig, um ihre Postulate durchzusetzen. Dagegen waren es vor allem PdA-Mitglieder, welche die Organisation der Arbeiter in den Streiks an die Hand nahmen und sich auch um die Reaktivierung einzelner Gewerkschaften bemühten (z.B. Schweizerischer Textil- und Fabrikarbeiterverband, heute Gewerkschaft Chemie Textil Papier). So verbreiterte sich die Basis der PdA rasch, was in ihren Wahlerfolgen v.a. in den Städten Genf, Basel und Zürich, aber auch in kleineren Städten und Gemeinden wie Luzern, Chur, Rorschach, Uster usw. deutlich wurde. Bei den Nationalratswahlen von 1947 vermochte sie auf Anhieb 5,1% der Wählerstimmen oder 7 Sitze zu gewinnen, vorwiegend auf Kosten der SPS. Zu diesem Zeitpunkt war die PdA bereits eine Massenpartei mit gegen 20000 Mitgliedern und somit ein nicht mehr zu unterschätzender politischer Faktor geworden (170).*

Im Gegensatz zur PdA lösten sich SPS *und* SGB *nur bis zu einem gewissen Grade von dem zu Beginn des Weltkrieges eingegangenen Burgfrieden. Ende 1942 veröffentlichte die SPS ein neues Aktionsprogramm, die «Neue Schweiz» (168), das inhaltlich eng an den während der Krisenjahre ausgearbeiteten «Plan der Arbeit» anschloß. Gleichzeitig lancierte die Partei, unterstützt vom SGB, die* «Initiative für Wirtschaftsreform und Rechte der Arbeit», *mit der Programmpunkte aus der «Neuen Schweiz» verfassungsmäßig verankert und für die Nachkriegszeit ein Instrumentarium zur Lösung wirtschaftlicher Fragen in sozialistisch-genossenschaftlichem Sinne geschaffen werden sollte. Für die Durchsetzung ihrer Ziele versuchte sie, wie schon in den 30er Jahren, den Mittelstand zu gewinnen. Das gelang ihr aber weder bei den Nationalratswahlen 1943 noch mit der Initiative. Vielmehr vermochte das Bürgertum den umworbenen Mittelstand an seiner Seite zu halten mit der Zusicherung, daß gefährdete Wirtschaftszweige (Landwirtschaft) und Berufe durch den Bund geschützt würden.*

Während des Krieges wurde die Diskussion um die Einrichtung der Alters- und Hinterbliebenen-Versicherung *(AHV) wieder aufgenommen (173). Diese Generalstreikforderung war zwar 1925 in der Bundesverfassung verankert worden, ein entsprechendes Ausführungsgesetz aber 1931 (Weltwirtschaftskrise) in der Volksabstimmung an der bürgerlichen Gegenpropaganda gescheitert. Ein «Eidgenössisches Aktionskomitee», in welchem SGB und SPS mit verschiedensten bürgerlichen Organisationen zusammenarbeiteten, vertrat von Anfang an die «eidgenössische Lösung», das Drei-Säulen-Prinzip (staatliche, betriebliche, private Vorsorge) (172). Diese Konzeption wurde denn auch, nicht ohne kräftige Unterstützung durch den SGB, in das AHV-Gesetz aufgenommen. Die erste Fassung sah monatlich Renten von 40 bis 125 Franken vor.*

Im Juni 1947 gelangten beide Vorlagen, die bürgerlichen Wirtschaftsartikel und das AHV-Gesetz, am gleichen Tage zur Abstimmung. Schon im Mai 1947 war die «Initiative für Wirtschaftsreform und Rechte der Arbeit» abgelehnt worden, nachdem der SGB seine Unterstützung aufgekündigt und die Annahme des bürgerlichen Vorschlags empfohlen hatte. Seine Haltung war geprägt von abstimmungstaktischen Erwägungen. Für den Gewerkschaftsbund war es wichtig, daß die AHV-Vorlage angenommen würde; deshalb erkaufte er sich die Zustimmung der Bauern zur AHV mit der eigenen Zustimmung zu den bürgerlichen Wirt-

schaftsartikeln. Dies fiel ihm umso leichter, als jener Vorschlag auch die alte gewerkschaftliche Forderung enthielt, die Gewerkschaften seien gleichberechtigt mit den Unternehmerverbänden in die Vernehmlassungsverfahren des Bundes miteinzubeziehen. Zusätzlich zu der mit den Bauern eingegangenen «rot-grünen Allianz» entfaltete der SGB eine großangelegte Propagandakampagne für die AHV (174). In SP-Kreisen hatte man zwar gewisse Bedenken, gab aber doch die Ja-Parole aus (175). Während die AHV-Vorlage mit überwältigendem Mehr angenommen wurde, passierten die Wirtschaftsartikel relativ knapp.

Trotz der Kämpfe, die bei der Ausarbeitung der beiden Vorlagen zwischen den verschiedenen Interessengruppen ausgefochten worden waren, konnte das Abstimmungsresultat erneut als Ausdruck der sozialen Versöhnung ausgegeben und so die sozialen Spannungen, die gegen Kriegsende aufgetreten waren, in der ungewissen Nachkriegszeit überdeckt werden.

Hochkonjunktur im Zeichen des Ost-West-Konfliktes

Die wirtschaftliche Entwicklung nach 1945 wurde geprägt durch die Ergebnisse des Zweiten Weltkrieges. Die weltpolitische Machtkonstellation hatte sich entscheidend verändert: An die Stelle der bis dahin dominierenden europäischen Großmächte traten die USA und die UdSSR, zwei Staaten mit unterschiedlichen Wirtschafts- und Gesellschaftsordnungen. An der Frage der Neuordnung Europas wurden die Interessengegensätze der einstigen Alliierten sehr schnell deutlich.

Die USA *gingen als einzige Macht wirtschaftlich gestärkt aus dem Weltkrieg hervor. Ein wichtiges Ziel der amerikanischen Politik war die Verhinderung einer Wirtschaftskrise nach dem Krieg. Dieses Ziel suchten sie mittels einer Steigerung des Außenhandels und vermehrter Investitionstätigkeit im Ausland zu erreichen. – Andere Interessen hatte die* Sowjetunion. *Sie war durch den auf ihrem Territorium geführten Krieg in der wirtschaftlichen Entwicklung um Jahre zurückgeworfen worden (über 20 Mio. Kriegsopfer, zerstörte Produktions- und Transportanlagen). Ihr Ziel war der rasche wirtschaftliche Wiederaufbau sowie die politisch-militärische Absicherung ihres Territoriums und ihres Gesellschaftssystems. Aus diesen Gründen sah die Sowjetunion in Mittel- und Osteuropa (inklusive Deutschland) die Bildung einer Pufferzone vor, bestehend aus selbständigen, antifaschistischen und sowjetfreundlichen Staaten. Diese beiden Positionen standen sich nach Kriegsende diametral gegenüber.*

Der sich an diesen Interessengegensätzen entzündende Konflikt, der Kalte Krieg, *dominierte fortan die wirtschaftliche und politische Entwicklung in weltweitem Rahmen. Bereits 1947 war die Spaltung der Welt in zwei Lager Tatsache. Verstärkt intervenierten nun die USA in ihrer Einflußsphäre mit wirtschaftlichen und politisch-militärischen Mitteln, um so ihr Lager (Westeuropa, Dritte Welt) an sich zu binden. Die Sowjetunion setzte in ihrem Teil ihre Interessen immer mehr mit militärischer Gewalt durch. Für Westeuropa jedenfalls hatte dies zur Folge, daß seine weitere Entwicklung in kapitalistischem Sinne erfolgen würde.*

Entgegen allen Erwartungen kam es nach dem Zweiten Weltkrieg nicht zu der befürchteten Nachkriegsdepression. Vielmehr entwickelte sich das, was man allgemein «Hochkonjunktur» *nennt: ein mehr oder weniger ununterbrochener wirtschaftlicher Aufschwung, der sich erst zu Beginn der 70er Jahre abzuschwächen begann; ein Aufschwung, der v.a. dem westeuropä-*

ischen Kapitalismus während der 50er Jahre ein noch nie dagewesenes Wachstumstempo brachte. Die Konjunkturschwankungen blieben gering und konnten immer rasch überwunden werden.

Für diese Entwicklung waren verschiedene Gründe bestimmend: die im Zeichen des Kalten Krieges von den USA ausgelöste massive wirtschaftliche Offensive, mit der die Wirtschaft der kapitalistischen Länder Westeuropas wieder in Gang gebracht werden sollte («Marshall-Plan»); die verstärkte militärische Wiederaufrüstung, die – international gesehen – eine lang andauernde Rüstungskonjunktur brachte; die Förderung und Liberalisierung des Außenhandels (Zollabbau, Währungsabkommen), die den internationalen Warenaustausch begünstigte; die fortgesetzte Ausbeutung der Dritten Welt durch die Industrienationen; die dritte technologische Revolution (Elektronik, Atomenergie, Automation); das verstärkte Auftreten des Staates als Auftraggeber (Rüstung, Ausbau der Infrastruktur) und als «Sozialstaat» (staatliche Sozialleistungen). Diese Faktoren begünstigten ein – im Vergleich zur Zwischenkriegszeit – relativ stabiles wirtschaftliches Wachstum. In der schweizerischen Entwicklung erlangten die oben genannten Punkte je nach Zeitpunkt verschiedene Bedeutung.

Schweiz: Hochkonjunktur und Fremdarbeiterimport

Die Ausgangslage für die schweizerische Wirtschaft war günstig: mit ihrem intakten Produktionsapparat *war sie imstande, nach Kriegsende die Produktion weiterzuführen und gewisse Bedürfnisse der kriegsgeschädigten Länder nach Produktions- und Konsumgütern zu befriedigen. Vor allem seit etwa 1948, als die Marshall-Plan-Hilfe wirksam wurde, erhielt die Schweiz von den Empfängerländern vermehrt Aufträge.*

Dank dieser privilegierten Stellung gelang es dem Schweizer Kapital ohne große Mühe, seinen Produktionsapparat stark auszubauen. Das wirtschaftliche Wachstum wurde hauptsächlich erreicht durch die Ausweitung der traditionellen Anlagen und durch eine Erhöhung der Zahl der Arbeitskräfte. Die Unternehmer verzichteten somit weitgehend auf Rationalisierungsmaßnahmen und Erhöhung der Produktivität (Produktion pro Arbeiter und Zeiteinheit) durch den Einsatz moderner Technik. Diese erste Phase war also gekennzeichnet durch ein extensives Wachstum.

Diese vorwiegend auf die Erzielung kurzfristiger Gewinne angelegte Politik hatte ihre Ursachen einerseits in der momentan gegebenen Chance, gute Aufträge zu erhalten; andererseits in der nahezu uneingeschränkten Möglichkeit, ausländische Arbeitskräfte *zu importieren. Vorerst wurden hauptsächlich qualifizierte Arbeiter aus Norditalien hereingeholt, was sich wiederum aus der dortigen Arbeitsmarktsituation im Zusammenhang mit den Schwierigkeiten beim Wiederaufbau erklären läßt. Das Ausmaß dieses Imports illustrieren die Zahlen auf der folgenden Seite.*

Die Fremdarbeiter hatten die für die Unternehmer höchst angenehme Eigenschaft, den Anstieg der Löhne zu bremsen: Sobald nämlich der Arbeitsmarkt ausgetrocknet und die Bedingungen für Lohnforderungen günstig waren, konnte auf neue Ausländerkontingente zurückgegriffen werden. Gleichzeitig bilden die rechtlosen Fremdarbeiter (192) einen «Konjunkturpuffer», *eine Manövriermasse, die bei einer allfälligen Rezession wieder bequem abgeschoben werden kann (189).*

Die in den 50er Jahren erfolgende zügellose Expansion nützte allen Kapitalisten. Besonders die kleinen Unternehmer konnten sich mit überholten Produktionsanlagen und billigen Arbeitskräften noch während einer gewissen Zeit ihre Profite sichern. Gerade weil die Schweizer Wirtschaft sich in dieser Zeit extensiv entwickelte, gelang es den schwachen Teilen des Kapitals, Betriebsschließungen und -fusionen noch auszuweichen; auf längere Sicht konnten sie sich der internationalen Entwicklung aber nicht entziehen.

Bestand der Ausländer in der Schweiz 1950–1970

Jahr	*Erwerbstätige (inkl. Saisonniers und Grenzgänger)*	*Nicht-erwerbstätige*	*Ausländer total*
1950	*215000*	*107000*	*322000*
1955	*350000*	*116000*	*466000*
1960	*516000*	*159000*	*675000*
1965	*771000*	*269000*	*1040000*
1970	*823000*	*390000*	*1213000*

Arbeiterbewegung im Kalten Krieg

Die Politik der Arbeiterorganisationen war stark beeinflußt durch die Politik der Großmächte im Rahmen des Kalten Krieges. Die wirtschaftliche Offensive der USA wurde begleitet von ideologischen Angriffen auf das sowjetische Lager: So wurde behauptet, daß die Welt gespalten sei in einen «freien» und einen «versklavten» Teil, wobei die Demokratien des «freien Westens» bedroht seien durch den Kommunismus; es gelte daher, den Kampf gegen den inneren und äußeren Feind aufzunehmen und den «Kommunismus» zurückzudämmen. Mit dieser antikommunistischen Ideologie wird bis heute im «Namen der Freiheit» die Unterdrükkung aller antikapitalistischen und antiimperialistischen Bewegungen, notfalls mit militärischer Gewalt, gerechtfertigt. Die Sowjetunion ihrerseits antwortete auf diese Offensive mit einer rücksichtslosen Durchsetzung der Parteilinie in ihrem Lager und einer eindeutigen Abgrenzung gegenüber dem kapitalistischen Westen. In diesem Zusammenhang sind die Interventionen sowie die Prozesse gegen sogenannte «Abweichler» zu sehen.

Die Auswirkungen dieser Ideologie des Kalten Krieges waren auch in der Schweiz sichtbar. Die Arbeiterorganisationen wurden dabei vor die Alternative gestellt: Grundsätzliche Anerkennung des Kapitalismus und der bürgerlichen Demokratie oder Ausschluß aus dem Kreis der akzeptierten politischen Organisationen.

Die PdA *lehnte sich von Anfang an stark an die Sowjetunion an, auch wenn sie offiziell erst 1949 die Führungsrolle der Sowjetunion und ihres Führers Stalin im internationalen Klassenkampf anerkannt hatte (178). Ihre Mitglieder hatten denn auch persönlich und beruflich am stärksten unter den antikommunistischen Hetzjagden zu leiden. Der gesteuerte Volkszorn entlud sich in Drohungen, Boykotten, Bücherverbrennungen, Entlassungen usw. Der* Abstieg der PdA *in die Bedeutungslosigkeit – mindestens in der Deutschschweiz – lief parallel zu den*

Prozessen in der Sowjetunion und den sowjetischen Interventionen in den Volksdemokratien. Die Partei schwächte sich zusätzlich selbst, indem sie ähnlich wie in der KPdSU die «Abweichler» aus ihrer Organisation ausschloß (178). Der Höhepunkt der Isolierung war 1956 nach den Ereignissen in Ungarn erreicht (179). Der Ausbruch aus dem Ghetto gelang ihr auch nach 1959 nicht, nachdem sie sich ein neues Programm gegeben hatte, in dem sie den «schweizerischen Weg zum Sozialismus» vertrat (188).

Anders verhielten sich die zahlenmäßig stärkeren Organisationen der Sozialdemokratie und der Gewerkschaften. Sie paßten sich den Fronten des Kalten Krieges an. Vor allem die Gewerkschaften gefielen sich in antikommunistischen Parolen und Handlungen (Säuberungen von lokalen Gewerkschaftsführungen, stillschweigende Duldung von Entlassungen kommunistischer Arbeiter und Angestellter) (176). Ähnlich verhielt sich die SPS, die in der PdA, vor allem seit ihrer eigenen Wahlniederlage von 1947, nur noch eine Organisation «sektiererischer Spalter» und «Söldner Stalins» zu sehen vermochte (177).

Gerade daran zeigt sich die Funktion dieser antikommunistischen Ideologie: Sie diente nicht nur der Absicherung der kapitalistischen Herrschaft; mit ihrer aggressiven Grundtendenz erreichte sie die Militarisierung des innenpolitischen Lebens, aufgrund derer oppositionelle Strömungen bekämpft und Gegensätze verschleiert werden konnten. Daß sich SPS und SGB so leicht in den Dienst der Erhaltung des gesellschaftlichen status quo einspannen ließen, ist jedoch nicht zufällig. Beide Organisationen hatten sich zur Bekämpfung des Faschismus auf den Boden der bürgerlichen Demokratie gestellt, und beide brachten eine antikommunistische Tradition mit, welche im Kalten Krieg nur wieder belebt zu werden brauchte.

Die Folgen für die Arbeiterbewegung insgesamt blieben nicht aus: Zum einen zeigten sie sich in einer erneuten Spaltung der Arbeiterschaft, die auf Jahre hinaus das Verhältnis ihrer Organisationen untereinander bestimmte; zum andern in einem Theorieverlust auf beiden Seiten, der sich darin zeigte, daß die Linke nicht imstande war, eine Analyse des Ost-West-Gegensatzes zu leisten, um darauf eine konkrete Politik aufzubauen. Die PdA verklärte die Ereignisse im sowjetischen Lager zu eigenständigen sozialistischen Revolutionen unter Führung ihrer kommunistischen Bruderparteien. Die SPS und Gewerkschaften begnügten sich mit einer bloßen Abgrenzung gegenüber dem Kommunismus und vermochten die dortigen Verhältnisse ebensowenig realistisch zu beurteilen. Gerade das Wiederaufkommen stalinistischer Herrschaftsformen im östlichen Lager trug wesentlich dazu bei, daß sich die nichtkommunistischen Teile der Arbeiterbewegung so leicht in das kapitalistische System integrierten. So übernahmen diese beispielsweise die bürgerliche Totalitarismus-Theorie (Gleichsetzung von kommunistischer und faschistischer Diktatur) (183). Zwar versuchten sie, ihre eigene Position theoretisch zu klären: Sie distanzierten sich sowohl vom Kapitalismus als auch von den etablierten kommunistischen Staaten und sahen sich selbst mit der Formel vom «demokratischen Sozialismus» als «Dritten Weg». Allerdings vermochten sie dieses Konzept bis heute kaum inhaltlich zu füllen (183).

Arbeiterorganisationen als «Sozialpartner»

Die im Rahmen des Kalten Krieges deutlicher werdende Integrationstendenz verstärkte sich in der Phase der Hochkonjunktur. Reallohnverbesserungen sowie der Ausbau der Sozialversicherung (sechs AHV-Revisionen bis 1964; Einführung der Invalidenversicherung 1959 usw.) schienen zu beweisen, daß sich der Kapitalismus verändert habe, daß der bürgerliche Staat zum «Sozialstaat» geworden sei, in dem auch der wirtschaftlich Schwache nicht mehr zu kurz komme. Dementsprechend diskutierte man nicht mehr die Überwindung der bestehenden Ordnung, sondern deren Verbesserungsmöglichkeiten. An die Stelle von Alternativen traten immer mehr sozialreformerische Vorstellungen, die mittels einer pragmatischen Politik des Möglichen und Machbaren verwirklicht werden sollten.

Im Programm der SPS von 1959 fand diese gewandelte Einstellung zum bürgerlichen Staat und zum Kapitalismus ihren Niederschlag. Die SPS sieht sich als Volkspartei, die alle arbeitenden Menschen umfassen will (184, 185). Das Verhältnis zwischen Unternehmer und Arbeiter soll nicht mehr durch den Klassenkampf, sondern durch die Gleichberechtigung von Kapital und Arbeit geprägt sein. Schließlich wird – wenn auch nicht unwidersprochen – verkündet, diese Gesellschaft befinde sich bereits im Übergang vom Kapitalismus zum Sozialismus, der Ausbau der sozialen Einrichtungen beweise dies (186). Ähnliche Züge weist das revidierte Arbeitsprogramm des SGB von 1960 auf (187).

Im Zeichen der Hochkonjunktur und der Übernahme der Idee des «Sozialstaates» änderten sich auch die wirtschaftspolitischen Vorstellungen. In Anlehnung an bürgerliche Wirtschaftstheorien forderte man nun die Förderung aller produktiven Kräfte der Wirtschaft, was allein die Hebung des allgemeinen Wohlstandes zu garantieren vermöge. Mit Mitteln wie Steigerung der Produktivität, Förderung des «fairen Wettbewerbs», sowie staatlichen Konjunkturlenkungsmaßnahmen (vgl. unten) soll dieses Ziel erreicht werden. Der soziale Inhalt dieser Konzeption beschränkt sich auf die Forderung nach «gerechter Verteilung» des von den «Sozialpartnern» gemeinsam erarbeiteten volkswirtschaftlichen Ertrages, sowie nach «gerechter Verteilung» der anfallenden Lasten (z.B. Steuern). Forderungen nach einer grundsätzlichen Umgestaltung traten vollständig zurück.

Im Sinne dieser Programmatik wurde Politik gemacht. Das Hauptgewicht der gewerkschaftlichen Tätigkeit verlagerte sich immer mehr auf die Tarifpolitik mit dem Mittel des Gesamtarbeitsvertrages (GAV). Die Gewerkschaften zogen generell die vertraglichen den gesetzlichen Regelungen vor, weil sie sich damit eine einflußreichere Position sichern und gegenüber den Mitgliedern ihre Existenzberechtigung beweisen wollten (180). Diese zwischen den Unternehmer- und Arbeiterorganisationen abgeschlossenen Verträge regeln die Arbeitsverhältnisse (Löhne, Arbeitszeit, Ferien, Betriebskassen usw.). Kernstück jedes GAV ist die absolute Friedenspflicht, d.h. Verzicht auf Streik bzw. Aussperrung während der Dauer des Vertrags. Arbeits- und Tarifstreitigkeiten sollen durch Verhandlungen auf der Grundlage von «Treu und Glauben» geregelt werden (182).

Die Zahl der Kollektivverträge, eine Errungenschaft der Arbeitskämpfe unmittelbar nach dem Kriege, nahm in den folgenden Jahren rasch zu und wurden immer mehr zur gängigen Praxis. Allerdings bekam der Vertrag in der Folge eine neue Funktion. Die Unternehmer konnten immer härter auftreten, nachdem klar war, daß die erwartete Nachkriegsdepression ausbleiben würde. Unter diesen Bedingungen erlitten die Gewerkschaften in verschiedenen Arbeitskämpfen eine Reihe von Niederlagen, was bei ihnen die Verstärkung der sozialpartnerschaftlichen Tendenz bewirkte. Dies zeigte sich erstmals beim «Stabilisierungsabkommen» von 1948, in welchem *sich die Vertreter der Unternehmer und der Arbeiter angesichts der Teuerung freiwillig verpflichteten, auf Preis- und Lohnerhöhungen zu verzichten. Es zeigte sich weiter darin, daß die Gewerkschaften immer mehr versuchten, Lohn- und Arbeitsbedingungen auf dem Verhandlungswege zu regeln. Diese Tendenzen verstärkten sich um so eher, als die Gewerkschaften mit ihrer Politik während der Hochkonjunktur gewisse Verbesserungen der Löhne und Ferien erreichen konnten. Einen größeren Vorteil erzielten aber die Unternehmer, weil die Gewerkschaften so in den Betrieben für einen störungsfreien Wirtschaftsablauf sorgten. Die* demobilisierende Wirkung *auf die Basis, die aus dieser Vertragspolitik resultierte, wurde verstärkt, als während des Kalten Krieges der radikalere Flügel der Arbeiterbewegung (PdA) unterdrückt und im Zeichen der Hochkonjunktur durch den Import von Fremdarbeitern eine Spaltung der Arbeiterklasse bewirkt wurde. Als integrierter Bestandteil der politischen und wirtschaftlichen Strukturen wurden die Gewerkschaften zu einem innenpolitischen Ordnungsfaktor (181).*

Die SPS *bemühte sich während der 50er Jahre, auch in der* eidgenössischen Exekutive *eine «gerechte Vertretung» zu erhalten. 1953 war der SP-Bundesrat Weber zurückgetreten aus Protest über die Ablehnung seiner Finanzvorlage, welche eine direkte Bundessteuer und die verstärkte Belastung großer Einkommen vorgesehen hatte. Die SPS verzichtete zunächst darauf, einen neuen Vertreter in den Bundesrat abzuordnen. Doch kam sie mit der konservativ-christlichsozialen Partei (heute CVP), welche die Vorherrschaft des Freisinns im Bundesrat brechen wollte, überein, daß diese den der SPS «zustehenden» Sitz verwalten würde, die SPS aber bei nächster Gelegenheit zwei Sitze erhalten sollte. Im Zeichen dieser «rot-schwarzen Allianz» ist das neue Programm von 1959 u.a. auch zu sehen: Die SPS machte, da sie zielstrebig auf die beiden Bundesratssitze zusteuerte, Konzessionen an das Bürgertum; parteioffiziell wurde freilich als Grund für die Programmänderung ein Annäherungsversuch an die ständig wachsende Schicht der Angestellten angegeben (185). 1959 verwirklichte sich ihre Vorstellung von einer «gerechten Vertretung» mit der sogenannten «Zauberformel». Das Bürgertum bestimmte jedoch weiterhin die Spielregeln: Dies zeigen die Bundesratswahlen von 1959 und 1973, als sich die SPS ihre Bundesräte von der bürgerlichen Mehrheit der Bundesversammlung vorschreiben lassen mußte: Es wurden nicht ihre Kandidaten Bringolf bzw. Schmid sondern Tschudi bzw. Ritschard gewählt. Die Hilflosigkeit und die Orientierungslosigkeit der Partei zeigte sich in ihren Reaktionen: Beide Male ließ sie es bei verbalen Protesten bewenden. Daß von der SPS als regierungsfähiger, an der politischen Macht teilhabender Partei kaum mehr grundsätzliche Kritik an den bestehenden Verhältnissen zu erwarten ist, liegt auf der Hand.*

Der Übergang zum intensiven Wirtschaftswachstum in den 60er Jahren

Die schweizerische Wirtschaft erhielt auch in der zweiten Entwicklungsphase nach dem Krieg wesentliche Impulse von der Weltwirtschaft; weiterhin prägte die Auseinandersetzung der Weltmächte die politische und wirtschaftliche Entwicklung. Im internationalen Kapitalismus traten seit den frühen 60er Jahren verschiedene Entwicklungstendenzen neu oder zumindest verstärkt auf:

Die enorme Steigerung des Welthandels führte zu einem verschärften internationalen Konkurrenzdruck. *Unter diesen Bedingungen begann sich die dritte technologische Revolution*

(Elektronik, Automation) relativ rasch durchzusetzen, wodurch der Kapitalbedarf für Unternehmungen, die sich im internationalen Wettbewerb halten wollten, massiv anstieg. Kleinere und kapitalschwache Betriebe, welche die zur Rationalisierung *notwendigen Mittel nicht aufbringen konnten, waren nicht mehr konkurrenzfähig und wurden damit, wenn nicht zur Betriebsschließung, so doch zur Aufgabe ihrer Selbständigkeit gezwungen, indem sie etwa als Zulieferbetrieb für einen Konzern weiterproduzierten oder in größere Unternehmen eingegliedert wurden.*

Die Konzentration in der Wirtschaft *beschleunigte sich unter den obengenannten Bedingungen, nicht nur im Rahmen einer nationalen Volkswirtschaft, sondern auch international: Unternehmungen in verschiedensten Ländern stehen unter einheitlicher Kontrolle und bilden sogenannte* multinationale Konzerne. *Diese versuchen einerseits, möglichst alle Stufen in der Herstellung eines bestimmten Produkts – von der Gewinnung der Rohstoffe bis zum Vertrieb – zu kontrollieren; andererseits streben sie mit dem Ziel der Risikostreuung eine möglichst weitgehende Diversifikation ihrer Tätigkeitsgebiete an.*

Die Ausbeutung der Länder der Dritten Welt *durch die Industrienationen wurde fortgesetzt, auch wenn die Kolonien im Laufe der Nachkriegszeit ihre politische Unabhängigkeit erhalten hatten. Die ehemaligen europäischen Kolonialmächte verzichteten nun zwar auf die direkte politisch-militärische Durchsetzung ihrer Interessen, doch blieb ihre Vorherrschaft dank der wirtschaftlichen Überlegenheit, welche sie durch diskriminierende Handelsabkommen absicherten, weiterhin erhalten.*

Innerhalb Europas verstärkte sich die Tendenz zu zwischenstaatlicher Kooperation *unter den Industrieländern: So verfolgt die Europäische Wirtschaftsgemeinschaft (EWG; 1957 gegründet, seither ständig erweitert) eine für alle Mitgliedländer gemeinsame Außenwirtschaftspolitik, die sich einerseits gegen den Ostblock sowie die Hegemonie der USA richtet, anderseits eine koordinierte Handelspolitik gegenüber der Dritten Welt erlaubt; dies liegt vor allem im Interesse der international tätigen europäischen Konzerne. Die Schweiz schloß sich 1972 in einem Freihandelsabkommen der EWG teilweise an, nachdem sie wirtschaftlich faktisch mit deren Mitgliedländern schon lange eng verflochten gewesen war.*

Unter dem Einfluß dieser grob skizzierten Tendenzen bestand für die schweizerische Wirtschaft ein Zwang zum Übergang von extensivem zu intensivem industriellem Wachstum (vgl. nebenstehende Grafik).

Bis 1962 stieg die Gesamtproduktion der schweizerischen Industrie nur wenig stärker als die Zahl der beschäftigten Arbeiter; die Produktivität (Produktion pro Arbeiter und Zeiteinheit) nahm relativ langsam zu. Seit 1963 stagniert die Zahl der in der Industrie Beschäftigten, um ab Mitte der 60er Jahre sogar abzunehmen, ohne daß damit ein Rückgang der industriellen Produktion verbunden gewesen wäre. Infolge der sich in diesem Zeitraum durchsetzenden technologischen Revolution produziert ein einzelner Arbeiter immer mehr. Die in der Produktion eingesparten Arbeiter finden Arbeitsmöglichkeiten im stark wachsenden Dienstleistungssektor (Handel, Banken, Versicherungen, Staat usw.).

Im Zusammenhang mit der Intensivierung der Produktion verstärkte sich die Tendenz der Unternehmenskonzentration; *besonderes Aufsehen erregten etwa die Fusionen Brown-Boveri/Maschinenfabrik Oerlikon, Sulzer/Escher-Wyss, Ursina-Franck/Nestlé, Ciba/Geigy; viele kleinere und mittlere Firmen wurden zudem über Kapitalbeteiligungen von den großen*

Konzernen abhängig; ebenso geriet eine wachsende Zahl von industriellen Unternehmungen unter Kontrolle der Großbanken.

Industrieproduktion, Beschäftigte in der Industrie, «Produktivität» 1958–1973

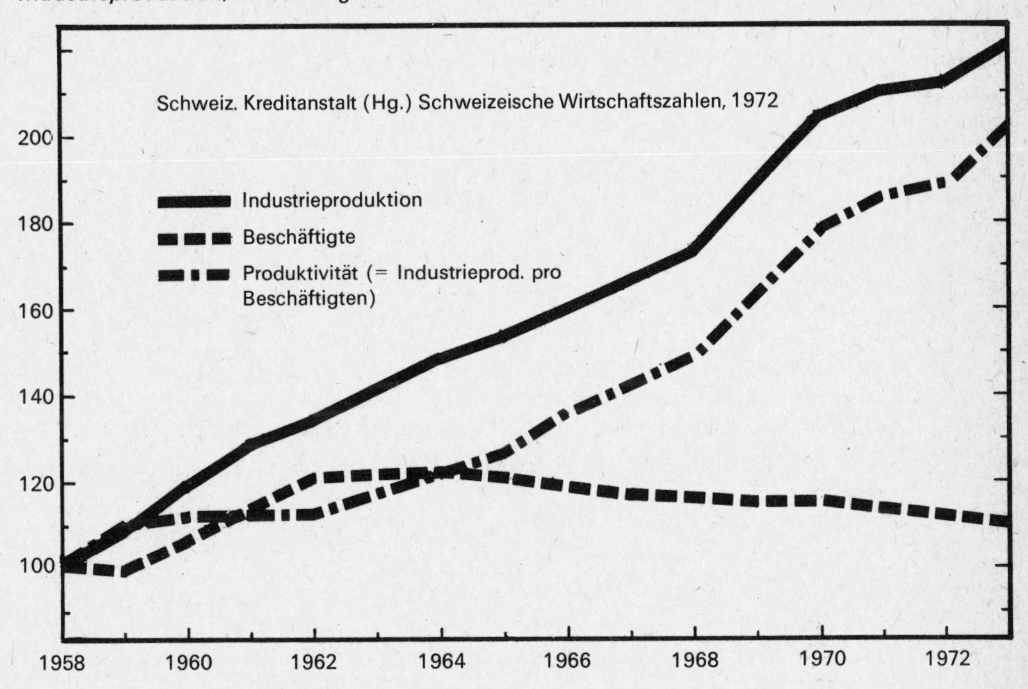

Nicht zuletzt als Folge der wachsenden internationalen Konkurrenz verlagerten immer mehr schweizerische Unternehmungen Teile der Produktion in ausländische Tieflohngebiete *(Südeuropa, Dritte Welt), während die Verfügungsmacht über Kapital und Know-How (Forschung, Herstellung hochkomplizierter Produkte) in der Schweiz zurückblieb. Dank der Ausbeutung der internationalen Reservearmee erreichten so die Arbeiter in der Schweiz eine* relative Besserstellung; *ihr Verständnis für die Probleme unterentwickelter Länder wurde dadurch kaum gefördert, eine internationale Solidarität der Arbeiter weitgehend verhindert.*

In der Nachkriegszeit schaltete sich der Staat in vermehrtem Maße direkt in den Wirtschaftsablauf ein, mit dem Ziel, eine möglichst «krisenfreie» Kapitalverwertung zu sichern. So tritt der interventionistische Staat *etwa auf als Konjunkturregler, indem er je nach Wirtschaftsverlauf versucht, die Konjunktur anzutreiben oder zu dämpfen (Finanz- und Baubeschluß 1964, Baustopp 1972, «konjunkturgerechte» Budgetpolitik usw.). Wichtige Bereiche der Wirtschaft werden durch die Fiskalgesetzgebung, Subventionen (z.B. Landwirtschaft) und andere Maßnahmen gefördert. Die staatliche Investitions- und Exportrisikogarantie etwa schützt die Profite der Privatwirtschaft vor «politischen Risiken» im Ausland, vor allem in der Dritten Welt. Die*

Aufrüstung der Armee und das Bereitstellen der Infrastruktur (Verkehr, Energieversorgung, Ausbildungs- und Gesundheitswesen usw.) sind zwar traditionelle staatliche Aufgaben; da die Ausgaben dafür jedoch ständig zunehmen, wird dadurch eine zunehmende Beeinflussung des Wirtschaftsverlaufs möglich. Schließlich übernimmt der Staat für die Privatwirtschaft vermehrt die Ausbildungskosten für die Arbeitskräfte und finanziert einen immer größeren Teil der Forschung (Ausbau der Hochschulen und Techniken); die staatlichen Sozialversicherungen endlich haben durchaus kapitalfreundliche Folgen: Mit der AHV und deren Ausbau beispielsweise entstand eine Schicht potentieller Konsumenten mit konjunkturunabhängigen Einkommen; die «Zweite Säule» der AHV (vgl. unten) wiederum sichert dem Kapital einen erheblichen Teil des Bedarfs an Investitionsgeldern.

Die Fremdarbeiterpolitik *ist u.a. ein Beispiel für die neuen Formen und Bereiche staatlicher Intervention in der Wirtschaft. Der ungehinderte Import ausländischer Arbeiter während der 50er Jahre setzte sich auch anfangs der 60er Jahre fort; im Unterschied zu früher wurden aber vermehrt Ungelernte und Nicht-Italiener in die Schweiz geholt. Die rasante Zunahme der Fremdarbeiter war begleitet von einem Boom privater Investitionen, was zu einer starken «Konjunkturüberhitzung» führte. In dieser Situation versuchte der Bundesrat mit verschiedenen Maßnahmen eine Dämpfung der Konjunktur zu erreichen, u.a. durch die Beschränkung der Zahl der ausländischen Arbeitskräfte: Für jeden einzelnen Betrieb mit mehr als 25 Beschäftigten wurde die Zahl der einheimischen und ausländischen Arbeiter auf der Basis von 1962 gestoppt* (Betriebsplafonierung *1963); von diesem Stand aus sollte schließlich ein Fremdarbeiterabbau vorgenommen werden.*

Für die verschiedenen Teile des Kapitals hatte die Betriebsplafonierung unterschiedliche Auswirkungen: Lohnintensive und nur schwer rationalisierbare Wirtschaftszweige, die einer starken in- und ausländischen Konkurrenz ausgesetzt waren (v.a. gewisse Zweige des Gewerbes und der Textil- und Bekleidungsindustrie) und ihre Produktion deshalb auf billigen ausländischen Arbeitskräften aufgebaut hatten, konnten nicht mehr in dieser Weise weiter expandieren. Betroffen wurden aber auch technologisch hochentwickelte, international konkurrenzfähige Unternehmen der Chemie-, Uhren-, Maschinen- und Apparateindustrie, welche – abgesehen vom wachsenden internationalen Konkurrenzdruck – dadurch kurzfristig zu kapitalintensiven Rationalisierungsmaßnahmen gezwungen wurden. Ein Teil der Betriebsschließungen *mit Entlassungen ganzer Belegschaften in den letzten Jahren war eine Folge der Unfähigkeit kapitalschwacher Unternehmer, derartige Investitionen vorzunehmen. Der größere Teil der Betriebsschließungen erfolgte allerdings, weil jene Betriebe zu wenig Profit abgeworfen hatten oder «Strukturbereinigungen» innerhalb eines multinationalen Konzernes zum Opfer fielen. Allein 1972/73 wurden während 16 Monaten mindestens 23 Betriebe mit rund 3000 Arbeitern stillgelegt.*

Unter dem Druck der «Initiative Schwarzenbach» *(vgl. unten) gab der Bundesrat 1970 die Betriebsplafonierung von 1963 auf und setzte an ihre Stelle die* Gesamtplafonierung. *Die Höchstzahl der erwerbstätigen Ausländer wurde nun für die ganze Schweiz festgesetzt, den Kantonen wurden nach ihrer wirtschaftlichen Größe bemessene «Neukontingente» zugeteilt. Diese Maßnahme benachteiligte wirtschaftlich rückständige Regionen mit vorwiegend Gewerbe oder Textilindustrie (Innerschweiz, Ostschweiz, Touristengebiete), die alle einseitig auf Fremdarbeitern aufgebaut hatten; da gleichzeitig auch die Sperrfristen für Stellen- und Kan-*

tonswechsel der Ausländer herabgesetzt wurden, erhöhte sich die Beweglichkeit des nunmehr verknappten Fremdarbeiterreservoirs. Die finanzstarken Unternehmen der Industriezentren konnten so durch Abwerbung ihre Unterbestände an Arbeitskräften auf Kosten des Gastgewerbes und wirtschaftlich schwacher Regionen auffüllen.

In der Situation des Arbeitskräftemangels wurde auch versucht, eine traditionelle Reservearmee zu reaktivieren: Schweizerfrauen sollen in Teilzeitarbeit diese Lücke stopfen.

Soziale Lage und Arbeitswelt

Die Situation der arbeitenden Bevölkerung war in der Nachkriegszeit gekennzeichnet durch das praktisch vollständige Fehlen von Arbeitslosigkeit, *stetige* Verbesserung der Reallöhne *bzw. des «Lebensstandards» (gemessen am Index der Konsumentenpreise). Doch gilt das nicht für alle Erwerbstätigen im gleichen Maße: Randgruppen (Frauen, Lehrlinge, Kleinbauern) sind nach wie vor schlecht bezahlt. Überdies blieb die Zunahme der Reallöhne – vor allem seit dem Übergang zum intensiven Wachstum – immer stärker hinter der Zunahme der Produktivität zurück; vom größer werdenden «Kuchen» erhalten die Lohnabhängigen ein relativ kleineres Stück. Der höhere Lebensstandard kann häufig nur erreicht und gehalten werden, wenn auch die Ehefrauen mitverdienen; gewisse «Luxusartikel» (z.B. das Auto) gehören zudem für viele Arbeiter längst zum notwendigen Bedarf. Trotz der unbestrittenen Verbesserung des materiellen Standards der arbeitenden Bevölkerung bleibt die Verteilung der Vermögen extrem ungleich:*

Die Entwicklung der Verteilung der privaten Vermögen im Kanton Zürich von 1945 bis 1969

Die reichsten ×%	*besaßen ...% des Volksvermögens*				
der Steuerpflichtigen	*1945*	*1952*	*1959*	*1967*	*1969*
1‰	*18,61*	*20,75*	*21,05*	*19,14*	*20,31*
1%	*44,25*	*47,07*	*48,53*	*45,34*	*46,52*
10%	*84,88*	*85,30*	*85,33*	*82,67*	*82,61*

Das unkontrollierte Wachstum der privaten Wirtschaft war begleitet von einer Vernachläßigung *der Erweiterung der öffentlichen* Infrastruktur: *Der Ausbau von Schulen, Spitälern, öffentlichen Verkehrsmitteln und günstigen Wohnungen usw. blieb hinter dem Bedarf zurück; die Folgen spüren in erster Linie die Arbeiter, die auch von der fortschreitenden Zerstörung der Umwelt (Verkehrslärm, Luftverschmutzung usw.) am stärksten betroffen werden. Wegen der enormen Aufblähung des tertiären Sektors findet in den großen Ballungszentren eine rasch fortschreitende Verdrängung von Wohnraum statt, mit dem Ergebnis, daß Arbeits- und Wohnort immer weiter auseinanderliegen und die Arbeitswege immer länger werden.*

Die Situation am Arbeitsplatz *hat sich verändert: die Intensivierung der Produktion wurde nämlich nicht nur durch technische Verbesserungen erreicht, sondern ebensosehr durch die* Verschärfung der Arbeitsrhythmen *und durch die Einführung raffinierter Ausbeutungsmethoden (196–198); die sich daraus ergebende enorme physische und psychische Belastung, wird häufig durch Tabletten- und Alkoholkonsum zu «lindern» versucht (199). Sie äußert sich auch in der Unfähigkeit, in der «Freizeit» noch in kultureller oder politischer Tätigkeit Befriedigung zu finden. Unter diesen Bedingungen aufwachsende Kinder sind in der Schule noch immer stark benachteiligt: sie vermögen den bürgerlichen Leistungsanforderungen in Volks- und erst recht in Mittel- und Hochschulen nicht zu genügen und werden deshalb fast immer selber wieder zu Arbeitern.*

Schulrepetenten im Kanton Genf 1970

	Kinder wohlhabender Familien	*Kinder von Schweizer Arbeitern*	*Kinder von Ausländern*
Repetenten (1 oder mehrere Jahre)	*11%*	*30%*	*45%*

Diese Tatsache wird freilich dadurch verschleiert, daß es schweizerischen Arbeitern, in Zusammenhang mit der Beschäftigung ausländischer Hilfsarbeiter, häufig gelungen ist, in besser bezahlte Positionen zu wechseln oder vom Industriearbeiter zum Angestellten zu werden (190); d.h. es fand eine sog. Unterschichtung *statt, welche die Solidarität der scheinbar aufgestiegenen Schweizer Arbeiter mit den ausländischen Arbeitern erschwert, wenn nicht gar verunmöglicht. Dies geschieht um so leichter, als die Schweizer eher in Klein- und Mittelbetrieben mit «familiärem» Betriebsklima arbeiten, während die Fremdarbeiter als Hilfsarbeiter «mit tausend Berufen» eingesetzt werden. Für jene Schweizer jedoch, die in dieser Position geblieben sind, erscheinen die Fremdarbeiter als Lohndrücker, Konkurrenten bei der Wohnungssuche usw.; kommen Reibungen am Arbeitsplatz wegen unterschiedlicher Sprache, Mentalität und Arbeitseinstellung hinzu, können sich diese Spannungen leicht im Fremdenhaß entladen, was einer* Spaltung der Arbeiterklasse *gleichkommt (194).*

Im Zuge der zunehmenden Konzentration und Verflechtung in der Wirtschaft sind auch die Produktionsverhältnisse *immer anonymer und undurchschaubarer geworden: an die Stelle einzelner Unternehmer ist eine Hierarchie von Abhängigkeiten getreten, in der Lohnabhängige über Lohnabhängige bestimmen, und der Arbeiter nicht mehr weiß, wo letztlich über ihn entschieden wird. Durch die erzwungene Trennung der verschiedenen Lebensbereiche (Arbeiten, Wohnen, Freizeit, Kultur) wird auch seine unmittelbare Umgebung immer zersplitterter und unübersichtlicher. Folgen davon sind etwa politische Teilnahmslosigkeit – «Die da oben machen ja doch, was sie wollen!» – und Unterwerfung unter die Normen der Konsumgesellschaft (200).*

Der teilweise verbesserten materiellen Lage stehen somit zunehmend Gefühle der Ohnmacht und der Vereinzelung gegenüber. So erzeugte die chaotische Nachkriegsentwicklung zahlreiche Spannungsfelder, *die zur Verunsicherung großer Teile der Bevölkerung, nicht zuletzt der Arbeiter, geführt haben. Man wird also schwerlich behaupten können, die soziale Lage insgesamt hätte sich entscheidend verbessert (201), vor allem dann nicht, wenn man an die Lage der Fremdarbeiter, d.h. rund eines Drittels der schweizerischen Arbeiterklasse, denkt (192, 193).*

Die Arbeiterorganisationen in der Stagnation

Die Politik der Arbeiterorganisationen hat sich in den 60er Jahren trotz sich wandelnder wirtschaftlicher und politischer Verhältnisse kaum verändert. Die Gewerkschaften hielten an ihrer traditionellen Vertrags- und Verhandlungspolitik fest und verzichteten auf Kampfmaßnahmen. Wie hemmend diese Politik gerade für die internationale Arbeiterbewegung sein kann, wird darin deutlich, daß z.B. bei der Bestreikung eines multinationalen Konzerns die schweizerischen Gewerkschaften gebunden sind. Diese Problematik ist inzwischen auch den Gewerkschaften bewußt geworden; von einer Relativierung des Arbeitsfriedens wird heute immerhin gesprochen (206).

Seit 1963 verzeichnen die dem SGB angeschlossenen Verbände im ganzen einen Mitgliederrückgang (vgl. Anhang). In der Situation der Hochkonjunktur sind die Gewerkschaften mit ihrer traditionellen, wenig offensiven Politik für viele Arbeiter immer weniger attraktiv geworden. So bestehen etwa zwischen gewerkschaftlich ausgehandelten Tariflöhnen und den effektiv ausbezahlten Löhnen teilweise recht beträchtliche Unterschiede, weshalb es vielen Lohnabhängigen nicht notwendig scheint, sich gewerkschaftlich zu organisieren. Zudem gelingt es den meisten Gewerkschaften (Ausnahme z.B. SBHV) nicht, die Fremdarbeiter, die in vielen Branchen die Mehrheit der Arbeiter ausmachen, zu organisieren; das gleiche gilt nach wie vor für die Frauen.

Als Reaktion auf diese rückläufige Mitgliederentwicklung forderten einzelne Verbände, den Nichtorganisierten solle von den Unternehmern ein Teil des Lohns zwangsweise zugunsten der Gewerkschaften abgezogen werden.

Mit der Mieterschutzinitiative und der von der SPS unterstützten Bodenrechtsinitiative von 1963 hatte der SGB noch eigene politische Vorstöße gewagt, war aber in beiden Fällen an der bürgerlichen Gegenpropaganda gescheitert. Als dann der Bundesrat selber einen Vorschlag zum Bodenrecht ausarbeitete, der den Interessen des Kapitals eher entsprach – das Recht auf privates Bodeneigentum wurde in der Verfassung verankert –, gaben SGB und SPS ihre eigenen Forderungen auf und schlossen sich dem Bundesrat an. 1971 reichten SGB, CNG und SVEA die gemeinsam lancierte Mitbestimmungsinitiative ein. Damit wird der Bund aufgefordert, Vorschriften aufzustellen «über die Mitbestimmung der Arbeitnehmer und ihrer Organisationen in Betrieb, Unternehmung und Verwaltung». Die Arbeiter bzw. ihre Organisationen sollen nicht nur über die Gestaltung des Arbeitsplatzes, sondern auch über grundlegendere Unternehmensentscheide mitbestimmen dürfen und so unter dem Motto «Gleichberechtigung von Kapital und Arbeit» einen «gerechten Anteil» an der Unternehmensleitung erhalten.

Im übrigen war die Politik des SGB eher passiv; so etwa in der Frage des Frauenlohnes oder der Arbeitszeitverkürzung. Einen Vorstoß des Landesrings der Unabhängigen auf gesetzliche Verankerung der 44-Stunden-Woche lehnte er ab, weil er derartige Bestimmungen in Gesamtarbeits-Verträgen geregelt sehen wollte. Er startete zwar doch noch eine eigene Initiative, zog sie aber zurück, als sich ein parlamentarischer Kompromiß abzeichnete: das Arbeitsgesetz von 1966 schrieb eine wöchentliche Höchstarbeitszeit von 46 Stunden für Industriearbeiter und Büropersonal und von 50 Stunden für die übrigen Arbeiter vor. Zwar haben einige Gewerkschaften, z.B. SMUV und STB, längst kürzere Arbeitszeiten aushandeln können, doch zeigt ein internationaler Vergleich, daß die Arbeiter in der Schweiz heute immer noch länger arbeiten, als ihre Kollegen im Ausland. Unter anderem aus diesem Grund haben die Progressiven Organisationen der Schweiz (POCH), eine Organisation der Neuen Linken (vgl. unten), eine Initiative eingereicht, welche für alle Arbeiter die 40-Stunden-Woche fordert.

Auch in der Frage der Fremdarbeiterpolitik läßt sich das vorwiegend reaktive Verhalten der Gewerkschaften wie auch der SPS aufzeigen. Anfänglich betrachteten die Gewerkschaften die Fremdarbeiter vor allem als eine «Bedrohung» für sich selber, da sie die Ausländer kaum zu organisieren vermochten. Damit bestand die Gefahr, daß sie mangels Mitgliedern von den Unternehmern nicht mehr als vertragsfähig anerkannt würden. Die Gewerkschaften erwiesen sich als weitgehend unfähig, die Rolle der Fremdarbeiter in der schweizerischen Nachkriegswirtschaft zu durchschauen und deren besondere Anliegen ernsthaft zu vertreten, weil sie dieses Problem unter rein nationalen und wirtschaftlichen Gesichtspunkten betrachteten (181). Als gegen Ende der 60er Jahre verschiedene Gruppierungen der extremen Rechten (Nationale Aktion, Repbulikanische Bewegung) die Gefühle der politischen und wirtschaftlichen Ohnmacht vieler Arbeiter und Kleinbürger ausnützten, indem sie die Fremdarbeiter zur Ursache allen Übels (Wohnungsnot, Überlastung der Infrastruktur, Umweltzerstörung usw.) stempelten und einen massiven Abbau des Ausländerbestandes forderten, rächte sich der Verzicht auf eine klare gewerkschaftliche Linie. Sie hatten der Propaganda der Überfremdungsgegner, welche Fremdenhaß geschickt mit einer verbal scharfen Propaganda gegen das anonyme Großkapital verband, keine Alternative entgegenzustellen. So blieb ihnen angesichts des Abstimmungskampfes um die «Initiative Schwarzenbach» von 1970 nichts anderes übrig, als vereint mit den Unternehmern die Initiative zu bekämpfen und die bundesrätliche Globalplafonierung (vgl. oben) zu unterstützen. Trotz des knappen Abstimmungsresultates (bei einer Stimmbeteiligung von 75% stimmten 46% zu, 54% lehnten ab) haben die Gewerkschafter ihre Position in dieser Frage nicht grundlegend geändert. Zwar drängten sie entschiedener auf eine Verbesserung der Lage des einzelnen Fremdarbeiters, ließen aber die internationalen Zusammenhänge dieses Problems weiterhin außer acht (195).

Auch wenn die Fremdarbeiter kaum in die schweizerischen Gewerkschaften integriert werden konnten, blieben sie durchaus nicht untätig: Es bestehen große Dachorganisationen, z.B. die «Colonie Libere Italiane», und Emigrantensektionen der Arbeiterparteien ihrer Heimatländer, die versuchen, wenigstens mit Petitionen auf das politische Geschehen Einfluß zu nehmen (193, 210). Verschiedene spontane Fremdarbeiterstreiks (202) zeigten, daß die ausländischen Arbeiter nicht gewillt waren, sich unter allen Umständen an den «Arbeitsfrieden» zu halten. Entsprechend gereizt reagierten nicht nur die Unternehmer, sondern auch die Gewerkschaften (203, 205).

Das Aktivwerden vernachlässigter Randgruppen zeigte sich aber nicht nur in den spontanen Streiks der Fremdarbeiter, sondern auch etwa in der Gründung verschiedener Lehrlingsorganisationen wie der «Hydra» oder der «Lehrlingsgewerkschaft Zürich». Es waren nicht zuletzt solche Aktionen (204) oft nicht organisierter Arbeiter, welche die Gewerkschaften zwangen, ihre bisherigen Positionen zu überprüfen; auch in diesem Zusammenhang muß die Relativierung des Arbeitsfriedens gesehen werden (206).

Die PdA war infolge der Angriffe, denen sie während des Kalten Krieges ausgesetzt war, sowie der ständigen inneren Auseinandersetzungen für Jahre gesamtschweizerisch kaum mehr politisch aktiv gewesen. Das änderte sich erstmals, als die SPS 1968 beschloß, mit einer Initiative die grundsätzliche Umgestaltung des schweizerischen Altersvorsorgesystems im Sinne einer staatlichen Volkspension zu fordern. Die PdA benützte diesen Anlaß und reichte noch vor der SPS eine eigene Volkspensionsinitiative ein (207). Dadurch geriet die SPS in das Dilemma, entweder die PdA-Initiative zu unterstützen oder aber ihren eigenen Vorschlag so stark abzuschwächen, bis er auch vom SGB unterstützt würde, dessen Mitgliederverbände eine Volkspension mehrheitlich ablehnten (209). Die SPS wählte den zweiten Weg, bekämpfte die PdA-Initiative und zog ihren Vorschlag 1974 auf Drängen des SGB zurück, nachdem der bundesrätliche Gegenvorschlag mit dem Kernstück der kapitalfreundlichen «zweiten Säule» (208, 211) 1972 angenommen worden war.

Zu den Fragen der europäischen Integration sowie der Dritten Welt – Problemkomplexe, die seit den 60er Jahren an Bedeutung stark zunahmen – orientierten sich SPS und Gewerkschaften wiederum hauptsächlich an nationalen und wirtschaftlichen Interessen. Beide Organisationen unterstützten schon seit Ende der 40er Jahre alle Bestrebungen für eine Einigung Europas. Mit den sozialdemokratischen Parteien und Gewerkschaften der EWG-Länder glaubten sie, auf diesem Wege sei es möglich, das Europa der Kapitalisten in ein soziales Europa hinüberzuführen. Der Teilbeitritt der Schweiz zur EWG 1972 wurde deshalb praktisch vorbehaltlos unterstützt (212, 213). Die PdA dagegen warnte vor der wirtschaftlichen Machtkonzentration im «vereinten Europa» und vor der neoimperialistischen Politik der EWG gegenüber den Ländern der Dritten Welt, welche die Vorherrschaft der industrialisierten über die unterentwickelten Länder aufrechterhält; sie lehnte deshalb den Anschluß an die EWG ab (214).

Die Politik der Arbeiterorganisationen in der Nachkriegszeit kann folgendermaßen zusammengefaßt werden: Die politische Bedeutung der PdA, zumindest auf eidgenössischer Ebene, war seit dem Kalten Krieg gering. SPS und SGB wuchsen in den bürgerlichen Staat hinein. Zwei Merkmale kennzeichnen ihre politischen Vorstellungen: Zum einen orientierten sie sich pragmatisch an einem «Gesamtwohl», d.h., oberstes Ziel war ein stetiges Wirtschaftswachstum; zum andern verstanden sie sich als eine Interessengruppe unter vielen in einer «pluralistischen» und nicht mehr als Klassenorganisation in einer antagonistischen Gesellschaft. So versuchten sie bis heute, in möglichst allen Bereichen ihren «gerechten Anteil» zu erreichen. Das zeigt sich in ihrer Teilnahme an den politischen Institutionen, aber auch darin, daß der Hauptinhalt sozialdemokratischer Politik Reformen waren, die sich auf einzelne Bereiche des bürgerlich-kapitalistischen Staates beschränkten: Hebung der sozialen Sicherheit, Reformen des Bildungswesens, des Steuersystems usw. Die Leistungen, die sie in diesen Gebieten aufzuweisen haben, sind unbestreitbar. Allerdings erreichen sie die Grenzen ihres Spielraums jeweils schnell, vermögen sie doch ihre Forderungen nur soweit durchzusetzen, als sie damit die bestehende Ordnung nicht in Frage stellen. Weil sie aber ihr theoretisches Konzept nicht mehr grundsätzlich überdachten, mußten sie zu loyalen Mitarbeitern der kapitalistischen Gesellschaft werden, in der sie das «Ressort für Soziales» betreuen. Ihre widersprüchliche Stellung zeigte sich gerade in jüngster Zeit in Fragen wie Fremdarbeiterpolitik, Volkspension, Raumplanung, öffentlicher Verkehr usw. Diese schwankende Haltung ließ viele Arbeiter das Vertrauen in ihre Organisationen verlieren. Dies zeigt sich z.B. in den Mitgliederverlusten oder in wiederholten Wahlniederlagen (vgl. Anhang). Daß bei Wahlen in neuester Zeit gerade die extrem rechten Parteien in die

Arbeiterhochburgen einzubrechen vermochten, ist die traurige Bilanz dieser Politik. Nicht zuletzt dürften die Schwierigkeiten der Sozialdemokratie daran liegen, daß sie nicht mehr sagen will oder nicht mehr zu sagen weiß, weshalb ihre Reformabsichten so rasch an Grenzen stoßen. Nur eine Arbeiterorganisation, die darüber Klarheit verbreitet, hat längerfristig eine Chance, die Interessen der Lohnabhängigen gegen die Unternehmerinteressen durchzusetzen.

Die «Neue Linke»

Seit Mitte der 60er Jahre traten auch in der Schweiz, wie in den meisten kapitalistischen Ländern, vermehrt Bewegungen außerhalb der traditionellen Arbeiterbewegung auf, die ihren Protest gegen die Gesellschaft richteten, welche zwar Unmengen von Gütern produziert, aber nicht imstande ist, grundlegende Bedürfnisse aller Menschen zu befriedigen; welche im Namen von Freiheit und Demokratie Völker unterdrückt und mit Krieg überzieht. Das Aufkommen dieser Protestbewegungen ist nicht zufällig: Es muß gesehen werden als Reaktion auf die in dieser Zeit immer offenkundiger werdenden Widersprüche der kapitalistischen Gesellschaft, *aber auch auf die in dieser Situation unglaubwürdige Politik der traditionellen Linksorganisationen.*

Die soziale Zusammensetzung *dieser Neuen Linken entsprach denn auch keineswegs jener der Arbeiterorganisationen; es waren vielmehr Jugendliche, v.a. Studenten und Schüler, die dank ihrer privilegierten Ausbildung die erlebten Konflikte und Ungerechtigkeiten am ehesten als allgemeine, gesellschaftliche Konflikte und nicht nur als Probleme des Einzelnen zu begreifen und ihren Protest auch in die Öffentlichkeit zu tragen vermochten. Wesentlich bedingt durch die soziale Zusammensetzung dieser Gruppen ist die starke* Betonung theoretischer Arbeit, *die geprägt ist vom Versuch, die Erkenntnisse der Klassiker des Sozialismus auf die aktuelle Situation anzuwenden, d.h. die Ereignisse, Zustände und Entwicklungen immer in ihren gesellschaftlichen Ursachen und Zusammenhängen zu sehen. Aus dieser Beschäftigung mit den marxistischen Theoretikern ergibt sich das Bestreben der Neuen Linken, mit den Arbeitern in Kontakt zu kommen, eine scharfe Kritik an den traditionellen Arbeiterorganisationen (216), sowie die Forderung nach einer grundsätzlichen, revolutionären Veränderung der Gesellschaft.*

Anfänglich orientierte sich die Neue Linke fast ausschließlich an internationalen Problemen: *z.B. Protest gegen die Atombewaffnung (215), gegen die Unterdrückung und Ausbeutung der Dritten Welt, den Krieg in Vietnam (217) usw; bis heute sind es diese Gruppen, die sich am entschiedensten mit den Problemen der Dritten Welt auseinandersetzen und zur Solidarität mit diesen Völkern aufrufen. Ohne die internationalen Fragen zu vernachlässigen, steht doch heute die Auseinandersetzung mit konkreten Problemen im eigenen Lande im Mittelpunkt der Aktivität der Neuen Linken. Dabei werden häufig Fragenkomplexe aufgegriffen, die von den etablierten Organisationen vernachlässigt worden sind: Etwa die Probleme der Fremdarbeiter (192, 194, 202), der Frauenemanzipation (218), der Situation am Arbeitsplatz (196–201, 204), des Arbeiterbewußtseins (219), der Veränderung und Überwindung des Kapitalismus usw. Wie die traditionellen Arbeiterorganisationen in der Frage der «richtigen» politischen Strategie und Taktik nicht zu einer einheitlichen Auffassung gelangten, so gilt dasselbe von der in unzählige*

Gruppen und Grüppchen zersplitterten Neuen Linken. Diese muß auch heute noch vorwiegend als Bewegung der Jugend *bewertet werden: Die Verankerung in der arbeitenden Bevölkerung ist immer noch gering; mit ihren Aktivitäten durchkreuzt sie jedoch die Versuche des Kapitals, sein Herrschaftssystem unter dem Motto der «Sozialpartnerschaft» und der «Betriebsgemeinschaft» auszubauen und gleichzeitig zu verschleiern.*

Immer stärker machen sich auch innerhalb der Sozialdemokratie und der Gewerkschaften Tendenzen bemerkbar, die eine Revision der Burgfriedens- und Sozialpartnerpolitik und ein konsequenteres Eintreten für die Interessen der Lohnabhängigen fordern; auch dies nicht zuletzt eine Folge des Auftretens der Neuen Linken. Ob sich diese Tendenzen durchsetzen werden, muß die Zukunft erweisen.

168 SPS 1942/43: Für eine «Neue Schweiz»

Die folgenden Leitsätze fassen den Inhalt des Manifestes der SPS «Die Neue Schweiz» zusammen und dokumentieren die Neuorientierung der Partei 1942.

Der Umbau von Staat und Wirtschaft
Leitsätze zur Revision der Bundesverfassung

I. Der Bund gewährleistet auf freiheitlich-genossenschaftlicher Grundlage des Volkes Wohlfahrt und Kultur sowie die persönlichen Freiheits- und die politischen Volksrechte.

II. Die Wirtschaft des Landes ist Sache des ganzes Volkes. Sie darf nicht privatem Bereicherungs- und Machtstreben dienen. Das Arbeitseigentum ist gewährleistet.

Erzeugung, Verteilung und Verbrauch sind nach umfassendem Plan zu lenken und zu entwickeln. Die Wirtschaft des Landes wird genossenschaftlich und föderativ in Selbstverwaltungskörpern aufgebaut.

III. Das Recht auf Arbeit ist gewährleistet, die Pflicht zur Arbeit festgelegt.

Das Arbeitsrecht ist persönliches Recht und dient der Sicherung der Existenz des Arbeiters und seiner Familie.

Arbeitsrecht und Arbeitspflicht dienen der Förderung der Produktion auf Grund demokratischer Arbeitsdisziplin.

Jugendliche und Frauen stehen unter besonderem Schutz.

Arbeitslosenfürsorge, Alters-, Hinterbliebenen- und Invalidenversicherung sind von Bundes wegen zu ordnen.

IV. Die Industrie wird planmäßig geordnet. Träger der industriellen Produktion sind Industrieverbände, die sämtliche Unternehmungen des gleichen Produktionszweiges zusammenfassen. Unternehmungen mit monopolistischem Charakter werden in Gemeineigentum übergeführt. Das Mitbestimmungsrecht der Arbeiter und Angestellten in den Betrieben ist gewährleistet.

V. Die Landwirtschaft wird planmäßig gefördert. Durch den Ausbau der landwirtschaftlichen Genossenschaften werden die Produktion gesteigert und die Arbeits- und Kulturmethoden verbessert. Das bäuerliche Arbeitseigentum bleibt erhalten.

VI. Gewerbe und Handel sind in ihrer Leistungsfähigkeit durch verbesserte Technik und Arbeitsorganisation zu fördern.

VII. Der Boden, das Bauen und das Wohnen werden der Spekulation entzogen, der soziale Wohnungsbau wird gefördert. Die Wohn- und Siedlungsbedingungen sind in kultureller und gesundheitlicher Hinsicht allgemein einem gehobenen Lebensstand anzupassen.

VIII. Die gesamte Verkehrs- und Energiewirtschaft ist planmäßig zu ordnen. Bodenschätze und Wasserkräfte sind in Gemeineigentum überzuführen.

IX. Ein- und Ausfuhr sind im Dienste der Gesamtwirtschaft von Bundes wegen zu ordnen.

Alle Maßnahmen zur Förderung und Regelung des Außenhandels sind unter dem Gesichtspunkt der Eingliederung der Schweiz in die Weltwirtschaft zu treffen.

X. Das Kapital wird in den Dienst der Arbeit gestellt. Der Kredit steht als öffentlicher Dienst unter staatlicher Kontrolle. Die Währung ist derart zu handhaben, daß vom Geld keine wirtschaftlichen Störungen ausgehen.

XI. Die Steuerlasten sind der wirtschaftlichen Leistungsfähigkeit entsprechend gerecht zu verteilen. Der Finanzausgleich zwischen Bund, Kantonen und Gemeinden ist von Bundes wegen zu regeln.

XII. Als zentrales Organ der Wirtschaftspolitik wird die Eigenössische Volkswirtschaftsdirektion geschaffen, der eine Arbeitskammer und ein Volkswirtschaftsrat angegliedert sind.

Die Neue Schweiz, Hg. SPS, Zürich 1942, S. 2ff.

169 Warum eine neue sozialistische Arbeiterpartei? Gründung der Partei der Arbeit 1944

... Wie ist es zur Gründung der kantonalen und örtlichen Parteien gekommen, die an dieser Konferenz politisch und organisatorisch den Grundstein zum gemeinsamen Handeln in allen wichtigen eidgenössischen Fragen gelegt haben?

Unter der Herrschaft des Großkapitals hat das Schweizervolk in den Dreißigerjahren das Elend der Massenarbeitslosigkeit, des Lohn- und Gehaltsabbaus, des Ruins unzähliger kleingewerblicher und kleinbäuerlicher Existenzen erlebt. Aufrüstung und Krieg haben zwar den Großkapitalisten, Spekulanten und einer kleinen Zahl von Herrenbauern riesige Gewinne gebracht, aber die Lage der arbeitenden Bevölkerung hat sich nicht gebessert, sondern verschlechtert. ...

Gegen diejenigen aber, die es wagen, derartige Zustände zu bekämpfen, griffen die reaktionären, durch die Siege des Faschismus ermutigten Bundes- und Kantonsbehörden zum Mittel der schonungslosen Entrechtung und polizeilichen Unterdrückung. Kein Wunder, daß die Unzufriedenheit im arbeitenden und demokratischen Volke wächst, und daß der Ruf nach einem Kurswechsel immer lauter ertönt.

Die Sozialdemokratische Partei hat vor der Aufgabe, den Kampf gegen die Politik des Großbürgertums entschlossen zu führen, versagt und nur scheinbar hat sich ihre Politik in den letzten Monaten radikalisiert. Auf die Jahre der offenen Politik der Verständigung folgte eine Periode raffinierten Doppelspiels: scharftönende Propaganda für die Arbeiter, hinter der unverändert der Burgfriede, der faule Kompromiß der sozialdemokratischen Behördemitglieder mit dem reaktionären Bürgertum verborgen wird. Gewiß haben noch nicht alle Arbeiter das Spiel der Reformisten durchschaut. Aber Tausende haben das Vertrauen in die Führung der SPS verloren und lassen sich durch die Täuschungskünste der großen Parteipolitiker nicht mehr hinters Licht führen.

Dem gesunden politischen Betätigungswillen dieses scharfsichtigsten Teils der sozialistisch orientierten Arbeiter und Angestellten sind die neugegründeten Parteien der Arbeit entsprungen. Notwendig ist nicht eine Partei mit einem völlig neuen Programm. Es trifft durchaus zu, daß das programmatische Hauptziel wie die unmittelbaren Tagesforderungen der Parteien der Arbeit weitgehend mit jenen der Sozialdemokratischen Partei übereinstimmen. Was jedoch die Arbeiterklasse unbedingt, dringend und notwendig braucht, das ist eine Partei, die schlagkräftig ist, für die Programme und Forderungen nicht nur Worte sind, sondern Taten, und die erfüllt ist vom Willen, in ihrer täglichen Aktion mit ganzer Kraft für die Verwirklichung ihrer Forderungen, für den Sieg der Demokratie und das Sozialismus einzustehen. ...

Die FPA[1] steht auf dem Boden einer aktiven antikapitalistischen Politik. Sie vertritt die politischen, wirtschaftlichen und kulturellen Interessen des ganzen arbeitenden Volkes, der Kopf- wie der Handarbeiter. Sie erstrebt die Errichtung einer neuen, besseren Gesellschafts- und Wirtschaftsordnung, in welcher Ausbeutung, Not und Unterdrückung infolge der Überführung der Produktionsmittel in Gemeinbesitz unmöglich sind.

Die FPA steht auf dem Boden der Demokratie. Sie tritt für die bedingungslose Verteidigung der Unabhängigkeit der Eidgenossenschaft ein. ...

Die Beschlüsse der «Föderation der Parteien der Arbeit», Hg. PdA, Zürich 1944, S. 2ff.

[1] *Föderation der Parteien der Arbeit.*

170 Aufstieg der PdA

An das Schweizervolk!

Die letzten Nationalratswahlen vom Oktober 1943 fanden unter einem rechtswidrigen Vollmachtenregime statt. Der Vorhut der schweizerischen Arbeiterbewegung, gegen die sich der Druck der im Bundeshaus betriebenen Anpassungspolitik richtete, war es verwehrt, an den Wahlen teilzunehmen. Dutzende der besten Vertreter der Arbeiterschaft, die heute der Partei der Arbeit angehören, waren verfolgt, verhaftet und in den Gefängnissen, weil sie es wagten, sich für die Freiheit und die Wiederherstellung der demokratischen Rechte einzusetzen. Erst die Niederlage Hitlers zwang den Bundesrat, die Verbote gegen links aufzuheben. Heute verfügt die Partei der Arbeit der Schweiz über drei Zeitungen, den «Vorwärts» für die deutschsprachige Schweiz, die «Voix ouvrière» für das Welschland und den «Lavoratore» für den Tessin.

Im Genfer Großen Rat stellt die Partei der Arbeit die größte Fraktion und in den Kantonen Waadt und Basel die zweitgrößte. Starke Vertretungen besitzt sie in den Kantonen Zürich, Neuenburg und Baselland und vertreten ist sie in den Parlamenten der Kantone Bern, Aargau, St. Gallen, Luzern, Wallis und Tessin, Kantone in denen sie in den Nationalratswahlen mit eigenen Listen kandidieren wird.

Das Hauptziel der Partei der Arbeit der Schweiz ist die *Sammlung aller fortschrittlicher Kräfte* des Landes, die entschlossene Verteidigung der Interessen der arbeitenden Bevölkerung und der Kampf gegen jeden Versuch, Arbeiter und Bauern gegeneinander auszuspielen.

Heute ist es nicht mehr möglich, die Partei der Arbeit aus dem schweizerischen Parlament auszuschließen. Unsere Partei ist in Wirklichkeit die einzige Partei der Opposition gegen die herrschende Regierungskoalition und spielt eine entscheidende Rolle in der fortschrittlichen Beeinflussung der eidgenössischen Politik. ...

Partei der Arbeit der Schweiz

An das Schweizervolk!, Flugblatt der PdA zu den Nationalratswahlen 1947, SSA Zürich, 335.391d.2.

171 Streikwelle

Drei Zürcher Färbereien legen am Dienstag die Arbeit nieder – Solidarität mit Flurlingen und Laufen – Für einen Gesamtarbeitsvertrag

Die Spannung steigt. Zwei Tage nachdem die Genfer Partei der Arbeit der Genfer Arbeiterschaft einen vierundzwanzigstündigen Protest- und Solidaritätsstreik vorgeschlagen hat, tritt in Zürich eine Textilarbeiterversammlung zusammen, die eine ähnliche Protest- und Solidaritätsaktion für die Streikenden in Flurlingen und Laufen beschließt; eine Protestaktion gegen die Zustände in den eigenen Betrieben, gegen die Tatsache, daß die Unternehmer die Kriegs- und Nachkriegskonjunktur rücksichtslos für sich ausnutzten und weiter ausnutzen, während die Textiler weiter darben, eine Solidaritätsaktion für die Arbeiterinnen und Arbeiter des reaktionären Betriebes Scheidegger in Laufen und des Anpasserbetriebes Ernst in Flurlingen.

Denn Anpasser und soziale Reaktion ist ein und dasselbe.

Die Herren Ernst in Flurlingen hätten längst klein beigegeben, wenn nicht der Arbeitgeberverband des «Zweihunderter»[1] Jenny hinter ihnen stehen würde. Aber mit den Jenny und Ernst ist das Bankenkapital solidarisch, die Kreditanstalt der «Zweihunderter» Vieli-de Pury, Syz und Konsorten an erster Stelle. Mit den Arbeitsniederlegungen in den Zürcher Färbereien dürfte es nicht sein Bewenden haben, sofern die Herren in Laufen und Flurlingen und anderswo das Zeichen noch nicht verstehen.

Kommt es zu einem Großkampf? Haben die Arbeitgeber Lust, eine Streikwelle zu provozieren, wie sie die schweizerische Textilindustrie noch nie erlebte?

Wir werden bald weiter sehen! Inzwischen können wir den Textilherren lediglich versichern, daß die Werktätigen der übrigen Industrien und Gewerbe ihre Kollegen nicht im Stich lassen werden. Genf hat es bewiesen, trotz Rückenschuß der Sekretäre Perrin und Bratschi; was Genf kann, kann auch Zürich und Basel, kann die gesamte schweizerische Arbeiterschaft R.W.

Die schweizerische Arbeiterschaft ist in Bewegung geraten. Eine Grundwelle geht durch das Land, laut ertönt die Forderung auf Abschluß von Kollektivarbeitsverträgen. Seit 35 Jahren hat die Arbeiterschaft, gestützt auf das Obligationenrecht, die Möglichkeit, Kollektiv- und Gesamtarbeitsverträge abzuschließen. 35 Jahre lang haben die kapitalistischen Unternehmer alles daran gesetzt, um solche Verträge zu verhindern. Die «üblichen Vereinbarungen» sind diesen Herren so ans Herz gewachsen wie ihre dicken Brieftaschen. Die Arbeiterschaft, vor allem diejenige der Textilindustrie, hat am eigenen Leibe bitter erfahren, was «üblich» heißt. Üblich sind schlechte Löhne und ungenügende Anstellungs- und Arbeitsbedingungen. «Vereinbart» bedeutet das, was die gnädigen Herren zu gewähren geruhen. Wem das nicht paßt, der kann aufs Pflaster fliegen.

Dank der Stärke und der zielbewußten Führung des Schweizerischen Textil- und Fabrikarbeiter-Verbandes ist dieser verfluchte Herr-im-Haus-Standpunkt ins Wanken geraten. Heute wissen die Unternehmer, daß sie der Forderung nach Kollektivarbeitsverträgen mit den Gewerkschaften nicht mehr ausweichen können. Sie verhandeln wohl, aber nur, um mit Raffinement und Halsstarrigkeit den Abschluß von Verträgen ins Endlose hinausschieben zu können. Die Verhandlungen in der Leinenindustrie sind gescheitert, ebenso die Verhandlungen in der aargauischen Chemieindustrie, in den Betrieben Landolt und Siegfried. Die Verhandlungen in der Wollindustrie, den Tuch- und Deckenfabriken sind in ein entscheidendes Stadium getreten. Die Wollkonferenz hat eine befristete Eingabe in ultimativer Form beschlossen. Halsstarrig sind die Unternehmer der Seidenstoff-, der Baumwoll-, der Färberei- und Ausrüstungsindustrie, ebenso in der Seidenbandfabrikindustrie.

Nebst alledem gehen die großen Streiks in der Bindfadenfabrik Flurlingen und in der Firma Scheidegger in Laufen weiter. Überall wird die reaktionäre Hand der großen schweizerischen Unternehmerverbände offenbar.

Die Unternehmer stehen auf dem Standpunkt: wenn schon Verträge, dann möglichst schlechte! Die Löhne sollen möglichst niedrig, die Ferien ungenügend und die Feiertage höchstens halbwertig sein. Die Unorganisierten, diese Totengräber des Kollektivs der Arbeitnehmer, sollen privilegiert werden. Kautionen der Unorganisierten werden strikte abgelehnt. Der Überstundenschufterei soll Tür und Tor geöffnet werden. Nur eines soll in einem Vertrag – nach Ansicht der Unternehmer – möglichst vollständig umschrieben werden: die völlige Friedenspflicht. Ganz ungenügende materielle Zugeständnisse, verbunden mit einer absoluten Friedenspflicht – so sieht das Ideal eines Kollektivarbeitsvertrages für die Unternehmer aus.

Die organisierte Arbeiterschaft ist anderer Meinung. Sie ist nicht Gegner des Arbeitsfriedens, aber nur dann, wenn die Ursachen für Konflikte beseitigt sind. Sie verlangt anständige Lohn-, Anstellungs- und Arbeitsbedingungen und das Mitsprachrecht im Betrieb.

Nun gilt es den Kampf! Die Arbeiterschaft schließt sich zusammen unter der Parole: Mehr Lohn, mehr Recht und Freiheit im Betrieb. Hoch die Solidarität! th.

Vorwärts, 3.6.1946.

[1] *Vereinigung von Industriellen und Intellektuellen, die 1940 eine Eingabe an den Bundesrat machten, in der sie ihn aufforderten, der veränderten politischen Situation Rechnung zu tragen und insbesondere eine Einschränkung der Pressefreiheit zu Gunsten Nazi-Deutschlands forderten.*

172 Die eidgenössische Lösung der sozialen Sicherheit*

Ein eidgenössisches Aktionskomitee, dem neben vielen bürgerlichen Organisationen auch der SGB angehörte, schlug 1943 jene gemischte Konzeption der Altersvorsorge vor (individuelle, privatwirtschaftliche und staatliche Vorsorge), welche 1972 mit dem Drei-Säulen-System endgültig verankert wurde.

... Es widerspricht dem tieferen Sinn unserer Eidgenossenschaft, wenn unsere alten Leute und auch die mittellosen Witwen und Waisen Not leiden müssen. Es muß eine der Pflichten des Schweizervolkes werden, durch Verwirklichung einer Alters- und Hinterbliebenenversicherung die notwendige ausreichende Hilfe in Form eines Rechtsanspruches sicherzustellen. ...

Es wäre aber verfehlt, bei der Lösung des Problems nur ein bestimmtes Versicherungsprojekt im Auge zu haben. Wir müssen in der Alterssicherung eine Gesamtfrage erblicken und sie als solche einer Lösung entgegenführen.

Wenn auch im Projekt nur skizzenhaft auf diese Zusammenhänge eingegangen werden kann, so sind wir uns durchaus bewußt, daß neben der Ausarbeitung eines eigentlichen Projektes noch die Lösung der folgenden Fragen in Angriff genommen werden muß:

1. Förderung der Selbstvorsorge durch starke Steuerprivilegien für das *Klein*vermögen im Sinne der Schaffung eines steuerfreien «Selbsthilfefonds» und Erweiterung der Steuerprivilegien für die privaten Lebensversicherungen.
2. Vergünstigungen zur Förderung der Personalfürsorge in den Betrieben.
3. Erleichterung der Freizügigkeit für die Mitglieder von Fürsorgeeinrichtungen von Betrieben, Berufsorganisationen, Gemeinden und Kantonen.

Bewußt wird also unser Versicherungsprojekt in den Rahmen von Maßnahmen gestellt, die die bestehenden Entwicklungstendenzen fördern sollen. Der Einzelne darf sich nicht einfach auf seine eidgenössische Altersrente verlassen; der Arbeitgeber darf nicht jede Betriebsfürsorge mit dem Hinweis auf die eidgenössische Altersversicherung ablehnen; die Berufsverbände, Gemeinden und Kantone dürfen nicht jeder eigenen Initiative beraubt werden.

Der schweizerische Weg zur sozialen Sicherheit beruht auf dem Grundsatz der persönlichen Verantwortung des Einzelnen gegenüber sich selbst und gegenüber seinem Nächsten. Wir müssen das heute schwindende Bewußtsein der Selbstverantwortung durch geeignete Maßnahmen beleben, um die Nachteile jedes staatlichen Versicherungswerkes (Schwächung des Sparwillens, mißbräuchliche Inanspruchnahme usw.) aufzuwiegen. Wir wollen in erster Linie eine gegenseitige Hilfeleistung und nicht eine staatliche Massenversorgung. Die schweizerische Alterssicherung soll sich daher zusammensetzen aus

Selbstvorsorge +
Vorsorge durch Betrieb oder Berufsverband +
kommunale und kantonale Versicherungen +
eidgenössische Alters- und Hinterbliebenenversicherung.

Gesichertes Alter, Der überparteiliche Vorschlag für eine eidgenössische AHV, Hg. Eidg. Aktionskomitee für die Volksinitiative auf Umwandlung der Lohnausgleichskasse in Altersversicherungskassen, Zürich 1943, S. 2ff.

173 Für eine staatliche Altersversicherung

Folgender Leserbrief im «Volksrecht» kritisiert die Absicht der Unternehmer, das Problem der Altersvorsorge auf rein privatwirtschaftlicher Ebene zu lösen.

Freiheit oder Vorrechte?

Die Altersversicherung auf der Basis einer gesetzlichen Fürsorgepflicht des Privatunternehmers stärkt dessen Machtstellung. Ist der Arbeitnehmer für seine Altersversorgung vom Arbeitgeber abhängig, so wirkt sich das während seiner ganzen Arbeits- und Lebenszeit aus. Die Befürworter einer solchen Regelung nennen das «Stärkung der Betriebsgemeinschaft». In diesem Zusammenhang muß einmal daran erinnert werden, daß die Idee der *Betriebsgemeinschaft* auf der Basis des kapitalistischen Privateigentums ein Importartikel aus dem großen Kanton nördlich unserer Landesgrenzen ist. Gesetzlich verankert wurde sie zum ersten Male im nationalsozialistischen Arbeitsrecht. Alles, was unter der Marke «Betriebsgemeinschaft» sich anbietet, muß darum erst den Nachweis seiner demokratischen Zuverlässigkeit erbringen.

Eine Altersversicherung auf der Basis der «Betriebsgemeinschaft» würde die Machtstellung des Kapitals befestigen, aber die individuelle Freiheitssphäre des Arbeiters einschränken. Was die Macht Einzelner oder kleiner Gruppen über eine große Zahl anderer Staatsbürger stärkt, *das schwächt die Demokratie.*

Mit der Altersversorgung auf der Basis der «Betriebsgemeinchaft» schützen die Herren lediglich *ihre* Freiheit, *ihr* kapitalistisches Eigentum willkürlich auszunutzen, um andere Staatsbürger von sich abhängig zu machen. Sie verteidigen also in Wahrheit nicht die Freiheit der Staatsbürger, sondern das Vorrecht einer kleinen Gruppe, das im Widerspruch zu Freiheit und Demokratie steht.

Nicht die *Freiheit aller, sondern die Privilegien des Kapitals* sind gemeint, wenn die «NZZ» (im Handelsteil vom 21. Dezember 1943) gegen die öffentliche Altersversicherung schreibt:

«Es ist an der Zeit, daß alle, denen an der Verhinderung eines unheilsamen Abgleitens in eine alles gleichmachende Verstaatlichung jener Sphären, die der Einzelpersönlichkeit, der Familie und den privatwirtschaftlichen Betrieben zugehören, gelegen ist, sich dazu aufraffen, die Dinge nicht einfach passiv an sich herantreten zu lassen, sondern im Sinne eines positiven Beitrages zur Lösung der drängenden Gegenwartsprobleme aktiv einzugreifen.»

Dieser Appell gilt den gnädigen Herren, die Privilegien zu verlieren haben, und die entschlossen sind, sie ohne Rücksicht auf die Freiheit der Bürger und die Demokratie des Staates zu verteidigen. Der gewöhnliche Sterbliche dagegen tritt für die allgemeine, öffentliche Altersversicherung ein; denn nur sie gibt ihm jene soziale Sicherheit, die die unentbehrliche Grundlage für seine persönliche Unabhängigkeit und seine individuelle Freiheit ist.

Volksrecht, 18.1.1944.

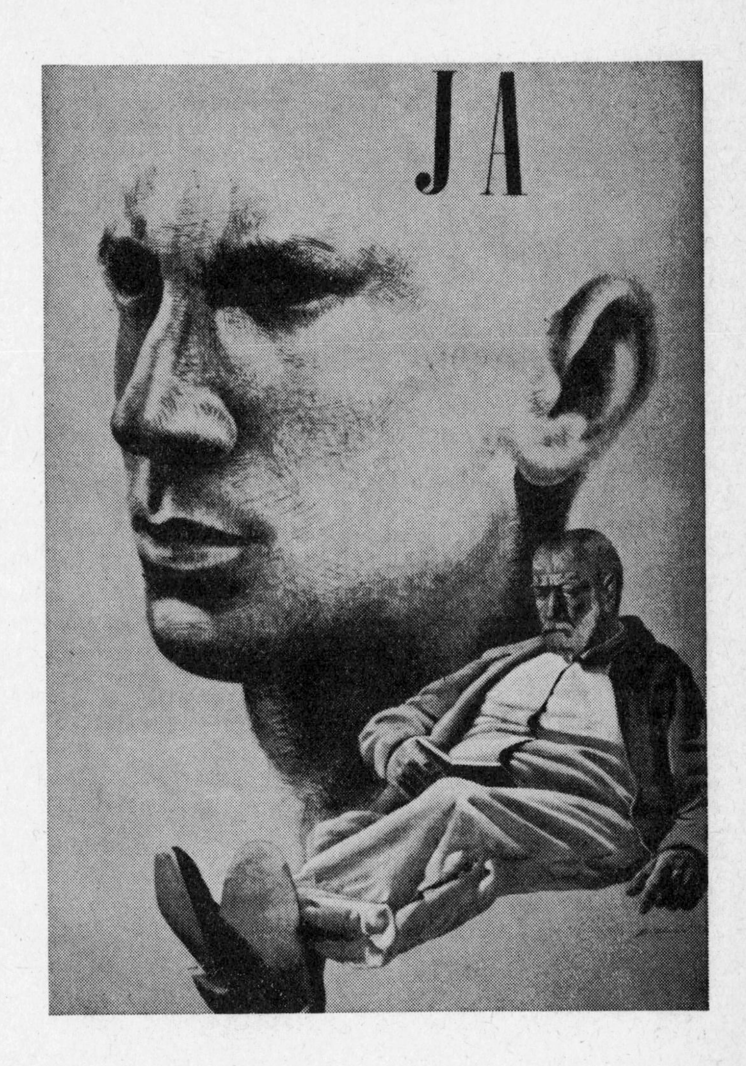

174 Abendfrieden – Ein Zukunftsbild*

Vater Josef, der eine zahlreiche Familie durchgehalten und eine gesunde jüngere Generation ins Leben gestellt hat, ist zufrieden. Noch tragen seine alternden Hände die Zeichen schwerer Arbeit, und seine Gesichtsfalten verraten Sorgen und Mühen. Sein Rücken aber ist gerade, sein Gang stolz, frei und aufrecht. Und dies, obschon er gegen die 70 geht. Keiner würde ihm mehr als 60 geben.

Sein Lebenswerk ist getan. Er kann sich ausruhen. Er bezahlt ohne Murren seine Steuern, er braucht sich nicht Sorgen um den nächsten Tag zu machen, trinkt seinen Schoppen, raucht sein Pfeifchen, klopft ein Jäßchen, und beim Kegelschub mit den Altersgenossen schneidet er nicht schlecht ab. Häufiger als man glaubt, sieht man ihn zuhause in die Lektüre eines guten Buches aus seiner Bibliothek vertieft.

Abends, nach dem einfachen Mahl, stopft er sich gemütlich ein Pfeifchen, und an schönen Sommertagen stapft er zum Dorf hinaus, um im verlöschenden Sonnentag die wohltuende Ruhe und Schönheit der Natur zu genießen.

Mit abgeklärtem Gesicht, so als wollte er damit sein Verstehen mit der Jugend und den kleinen alltäglichen Sorgen um ihn herum und die hinter ihm liegen, ausdrücken, schreitet er in die freie Natur hinaus. Die Welt der Maschinen, die Welt des Hastens, des Gelddenkens, der Kampf ums Dasein, das alles liegt, erlebt, hinter ihm.

Irgendwo im Geäst verhallen die letzten Lieder der Vögel. Vater Josef denkt dankbar und ergriffen zurück an die zukunftfrohen Eidgenossen des denkwürdigen Jahres 1947, da sie am 6. Juli bewußt und freudig ein Ja für seine Generation und die kommenden in die Urne legten Und er hat auch mitgeholfen, das Werk zu schaffen, denn er hat am 6. Juli mit Ja gestimmt.

Abendfrieden – Ein Zukunftsbild, SGB-Propagandamaterial zur AHV-Abstimmung 1947, SSA Zürich, 368.37a.Z2.

175 SPS: Am 1. Januar 1948 muß die AHV in Kraft treten!*

... In der Form, wie sie aus den Beratungen und Beschlüssen des Parlamentes hervorgegangen ist, ist die Gesetzesvorlage unvollkommen und trägt den Forderungen, die die SPS am Bieler Parteitag 1945 erhoben hat, nur in sehr geringem Maße Rechnung. Die Renten sind zu niedrig; besonders die Übergangsrenten sind offensichtlich zu klein, um den alten Leuten ein vor Not gesichertes Leben zu ermöglichen. Die Finanzierung entspricht nicht einer gerechten Lastenverteilung zwischen Arbeit und Kapital. Dadurch, daß das Parlament die Nachlaßsteuer fallen gelassen und eine Beitragsleistung von 4% auf den Kapitalertrag abgelehnt hat, hat es das, Kapital zum größten Teil von den Lasten befreit, die durch die AHV dem ganzen Land auferlegt werden.

Aber trotz dieser augenfälligen Mängel und Unzulänglichkeiten ist die Gesetzesvorlage, die in gewissen Punkten durch Vorstöße der sozialdemokratischen Fraktion im Nationalrat verbessert worden ist, doch eine erste Stufe, eine Grundlage, auf der man weiterbauen kann. Das Gesetz ist verbesserungsfähig. Wenn diese Verbesserung im Laufe der parlamentarischen Beratung noch nicht erreicht wurde, wenn das Gesetz noch Lücken und Unvollkommenheiten aufweist, so deshalb, *weil das politische Kräfteverhältnis in den eidgenössischen Räten es uns noch nicht ermöglicht hat, mehr zu erreichen.* Die Vertreter der Arbeiterklasse sitzen nicht allein im Parlament, sie haben auch nicht die Mehrheit. Für eine Verbesserung des Gesetzes braucht es eine Änderung des politischen Kräfteverhältnisses im Parlament zugunsten der Arbeiterschaft. Jenen Arbeitern, die bei den letzten Nationalratswahlen einem bürgerlichen Kandidaten ihre Stimme gegeben, die sich der Stimme enthalten haben oder der Boykottparole der PdA[1] gefolgt sind, steht es schlecht an, sich über das politische Kräfteverhältnis, das der Erkämpfung einer wirklichen Altersversicherung ungünstig ist, zu beklagen. Tun wir also was in unseren Kräften steht, damit die Finanzmaßnahmen, die nach 1948 nötig sein werden, dann vor allem das Kapital treffen. ...

Eine Verwerfung der AHV würde ... nicht nur bedeuten, daß die Alters- und Hinterlassenenversicherung für lange Jahre begraben sein würde, sie würde auch das Signal geben zu einer großen reaktionären Offensive gegen jeden sozialen Fortschritt und gegen die Errungenschaften der Arbeiterklasse. Die Volksabstimmung über die Altersversicherung wird also an politischer Bedeutung übr die eigentliche Gesetzesvorlage der AHV weit hinausreichen.

Vertrauensmann, Mitteilungsblatt und Materialsammlung für Vertrauensleute der SPS, Nr. 1, Januar 1947, S. 1.

[1] *Die illegale KP hatte 1943 die Arbeiter zur Stimmenthaltung bei den Nationalratswahlen aufgefordert.*

176 Typographenbund rechtfertigt Entlassung kommunistischer Arbeiter

Im Januar 1951 wurden zehn PdA-Mitglieder von der Firma Conzett & Huber, Zürich, wegen ihrer politischen Tätigkeit fristlos entlassen. Die Rechtfertigung dieser Entlassungen durch den zuständigen Verband, den Schweizerischen Typographenbund (STB), zeigt in ihrem scharfen Antikommunismus mit aller Deutlichkeit die Haltung der Gewerkschaften im Kalten Krieg.

Zur Aufklärung

1. Die als sehr sozial bekannte Firma Conzett und Huber beschäftigt seit Jahren Berufs- und Hilfspersonal, das der Partei der Arbeit angehört. ...

Am Samstag, den 20. Januar, wurden 12 Arbeiter und Arbeiterinnen vor die Geschäftsleitung zitiert und ihnen eröffnet, daß sie wegen politischer Tätigkeit im Betrieb sofort entlassen würden. Der Lohn für die vertragliche Kündigungsfrist und ihre Ansprüche an die Pensionskasse wurden ihnen sogleich anstandslos ausbezahlt.

Von diesen Maßnahmen war die Personalkommission vorgängig in einer Sitzung unterrichtet worden. Drei Mitglieder dieser Kommission, die der PdA angehören, wurden zu dieser Sitzung nicht eingeladen. Die Personalkommission billigte das Vorgehen der Geschäftsleitung. ...

Unter den zehn Entlassenen befanden sich auch *zwei Mitglieder des STB.* Der Verwalter der Typographia Zürich intervenierte sofort zu ihren Gunsten bei der Geschäftsleitung, die sich aber nicht zu einem Rückzug der Kündigung herbeilassen konnte, weil sie Beweise in den Händen hatte für die kommunistische Zellenarbeit[1] der Entlassenen.

Es fanden zwei Betriebsversammlungen statt. An der ersten vom 21. Januar wurde eine Protestresolution gegen die Firma beantragt, die aber nur fünf Befürworter fand. An der außerordentlichen Betriebsversammlung vom 29. Januar, an der ebenfalls die Entlassenen teilnahmen, wurden die Maßnahmen der Geschäftsleitung mit 99 gegen 55 Stimmen ausdrücklich gebilligt. ...

Die beiden Kollegen sowie der Obmann der Personalkommission wurden am 22. Januar vom Vorstand der Typographia Zürich einvernommen. Einer hat zugegeben, daß von der PdA die Schaffung von Betriebsgruppen verlangt werde, aber bei Conzett und Huber wäre keine gebildet worden. Einstimmig beschloß der Vorstand, für die Entlassenen keine weiteren Schritte zu unternehmen und auch keine Protestversammlung einzuberufen. Er lehnte es ab, den PdA-Genossen als Steigbügelhalter zu dienen. Diese Haltung wurde vom Zentralkomitee gebilligt.

Am 25. Januar hatten die Zentralsekretäre ... eine Unterredung mit den Herren Conzett, um sich über die wahren Entlassungsgründe aufklären zu lassen. Es stellte sich heraus, daß im Dezember 1950 in der Firma Conzett und Huber eine kommunistische Betriebszelle gegründet wurde, die von allem Anfang an sehr aktiv war und deswegen von der Parteileitung auch gelobt wurde. Man hat den drei Funktionären über verschiedene Punkte sehr präzise Angaben machen können, hingegen lehnten es die Herren ab, das Beweismaterial, das die Firma streng vertraulich in die Hände gespielt erhielt, herauszugeben und die Kündigungen rückgängig zu machen.

2. Die drei Zentralvorstände der Gehilfenverbände im graphischen Gewerbe haben nach

dieser Sachlage beschlossen, keine gewerkschaftliche Aktion zugunsten der Entlassenen durchzuführen. Sie sind der Auffassung, *daß kein Mitglied geschützt werden kann, das wegen kommunistischer Zellenarbeit seinen Arbeitsplatz verliert.*

Im Falle Conzett und Huber handelt es sich um eine rein *politische* Angelegenheit, und es kann sicher nicht Aufgabe der freien Gewerkschaften sein, die PdA und ihre kommunistische Wühlarbeit zu unterstützen. ...

4. Die beiden entlassenen Mitglieder des STB versicherten in einem Schreiben an das Zentralkomitee, in der Firma Conzett und Huber habe nie eine kommunistische Zelle bestanden, und die Kündigungen seien wegen «politischer Tätigkeit» erfolgt. Sie verlangten deshalb in diesem Punkte eine Berichtigung in der «Helvetischen Typographia».

Die Verbandsleitung konnte diesem Begehren nicht entsprechen, weil sie über die Arbeitsmethoden und die eiserne Parteidisziplin bei den moskauhörigen Kommunisten Bescheid weiß. Die Erklärungen einer Firma, die im ganzen Lande einen guten Ruf genießt, sind beweiskräftiger als die Versicherungen von kommunistischen Arbeitern, denen von dem Kominform[2] aus das Lügen und Verdrehen der Tatsachen zur Pflicht gemacht wird. ...

Das Zentralkomitee ist davon überzeugt, daß seitens der Firma weder die Gesinnungs- noch die Organisationsfreiheit verletzt wurde, sondern die Entlassungen tatsächlich wegen kommunistischer Zellenarbeit erfolgt sind.

Es liegt deshalb auch keine Maßregelung im Sinne der statutarischen Bestimmungen vor. ...

6. In einem demokratischen Lande kann man es keinem Unternehmer versagen, wenn er von seinem vertraglichen Kündigungsrecht in dem Momente Gebrauch macht, wo einige Kommunisten versuchen, durch befohlene Zellenarbeit den Betrieb zu unterhöhlen und für das volksdemokratische System reif zu machen. Die rechtzeitige Zerstörung solcher Infektionsherde liegt nicht nur im Interessen des Unternehmens, sondern ebensosehr in demjenigen der freien Gewerkschaftsbewegung[3]. ...

Wir ersuchen alle Kollegen, in den Betrieben wachsam zu sein und allfällige Beobachtungen über das Bestehen kommunistischer Zellen den Sektionsvorständen zu melden.

Bern, 20. Februar 1951.

Das Zentralkomitee

Helvetische Typographia, 23.2.1951.

[1] *Die Taktik der Bildung von Betriebszellen, neben der Arbeit in den bestehenden Gewerkschaften, wurde seit 1949 verfolgt.*

[2] *Das Kominform («Kommunistisches Informationsbüro») wurde 1947 als Nachfolgeorganisation der 1943 aufgelösten Komintern (III. Internationale) gegründet. Es wurde 1956 aufgelöst.*

[3] *1949 spaltete sich der Internationale Bund Freier Gewerkschaften (IBFG) als antikommunistische Gegenorganisation vom 1946 gegründeten Weltgewerkschaftsbund (WGB) ab. Der SGB war seit dessen Bestehen Mitglied des IBFG.*

177 SP: Die Söldner Stalins gehören nicht in den Staatsdienst*

Anzug[1] betreffend Erlaß eines Gesetzes zum Schutz vor staatsgefährlichen Organisationen (zur Kanzlei gelegt am 24. April 1952).

Der Regierungsrat wird eingeladen zu prüfen und zu berichten, ob im Kanton Basel-Stadt ein Gesetz zu erlassen sei, wonach Mitglieder der kommunistischen, im Dienste einer fremden Macht und ihrer Satelliten stehenden Partei der Arbeit, ihren Nebenorganisationen und sonstigen, ihrem Einfluß unterstehenden Gebilden, nicht Beamte, Angestellte und Arbeiter des Kantons Basel-Stadt sein können, unbekümmert darum, wer ihre Wahl oder Anstellung vorzunehmen oder vorgenommen hat.

Es ist auch zu prüfen, ob diese Bestimmungen auch auf Beamte, Angestellte und Arbeiter Anwendung finden sollen, die im Laufe von drei dem Inkrafttreten des Gesetzes vorangehenden Jahren aus diesen Organisationen ausgetreten sind, sofern sie den Nachweis nicht erbringen können, daß ihr Austritt keine Tarnung, sondern der tatsächliche Bruch mit der PdA bedeutet.

Weiter ist zu prüfen, ob im gleichen Gesetz bestimmt werden soll, daß

1. den Gemeinden und ihren Institutionen die Beschäftigung von Mitgliedern der genannten Organisationen und den Behörden des Kantons und der Gemeinden deren Wahl in kantonale und kommunale Verwaltungsräte, Verwaltungskommissionen, Departementskommissionen, Inspektionen usw. untersagt ist und daß
2. der Große Rat ermächtigt werden soll, dieses Gesetz auf andere, ähnlich staatsgefährliche Organisationen auszudehnen.

F. Schneider, M. Wullschleger, J. Binz, W. Hungerbühler, H. Imhof, J. Hagmann, A. Hofstetter, E. Herzog, L. Steffen, L. Moor, M. Schnetz, Dr. E. Wyss, Dr. R. König, E. Hagmann, H. Hertner, R. Thamisch, H. Schöni, E. Padrutt, A. Lerch, A. Bächlin, Dr. H. P. Tschudi, A. Hof, V. Stohler, A. Schneider, W. Senn, E. Matter.

Die Söldner Stalins gehören nicht in den Staatsdienst. Eine Abrechnung mit den Kommunisten, Hg. SP Basel-Stadt, Basel 1952, S. 1.

[1] *Motion.*

178 Das Verhältnis der PdA zur Sowjetunion

Die enge Anlehnung der PdA an die Sowjetunion sowie ihr Unvermögen, ihre Position in der Schweiz selbständig zu formulieren, illustriert dieser Antrag der Zürcher Parteileitung an den kantonalen Kongreß der PdA von 1950. – Das Bekenntnis zur bedingungslosen Verteidigung der Sowjetunion wurde vom Bürgertum als Landesverrat interpretiert und diente während des Kalten Krieges als willkommener «Beweis» für die «Moskauhörigkeit» der PdA.

Le peuple de Genève rendra

HOMMAGE A

J.V. STALINE

génial constructeur du communisme, grand défenseur de la paix

LUNDI 9 MARS 1953 A 20 H. 30 - SALLE DU FAUBOURG

Parti du Travail

Die Partei beweist große Schwächen in den grundlegenden Fragen der revolutionären Theorie, des *proletarischen Internationalismus,* in der *die Haltung zur Sowjetunion* eine wichtige Rolle spielt. Gerade in diesen Fragen zeigen sich am klarsten die Lücken in der ideologischen Schulung der Partei. Unter diesen Bedingungen ist es den opportunistischen Spaltern der Partei des Zürcher Oberlandes gelungen, die Ortssektionen von Wetzikon und Wald zu ruinieren und so die Partei zum Wohle der Bourgeoisie zu schwächen[1].

Unsere ideologische Schwäche in diesem Punkt hat gewissen Parteimitgliedern in Zürich erlaubt, Zweifel, Passivität, ja sogar Rückzieher vor der Propaganda der Bourgeoisie und der sozialdemokratischen Rechten in die Partei hineinzutragen. In diesem Zusammenhang ist die folgende Erklärung Stalins ganz besonders zu unterstreichen: «Internationalist ist jener, der ohne Bedingungen, ohne Zögern und ohne Vorbehalte bereit ist, die UdSSR zu verteidigen, weil die UdSSR die eigentliche Basis der revolutionären Weltbewegung ist und weil es unmöglich ist, diese revolutionäre Bewegung vorwärts zu treiben, ohne die UdSSR zu verteidigen. Denn wer daran denkt, die revolutionäre Weltbewegung ohne die Sowjetunion oder gegen die Sowjetunion zu verteidigen, kann nur ein Konterrevolutionär sein; notwendigerweise muß er in das Lager der Gegner der Revolution abgleiten.» ...

Socialisme Nr. 63, Juli 1950, S. 125. (Übersetzung aus dem Französischen)

[1] *Die Sektionen Wetzikon und Wald wurden wegen ideologischer Abweichungen aus der PdA ausgeschlossen.*

179 Auf dem Höhepunkt des Kalten Krieges: Der «Pogrom von Thalwil» 1956

Der Einmarsch sowjetischer Truppen in Ungarn 1956 war Anlaß zu einer neuen Eskalation des Kalten Krieges und des Antikommunismus. In Zürich etwa wurden das Sekretariat der PdA und eine Buchhandlung gestürmt, die Bücher verbrannt. Viele PdA-Mitglieder waren handgreiflichen Pöbeleien ausgesetzt: zum Beispiel wurde gegen den marxistischen Kunstsoziologen Konrad Farner an seinem Wohnort Thalwil (ZH) eine Hetzkampagne eingeleitet, die an faschistische Exzesse erinnert. Dieses Inserat ist das erste aus einer Serie, welche den «Pogrom von Thalwil» einleitete.

AUFRUF ZUR WACHSAMKEIT!

Wir wollen frei sein von Verrätern!

An die Männer und Frauen von Thalwil

Leider wissen wir es erst seit kurzem: In unserer Mitte lebt und wohnt ein Todfeind der Demokratie. Einer, der seit Jahrzehnten kaum etwas anderes tut, als Klassenkämpfer im Sinne Moskaus auszubilden und alle Verbrechen der Imperialkommunisten zu beschönigen, ja zu verherrlichen. Man darf ihn mit recht als einen Handlanger Moskaus bezeichnen! **Er heißt Dr. Konrad Farner.** Wir werden ihn und sein Tun Euch noch genauer vorstellen. Für heute nur dies: Dr. Farner ist der Ideologe der schweizerischen Kommunisten, das ist der Mann, der sie lehrt, wie man ahnungslose demokratische Mitbürger politisch übertölpelt, lähmt und versklavt. Dieser Mann leitet kommunistische Schulungskurse für die Durchführung des Klassenkampfes, d.h. zur Erreichung einer Diktatur nach imperialkommunistischem Muster auch in der Schweiz.

Dr. K. Farner verteidigte die Verbrechen Stalins, wie er die Verbrechen in Ungarn öffentlich verteidigt. Er fährt von Zeit zu Zeit in die Oststaaten. Was macht er wohl dort? Dieser Dr. Farner, von dem man heute in Thalwil noch nicht weiß, woher seine Mittel kommen, wohnt in einem Hause, dessen Wert von über Fr. 100 000.— er versteuern sollte.

Wir werden Dr. K. Farner solange als einen Verräter an der Sache der Freiheit und Menschlichkeit bezeichnen, als er nicht an dieser Stelle in eindeutiger Weise zu den Vorgängen in Ungarn Stellung nimmt.

Vor allem aber wollen wir, nach allem, was wir wissen, einen solchen „Schweizer" aufs tiefste verachten. Es soll ihm nicht ans Blut und nicht ans Gut gehen — das denkt er **uns** zu! — aber er soll wissen und spüren, daß wir keinerlei Gemeinschaft mit ihm haben. Wir wollen keinem, der morgen schon unser Henker sein kann, heute die Hand geben, kein aufrechter Thalwiler soll ihn grüßen, keine aufrechte Thalwilerin ihn und seine Familie in den Läden von Thalwil bedienen.

Wer aber zwischen diesem Moskauhörigen und seiner Familie Unterschiede machen möchte, dem seien die in Ungarn gemordeten Kinder und Frauen in Erinnerung gerufen und das Schicksal, welches unsere Kinder unter imperialkommunistischer Herrschaft erleiden würden.

Wir wollen und können unser Dorf von diesem Totengräber der Freiheit säubern, der bis jetzt gelacht hat über die schafsköpfigen Demokraten. Wir wollen und können ihn in Acht und Bann tun an jedem Ort unserer Heimat, bis er endlich ins Land der gelobten Verbrechen zieht. Dann nämlich wird er für seine Auftraggeber nichts mehr wert sein!

Dieser Aufruf wird erlassen von der

Aktion »Frei sein«
Thalwil

die an dieser Stelle vor allem auch an die Jugend appelliert, das Haus Mühlebachstraße 11, wo dieser Dr. K. Farner wohnt, nicht zu beschädigen, (gebt die Franken für Bußen und Wiederinstandstellung lieber der Ungarnhilfe).

Wir werden unsere Aufklärungs-Aktion über das Treiben dieses Dr. K. Farner in den nächsten Nummern dieser Zeitung fortsetzen.

Anzeiger des Wahlkreises Thalwil Nr. 138, 16.11.1956.

180 Gewerkschaften für Gesamtarbeitsverträge und Arbeitsfrieden

Arthur Steiner, Präsident des SGB und des SMUV, griff mit diesem Artikel in die Diskussion um die gesetzliche oder vertragliche Regelung der Arbeitsverhältnisse ein. Anlaß war die Debatte um ein Bundesgesetz über die Allgemeinverbindlicherklärung der Gesamtarbeitsverträge.

... Nun, es wird an der Zeit sein, daß auch wir einmal unsere Meinung zu der Geschichte äußern. Sie ist zwar nicht so unbekannt. Man hält den Gewerkschaften gerne entgegen, in der Frage von Gesetz und Vertrag auf zwei Klavieren zu spielen, auf dem des Gesetzes und jenem des Vertrages. Abgesehen davon, daß auf zwei Klavieren ganz nett gespielt werden kann, sofern die Mißtöne unterbleiben, wollen wir doch bekennen, daß wir den Vertrag dem Gesetz bei weitem vorziehen und als Instrument der Zukunft betrachten. Wir sind also gar nicht gesetzessturm. Ja bei einiger nüchterner Überlegung kann man sogar zum Schlusse gelangen, daß ein Vertrag, hinter welchem starke Vertragsparteien stehen, hinsichtlich seiner Innehaltung mehr Gewähr bietet als ein Gesetz, mit dessen Vollzug es der Kanton liederlich nimmt. Es kann also die privatrechtliche Form gegenüber der öffentlich-rechtlichen je nach den Umständen überlegen sein. Eine weitere Tatsache ist die, daß wenn die Arbeiterschaft wegen der Verbesserung des Arbeitsverhältnisses auf die Gesetze hätte warten müssen, es um sie allerdings übel stünde. Vor lauter Warten hätte sie kalte Füße und einen knurrenden Magen bekommen. Die besseren Arbeitsbedingungen sind durch Verträge und nicht durch Gesetze entstanden. In dieser Hinsicht sind die Gewerkschaften besser und rascher marschiert als die Politik. Es hat einmal ein Parteisekretär geschrieben, es wäre die Pflicht der Gewerkschaften, für alle, auch die Unorganisierten, zu sorgen und nicht nur für ihre Mitglieder, und darum müsse es Gesetze geben. Nur keine schwachen Stunden! Für die Unorganisierten haben die Arbeitgeber, bei einigen lobenswerten Ausnahmen, stets mustergültig gesorgt, auch heute noch. Die Gewerkschaften können sich diese Aufopferung ohne Gewissensbisse ersparen. Ja, wird man uns entgegnen, und wenn's dann in einem schlecht organisierten Betrieb mit der Innehaltung des Vertrages hapert? Dann würde es auch mit dem Gesetz hapern, und wenn die Leute es besser haben wollen, können sie sich organisieren, dann wird die Gewerkschaft für Ordnung sorgen, das ist geputzt und gestrählt unsere Meinung. ...

Das Aushöhlen all dessen, was die Gewerkschaft im Vertrag ordnet, um daraus Gesetze zu machen, schwächt die Gewerkschaftsbewegung. Warum gibt es heute Arbeitgeber, die das Gesetz dem Vertrage vorziehen möchten? Sich für ein erreichtes Ziel wehren zu müssen, tut unserer Arbeiterschaft immer noch besser als ein Ruhekissen à la Maginotlinie, wo beim Erwachen die Morgenröte einer andern, aber düsteren Zeit verkündet wird. Zu jeder Zeit bereit sein, ist eines der nie überflüssigen Gebote der Gewerkschaften.

Vertrag und Gesetz stehen am Scheideweg

Es ist aber eine falsche Fragestellung, die mit dem Schlagwort «Vertrag *oder* Gesetz» präsentiert wird. Sie wirkt gleich konfus, wie wenn man sagen würde: Hunger oder Durst. Wir sagen Vertrag *und* Gesetz. Worum es geht, das ist die Festlegung der Grenze zwischen beiden, das heißt, wo das Gesetz und wo der Vertrag zuständig sein soll. Ein Land wie die Schweiz, die ihr wirtschaftliches Wohlergehen in erster Linie dem ausländischen Käufer zu verdanken hat, ist neben einer guten Forschungs- und Entwicklungsarbeit auf einsichtige und einsatzbereite Unternehmer angewiesen und nicht weniger auf tüchtige Ingenieure, Techniker und Arbeiter. Und vergessen wir es nicht: auch auf eine ersprießliche Handelspolitik. Der Staat ist also gar nicht nur eine billige Türvorlage vor den Gemächern des Herrn. Bis die Arbeitskraft in unserem Lande ausgebildet ist, kostet sie ein gutes Stück Geld. Mehr als in manch anderem Lande. Sie belastet den Staat, die Eltern und die Arbeitgeber. Wir haben ein nationales Interesse daran, diese Arbeitskraft so lange wie möglich gesund und leistungsfähig zu erhalten. Wo es aber um nationale Interessen geht, gehört die öffentlich-rechtliche Ordnung in Form des Gesetzes her. Es sind eidgenössisch zu ordnen die Unfallverhütung, der Schutz der Jugendlichen und der Frauen, wie die Arbeits- und Ruhezeit. Alles andere ist Sache der Verträge. ...

Der Arbeitsfriede hat der Schweiz Geld eingebracht. Sollten Verträge dauernd auffliegen, dann gibt es keinen Arbeitsfrieden mehr, und der Weg für neue Verträge wird auf Jahrzehnte zerstört bleiben. Ein verheißungsvoller Versuch hätte sein unbefriedigendes Ende gefunden. Den gesetzlichen Arbeitsfrieden gibt es in der Privatwirtschaft nicht. Er sei dem Osten überlassen. Der Arbeitsfriede hat einen Zwillingsbruder, und er nennt sich anständige Arbeitsbedingung. ...

Es liegt in den Händen der Arbeitgeber, ihrer Verbände und der Gewerkschaften, von der bisher einspurigen Aufgabe auf die doppelspurige den Übergang zu finden, womit auch eine schweizerische Konzeption von hohem Wert entsteht. Und noch etwas: Solange man sich weigert, mit ganzen Gruppen unserer Volkswirtschaft Verträge abzuschließen, wird der Ruf nach dem Gesetz nicht verstummen. Es gibt genügend einflußreiche und intelligente Leute in unserem Lande, um dem neuen Gedanken zum Durchbruch zu verhelfen.

Stimme der Arbeit, 9.10.1953.

181 Ein Gesetz für den Arbeitsfrieden*

Im Gegensatz zu den Gewerkschaften beurteilte die PdA die Vertrags- und Arbeitsfriedenspolitik wesentlich kritischer; sie sah darin ein Symptom der Verbürgerlichung der nicht-kommunistischen Arbeiterorganisationen.

«Der Weg zum Arbeitsfrieden in der Demokratie führt über den Gesamtarbeitsvertrag.» (Arth. Steiner, Präsident des Schweiz. Gewerkschaftsbundes).

... Unser Land unterscheidet sich ... auffällig von den meisten kapitalistischen Staaten, wo immer wieder große Streikkämpfe ausbrechen. Selbst die Arbeiterschaft in Westdeutschland ist dazu übergegangen, mit Massenstreiks eine bessere Lebenshaltung zu erreichen.

Grundlage dieser Erscheinung ist die besondere ökonomische Lage unseres Landes. Das schweizerische Monopol- und Finanzkapital hat sich seit dem Beginn der Kriegskonjunktur nach Abschluß der Weltwirtschaftskrise Ende der Dreißigerjahre, während des zweiten Weltkrieges, in den Jahren der Nachkriegskonjunktur und seither in der neuen Rüstungskonjunktur ungeheuer bereichert. Eine nennenswerte Arbeitslosigkeit trat seit dem zweiten Weltkrieg nicht mehr auf. Der Produktionsapparat wurde ständig erweitert. Aus dem Ausland werden zusätzliche Arbeitskräfte geholt. Infolge der intensiven Teilnahme des schweizerischen Monopolkapitals an der imperialistischen Ausbeutung der nichtsozialistischen Welt besteht die Möglichkeit einer relativen Privilegierung bestimmter Schichten der Arbeiterklasse. Die «Arbeiteraristokratie» als das soziologische Fundament der Vertreter der kapitalistischen Ideologie in der Arbeiterklasse ist in der Schweiz zweifellos ein recht bedeutender Faktor.

Die Gewerkschaften und die sozialdemokratische Partei stehen unter der Führung der Exponenten der bürgerlichen Ideologie. Beide Organisationen, insbesondere die Gewerkschaften, ordnen sich in das bestehende ökonomisch-politische System ein. Dieses System entspricht dem imperialistischen Stadium des Kapitalismus. Es hat in unserem Lande eine intensive Ausprägung erfahren. Die Schweiz wird nicht von ungefähr von bürgerlichen Wissenschaftern als das kartellreichste Land der Welt bezeichnet. Die Verbände der kapitalistischen Monopole dirigieren aufs straffste Ökonomie und Politik. Der Staatsapparat steht im Dienste der Monopolverbände. Bürgerliche Juristen, die noch in den Vorstellungen des «liberalen Rechtsstaates» erzogen worden sind, verzeichnen diese Tatsache mit Besorgnis und Resignation.

Der Staat und sein Recht haben als Überbau die Aufgabe, die ökonomische Basis der gegebenen Gesellschaft zu festigen und zu verteidigen. Der Staat hat gegenwärtig die Funktion, den kapitalistischen Monopolen zu helfen, den Maximalprofit zu sichern. Dazu gehört die rechtliche Ordnung des Verhältnisses zwischen Lohnarbeit und Kapital. Das Monopolkapital ist daran interessiert, daß die Arbeiterklasse von ihrer Stärke, der Solidarität, und von ihrer schärfsten Waffe, dem Streik, keinen Gebrauch macht, sind dies doch die wirksamsten Mittel der Arbeiterschaft im Kampf um eine bessere Lebenshaltung. Das Monopolkapital und seine politischen Geschäftsführer sind daher begeisterte Verkünder des Arbeitsfriedens. ...

Der Gesamtarbeitsvertrag in den einzelnen Wirtschaftszweigen

Aufschlußreich ist die Tatsache, daß das Schwergewicht des GAV in jenen Wirtschaftszweigen liegt, die für den Inlandmarkt produzieren. In der Exportindustrie hat der GAV eine geringe Verbreitung. Gesamtarbeitsvertragliche Bindungen übernehmen mithin am ehesten jene Unternehmen, welche die Möglichkeit haben, die «Kosten» eines solchen Vertrages auf die Konsumenten abzuwälzen, ohne der Konkurrenz des Auslandes ausgesetzt zu sein. Die Exportindustrie, die im internationalen Konkurrenzkampf steht, ist den kollektivvertraglichen Regelungen der Arbeitsbedingungen, namentlich des Lohns, abgeneigt.

Das Friedensabkommen in der Metall- und Maschinenindustrie

ist daher tatsächlich kein GAV im überkommenen Sinn. Das Abkommen regelt bekanntlich die Arbeitsbedingungen, den Lohn vor allem, im Unterschied zum Tarifvertrag, wie der GAV charakteristischerweise anfänglich allgemein genannt wurde, gerade nicht. Der Lohn wird nach wie vor durch den Industriellen im individuellen Dienstvertrag festgesetzt. ...

In jenen Wirtschaftszweigen, wo der Grad der Organisiertheit nicht nur bei den Lohnarbeitern, sondern auch bei den Unternehmern gering ist, hilft das Institut der Allgemeinverbindlicherklärung von Gesamtarbeitsverträgen zur Nivellierung der Konkurrenz. Die Feststellung, daß es vielfach gerade die Unternehmer sind, welche auf eine Ausdehnung der Bestimmungen von Gesamtarbeitsverträgen auf den ganzen betreffenden Wirtschaftszweig durch staatliche Allgemeinverbindlicherklärung drängen, ist daher nicht überraschend. Es sind denn auch diese, in erster Linie gewerblichen Kreise, die eine dauernde gesetzliche Regelung der Allgemeinverbindlicherklärung von Gesamtarbeitsverträgen verlangen.

Der Gesamtarbeitsvertrag als Mittel zur Aufsplitterung der Arbeiterklasse

Die Schweiz zählt ungefähr 1,5 Millionen Lohnarbeiter. Rund die Hälfte davon wird in insgesamt 1500 Gesamtarbeitsverträgen erfaßt. 90 dieser Verträge gelten für die ganze Schweiz; sie erfassen ca. 500000 Arbeitnehmer. 75 Verträge erstrecken sich nur über einzelne Landesteile, 250 sind rein kantonale Verträge, 270 Lokal- oder Ortsverträge und nicht weniger als 760 sind bloße Firmenverträge, das heißt Abkommen, die zwischen einer einzelnen Unternehmerfirma und einem oder mehreren Verbänden der Arbeiter abgeschlossen sind. Diese einzigartige Aufsplitterung erschwert einen einheitlichen Kampf der Arbeiterklasse um ihre Lebensbedingungen in außerordentlichem Maße. Die einzelnen Berufskategorien in einem Wirtschaftszweige (im Baugewerbe beispielsweise gibt es nicht weniger als 200 Verträge!) sind durch besondere Verträge mit unterschiedlicher Geltungsdauer und verschiedenen Kündigungsterminen gebunden, was praktisch weitgehend verhindert, daß zum Beispiel einer Berufsgruppe, die in Vertragsbewegung und im Streik steht, durch Solidaritätsstreiks beigestanden werden könnte. Auf diese Weise wird das Solidaritätsgefühl und das Bewußtsein, einer Klasse mit gemeinsamen Interessen anzugehören, zerstört. Der Kampfwille wird gelähmt. Dieser Zustand fördert die Zünftlerei und den engsten Gewerkschaftspraktizismus. Er nährt den zersetzenden Einfluß der bürgerlichen Ideologie in der Arbeiterklasse. Er erklärt neben anderen Erscheinungen die seit Jahren bestehende Lethargie der schweizerischen Arbeiterbewegung. ...

Fritz Heeb, Ein Gesetz für den Arbeitsfrieden, in: Sozialismus, Nr. 9, September 1954, S. 259ff.

182 Gesamtarbeitsvertrag für die Basler Chemie 1972

Die folgenden Auszüge bilden den ersten Teil eines repräsentativen Gesamtarbeitsvertrages. Dieser enthält im weiteren genaue Lohn- und Arbeitszeitregelungen usw.

Gesamtarbeitsvertrag für die Basler Chemische Industrie

vereinbart zwischen dem *Verband Basler Chemischer Industrieller,* dem folgende Firmen angeschlossen sind:

CIBA-GEIGY AG, SANDOZ A.G., F. Hoffmann-La Roche & Co. Aktiengesellschaft, Chemische Fabrik Schweizerhall,

im folgenden Arbeitgeberverband genannt, *einerseits* und

den *nachstehend genannten fünf Arbeitnehmerverbänden:*

Gewerkschaft Textil Chemie Papier (GTCP), Schweiz. Metall- und Uhrenarbeiter-Verband (SMUV), Christlicher Chemie-Textil-Bekleidungs-Papier-Personalverband (CTB), Schweiz. Verband evangelischer Arbeitnehmer (SVEA), Landesverband Freier Schweizer Arbeiter (LFSA),

im folgenden Arbeitnehmerverbände (Gewerkschaften) genannt, namens der Arbeiterschaft, *andererseits.*

Ingress

Der Arbeitgeberverband und die Arbeitnehmerverbände bekennen sich zu folgenden Grundsätzen:

1. Die Koalitionsfreiheit wird beidseitig anerkannt.

2. Die Vertragsparteien anerkennen ihre Verantwortung für die Gestaltung der arbeitsvertraglichen Bedingungen der dem Gesamtarbeitsvertrag unterstellten Mitarbeiterinnen und Mitarbeiter. Diese Verantwortung erfährt durch unterschiedliche politische oder konfessionelle Überzeugungen sowie unterschiedliche Muttersprachen keine Einschränkungen.

3. Der Arbeitgeberverband anerkennt die allgemein ordnenden Funktionen der Arbeitnehmerverbände sowie die daraus erwachsenden Aufgaben der einzelnen Mitglieder dieser Verbände. Er steht daher einer Zugehörigkeit der Arbeitnehmer zu diesen Verbänden positiv gegenüber.

4. Innerbetrieblich nehmen die gewählten Arbeiterkommissionen die Interessen der dem Gesamtarbeitsvertrag unterstellten Mitarbeiterinnen und Mitarbeiter gegenüber den einzelnen Geschäftsleitungen wahr.

5. Der Arbeitgeberverband leistet an die Kosten der Arbeitnehmerverbände aus Bildungsarbeit, Vertragsabschluß und -einhaltung Beiträge.

Einleitung und Geltungsbereich

Einleitung

Art. 1 (1) Die unterzeichneten Vertragspartner haben im vorliegenden Gesamtarbeitsvertrag für die Basler Chemische Industrie ihre gegenseitigen Rechte und Pflichten vereinbart und die Regelung über das arbeitsvertragliche Verhältnis zwischen dem Arbeitgeber und dem Arbeitnehmer festgelegt.

(2) Die Vertragsparteien verpflichten sich insbesondere, für die ganze Dauer des Vertrages in absoluter Weise den Frieden zu wahren. Infolgedessen ist jegliche Kampfmaßnahme wie Sperre, Streik oder Aussperrung untersagt. Diese absolute Friedenspflicht obliegt auch dem einzelnen Arbeitgeber und Arbeitnehmer.

Geltungsbereich

Art. 2 (1) Die im vorliegenden Gesamtarbeitsvertrag für die Basler Chemische Industrie aufgestellten arbeitsvertraglichen Bestimmungen sind anwendbar auf das Arbeitsverhältnis sämtlicher im Kanton Basel-Stadt beschäftigten Lohnempfänger gemäß Art. 16 dieses Vertrages der dem Arbeitgeberverband angeschlossenen Firmen.

(2) Lohnempfänger sind alle Arbeitnehmer dieser Firmen, deren Arbeitsverhältnis nicht durch einen individuellen Arbeitsvertrag geregelt ist.

(3) Diese arbeitsvertraglichen Bestimmungen sind nicht verbindlich für Absolventen des

Vorlehrjahres für Laboranten, Lehrlinge, Putzfrauen und Aushilfen.

(4) Die Bestimmungen über die Arbeitszeit und über die Lohnzuschläge sind nicht anwendbar auf das Personal des allgemeinen Bewachungsdienstes (Portier- und Rondendienst ohne Überwachung von Betriebs- und Laborapparaturen) sowie auf Teilzeit-Beschäftigte.

Arbeitsvertragliche Bestimmungen

Pflichten der Arbeitnehmer

Art. 3 (1) Der Arbeitnehmer steht gemäß den nachstehenden Bestimmungen im Dienste der Arbeitgeberfirma und hat dieser seine ganze Arbeitskraft zu widmen. Er verpflichtet sich, die ihm anvertrauten Arbeiten nach Weisungen seiner Vorgesetzten nach bestem Wissen und Können auszuführen und mit seinen Mitarbeitern in ersprießlicher und kollegialer Weise im Interesse der Firma zusammenzuwirken.

(2) Der Arbeitnehmer ist verpflichtet, die Fabrikations- und Geschäftsgeheimnisse des Arbeitgebers, in die er während des Arbeitsverhältnisses Einblick erhält, geheimzuhalten. Die Verschwiegenheitspflicht gilt unverändert auch nach Beendigung des Arbeitsverhältnisses.

(3) Der Arbeitnehmer verpflichtet sich zur Einhaltung der absoluten Friedenspflicht. ...

SSA Zürich, 71.2.(35).

183 SPS 1957: Keine Gemeinsamkeiten mit den Kommunisten

Der folgende Auszug ist Teil eines Manifestes der SPS, welches am außerordentlichen Parteitag von Luzern, im Februar 1957, verabschiedet wurde. Die Diskussion fand unter dem Eindruck der sowjetischen Intervention vom Herbst 1956 in Ungarn statt.

Gegen jede Diktatur

Die Sozialdemokratische Partei der Schweiz hat sich einmütig gegen jede Diktatur, wo immer sie bestehen mag, ausgesprochen. Ein totalitäres Regime, gleichgültig, ob es faschistisch oder kommunistisch ist oder unter einer anderen Flagge segelt, bildet eine unmittelbare Bedrohung der Freiheit eines Volkes und damit eine Bedrohung des Friedens. Jede Ausbeutung des Menschen durch andere Menschen, sei es durch Zwangsarbeit, sei es durch Verletzung der elementarsten Menschenrechte, sei es zugunsten privatkapitalistischen Profites, sei es im Namen einer politischen Diktatur oder einer sogenannten Volksdemokratie, bedroht das materielle oder moralische Leben eines Volkes und beeinträchtigt oder unterdrückt die Persönlichkeitsrechte.

Weder Weg noch Ziel gemeinsam!

Sozialismus und Kommunismus sind grundlegend verschiedene gesellschaftliche Systeme. Sie haben weder den Weg noch die Kampfmittel noch das Endziel ihrer Bestrebungen gemeinsam. Die Sozialdemokratische Partei der Schweiz und die Sozialisten der ganzen Welt, soweit sie sich mit uns zu der Erklärung der Sozialistischen Internationale[1] bekennen, welche am 3. Juli 1951 in Frankfurt am Main beschlossen wurde, geben sich darüber Klarheit, daß die Ziele des demokratischen Sozialismus nur im Kampf sowohl gegen Kommunismus und Faschismus als auch gegen den Kapitalismus erreicht werden können. ...

Manifest der SPS zum demokratischen Sozialismus und zu den Problemen der gegenwärtigen internationalen Lage, in: Vertrauensmann, Mitteilungsblatt und Materialsammlung für Vertrauensleute der SPS Nr. 4, April 1957.

[1] *Die sozialistische Internationale, 1951 in Frankfurt a.M. gegründet, vereinigt die sozialdemokratischen Parteien.*

184 Vom Proletarier zum Arbeiter und Bürger*

Aus einer Rede von SPS-Präsident Walther Bringolf am Programm-Parteitag 1959.

... Wir anerkennen auch für unser Land, daß der Proletarier, wie er vor hundert, vor siebzig, ja sogar noch vor fünfzig Jahren vorhanden war, zum Arbeiter, zum Bürger dieses Landes geworden ist. Wir anerkennen für unser Land, daß zwar die Klassen und die Klassengegensätze nicht oder noch nicht überwunden sind; aber wir fügen bei, daß auch wir Sozialdemokraten keine ausgesprochene Klassenpartei mehr sind und sein wollen. Wir sind längst zur Partei des arbeitenden Volkes, zur Volkspartei überhaupt geworden.

Für die Arbeiterschaft unseres Landes ist heute ihre Verbundenheit mit dem Schweizervolke, ich möchte fast sagen mit der Nation, vollzogene Tatsache. Wir sind – die Sozialdemokratie verkörpert diese geschichtliche und soziologische Tatsache – in unserem Volke integriert. Der Arbeiter ist nicht mehr ein Außenseiter, verachtet, ein Paria. Er ist ein stolzer Bürger, seiner

Kraft, seiner Rolle in der Wirtschaft und in der Politik bewußt. Das ist das Ergebnis des großen historischen Kampfes, den die Sozialdemokratie und die Gewerkschaftsbewegung unseres Landes während hundert Jahren geführt haben.

Dadurch kommt klar zum Ausdruck, daß der vaterlandslose Geselle von einst eine Heimat gefunden hat, in die er verwurzelt ist, mit der er sich identifiziert. Wir lieben unser Land, wir bekennen uns zu ihm und wir dürfen dieses Bekenntnis ohne Einschränkung ablegen.

Wir legen dieses Bekenntnis ab als Sozialisten und weil wir Sozialisten sind, bekennen wir uns aus Liebe zu unserem Lande und aus dem Willen heraus, seine Zukunft zu gestalten, zur notwendigen Veränderung der gesellschaftlichen Verhältnisse und zwar einer Veränderung, die mit demokratischen Mitteln erstrebt und erkämpft werden muß. Wir wissen, daß unser Kampf gegen den Kapitalismus und seine Auswüchse, unser Kampf gegen die Ausbeutung des Menschen durch den Menschen weiterhin erforderlich und notwendig ist. Ebenso klar wissen wir, daß wir an der anderen Front eingereiht den Kampf führen gegen Totalitarismus, gegen die Diktatur oder Diktaturbestrebungen in jeder Form und unter jedem Vorzeichen. Diese klare Abgrenzung bleibt und gilt heute und morgen. Sie bestimmt unseren Weg und unsere Kampfmittel. Allein ich füge sofort bei, daß diese Auseinandersetzungen und Kämpfe, nicht mehr – um einen militärischen Ausdruck zu gebrauchen – mit dem Säbelgerassel der Vergangenheit geführt werden. Wie für die moderne Armee das Rasseln mit den Säbeln lächerlich oder komisch wirkt, gilt auch für die moderne Arbeiterbewegung die Erkenntnis, daß mit Schlagworten auf keinen Fall dauernde Erfolge erzielt werden können. Wir unterschätzen die Notwendigkeit nicht, beharrlich, zäh unsere sozialen Forderungen zu vertreten und zu verfechten. Wir wissen heute besser als einst, daß der Aufstieg der Arbeiterbewegung sich im Frieden und in Freiheit vollziehen muß, wenn er Erfolg haben soll. Darum bekennen wir uns vorbehaltslos zur Landesverteidigung. Allein obwohl wir den Frieden erhalten wollen und zugeben, daß deshalb zwischen Ost und West immer wieder Gespräche notwendig sind, verkennen wir nicht die Gefahren einer gewissen Aufweichung im freiheitlichen Europa. Keine Gespräche mit dem Osten dürfen nach unserer Meinung zur Verwischung unserer eindeutigen Haltung gegenüber dem totalitären System und gegenüber den Auswüchsen des Kapitalismus führen. Unsere Haltung in der Bundesversammlung und in der übrigen Öffentlichkeit darf in dieser Beziehung nie unklar sein oder Zweideutigkeiten aufkommen lassen. ...

Walther Bringolf, Die Sozialdemokratie gestern, heute, morgen, Referat gehalten am Parteitag der SPS vom 27./28.6.1959, Bern 1959, S. 6f.

185 Auf dem Weg zur Volkspartei – Das SP-Programm von 1959

Am Parteitag der SPS von 1959 in Winterthur referierte Hans Oprecht namens des Parteivorstandes über das neue Programm und legte dabei die «offiziellen» Überlegungen dar, die zur Revision führten.

H. Oprecht (Referent des Parteivorstandes): ... Es scheint mir deswegen für die SPS eine Notwendigkeit zu sein, mit einem *neuen* Programm den Kampf um die Nationalratswahlen zu führen, weil mit dem geltenden Programm des Jahres 1935 und mit dem Programm «Neue Schweiz» wir keine Wähler mehr zusätzlich mobilisieren können und weil – das ist für mich der maßgebende Punkt – die Nationalratswahlen des nächsten Herbstes entscheidenden Einfluß und große Bedeutung für die Entwicklung der schweizerischen Politik der nächsten Jahre und Zeit haben werden. ...

Es geht uns bei den Nationalratswahlen nicht darum, wie böse Zungen – auch in der eigenen Partei – behaupten, daß die SPS wieder im Bundesrat vertreten sein wolle, obgleich ich nicht bestreite, daß der politische Einfluß an höchster Stelle für eine Partei geradezu lebenswichtig werden kann. ...

Für uns Schweizer Sozialdemokraten geht es bei den kommenden Nationalratswahlen vor allem darum, zu verhindern, daß die Schweiz unter dem Einfluß der politischen und wirtschaftlichen Entwicklung in Europa dem reaktionären Trend noch mehr als bisher verfällt und daß sie dabei in die Gefahr einer wirtschaftlichen Isolierung sich begibt. ...

Daß so die reaktionären Mächte überall, auch bei uns, Morgenluft wittern, braucht keiner langen Beweise mehr. Es sei nur daran erinnert, daß die Ereignisse in Ungarn vom Herbst 1956 heute noch, besonders in Zürich, gegen links ausgewertet werden. Da die Kommunisten – d.h. bei uns die PdA – politisch keine Rolle mehr spielen, wenigstens in der deutschen Schweiz, so versucht die reaktionäre Rechte immer wieder, uns Sozialdemokraten zu belasten. ...

Daß es der SPS in den eidgenössischen Wahlen schwer fällt, den Ring, den die bürgerlichen Parteien mit allen Mitteln immer wieder um sie geschlossen haben, zu durchbrechen, zeigen die Zahlen der vergangenen Nationalratswahlen. Seit 1935, d.h. seit damals, als wir in der Zeit der großen Krise das geltende Parteiprogramm beschlossen haben, ist die Partei mit ihren Wählerzahlen mehr oder weniger stabil geblieben. ...

Das neue Programm der SPS muß deswegen dazu dienen, wieder mehr Bürger, Arbeiter und Angestellte in der Privatwirtschaft vor allem, für die politischen, wirtschaftlichen und kulturellen Auffassungen der SPS zu erfassen und damit neue Wähler zu mobilisieren. ...

Protokoll über die Verhandlungen des ordentlichen Parteitages der SPS vom 27./28. Juni 1959 in Winterthur, Schaffhausen 1959, S. 146ff.

186 Kontroverse Meinungen zum Programm der SPS 1959

In der relativ kurzen Diskussion am Programm-Parteitag wurde der vorgelegte Entwurf zwar kritisiert, doch folgte die große Mehrheit dem Antrag der Parteileitung.

M. Winiger (Zürich 4): Die «Tat» schreibt in einem eingehenden Artikel über unser neues Programm: «Marxismus über Bord!» Die «Weltwoche» schreibt: «Marxismus über Bord!» Der Bund schreibt: «Bankerott des Sozialismus». Die «NZZ» schreibt: «Die Partei ohne Ideologie». ... Das sind einige Kommentare bürgerlicher Zeitungen. Sie werden mir vielleicht antworten, daß das für uns nicht maßgebend sei. Ich habe aber im Laufe meiner langen Parteitätigkeit auch gelernt, daß man die Stimme des Gegners kennen muß, wenn man weiß, wo man steht. ...

Eines aber ist sicher: Wir gewinnen mit dem Parteiprogramm keine neuen Kräfte, wir gewinnen auch nicht die Jugend; denn Lauheit hat noch nie die Jugend begeistert. ...

Max Weber[1] (Bern): ... Weil sich der Umbau der kapitalistischen Wirtschaft stufenweise vollzieht, ist es richtig, heute zu sagen: Es sind sozialistische Gedanken, Bausteine bereits in der heutigen Wirtschaftsform eingebaut. Es wäre ein Fehler, wenn wir das leugnen wollten. (Präsident: Das ist unser Erfolg!) Ja wir haben es erreicht. Wir wollen die Gloriole nicht anderen überlassen. Die AHV, die Invalidenversicherung, die Verkürzung der Arbeitszeit, die Ferien – all das ist von den Gewerkschaften und unserer Partei erkämpft worden. ... (Beifall)

W. Egli (Zürich 2): ... Im Gegensatz zu andern Rednern stelle ich einen Substanzverlust fest. ... Es heißt beispielsweise über die Monopolunternehmungen, daß diese nur geduldet seien, wenn sie einen fairen Wettbewerb austragen. Wenn wir uns etwa an die Zementindustrie erinnern, so wissen Sie, wie dieser faire Wettbewerb aussieht: einer der eine Fabrik gründen wollte, wurde mit Dumpingpreisen empfangen. Es wäre höchste Zeit, daß man die schweizerische vertrustete Zementindustrie in Gemeineigentum überführte. Es wird von freiem Wettbewerb gesprochen. Ich habe immer geglaubt, dieser faire Wettbewerb sei ein unabdingbares Merkmal der kapitalistischen Marktwirtschaft. ...

Verhängnisvoll scheint mir auch die Einschätzung des Kapitalismus überhaupt zu sein, wie sie zum Schluß des Programms sich äußert, wo gesagt wird, der Kapitalismus sei nun einigermaßen dort angekommen, wo er in den Sozialismus hinein- und übergehe. Es scheint so, daß diese 15 Jahre Konjunkturpolitik die Brillen mancher Sozialisten mit einem Konjunkturniederschlag belegt haben. Es ist zuzugeben, daß vielleicht gewisse Auswüchse verschwunden sind. Aber im Grunde ist der Kapitalismus gleich geblieben und ebenso seine Merkmale. Wir verweisen darauf, daß im Übergang zu diesem Sozialismus es heute noch möglich ist, daß drei Viertel der Welt hungern. Wir erinnern daran, daß in Amerika die Zahl der Arbeitslosen ungefähr so groß ist wie die gesamte Bevölkerung der Schweiz: 5 Millionen – all das im Übergang zum Sozialismus! ...

Protokoll über die Verhandlungen des ordentlichen Parteitages der SPS vom 27./28. Juni 1959 in Winterthur, Schaffhausen 1959, S. 172ff.

[1] *Max Weber, Bundesrat 1951–1953.*

187 Arbeitsprogramm des SGB 1960

Das Arbeitsprogramm des SGB von 1960 ersetzte jenes von 1934/35 (vgl. 142). Zum Programmentwurf referierte auf dem SGB-Kongreß dessen Präsident, Hermann Leuenberger. Der Entwurf stieß – ähnlich wie in der SPS das Programm von 1959 – nur auf geringe Opposition.

Standort des Gewerkschaftsbundes und neues Arbeitsprogramm

... Heute müssen wir von der Hochkunjunktur ausgehen. Neue Aufgaben sind aufgetaucht, und neue Lösungsmöglichkeiten haben sich ergeben. Probleme, die vor 25 Jahren noch nicht aktuell waren, spielen heute eine ausschlaggebende Rolle. Ihnen muß das neue Arbeitsprogramm Rechnung tragen. Nur unvollständig und schlagwortartig erwähne ich:
die wirtschaftliche Integration Europas,
das Problem der ausländischen Arbeitskräfte,
die erhöhte Produktivität,
die Automation,
die friedliche Verwendung der Atomenergie
das Landwirtschaftsproblem
und dazu das aktuelle Problem der Hilfe an die Entwicklungsländer.

Diese und viele andere Probleme haben die Gewerkschaftsbewegung unseres Landes vor neue und veränderte Aufgaben gestellt. Jeder von uns stellt in seinem eigenen Tätigkeitsgebiet täglich fest, daß die Aufgaben jeder Gewerkschaft und damit auch diejenigen des Gewerkschaftsbundes sich erweitert haben. Das ist ein erfreuliches Zeichen, ein Zeichen dafür, daß die Bedeutung der Gewerkschaften auch in der Schweiz zugenommen hat. Ein zeitgemäßes Arbeitsprogramm, das diesen Namen verdienen will, muß von diesen Erkenntnissen ausgehen. ...

So viel sich in den letzten Jahren geändert haben mag, so sehr sich das Aufgabengebiet des Gewerkschaftsbundes erweitert hat, die Grundgedanken des neuen Arbeitsprogrammes beruhen auf dem bisherigen:
unverändert ist unser Bekenntnis zur Demokratie, zum demokratischen Rechts- und Wohlfahrtsstaat;
unverändert anerkennen wir die Notwendigkeit der militärischen Landesverteidigung;
unverändert stehen wir auf der Seite der Freiheit und der sozialen Gerechtigkeit.

Damit wird zum Ausdruck gebracht, daß wir uns zur 80jährigen Tradition des Gewerkschaftsbundes bekennen, die uns auch heute noch als Grundlage für unsere Arbeit dient. ...

Die zentrale Idee des wirtschaftlichen Teils des Arbeitsprogrammes ist *das wirtschaftliche Wachstum.*

Ein dynamischer Wachstumsprozeß ist Voraussetzung dafür, daß sich die schöpferischen Fähigkeiten jedes einzelnen besser entfalten können. Das wirtschaftliche Wachstum ermöglicht auch uns, den Lebensstandard der Unselbständigerwerbenden zu verbessern, Not und Armut zu überwinden. Nur in einer wachsenden Wirtschaft können sich die Gewerkschaften voll entfalten, positiv wirken, und sie sind nicht mehr gezwungen, ihre ganze Kraft in Abwehrkämpfen zu verzehren.

Eine expansive Wirtschaft schafft auch die Luft, in der die Demokratie am besten gedeiht, wo sich die verschiedenen Interessengruppen leichter zu gemeinsamen Aufgaben zusammenfinden können. ...

Hinsichtlich der Wirtschaftsform ist der neue Programmentwurf undogmatisch. Im Vordergrund stehen die allgemeinen Ziele: beständiges wirtschaftliches Wachstum, Vollbeschäftigung, soziale Gerechtigkeit. Wir sind demnach bereit, uns in jene Wirtschaftsform einzufügen, die diese Ziele anerkennt und uns für diese Ziele kämpfen läßt. Wir sind bereit, jeder Wirtschaftsform ihre Chancen zu geben, sie nach ihren wirtschaftlichen und sozialen Leistungen zu beurteilen und keine Form dogmatisch zu bevorzugen. Aber dort, wo die Leistung offensichtlich unbefriedigend ist, behalten sich die Gewerkschaften das Recht vor, für eine andere Wirtschaftsform einzutreten. Mit anderen Worten: Das neue Arbeitsprogramm soll und will uns nicht blind zu Verteidigern des Bestehenden machen. ...

Gewerkschaftliche Rundschau, Nr. 3/4, 1961, S. 74f., 78f.

188 PdA-Programm 1959: Für eine sozialistische Schweiz

Für eine neue Politik, für eine sozialistische Schweiz

Es ist Aufgabe der Partei der Arbeit und aller linksgerichteten Kräfte, in großen Zügen den Weg zu einer sozialistischen Schweiz aufzuzeigen. Natürlich kann es sich nicht um ein fertiges Schema, um einen in allen Einzelheiten ausgearbeiteten Plan handeln. Die Errichtung des Sozialismus kann nicht auf Befehl erfolgen und geht nicht nach einem Rezept. Den Sozialismus errichten kann man nur im Einverständnis und zusammen mit der breiten Masse des Volkes; er kann weder von einer Minderheit, noch von oben, noch von außen her erzwungen werden. Hingegen ist es notwendig und auch möglich, eine allgemeine, zum Sozialismus führende Linie festzulegen und die nächste Etappe vorauszusehen. ...

Der Weg zum Sozialismus

Dieser eigene Weg, der unser Volk einer sozialistischen Schweiz entgegenführt, kann nur von den in unserem Lande bestehenden demokratischen Institutionen ausgehen. Das ist Ausgangspunkt und Grundlage, auf die die Arbeiterklasse und ihre Verbündeten sich stützen, um auf friedlichem Wege und stufenweise, durch den Kampf des Volkes, eine höhere Form der gesellschaftlichen Ordnung zu errichten.

Um mit Erfolg die verfassungsmässigen, heute meist nur auf dem Papier stehenden Rechte des Volkes ausüben zu können, muß man diesen Rechten, die ständig und mit allen Mitteln von der Bourgeoisie sabotiert, mit Füssen getreten und ausschließlich zur Verteidigung ihrer eigenen Interessen ausgenützt werden, ihren tatsächlichen konkreten Inhalt geben. Das Schweizervolk muß den Kampf führen für die volle und uneingeschränkte Wiederherstellung aller demokratischen Freiheiten und Rechte.

Aber die Ausnützung dieser Freiheiten und Rechte, der bestehenden demokratischen Institutionen, der parlamentarischen Möglichkeiten, wird nur dann zu einer neuen Stufe der gesellschaftlichen Entwicklung führen, wenn sie sich auf die Aktion der Werktätigen, auf den Kampf der Massen, auf das Bündnis der Arbeiter, Bauern, Mittelschichten und fortschrittlich gesinnten Intellektuellen stützt. Solange das nicht der Fall ist, wird das politische Leben weiterhin beherrscht sein vom Reformismus und Opportunismus der Sozialdemokratie, mit ihrer «loyalen Geschäftsführung» und Verwaltung des kapitalistischen Systems, ihrem Feilschen um Posten und Pöstchen und dem Schacher um Vorteile und Ehren.

Für eine fortschrittliche Mehrheit und eine fortschrittliche Regierung

Die Arbeiter, die werktätigen Bauern, Handwerker und Kaufleute, die Angestellten, Techniker und Intellektuellen bilden zusammen die große Mehrheit des Volkes und die wirklich schöpferischen Kräfte des Landes. Alle diese Schichten werden vom Großkapital ausgebeutet, sei es als Lohnarbeiter, als Pächter und Mieter oder als Konsumenten. Die Lebenshaltung der einen und andern, ja ihre Existenz selbst, werden von der Konzentration des Kapitals, von den Monopolherren der Industrie und von den Banken gefährdet.

Was jetzt not tut, das ist die Sammlung all dieser heute zersplitterten Kräfte in eine breite starke Bewegung des Volkes, ihre Einigung im Kampfe für ihre gemeinsamen Interessen gegen das Monopolkapital und die Macht des Geldes. Dieser Prozeß, der sich von Stufe zu Stufe und von Erfolg zu Erfolg entwickelt, muß zu breiten und tatkräftigen Aktionen führen, die, ohne die Grundlage der bestehenden Ordnung zu ändern, eine von der Mehrheit des Volkes, den Arbeitern, Bauern und Mittelschichten, getragene fortschrittliche Regierung an die Macht bringt.

So wird der Kampf des Volkes selbst zu einer neuen gesellschaftlichen Ordnung führen, die, ohne schon sozialistisch zu sein, als Etappe zwischen der heutigen kapitalistischen, reaktionären Schweiz und der sozialistischen Schweiz von morgen dienen wird.

Die Partei der Arbeit der Schweiz, was sie ist, was sie will, Das Programm der Partei, angenommen auf dem VII. Kongreß der PdAS, 16.–18. Mai 1959, o.O. o.J. (Genf 1959), S. 40f.

189 Unternehmer: Fremdarbeiter als Konjunkturpuffer

Der Artikel von Ernst Schwarb, Sekretär des Zentralverbandes schweizerischer Arbeitgeber-Organisationen, gibt einen historischen Aufriß über die Entwicklung der Fremdarbeiterproblematik aus der Sicht der Unternehmer.

... Schon im Frühling 1947 spricht der Jahresbericht des Zentralverbandes von «nachteiligen lohnpolitischen Wirkungen der Überbeschäftigung». Der hohe Auftragsbestand und die Knappheit an Arbeitskräften veranlaßten viele Unternehmungen zu immer weitergehenden Zugeständnissen in den Löhnen und Nebenleistungen. ...

Abgesehen von dieser Defensivmaßnahme, unterstützte der Zentralverband die immer zahlreicher werdenden Verbände, welche den Mangel an geeignetem Personal durch Beizug von Fremdarbeitern zu überbrücken suchten. In Frage kamen vorwiegend Kräfte aus Norditalien, dessen Industrie und Baugewerbe trotz Wiederaufbau nicht in der Lage waren, das große Reservoir qualifizierter Leute auszuschöpfen. Zum Teil handelte es sich um die Wiederaufnahme der traditionellen Einwanderung, zum Teil aber auch um die Anwerbung neuer Personalkategorien. Angesichts des gewaltigen Lohnunterschiedes zwischen der Schweiz und Italien entstand sehr rasch ein regelmäßiger Strom italienischer Einwanderer, der sich ständig zu vermehren tendierte, da die Fremdarbeiter häufig weitere Leute ihres Bekanntenkreises zur Arbeitsaufnahme in der Schweiz animierten. Bereits 1947 wurden von den zuständigen Behörden rund 39000 Jahresaufenthaltsbewilligungen, 96000 Bewilligungen für Saisonarbeiter und Hausdienstpersonal sowie über 14000 Arbeitsbewilligungen für Grenzgänger erteilt. ...

Die Beschäftigung von Fremdarbeitern hatte somit zu jener Zeit für den Arbeitsmarkt ganz ausgesprochen die Funktion eines Konjunkturpuffers. Ein Abbau der einheimischen Arbeitskräftezahl in ähnlichem Ausmaße, d.h. um etwa 75000 Personen, hätte schwerwiegende politische und soziale Auswirkungen gehabt, während die Möglichkeit, die Fremdarbeiterzahl abzubauen, den einheimischen Arbeitskräften sozusagen jegliche Nachteile der Konjunkturabflachung ersparte und die Sicherheit ihres Arbeitsplatzes bedeutend erhöhte. ...

Ernst Schwarb, Arbeitsmarkt und Fremdarbeiterpolitik, in: Arbeitgeberpolitik in der Nachkriegszeit 1948 bis 1967, Hg. Zentralverband schweizerischer Arbeitgeberorganisationen, Zürich 1968, S. 211 ff.

190 Fremdarbeiter ersetzen Schweizer Arbeiter

... Das Arbeitskräfteproblem der Industrie verschärfte sich von 1956 an auch deshalb, weil Schweizer in größerer Zahl abzuwandern begannen. So wurden 1965 (dem letzten Jahr der Fabrikstatistik) 7000 einheimische Männer weniger registriert als 1957. Noch viel erheblicher war die Abwanderung bei den Schweizer Frauen aus den Fabrikbetrieben; deren Zahl sank von 154000 (1956) bis auf 108000 im Jahre 1965. Der Verlust beträgt hier rund 30%; er erklärt den bedeutenden Anteil der Ausländerinnen an den Fabrikbelegschaften in Branchen mit vorwiegender Frauenarbeit. Selbstverständlich mußten die 53000 abgewanderten einheimischen Männer und Frauen (bis 1967 dürften es etwa 65000 gewesen sein) durch Ausländer ersetzt werden[1]. ...

Ernst Schwarb, Arbeitsmarkt und Fremdarbeiterpolitik, in: Arbeitgeberpolitik in der Nachkriegszeit 1948 bis 1967, Hg. Zentralverband schweizerischer Arbeitgeber-Organisationen, Zürich 1968, S. 211 ff.

[1] *Folgende Zahlen illustrieren die Veränderung der Anteile der ausländichen Arbeiter an den Belegschaften einzelner Industriezweige: (nach: Statistisches Jahrbuch, versch. Jahrgänge):*

Industriezweig	*1950*	*1960*	*1970*
Nahrungs- u. Genußmittel, Getränke	*7,1*	*18,7*	*30,6*
Textilindustrie	*12,1*	*36,2*	*49,9*
Bekleidung, Wäsche	*12,3*	*41,9*	*60,2*
Holzindustrie	*4,6*	*24,3*	*33,5*
Chemische Industrie	*3,9*	*9,8*	*24,0*
Erden und Steine	*10,5*	*37,4*	*46,8*
Metallbearbeitung	*4,8*	*27,7*	*38,2*
Maschinen, Apparate, Instrumente	*4,7*	*22,4*	*34,4*
Uhren, Bijouterie	*3,3*	*7,5*	*27,4*
Alle Wirtschaftsgruppen	*6,7*	*24,1*	*35,8*

191 SGB 1965: Wir haben immer gewarnt!

Teil eines Referats von SGB-Präsident Wüthrich zum Abkommen Schweiz–Italien von 1964. Wie schon im Abkommen von 1948 konnten auch 1964 sehr günstige Bedingungen für die Schweiz – und damit ungünstige Bedingungen für die Fremdarbeiter – erreicht werden. Wüthrich war Mitglied der Verhandlungs-Delegation.

Ausländerproblem – Italienabkommen

... Wenn die ausländischen Arbeiter etwa glauben sollten, sie könnten ihre Probleme mit einer unsachlichen Kritik an und mit ihrem Fernbleiben von den Gewerkschaften lösen, dann täuschen sie sich. Wenn anderseits schweizerische Kollegen der Auffassung sein sollten, die vielfältigen Probleme der Überfremdung mit einer Ablehnung des Italienabkommens bewältigen zu können, befinden sich auch diese in einem schweren Irrtum. Die Probleme, die sich in diesem Zusammenhang stellen, sind viel komplizierter; sie sind vor allem für die freie Gewerkschaftsbewegung, die im Interesse der Mitglieder eine dynamische Wirtschaftspolitik unterstützt, nicht so einfach zu lösen, wie man es sich da und dort vorstellt.

Der Schweizerische Gewerkschaftsbund und die ihm angeschlossenen Verbände haben es nicht notwendig, in der Frage der Fremdarbeiter ihren bisherigen Kurs zu ändern. Wir wären in der Lage, zahlreiche Warnungen vor einer zunehmenden Überfremdung durch eine allzu liberale Zulassungspraxis zu zitieren. Ich möchte mich auf ein einziges Zitat beschränken; es lautet wie folgt:

«Laut Bericht des Bundesamtes für Industrie, Gewerbe und Arbeit befanden sich Mitte August vorigen Jahres in der Schweiz 271 149 kontrollpflichtige ausländische Arbeitskräfte, wovon 160269 Männer und 110880 Frauen. Fügt man dieser beträchtlichen Zahl die rund 84000 Personen hinzu, die eine Niederlassungsbewilligung besitzen, ergibt dies das beunruhigende Total von 355000 ausländischen Arbeitskräften. Wenn man vermeiden will, daß der Arbeitsplatz der einheimischen Arbeiter und Angestellten schon beim geringsten Konjunkturrückgang gefährdet wird, so sollte dies eine oberste Grenze sein, die nicht überschritten werden darf.

Der große Ausschuß des Schweizerischen Gewerkschaftsbundes ist daher der Auffassung, daß die in Kraft stehenden bundesgesetzlichen Regelungen über die Erteilung von Arbeitsbewilligungen von den zuständigen Kantonsbehörden streng und einheitlich einzuhalten sind. Der Gefahr einer dauernden Störung des Gleichgewichtes zwischen einheimischen und ausländischen Arbeitskräften kann nur begegnet werden, wenn man die Aufenthaltsbewilligungen wie bisher beschränkt. ...»

Bei diesem Zitat handelt es sich um einen Auszug aus der Resolution betr. die ausländischen Arbeitskräfte vom 10. Februar 1956, also zu einer Zeit, da die Arbeitszeit in der Industrie im allgemeinen noch 48 Stunden pro Woche betrug und man folglich nicht die Arbeitszeitverkürzung für die Störung des Gleichgewichtes verantwortlich machen konnte. Wie gesagt, könnten der Gewerkschaftsbund und die angeschlossenen Verbände unzählige ähnliche Appelle zitieren. Wir möchten darauf verzichten, denn wir wissen sehr gut, dass auch mit solchen Zitaten das Ausländerproblem nicht gelöst werden kann. Was die Gewerkschaften aber mit Recht für sich in Anspruch nehmen dürfen, ist die Tatsache, daß nicht sie, sondern die Arbeitgeber mit ihrem unbändigen Drang nach Expansion, Arm in Arm mit den Zulassungsbehörden von Bund und Kanton, das Überfremdungsproblem verursacht haben.

Die Appelle der Gewerkschaften wurden noch bis vor kurzem von Arbeitgebern und verantwortlichen Behörden und, sagen wir es offen, auch von einem Teil unserer Gewerkschafter und Vertrauensleute, in den Wind geschlagen oder überhört. Man bezichtigte die Gewerkschaften seitens der Arbeitgeberorganisationen und Behörden unrealistischer Überlegungen und unterschob uns lohnpolitische Motive. ...

Gewerkschaftliche Rundschau Nr. 2, Februar 1965, S. 45f.

192 Die Fremdenpolizei – Eine Unternehmer-Hilfs-Mafia*

... R.M. ist ein Spanier, der als Buffetbursche, versehen mit den notwendigen Bewilligungen in einem Zürcher Restaurant arbeitete. Ende November 1968 bildete sich an seinen Händen ein Ekzem, das mit der Ausübung seines Berufes in Zusammenhang stand. Der Arbeitgeber wollte nichts von seiner Krankheit wissen, obwohl sie sichtbar war. R.M. ging zu einem Arzt, der ihm ein Arbeitsunfähigkeitszeugnis für eine Woche ausstellte. Das paßte dem Arbeitgeber nicht, und die beiden vereinbarten schriftlich, in gegenseitigem Einverständnis den Vertrag aufzulösen. Der Spanier hatte genug von diesem Schweizer. Die Rache des Schweizers wurde mit Hilfe der Fremdenpolizei vollzogen, die weder das ärztliche Zeugnis noch die gegenseitige Vereinbarung, normalerweise die Voraussetzung für einen legalen Stellenwechsel, gelten ließ.

Der Spanier trat eine neue Stelle an, meldete sich bei der Fremdenpolizei – als Antwort erhielt er eine Verfügung, die ihm befahl, den Kanton innert kürzester Frist zu verlassen. M. setzte sich in Bewegung, sprach bei verschiedenen Ämtern vor.

Überall wurde er abgewiesen, eine Rechtsbelehrung oder einen Hinweis erhielt er nicht. Er verpaßte den Termin für den Rekurs an den Regierungsrat, ohnehin eine langwierige und völlig aussichtslose Sache. Dann setzte sich ein Schweizer für ihn ein, und siehe da: nun waren die Beamten der Fremdenpolizei wenigstens bereit, diesen zu einem Gespräch zu empfangen. Wir zitieren aus dem Protokoll dieses Gesprächs, das am 13. März 1969 mit dem Direktor der zürcherischen Fremdenpolizei, Herrn Lienhard, stattfand.

Frage: Warum wurde M. nicht angehört?

Antwort: Es ist nicht üblich, diese Leute auch noch anzuhören. Diese Leute reden ohnehin nur auf die eigene Mühle.

Frage: Warum wird der Arbeitgeber gefragt, der Arbeiter nicht?

Antwort: Es ist im Interesse der Öffentlichkeit, wenn der Arbeitgeber angehört wird. Dieser hat doch sicher mehr Rechte als irgend so ein Ausländer.

Frage: Sie sind im Besitze der Bestätigung, die von beiden Vertragspartnern unterschrieben wurde, daß der Vertrag im gegenseitigen Einverständnis aufgelöst worden ist. Warum berücksichtigen Sie die Klage des Arbeitgebers, M. sei vertragsbrüchig geworden?

Antwort: keine

Üblicherweise bedeutet die Wegweisung aus einem Kanton die Ausdehnung der Wegweisungsverfügung auf das ganze Gebiet der Schweiz. Gegen diese Verfügung der Eidgenössischen Fremdenpolizei kann beim Bundesrat rekurriert werden. M. wurde mit einer Einreisesperre von zwei Jahren bedient. Er hat rekurriert und erhielt kürzlich negativen Bescheid. In dieser Sache lautete die Frage an Herrn Lienhard:

Frage: Was für Beweise sind nötig, um eine solche Sperrmeldung zu erreichen?

Antwort: Die mißlichen Zustände, in denen sich die Arbeitgeber manchmal befinden, zwingen uns, daß wir deren Angaben als Grundlagen nehmen müssen. Gründe wie Vertragsbruch usw. führen zu diesen Sperrmeldungen. Drehen sie doch einmal den Spieß um. Was geschähe denn, wenn jeder Arbeitnehmer machen könnte, was ihm beliebt? Man muß doch die Zusammenhänge zwischen Angebot und Nachfrage auf dem Arbeitsmarkt sehen und ein bißchen nachhelfen. Es geht doch nicht, daß einer einfach von seiner Stelle wegläuft und dann sofort eine andere findet, in der er womöglich noch mehr verdient.

Frage: Werden Beschuldigungen von Seiten der Arbeitgeber überprüft?

Antwort: Es wird von der Polizei nur der Arbeitgeber gefragt und angehört.

Frage: Wie ist der Weg zu einer Sperrmeldung?

Antwort: Es gibt eine Anzeige von Seiten des Arbeitgebers und dann erfolgt die Ermittlung der Polizei. Das Arbeitsamt erläßt dann eine Sperrmeldung.

Frage: Wie lautet das entsprechende Gesetz?

Antwort: Es gibt darüber kein Gesetz. Ein Ausländer hat doch in der Schweiz keinerlei Recht auf irgendeine Arbeitsbewilligung. Gesuche können ohne Begründung abgewiesen werden.

Agitation Nr. 10, 1970, S. 4.

193 Flugblatt der Colonie Libere Italiane Zürich zum 1. Mai 1969

Ortskomitee Zürich der Colonie Libere Italiane

In Avola hat die Polizei geschossen.
In Battipaglia hat die Polizei nochmals geschossen.
So beantwortet die herrschende Klasse Italiens die berechtigten Forderungen der Arbeiter.

Die Leute wandern aus und gelangen so
von der Arbeitslosigkeit in Italien ins Saisonnier-Statut in der Schweiz,
von der Armut in die Baracken,
von der italienischen Polizei zur Fremdenpolizei,
vom Hunger zum absoluten Mangel an politischem Gewicht.
In Italien stirbt man buchstäblich; hier sterben wir in sozialer Hinsicht.
In Italien werden die Rechte der Arbeiter mit Gewalt unterdrückt;
hier werden wir mit ungerechten Gesetzen dieser Rechte selbst beraubt.

Diese Wirklichkeit vor Augen fordern wir in der Schweiz:
Abschaffung des Saisonnier-Statuts,
Abschaffung aller Beschränkungen des Familiennachzugs,
Gleiches Stimmrecht wie die Schweizer Bürger in Gemeindeangelegenheiten,
Gleiche Pflichten, gleiche Rechte wie die Schweizer Bürger.
in Italien:
Schaffung von Arbeitsplätzen, um der Auswanderung ein Ende zu bereiten,
Recht auf Bildung für alle,
Entwaffnung der Polizei.

Auswanderer, schließ dich uns an, werde Mitglied der Colonie Libere Italiane!

Flugblatt der Colonie Libere Italiane, Zürich 1969 (Übersetzung aus dem Italienischen).

194 Die Spaltung der Arbeiterklasse*

In die Debatte um die Fremdarbeiterpolitik griff auch die Neue Linke ein. Sie unterstrich in ihren Stellungnahmen insbesondere Aspekte der sozialen Differenz zwischen schweizerischen und ausländischen Arbeitern und die daraus entstehende Spaltung der Arbeiterklasse.

Rein ökonomisch betrachtet sind die ausländischen Arbeiter ein integrierter Teil des schweizerischen Wirtschaftssystems, die im Zentrum der Produktion stehen. Die Fremdarbeiter sind somit objektiv ein fester und zu einem großen Teil bleibender Bestandteil der schweizerischen Arbeiterklasse. Es ist deshalb leicht verständlich, weshalb gerade aus sogenannten Wirtschaftskreisen Bestrebungen im Gange sind, sich diesen Teil der Arbeiterklasse auch politisch verfügbarer zu machen und sogenannt assimilierte, d.h. politisch verläßliche Fremdarbeiter, vermehrt auch einzubürgern. Allerdings eben Einbürgerung nur der Assimilierten. Einbürgerung soll offensichtlich der Lohn sein, der den Willen zum politischen Wohlverhalten anreizen soll. Faktisch wird ein Ausländer erst dann als assimiliert anerkannt, wenn er offensichtlich das bürgerliche Normensystem der herrschenden Klasse der Schweiz verinnerlicht hat. Die Bemühungen des Bürgertums um vermehrte Assimilation, Integration, erleichterte Einbürgerung usw. sind allein darauf ausgerichtet, die ausländischen Arbeiter an die einheimische Bourgeoisie, das einheimische Spießertum, die Gewerkschaftsbürokratie zu binden, und niemals Versuche, echte Solidarität zwischen den Arbeitern der verschiedenen Nationalitäten zu fördern. Die Korrumpierung der Kader der einheimischen Arbeiterklasse soll lediglich durch die ideologische Korrumpierung eines Teils der Fremdarbeiter sinnreich ergänzt werden.

Obschon die gesamte schweizerische Arbeiterklasse objektiv eine ökonomische Einheit bildet, besteht zwischen einheimischen Arbeitern und Fremdarbeitern eine tiefe soziale Spaltung. Die herrschende Klasse hat alles Interesse, diese soziale Spaltung aufrechtzuerhalten und zu vertiefen, denn dadurch hat sie die Möglichkeit:

die beiden Teile der Arbeiterklasse gegeneinander auszuspielen,

an die Stelle des Gegensatzes zwischen Kapital und Arbeit den Gegensatz zwischen den Nationalitäten zu setzen,

an die Stelle der Klassensolidarität die auf dem Nationalismus beruhende Solidarität der einheimischen Arbeiter mit dem schweizerischen Unternehmertum zu setzen.

Solange diese soziale Klassenspaltung die Klassenverhältnisse verschleiert, ist ein revolutionärer Klassenkampf der schweizerischen Arbeiterklasse praktisch undenkbar. Die Aufrechterhaltung der Klassenspaltung ist somit die Voraussetzung für die Sicherung der unangefochtenen Herrschaft des Kapitals im ökonomischen und politischen Bereich.

Die Ideologie und die Politik des Bürgertums ist deshalb darauf ausgerichtet, die selbstverständlich bestehenden Nationalitätengegensätze durch Kultivierung eines latenten Fremdenhasses zu vertiefen und sie durch die bereits geschilderte diskriminierende Ausländergesetzgebung rechtlich zu verankern. Dabei stützt sich das Bürgertum auf die Ideologie von der schweizerischen Eigenart und der Bedrohung durch die Überfremdung. Diese angebliche Gefahr der

Überfremdung des Schweizervolkes wird von allen Organen des Bürgertums, sowohl vom Bundesrat wie den Unternehmerverbänden bis zu hohen Gewerkschaftsfunktionären behauptet. ...

Die Fremdarbeiterfrage, Für eine sozialistische Alternative, Hg. Fortschrittliche Arbeiter, Schüler und Studenten, Zürich 1970, S. 9f.

195 Vorstellungen des SGB zur Fremdarbeiterpolitik 1973

... Die Gewerkschaftspolitik hatte und hat immer noch zum Ziel, die Vollbeschäftigung zu garantieren, ein reales Wirtschaftswachstum sicherzustellen und zu vermeiden, daß die ausländischen Arbeitskräfte zu einem Konkurrenzfaktor gegenüber der einheimischen Arbeiterschaft werden zum Nachteil der Hebung der Lohnverdiener in ihren wirtschaftlichen und sozialen Verhältnissen. ...

4. *Welches ist die gewerkschaftliche Alternative in bezug auf das Einwanderungsproblem?*
Die gewerkschaftlichen Thesen, die die wirtschaftlichen, sozialen und menschlichen Aspekte des Einwanderungsproblems ins Auge fassen, sind in ihrer Gesamtheit und nicht separat zu beurteilen; sie bezwecken eine globale und nicht nur eine Teillösung.

4.1. Wir stellen fest, daß diese gewerkschaftlichen Thesen nicht einseitig herangereift sind, vielmehr sind sie die Frucht eines *umfassenden und tiefgreifenden Dialogs* auf verschiedenen Ebenen mit den drei italienischen Gewerkschaftsverbänden. Dieser Dialog soll nun auch mit den jugoslawischen Gewerkschaften geführt werden, und wir sind bereit, ihn auch mit den spanischen und griechischen Gewerkschaften zu führen, sobald in ihren Ländern demokratische Verhältnisse in der Politik hergestellt sind.

4.2. *Auf wirtschaftlicher Ebene*
4.2.1. lehnt der Gewerkschaftsbund Rezepte ab, die in Form von *Volksbegehren* dargebracht, auf einen massiven Abbau der ausländischen Bevölkerung und damit auch der Arbeitskräfte hinzielen. Unabhängig von ihrer Herkunft, ihrer Geisteshaltung sowie ihren menschlichen und sozialen Auswirkungen könnten diese Rezepte – kumuliert mit der im Gange befindlichen Umstrukturierung der Wirtschaft – eine Deflation herbeiführen, welche die Vollbeschäftigung in Frage stellt.
4.2.2. Der Gewerkschaftsbund unterstützt hingegen die vom Bundesrat in die Wege geleitete *Stabilisierungspolitik* in der Überzeugung, daß sie die vernünftigste Voraussetzung für die künftige Reduktion der Zahl der ausländischen Arbeitskräfte darstellt. Diese Haltung ist in zweifacher Hinsicht gerechtfertigt:
einmal ist die Stabilisierung die einzige Alternative, die eine zustimmende Mehrheit der Bevölkerung auf sich vereinigen kann;

zum andern zwingt sie die Unternehmer zu jenen Rationalisierungsmaßnahmen, die bisher vernachläßigt wurden.

4.2.3. Im Rahmen der Stabilisierung sollte es möglich sein, das Problem der Saisonarbeiter zu lösen – zuerst was die unechten betrifft, in der Folge jenes der übrigen – indem für die Umwandlung der Saison- in Jahresbewilligungen das Zusatzkontingent geopfert wird, das bisher zur Verfügung stand, um die Lücken aufzufüllen, die sich durch die die Schweiz verlassenden Jahresaufenthalter ergeben.

4.2.4. Die *Stabilisierungspolitk* kann nicht getrennt werden von einer Politik der *Liberalisierung* der ausländischen Arbeitskräfte im Sinne der Abschaffung aller jener Bestimmungen, die ihre Freizügigkeit beschränken.

4.3. *Auf sozialer Ebene*

handelt es sich sehr summarisch ausgedrückt um

4.3.1. die Abschaffung aller *Diskriminierungen,* die zum Nachteil der ausländischen Arbeitnehmer im Bereich unserer Sozialgesetzgebung noch vorhanden sind;

4.3.2. es geht jedoch auch darum, die soziale Sicherheit der *zurückkehrenden* Arbeiter und der in ihrer Heimat verbleibenden Familienangehörigen zu gewährleisten, Probleme, die allzuoft von der eidgenössischen Gesetzgebung nicht erfaßt werden und somit zur reinen Angelegenheit der Herkunftsländer der Emigranten werden;

4.3.3. diesbezüglich Lösungen zu finden, die es dem Emigranten erlauben, je nach seinen Interessen für die Sozialleistungen seines Herkunfts- oder des Gastlandes zu optieren.

4.4. *Auf menschlicher Ebene*

stellen sich vielleicht nicht nur die heikelsten Probleme, sondern auch die komplexesten, weil sie in den intimsten Bereich der Interessen des Ausländers fallen. Der Schweizerische Gewerkschaftsbund legt den Akzent

4.4.1. auf die *Aufrechterhaltung der fundamentalen Freiheit* des eingewanderten Arbeiters, der sich auch in der Schweiz frei fühlen muß, nach seiner eigenen Überzeugung zu denken und gemäß den ethischen und sozialen Normen zu handeln, die für die einheimische Bevölkerung gelten;

4.4.2. auf die *Zusammenführung der Familien* sofern der zugezogene Ausländer sich entschieden hat, dauernd in der Schweiz Aufenthalt zu nehmen und imstande ist, seine Familie gebührend zu erhalten;

4.4.3. auf alle jene Maßnahmen, die dem Ausländer und seinen Familienangehörigen die Anpassung an die schweizerischen Verhältnisse, die Integration in das soziale Leben und die Assimilierung erlauben;

4.4.4. auf eine weitherzigere Einbürgerungspolitik, insbesondere betreffend die zweite Generation. Diese Einbürgerungspolitik ist auch der zu beschreitende Weg in bezug auf die Stabilisierung der ausländischen Bevölkerung, die der Stabilisierung der Arbeitskräfte folgen muß.

Ezio Canonica, Die Einwanderungspolitik und die schweizerischen Gewerkschaften (Zusammenfassung des Exposés von Nationalrat Ezio Canonica), Zürich, 10. Mai 1973, S. 2ff.

196 Sicherheit am Arbeitsplatz: Der Arbeiter trägt das Risiko

Die folgende Quelle schildert die Arbeitsverhältnisse in einem modernen Produktionsbetrieb für Fertigbauelemente (Igéco AG).

... Zu den technischen Hilfsmitteln der Produktion gehören ... auch hochfrequentige Vibratoren, die zur Verdichtung des flüssigen Betons dienen. Zu diesem Zweck schütteln diese Vibratoren die Schalungsbatterie und die Rütteltische, aber auch jene Arbeiter, die zum gleichmäßigen Verteilen des flüßigen Betons mit ihren Schippen auf eben diesen Tischen und der Schalungsbatterie für längere Zeit stehen müssen. Vor allem aber verursachen sie einen unbeschreiblichen Lärm, der jegliche mündliche Verständigung während fast der ganzen Arbeitszeit ausschließt.

«Was ein wenig störend wirkt, ist der Lärm. ... Es ist der schlimmste Faktor und der Hauptgrund für die vielen Wechsel (der Arbeiter, Red.). Es geht einige Jahre, dann werden die meisten eben halb verrückt.»

Es gäbe zwar schon Möglichkeiten, um die Arbeiter in der Werkhalle gegen diese Art gesundheitlicher Schäden zu schützen:

«Wenn die Hochfrequenzvibratoren durch solche mit niedrigen Frequenzen ersetzt würden. ... Aber vermutlich ist das Problem noch gar nicht richtig durchdacht.»

So begnügte sich die Firmenleitung bis heute damit, «ihr möglichstes» zu tun:

«Um die durch Vibratoren möglicherweise hervorgerufenen Gehörschäden zu vermeiden, wird jedem Arbeiter ein Gehörschutz zur Verfügung gestellt.»

Dieser Gehörschutz besteht aus zwei faustgroßen Klötzen, die von einem Spannbügel an die Ohren gedrückt werden. Er ist höchst unangenehm zum Tragen und beeinträchtigt somit zwangsläufig einen reibungslosen Arbeitsablauf. Da die Firmenleitung aber neben dem Gehörschutzapparat auch gleich noch ein Prämiensystem eingeführt hat, ist die ausbezahlte Lohnsumme eben gerade von den optimalen Arbeitsbedingungen und damit einem vollkommen reibungslosen Arbeitsablauf abhängig. Dabei hat die Firmenleitung ihr Prämiensystem noch so eingerichtet, daß es dem einzelnen Arbeiter praktisch unmöglich ist, sich diesem Prämiensystem zu entziehen. Die Leistungsgrenze, oberhalb der Prämien ausgezahlt werden, ist gerade so angesetzt, daß es den Arbeitern noch möglich ist, sie zu überschreiten. So erreicht die Firmenleitung, daß die Arbeiter möglichst dauernd die Motivation besitzen, mehr zu leisten. Der einzelne Arbeiter kann sich dem Prämiensystem aber vor allem deshalb nicht entziehen, weil die Prämien nicht nach der Leistung eines einzelnen, sondern vielmehr nach der Leistung sogenannter Arbeitsteams bemessen werden, so daß jedes Glied solch eines Arbeitsteams den Verdienst seiner Kollegen mitbeeinflußt. Dies führt dazu, daß die einzelnen Arbeiter ihre eigene Arbeitskontrolle durchführen und sich gegenseitig zur Arbeit anhalten.

Die direkte Folge dieses Prämiensystems besteht nun vor allem darin, daß sich beinahe alle Arbeiter der Igéco AG in Volketswil Gesundheitsschäden aussetzen müssen, da es ihnen praktisch verwehrt wird, die von der Werkleitung gestellten Gehörschutzapparate zu tragen.

Für diese Lohn- und Arbeitsbedingungen will die Firmenleitung aber offenbar keine Verantwortung tragen, denn sie versucht sämtliche Risiken auf ihre Arbeiter abzuwälzen. So muß sich jeder Arbeiter bei seiner Anstellung mittels Unterschrift zum Tragen des Gehörschutzes verpflichten. «Widersetzt» er sich dann dieser Verpflichtung, indem er bei der Arbeit – dem Druck des Prämiensystems nachgebend – den Gehörschutz nicht ständig trägt, so verliert er jedes Anrecht auf eine weitere Unterstützung durch die Firma. Denn die Schweizerische Unfall-Versicherungs-Anstalt (SUVA), der die Arbeiter durch ihren Unternehmer zwangsweise angehören, kommt für die Gesundheitsschäden der Igéco-Arbeiter nur dann auf, «... wenn der Arbeiter [!] nachweisen kann, daß er den Gehörschutz *immer* getragen hat.» (Hervorhebungen durch die Redaktion.)

Das heißt nichts anderes, als daß die Firmenleitung nicht dazu verpflichtet ist, wirkungsvolle Maßnahmen zum Schutze ihrer Arbeitskräfte vorzunehmen. Sie muß lediglich nachweisen können, daß sie die Verantwortung für Gesundheitsschäden auf ihre Arbeiter abgewälzt hat.

Genau wie mit den Gehörschutzapparaten verhält es sich mit den Schutzhelmen, die von der Firmenleitung an die Arbeiter verteilt werden, um sie vor herabfallenden Gegenständen in der Werkhalle zu schützen. Weitere Schutzmaßnahmen gibt es erstaunlicherweise nicht, obwohl die Firmenleitung selber schon seit geraumer Zeit noch weit Schlimmeres als Gehörschäden befürchtet, nämlich Nervenschäden. Schon einige Arbeiter haben – offensichtlich solcher Befürchtungen wegen – den Betrieb verlassen. Im Jahre 1970 zum Beispiel verließen fünf Arbeiter die Firma, weil sie sich, wie die Firmenleitung dies nannte, «irgendwie nervös» fühlten.

Die wöchentliche Arbeitszeit beträgt für jeden Arbeiter 45 Stunden. Dies entspricht einem 9-Stunden-Arbeitstag. Um ihre Einrichtungen optimal ausnützen zu können, hat die Firmenleitung neben den Arbeitsteams, die zu den Normalarbeitszeiten im Werk tätig sind, zwei «Schichten» eingeführt, die 2 Stunden vor bzw. 2 Stunden nach dem normalen Arbeitsbeginn ihre Arbeit aufnehmen. So beginnt eine Schicht morgens um 5 Uhr mit der Arbeit, während eine andere Schicht erst um 9.15 Uhr zur Arbeit erscheint, dafür aber bis um 19.15 Uhr arbeiten muß.

Etwa 80% der Arbeiter kommen aus dem Ausland. ...

Autorenkollektiv, «Göhnerswil» – Wohnungsbau im Kapitalismus, Zürich 1972, S. 146ff.

197 Leistungslohn für Lehrlinge

... Als Leistungslohn wird der «wissenschaftlich gerecht bemessene Lohn» in den verschiedensten Variationen propagiert. Er unterscheidet sich von den herkömmlichen Lohnsystemen wie Zeitlohn (Lohn pro Stunde, Tag, Woche, Monat usw.) oder Akkordlohn (Lohn pro Stückzahl und Stunde, Tag usw.) dadurch, daß vor allem der Persönlichkeitsbewertung des Arbeiters (Farbe der Krawatte, Haarschnitt, Benehmen, Einstellung zum Betrieb, Freizeitgestaltung, Untergebenheit gegenüber Vorgesetzten usw.) ein sehr großer Spielraum zugemessen wird. ...

Lehrlinge als Versuchskaninchen, Leistungslohn bei Conzett + Huber, Hg. Jungbuchdruckergruppe Zürich, Mai 1972.

Conzett & Huber'sche Bewertungsspitzfindigkeiten

1. Allgemeines Betriebsverhalten	verstösst häufig gegen betriebliche Anweisungen und Vorschriften	befolgt betriebliche Anweisungen und Vorschriften mangelhaft	hält in der Regel betriebliche Anweisungen und Vorschriften ein	hält betriebliche Anweisungen und Vorschriften immer ein
	kümmert sich nicht um Termine	versäumt oft Termine	versucht sich meist an Termine zu halten	versucht sich immer an Termine zu halten
	kommt sehr oft zuspät oder hat unbegründete Absenzen	kommt oft zuspät	kommt selten zuspät	kommt praktisch nie zuspät
	unzuverlässig	nicht immer verlässlich	zuverlässig	sehr zuverlässig
	unordentlich bemüht sich nicht um Reinlichkeit in seinem Arbeitsbereich	hat wenig Ordnung ist wenig auf Reinlichkeit bedacht	hat meist gute Ordnung achtet auf Reinlichkeit	hat immer gute Ordnung achtet immer auf Reinlichkeit
2. Verhalten gegenüber Vorgesetzten, Kollegen und anderen Betriebsangehörigen	verhält sich nicht korrekt gegenüber Betriebsangehörigen	verhält sich nicht immer korrekt gegenüber Betriebsangehörigen	verhält sich gegenüber allen Betriebsangehörigen korrekt	hilfsbereit gegenüber Kameraden
	unkollegial	kann sich schlecht anpassen	kann sich gut anpassen	
	ungeeignet für Zusammenarbeit	nicht für jede Zusammenarbeit geeignet	ist geeignet für Zusammenarbeit	stellt sich positiv zu Zusammenarbeit
	erträgt keine Kritik	erträgt Kritik schlecht	erträgt Kritik	wertet Kritik positiv aus
	kritisiert sehr unsachlich	kritisiert oft unsachlich	ist bemüht, sachlich zu kritisieren	kritisiert sehr sachlich
3. Berufsinteresse (Initiative und Selbständigkeit)	ist sehr unselbständig	versucht kaum selbständig zu arbeiten	arbeitet in der Regel selbständig	arbeitet nach Einführung sehr selbständig
	versucht nie eigene Ideen zu realisieren oder Vorschläge zu machen	versucht nur selten eigene Ideen zu verwirklichen	ist bestrebt, gelegentlich eigene Ideen zu verwirklichen	versucht oft eigene Ideen zu verwirklichen
	erweitert seine Fachkenntnisse nie aus eigenem Antrieb	hat wenig Interesse, seine Fachkenntnisse zu erweitern	versucht hin und wieder aus eigener Initiative seine Fachkenntnisse zu erweitern	unternimmt oft Anstrengungen, seine Fachkenntnisse zu erweitern
	führt sein Arbeitsbuch nur unter Zwang	führt sein Arbeitsbuch unregelmässig oder nicht vollständig	führt sein Arbeitsbuch meist regelmässig und vollständig	führt sein Arbeitsbuch regelmässig und behandelt einzelne Gebiete ausführlich
4. Sorgfalt im Umgang mit Sachwerten und in der Arbeitsausführung (inkl. Befolgung der mündlichen und schriftlichen Arbeitsinstruktionen)	arbeitet unsorgfältig	arbeitet oft unsorgfältig	arbeitet in der Regel sorgfältig	sehr sorgfältige Arbeitsausführung
	macht auch nach guter Einführung sehr viele Fehler	macht öfters Fehler	macht verhältnismässig wenig Fehler	es entstehen nur selten Fehler
	meldet Fehler oft nicht	meldet nicht alle Fehler	meldet Fehler	
	befolgt die Arbeitsinstruktionen schlecht	befolgt Arbeitsinstruktionen nicht immer	hält sich an die Arbeitsinstruktionen	
	ist unsorgfältig im Umgang mit Sachwerten und verschwendet Material	wendet nicht genügend Sorgfalt und Sparsamkeit im Umgang mit Sachwerten an	geht im allgemeinen sorgfältig und sparsam um mit Sachwerten	geht mit Sachwerten schonend und sparsam um
5. Arbeitstempo (Einsatz, Wirksamkeit) bei der Ausführung bekannter und beim Lernen neuer Tätigkeiten	setzt sich nie ein	setzt sich nur gelegentlich ein	setzt sich meist ein	ist immer sehr einsatzfreudig
	sehr geringe Wirksamkeit der Arbeitsausführung	geringe Wirksamkeit der Arbeitsausführung	gute Wirksamkeit der Arbeitsausführung	hohe Wirksamkeit der Arbeitsausführung
	sehr lange Anlaufzeit	lange Anlaufzeit	meist kurze Anlaufzeit	kurze Anlaufzeit
	arbeitet sehr langsam	arbeitet ziemlich langsam	gutes Arbeitstempo	Arbeitstempo liegt wesentlich über dem Durchschnitt
	grosse Schwankungen im Arbeitstempo	öfters Schwankungen im Arbeitstempo	selten Schwankungen im Arbeitstempo	konstantes Arbeitstempo

198 «Mitdenken lohnt sich»

... Margrit B. hatte auch ein Verfahren herausgefunden, das die Einführung des Dämpferdrahtes in große Wellen wesentlich erleichterte. Früher mußten die rostig-spröden Drahtenden in mühsamer Handarbeit aufgesägt und gespreizt werden. Dies war schwierig für eine Frau, verlangte Kraft und beanspruchte zudem viel Zeit.

In einer andern Abteilung konnte Margrit B. einmal einem Arbeiter zuschauen, der einen Draht erhitzte und ihn, als er glutrot war, mit einer langhebligen Zange breit klemmte.

Sie machte diesen Versuch auch bei ihrer Arbeit, holte den Bunsenbrenner, die Zange. Der Versuch gelang. Darauf rief sie den Vorarbeiter herbei, zeigte ihm ihre Neuerung, und zusammen schrieben sie nach Schichtende den ganzen Vorgang auf. Sie übergaben ihren Änderungsvorschlag dem Meister, der ihn visierte und ans zuständige Büro weiterleitete. Bald folgte die Überprüfung. Der Vorschlag wurde angenommen, und von der Fabrikleitung erhielt Margrit B. hundertzwanzig Franken für diese gute Idee. Ihr Bild erschien in der Hauszeitung.

Seitdem werden die Enden der Dämpferdrähte für große Wellen erhitzt und breit geklemmt, damit sie nicht durch das Loch in der letzten Schaufel zurückgleiten können. Das erspart Zeit, Arbeitsaufwand und fördert den raschen Ablauf und die Produktion. Margrit B. hatte darum Mühe zu verstehen, daß bald darauf die Vorgabezeit[1] für diese Wellen herabgesetzt wurde. Das verschlechterte ihr natürlich wiederum den Akkord. Dank ihrer Neuerung bearbeitete sie mehr Wellen als früher, verdiente aber weniger.

Damals stand in der Hauszeitung unter ihrem Bild geschrieben: «Mitdenken lohnt sich.» Nun schimpfte sie, und die Herabsetzung des Akkordes bot Gesprächsstoff für manche Schichtpause. ...

Silvio Blatter, Schaltfehler, Zürich 1972, S. 6f.

[1] *Die dem Akkordarbeiter für einen bestimmten Arbeitsgang zur Verfügung stehende Zeit, deren Überschreitung einen Lohnabzug zur Folge hat.*

199 Arbeitsstreß und legaler Drogenkonsum

Aus einem Werbeprospekt der Firma Hoffmann-La Roche.

Frauen, die im technischen Arbeitsbereich der Nylonstrumpffertigung tätig waren, entdeckten, daß ihre Akkordlöhne immer dann eine Einbuße erlitten, wenn sie zu Hause oder am Arbeitsplatz Streßsituationen ausgesetzt waren; daher wurde ihnen eine psychiatrische Betreuung am Arbeitsplatz angeboten. Von den 50 Frauen, die davon Gebrauch machten und bis zu 8 Wochen unter Beratung und Behandlung mit «Librium» standen, 3 mal täglich 5 mg, zeigten 32 eine ausgezeichnete und 9 eine gute Reaktion. Während vorher Barbiturate und andere Tranquilizer zwar einige der Symptome gebessert, aber die Produktion weitergehend negativ beeinflußt hatten, war der Effektivlohn dieser Patientinnen unter der Behandlung mit «Librium» wieder auf die Höhe vor der Erkrankung zurückgekehrt.

Ist Emotion meßbar?, Hg. F. Hoffmann-La Roche & Co. AG, Basel 1972. Zitiert nach: Die andere Seite von «Valium» Roche, Hg. POB-MED, Gruppe Medizin der Progressiven Organisationen Basel, Basel 1973, S. 2.

200 Meine Firma ... Eine Arbeiterin berichtet

Ich bin 19 Jahre alt. Mit 17 Jahren kam ich in die Firma. Bis vor kurzem war ich gewöhnliche Arbeiterin. Seit Januar 1973 bin ich nun Abteilungsleiterin in der Abfüllerei. Meine Firma produziert Kosmetikartikel und beschäftigt vierzig bis fünfzig Leute. Wir haben viel Personalwechsel. Viele kommen und gehen. So meint man immer, jetzt sind nur noch wenige da. Es sind neue Aufträge und andere Lieferfirmen dazugekommen. Wir haben einen neuen Tubenautomat. Der ist sehr wichtig. Sonst haben wir immer die gleichen Maschinen, das heißt, die Herstellung der Produkte ist mehr oder weniger modernisiert worden, während die Abfüllerei gleich geblieben ist.

In der Abfüllerei, wo ich Abteilungsleiterin bin, habe ich nur mit Pflegekosmetik zu tun. Manchmal auch mit Sonnenkosmetik. Aber davon wird das meiste in Tuben abgefüllt. Da muß man es nur noch verpacken. Neulich sind die Verpackungen modernisiert worden. Sie sind farbenfroher, aber einheitlicher geworden. Früher war ein schreckliches Durcheinander in den Verpackungen. Die jetzigen Formen sind besser und handlicher. Dabei sind auch einige Produkte ausgeschieden worden. Dafür sind andere neu dazugekommen. Ich glaube, alles wegen der Forschung. Und vielleicht auch ein wenig wegen des Marktes. Gewisse Sachen haben einfach nicht mehr gezogen.

Ich finde meine Arbeit sehr interessant. Sie befriedigt mich sehr. Meine Arbeit ist recht abwechslungsreich. Es ist wohl immer Crème und es sind immer Töpfe, aber da ist doch immer wieder etwas anderes und ein neues Problem. Jetzt arbeiten wir nur noch an den Maschinen. Das ist schon ein wenig eintönig, finde ich. Die Serien dauern aber nicht so lange, drei bis vier Stunden, tausend bis zweitausend Stück. Dann kommt wieder ein anderes Produkt dran, meist ein ähnliches, damit man die Maschinen nicht ganz umzustellen braucht. Ich sitze also nicht den ganzen Tag da und mache immer das gleiche. Da muß man wieder einmal das Band abstellen und Sachen einfüllen. Das gibt auch viel zu tun.

Ich glaube schon, daß meine jetzige Arbeit eines Tages ganz von Maschinen gemacht werden könnte. Es würde mir schon schwerfallen; ich wechsle nicht so gern von einer Fabrik zur andern. Ich glaube zwar nicht, daß ich bis zu meiner Pensionierung hier bleiben werde. Der Gedanke daran wäre aber gar nicht so schrecklich.

Ich bin hier Abteilungsleiterin geworden, weil ich immer ein wenig zum Zeug geschaut habe. Ich war immer etwas interessiert. Ich habe immer meine Arbeit gemacht und auch der Abteilungsleiterin gern ein wenig geholfen. Ich kannte sie gut, schon von klein auf. Wenn sie nicht da war, machte ich ein wenig Stellvertretung, auch als sie ganz von hier wegging. Nun ist sie wieder da, aber im untern Stock. Ich habe schon immer alles gemacht. Ich wußte ziemlich schnell alles. Im Januar haben sie dann sechs neue Abteilungsleiterinnen gewählt. Da bin ich auch dazugekommen. Nun muß ich die Arbeiten einteilen für die Arbeiterinnen, so, daß alles gut vorbereitet ist: Einrichtungen, Ware beschaffen und so weiter. Wir müssen vieles selber im Lager holen. Ich muß keine Bestellungen machen, nur Etiketten, Faltschachteln und ähnliches. Ich muß auch die Maschinen einrichten. Es ist kein Problem, die Crèmemaschine einzustellen, höchstens, wenn eine andere Topfgröße drankommt. Wenn man da nicht aufpaßt, gibt es Verwechslungen bei den Crèmen, oder man nimmt die falschen Töpfe. Wenn man nicht immer kontrolliert, ob die die richtigen Töpfe zu den passenden Crèmen nehmen, gibt es ein Durcheinander. ...

... Ich kam gerade von der Schule hierher. Ich machte zwei Jahre Sekundarschule. Dann fing ich eine Lehre als Schuhverkäuferin an. Ich mußte dann aufhören wegen des Knies: Meniskus! Der Doktor sagte mir, Schuhverkäuferin, das sei nichts für mein Knie. Am besten, ich höre auf. Nachher habe ich dann noch einen ganzen Monat zu Hause gelegen. Das war im Herbst. Und ich hätte noch bis zum Frühling warten müssen, da ich vorhatte, doch noch eine Lehre zu machen. Deshalb ging ich in diese Firma und sagte, ich würde gern für drei Monate hier arbeiten. Es gefiel mir sofort gut. Ich schaute mich wohl noch um, aber es paßte mir nichts. Da bin ich halt geblieben. Eine Lehre ist schon gut für alle, finde ich. Ich wäre sicher besser dran, wenn ich eine Lehre gemacht hätte. Die jetzige Arbeit ist aber sicher ein Ersatz für die verpaßte Lehre.

Ich verdiene 1050 Franken pro Monat. Im Augenblick bin ich damit zufrieden. Ich glaube, das ist normal für mein Alter und auf diesem Beruf. Zu Hause gebe ich freiwillig etwas von meinem Lohn ab, 250 Franken. Manchmal gebe ich der Mutter zwischendurch etwas mehr. Sie ist auf das Geld angewiesen, das ich ihr gebe. Private Versicherungen habe ich keine. Für die Krankenkasse muß ich alle drei Monate hundert Franken einzahlen. 540 Franken pro Jahr machen die Steuern aus. Für mich selber brauche ich nicht viel. Was ich kaufe, sind Kleider. Fort gehe ich nicht oft. Ich habe am meisten Freude an Kleidern. Ich lese nie Bücher. Am Wochenende gehe ich aus.

Wenn ich heirate, gehe ich wahrscheinlich noch weiterhin arbeiten, aber nicht den ganzen Tag. Ich würde schon den ganzen Tag arbeiten. Doch möchte ich dann eine Stunde früher nach Hause, so daß ich noch den Haushalt machen kann.

Es käme mir etwas unnatürlich vor, wenn mein Mann die Haushaltarbeiten machen müßte. Ich freue mich sehr darauf, einmal ein Heim zu haben. Aber ich werde vor allem aus finanziellen Gründen weiterhin arbeiten gehen. Am Anfang möchte ich noch keine Kinder, denn ich möchte das Leben noch etwas genießen. Wenn ich Kinder – am liebsten zwei – haben werde, werde ich nicht mehr arbeiten gehen, mindestens so lange sie klein sind.

Ich habe einen Freund. Wenn wir zusammen fortgehen, gehen wir per Zug oder per Autostopp. Am liebsten gehe ich in die Berge. Ich sammle dort Blumen und preße sie zu Hause. Ich tanze auch gern. Manchmal schaue ich die Zeitung an, das Tagblatt. Ich überfliege es nur. Ich lese nicht gern. Meistens schaue ich schnell die Bilder an.

Parteien sagen mir eigentlich nichts. Ich weiß davon zu wenig. Ich interessiere mich auch nicht dafür. Ich habe schon gehört, daß die PdA Kommunisten sind. Ich habe das Gefühl, wenn ich dann stimmen gehen darf, interessiere ich mich schon etwas mehr dafür. Wenn ich dann wählen darf, schaue ich auf die Leistungen des einzelnen, nicht auf die Partei. Von gewerkschaftlicher Organisation bei uns im Betrieb weiß ich nichts. Wenn es eine solche gäbe, wüßte ich nicht, ob ich mich anschließen würde.

Ich habe schon von der Mitbestimmungsinitiative gehört. Aber vorstellen kann ich mir nichts darunter. Ich finde, eine Kontrolle ist schon recht. Ich finde, nur nicht zu viel. Der eine sagt dies und der andere sagt das, und dann weiß man nicht mehr, was denken und was machen. Ja, wenn Sie mich fragen, ob ich für oder gegen eine Maschine wäre, die fünf meiner Kolleginnen ersetzen würde, das ist doch klar, ich würde mich gegen die Maschine – also gegen die Firma – entscheiden.

Sozialbericht 2: Industriearbeiter, Hg. Ch. Ullmann, Frauenfeld 1973, S. 37 ff.

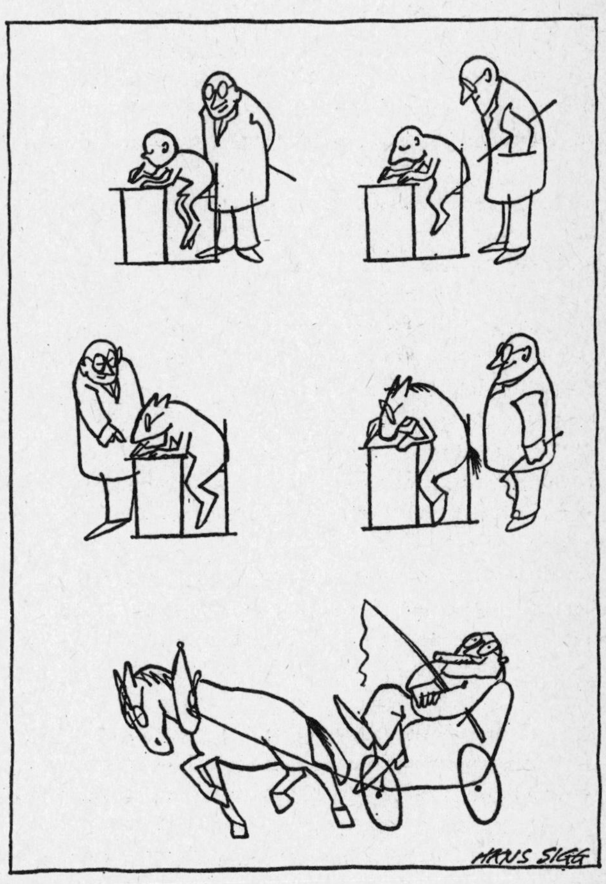

Der Bildungsweg

201 Aus dem Leben von 2 BBC-Mitarbeitern*

Aus dem Leben von 2 BBC-Mitarbeitern

Walter Boveri
geboren am
9. Dezember 1894
wohnhaft in Herrliberg

„Vielfalt ist das Signum von Walter Boveris Dasein. Er spricht mehrere Sprachen. Er liest Bücher aus den verschiedensten Gebieten. Er ist in vielen Weltteilen gereist, ... Phantasie, Empfindung, Gefühl - das sind die menschlichen Werte, die er in seinen Reden immer wieder anruft. Aber sie sind die geheimnisvollen Mächte, die sich nur ungerufen einstellen. Es hat etwas Bewegendes zu sehen, wie dieser so tätige, so stark dirigierende und planende und seinen Willen durchsetzende Mann an dieser einen Stelle das Unerzwingbare anerkennt, das nur dem zuteil wird, der sich ihm still öffnet ...

Eine Stadtwohnung ist unvermeidlich bei dem angestrengten Dasein zwischen Zürich und Baden und als Ausgangspunkt für die vielen notwendigen Reisen. Aber der Schwerpunkt des privaten Lebens liegt in dem langhingestreckten Landhaus oberhalb Herrlibergs mit dem Blick hinunter auf den Zürichsee, nach rechts über die Grosstadt hinweg auf die Juraberge, zwischen denen Baden eingebettet liegt, und in der ganzen Runde am Horizont auf die Alpenkette von den Glarner Bergen bis zu den Lägern...

Die späte Ehe mit der ebenso kapriziöscharmanten wie gütigen Annemarie Wydler hat eine neue Note ins Haus und den Garten gebracht. Ein ganz neuer Kreis von Menschen ist in die häusliche Geselligkeit aufgenommen worden: Künstler, Schauspieler, Maler und Schriftsteller ...“

(Textauszüge aus einem "Versuch zu einem Porträt", von Margaret Boveri, Berlin)

Paul Scherrer
gestorben am
21. Juli 1969
im 52. Altersjahr

„Als Zweitältester von dreizehn Geschwistern wuchs Paul Scherer in Killwangen und Gipf-Oberfrick auf. Nach Beendigung der Schulzeit half er zunächst dem Vater im landwirtschaftlichen Betrieb. Später arbeitete er bei verschiedenen Baumeistern in Killwangen und Zürich. 1948 kam er zu Brown Boveri. Er arbeitete erst in der MF-Malerei und später in der Motorenmontage als geschätzter Hilfsarbeiter.

Paul Scherer wohnte bei seinen Eltern und einem Bruder in Killwangen und half während der Freizeit stets im Landwirtschaftsbetrieb mit. Auch war er eifriges Mitglied des Samaritervereins Killwangen. Nachdem Paul Scherer in der Nacht vom 20. auf den 21. Juli am Fernsehschirm die erste Mondlandung verfolgt hatte, erlag er auf der Heimfahrt mit dem Moped einem Verkehrsunfall.“

(aus Brown Boveri Hauszeitung 9/69)

Agitation Nr. 12, 1970, S. 9.

202 Genf 1970: Streikerfolg spanischer Saisonarbeiter

1970 kam es an verschiedenen Orten der Schweiz, vor allem im Tessin und in der Westschweiz, zu spontanen Fremdarbeiterstreiks. Sie waren Ausdruck der Unzufriedenheit über die Nichteinhaltung abgeschlossener Verträge seitens der Unternehmer sowie der unwürdigen Arbeits- und Unterkunftsbedingungen.

Streikerfolg von Saisonarbeitern in Genf

Von Dienstag, 7. April 1970 bis Ende der Woche streikten in Genf rund 200 Saisonarbeiter eines Bauunternehmens. Im Kanton Genf gibt es rund 10000 italienische und spanische Saisonarbeiter. Die Streikenden waren in der Mehrheit Spanier, die einige Wochen zuvor eingereist waren und unter Kollektivvertrag standen. 80 von ihnen hatten bereits am 26. März einen zweieinhalbstündigen Warnstreik durchgeführt, weil man ihnen als Unterkünfte unter anderem die stillgelegten Zellen eines Kühlhauses reserviert hatte.

Fremdenpolizeilich waren sie Saisonarbeiter der Baubranche. Sie arbeiteten alle auf drei verschiedenen Baustellen des Unternehmers Murer S.A., der ihnen die Unterkünfte garantierte. Die Baustellen befanden sich alle in der Stadt Genf, die Unterkünfte waren in Meyrin außerhalb Genfs und in Rolle, Kanton Waadt, von Genf etwa 40 Kilometer entfernt. 80 Arbeiter waren in Rolles untergebracht. Sie mußten jeden Morgen um fünf Uhr aufstehen, um punkt sieben Uhr die Arbeit beginnen zu können. Die Arbeiter waren im Schweizerischen Bau- und Holzarbeiterverband (SBHV) und im christlichen Holz- und Bauarbeiterverband (CHBV) gewerkschaftlich organisiert. Sie hatten zwei Wochen vor dem Streik die Gewerkschaften auf ihre Lage aufmerksam gemacht. Die Funktionäre erschienen, machten Fotos und schrieben dem Unternehmer einen Brief, der angeblich nicht beantwortet wurde. Die Arbeiter traten kurz entschlossen in den Streik. Sie wählten eine Arbeiterkommission, die aus ihren eigenen Reihen gebildet wurde, und stellten folgende Bedingungen zur Wiederaufnahme der Arbeit auf:

1. Der Kollektivvertrag muß eingehalten werden (die Handlanger erhielten nur Fr. 5.40 anstatt Fr. 5.90 in der Stunde, die Maurer nur Fr. 6.20 anstatt Fr. 7.07, Zulagen wurden keine ausbezahlt, eine Entschädigung für die verlorene Zeit der Reise zum Arbeitsplatz existierte nicht)
2. Der Lohn soll regelmäßig alle 14 Tage ausbezahlt werden (vielen Arbeitern schuldete die Firma bis zu Fr. 400.–)
3. Die Arbeiter dürfen nicht gezwungen werden, täglich vier Stunden über die normale Arbeitszeit hinaus zu reisen, um den Bauplatz zu erreichen.
4. Der Arbeitgeber soll nicht über die Arbeiter verfügen können wie es ihm am besten beliebt – heute in Genf, morgen im Kanton Uri. Die Aufenthaltsbewilligung soll für den gleichen Kanton ein Jahr gültig sein.
5. Das Geld, das den Arbeitern für die Unterkünfte abgeknüpft wurde, in denen sie nie geschlafen haben, soll zurückerstattet werden.

Weiter hieß es wörtlich: «Die Arbeiter der Murer S.A. treten nicht nur für diese konkreten Forderungen in den Streik, sondern auch wegen den skandalösen Lebensbedingungen, zu denen Hunderte von Arbeitern gezwungen werden. Sie treten in den Streik, gegen den Willen der Herren, qualifizierte Arbeitskräfte mit Handlangerlöhnen zu entschädigen und allgemein gegen die Willkür des Arbeitgebers. Angesichts des Desinteresses und dem Verrat aller, haben die Arbeiter der Murer S.A. beschlossen, daß die demokratisch gewählte Arbeiterkommission das einzige Organ ist, das sie repräsentiert.» (Zitat aus einem Flugblatt)

Nachdem sich herausgestellt hat, daß der Streikwille nicht leicht zu brechen war, fühlten sich die Gewerkschaften bemüßigt, noch am gleichen Tage mit den Arbeitgebern zusammen ein gemeinsames Communiqué zu unterzeichnen: Die Arbeiter hätten «die Prozedur des Vertrages mißachtet, um einige Probleme zu regeln». Man kann nur lachen: Der Arbeitgeber darf den Vertrag mißachten, die Arbeiter aber werden auf die Prozedur verwiesen. Die Willkür des Arbeitgebers wird elegant mit «Probleme» umschrieben. Probleme für wen?

Die Arbeiter machten daraus Probleme für den Arbeitgeber, für die Gewerkschaft, für die Fremdenpolizei und für die ganze Kapitalistenklasse der Schweiz, weil der heilige Arbeitsfriede gebrochen wurde, das Erpressungsinstrument entlarvt und seine Wirksamkeit in Frage gestellt wurde. Die Antwort der Bourgeoisie konnte nicht anders ausfallen: Sie ließ zuerst einmal die Barackensiedlungen, in denen sich die Arbeiter aufhielten, von Polizei und Hunden umstellen. Damit hätte verschiedenes erreicht werden sollen: die Arbeiter einzuschüchtern, ihren Kampf als hoffnungslos erscheinen zu lassen, jeden Kontakt mit den Streikenden zu unterbinden und der Presse zu erschweren, die Berechtigung der Forderungen, besonders was die skandalösen Unterkünfte anbelangt, zu überprüfen. Dank dem Klassenbewußtsein der Streikenden konnten diese Absichten nicht einmal zum Teil erfüllt werden. Während die Polizei mit Hunden vor den Baracken patrouillierte, erließen die zuständigen Gewerkschaften zusammen mit dem Baumeisterverband ein Communiqué, darin es heißt: «die Arbeiter haben das Verfahren zur Forderung einer Regelung bestimmter Fragen, das im Gesamtarbeitsvertrag vorgesehen ist und insbesondere den Arbeitsfrieden bewahrt, nicht befolgt.» Kein Wort des Protestes wegen den Wachthunden vor den Baracken.

Streik also bedeutete nach diesen Herren «Bruch mit dem Verfahren». (Zur Forderung einer Regelung und nicht zur Durchsetzung einer Forderung).

Und dieses «Verfahren» ist es insbesondere, das den Arbeitsfrieden bewahrt. So deutlich haben Gewerkschaften noch nie gesagt, daß das Wichtigste nicht die Forderung, sondern der Arbeitsfriede ist, der durch das Verfahren garantiert wird. Das aber ist genau der Standpunkt der Kapitalisten. Die Gewerkschaft ist also eine Arbeiterpolizei, ohne daß sie dazu gezwungen wäre.

Die Presse druckte bereitwillig die lügenhaften Deklarationen des Unternehmers ab. Es dauerte einige Tage, bis sich einige Zeitungen an Ort und Stelle begaben. Alle hatten eben gehofft, daß die Sache versande, weil sie unter anderem nicht in das strategische Konzept der Bekämpfung der Schwarzenbachinitiative paßte. Die Nationalzeitung betitelte ihren ersten Bericht: «Kein Wunder, daß gestreikt wird...» (NZ vom 10.4.70). Endlich durfte man informiert werden.

«Die Mehrzahl der streikenden Arbeiter sind buchstäblich in Baracken abgefüllt. In mehreren Dortoirs sind 6–7 Betten aneinandergereiht. Im Raum, der abends auch als Aufenthaltsraum dienen muß, befinden sich weder Tisch noch Stühle. Ihre täglichen Kleider müssen sie an einem Haken über dem Bett aufhängen. Für die Unterkünfte müssen sie Fr. 52.– bezahlen. Sanitäre Anlagen existieren kaum. Den 120 Bauarbeitern, die in den besuchten Baracken hausen, stehen ganze drei WC, drei Duschen und ein Trog mit drei Hahnen zur Verfügung.» (NZ vom 10.4.70)

Und so geht es weiter. In der Nationalzeitung steht aber nicht, daß sich diese sanitären Anlagen über 100 Meter von den Unterkünften entfernt befinden und daß in Wirklichkeit in diesen Unterkünften 200 Leute wohnen mußten. Der Arbeitgeber wörtlich dazu (nach NZ): «Die Arbeiter sind nicht schlecht logiert, im Gegenteil. Jeder Arbeiter verfügt über ein Bett.» Dies bedeutet aber nichts anderes, als daß offenbar auch in der Schweiz, in Genf zum Beispiel, Fremdarbeiter nicht nur in Schichten arbeiten, sondern auch in Schichten das gleiche Bett benutzen. Wie das in Frankreich und Deutschland vorkommen kann, wenn es die Arbeitgeber (und die Gewerkschaften), die sich für derlei Dinge nicht für zuständig erklaren, so wollen.

Am 8. April ließ der Arbeitgeber jedem einzelnen streikenden Arbeiter ein Ultimatum zukommen. «Wer ab Montag, sieben Uhr früh, die Arbeit nicht wieder aufnimmt, gilt als entlassen» (was automatisch die Ausweisung aus der Schweiz bedeutet). Am Freitag-Nachmittag, 10. April verhandelte die Arbeiterkommission mit dem Arbeitgeber in Gegenwart von Gewerkschaftsvertretern und Abgesandten des spanischen Konsulats.

Die Forderungen der Arbeiter mußten vollumfänglich erfüllt werden, inklusive die Vergütung der Zeit für den Weg zur Arbeit. Die Arbeiterkommission stimmte der Regelung mit dem Vorbehalte zu, daß die Vollversammlung der Arbeiter diesen Entscheid bestätigen würde. In der Nacht zum Samstag beschloß die Vollversammlung der Arbeiter, der Regelung beizustimmen. Vor allem haben die Arbeiter erreicht, daß die Arbeiterkommission als Verhandlungspartner anerkannt wurde. In folgenden sieben Punkten erreichten sie ihr Ziel:

1. Die Minimallöhne werden heraufgesetzt bis zum mittleren Salär der Kategorie.
2. Für diejenigen, die in Rolle und Etoy wohnen, wird eine Reiseentschädigung von Fr. 10.– täglich ausbezahlt.
3. Das Salär wird während der Arbeitszeit und nicht in der Freizeit ausbezahlt.
4. Das Recht, Vorschüsse zu beziehen.
5. Eine drastische Verbesserung der Unterkünfte bis zum 15. Mai 1970.
6. Die Einhaltung des kollektiven Arbeitsvertrages.
7. Die Zusicherung, daß gegen die Streikenden keinerlei repressive Maßnahmen ergriffen werden. ...

Die Fremdarbeiterfrage, Für eine sozialistische Alternative, Hg. Fortschrittliche Arbeiter, Schüler und Studenten, Zürich 1970, S. 33ff.

203 Der SBHV zum Streik in Genf

Die Sitzung des Zentralvorstandes SBHV vom 30. April in Zürich unter dem Vorsitz von Verbandspräsident Ezio Canonica war fast ausschließlich der Angelegenheit des wilden Streiks spanischer Bauarbeiter auf einer Baustelle in Genf gewidmet, der in der Tagespresse ein weites Echo hervorgerufen hat. Der Zentralvorstand stellte fest, daß die betreffenden Arbeiter zu Recht gegen gewisse Mißstände protestiert haben, daß die Art ihres Vorgehens jedoch falsch war, indem es gegen vertragliche Bestimmungen verstieß. Der SBHV wird künftig die Kontrollen verschärfen und daneben beim Baumeisterverband vorstellig werden, damit dieser von seiner Seite aus alles veranlaßt, um bei den Unternehmern Mißstände zu beseitigen und sie anzuhalten, für ordentliche und vertragsgemässe Arbeitsverhältnisse zu sorgen.

Die stundenlange lebhafte Diskussion über den «Fall Murer» in Genf wurde eingeleitet mit einem Bericht von Zentralsekretär *Diacon,* Lausanne, in welchem er den Ursachen und Auswirkungen des Konflikts nachging. Daraus ging eindeutig hervor, daß für die spanischen Arbeiter, die zuerst für die Beschäftigung im Kanton Uri vorgesehen waren, die Unterkunftsverhältnisse viel zu wünschen übrig ließen. Hauptstreitpunkt bildete jedoch die Entlöhnung. Bei der Ausarbeitung der Anstellungsverträge wurden schwerwiegende Fehler begangen, indem die Einreihung der Arbeiter in die verschiedenen Berufskategorien nicht immer ihren Qualifikationen entsprach und gewisse Erwartungen deshalb enttäuscht wurden.

Interventionen unserer Sektion Genf-Bau

Gegen die ungenügenden Unterkünfte der Saisonarbeiter hatte unsere Sektion Genf-Bau mehrmals protestiert und auch ein entsprechendes Schreiben an den Stadtrat gerichtet. An einer gemeinsamen Aussprache zwischen Behörden, Firma und Gewerkschaften wurden den letzteren Zusicherungen über eine Sanierung der Verhältnisse gemacht. Völlig überraschend kam die Arbeitsniederlegung durch die spanischen Arbeiter am 7. April. Erst als an diesem Tag unser Sekretariat zu vermitteln versuchte, vernahm es von den Lohndifferenzen als Streikgrund. Als am folgenden Tag der Streik weiterging, äußerte die Firma die Absicht, den Hauptverantwortlichen für die Arbeitsniederlegung zu kündigen, was ihre Ausweisung aus der Schweiz bedeutet hätte. Unter den konsultierten Organisationen war es allein der SBHV, der ein solches Vorgehen zurückwies. ...

Schlußfolgerungen und Lehren für die Zukunft

Nach langer Aussprache konnte Kollege *Canonica* ihre Ergebnisse mit folgenden Feststellungen zusammenfassen: Löhne und Unterkünfte waren im Fall Murer Genf nicht in Ordnung; wenn wir uns an die Friedenspflicht halten, dann setzt dies voraus, daß die andere Seite ihre Vertragstreue ebenfalls unter Beweis stellt; die Information durch die Sektion und das Zentralsekretariat Lausanne während des Konflikts war ungenügend, was den Gegnern die diskriminierenden Angriffe gegen den SBHV erleichterte; der Baumeisterverband muß auf seine Mitglieder besser einwirken, um Mißstände zu beheben und zu vermeiden; unsererseits werden wir unsere ausländischen Kollegen noch besser informieren und bilden müssen, zwecks Integration in unsere Verhältnisse und um Prozedurfehler zu vermeiden, wie sie in Genf unnötigerweise vorgekommen sind. ...

SBHV-Zeitung Nr. 19, 7.5.1970.

204 Lehrlinge: Mit Solidarität gegen den Leistungslohn

Der Kampf der Conzett + Huber-Lehrlinge[1]

«Wenn Sie hier nicht sofort verschwinden, dann ist in drei Minuten die Polizei da!» Mit diesen freundlichen Worten empfing Herr Neiger, Abteilungsleiter bei Co+Hu, am Freitagmorgen (29.7.) die Lehrtochter M. Sie war tags zuvor von der Geschäftsleitung zum Sündenbock erkoren und fristlos entlassen worden. Und das einen Monat vor ihrem Lehrabschluß! Es sollte wieder einmal ein Exempel statuiert werden!

Nachdem man ihr am Vortag eine fadenscheinige Begründung vorgesetzt und den Zahltag in die Hand gedrückt hatte, verabschiedete sich Herr Neiger von ihr: «Unseren (!) Betrieb wirst Du nie wieder betreten!» Aber Herr Neiger war ein schlechter Prophet und reagierte deshalb recht sauer, als er M. am andern Morgen wieder im Betrieb stehen und mit Lehrlingen und Arbeitern diskutieren sah.

Anlaß zu Diskussionen gab ein Flugblatt, welches die Typographia Zürich und die JB[2] vor dem Betrieb verteilt hatte. Um die Version des Hauses über die Entlassung an den Mann zu bringen und vor allem die im Flugblatt von den Arbeitern geforderte Solidarität mit den Lehrlingen zu verhindern, veranstaltete die Geschäftsleitung abteilungsweise Versammlungen. Daneben rief sie ebenfalls abteilungsweise die Lehrlinge zusammen und bearbeitete auch diese mit der hauseigenen Dastellung der Ereignisse. Während sich nur wenige Arbeiter solidarisierten und für die Lehrlinge Partei ergriffen, nahm der Großteil der Lehrlinge der Geschäftsleitung ihre Begründungen nicht ab. «Die wollen M. einfach aus der Hütte haben», kommentierte ein Stift.

Die ständigen Drohungen mit der Polizei verhalfen Herr Neiger schließlich doch noch zu einem «Sieg»: M. verließ im Laufe des Morgens den Betrieb.

Rivalität und Konkurrenz sollen Lehrlinge spalten

Der Grund für diese unzimperliche unternehmerische Glanzleistung war eine erfolgreiche Aktion der Lehrlinge gegen den Leistungslohn, den man ihnen vor rund eineinhalb Jahren aufgebrummt hatte. Angeblich soll dieser «erzieherischen Wert» haben und «den Lerneifer der Lehrlinge fördern». Dies behauptete wenigstens Co+Hu in einem Brief an die Eltern. Doch die Lehrlinge durchschauten solche faulen Sprüche. Sie gründeten ein «Aktionskomitee gegen den Leistungslohn» und faßten eine Resolution, wo es u.a. hieß:

«Die Produktivität der Lehrlinge soll durch Rivalität und Konkurrenz angetrieben werden. (Jeder gegen Jeden!) Der Sinn einer Berufslehre besteht aber nicht darin, möglichst viel für den Betrieb zu leisten, sondern sich möglichst umfassend auszubilden.»

Bis auf zwei Lehrlinge lehnten alle «dieses Antreibersystem» ab. Eine Lehrtochter begründete ihre Ablehnung: «Man hat immer gesagt, daß man die Faulen mit Geld hervorholen will. Aber ich bin davon nicht überzeugt, daß man die Faulen mit Geld hervorholen kann. Man sollte mit ihnen diskutieren, den Grund suchen. Geld ist kein Mittel, schon gar nicht in der Lehre, wenn man wie bei den Arbeitern mit Geld etwas zu erreichen sucht, sodaß es unter den Lehrlingen Konkurrenz gibt.»

Aber alle Flugblätter, Resolutionen und Artikel nützten nichts. Die Geschäftsleitung ignorierte die Haltung der Lehrlinge einfach und «schwänzte» eine Podiumsveranstaltung kurzerhand, wohin man sie schriftlich eingeladen hatte, um mit Lehrlingen, Eltern, Gewerkschaftern und interessierten Arbeitern über den Leistungslohn zu diskutieren.

Den Lehrlingen reißt die Geduld

Den Lehrlingen riß schließlich die Geduld. Sie ergriffen erneut die Initiative und riefen mit einem Flugblatt zu einer Aktion gegen den Leistungslohn auf: «Wir wurden behandelt wie naive Kinder, und man reagierte kaum auf unsere Forderungen. ... Nachdem wir schon kein Recht haben, etwas abzulehnen, mit dem wir nicht einverstanden sind, haben wir dennoch einen Weg, unsere Ablehnung zu zeigen. Wir können die Disziplinierung, Spaltung und Produktivitätssteigerung, kurz die Funktion dieses Systems unterbinden. Dies ist möglich, wenn wir die Prämien der einzelnen Lehrjahre zusammenlegen und gerecht verteilen, sodaß keine Lohnstufen mehr unter den einzelnen Lehrjahren bestehen.»

Und es klappte beim nächsten Zahltag! Rund die Hälfte der vom Leistungslohn betroffenen Lehrlinge (im 1. Lehrjahr gibt es noch keinen) machte mit. Zwar gab es noch ein paar organisatorische Probleme zu lösen, weil ständig eine Anzahl aus den verschiedenen Abteilungen in der Schule und damit nicht erreichbar ist. Doch mit einem Delegiertensystem meisterten sie diese Schwierigkeiten. Demokratisch gewählte Delegierte zogen bei den Stiften die Leistungsprämien ein und verteilten sie anschließend wieder. Damit waren die unterschiedlichen Löhne innerhalb eines Lehrjahres aus der Welt geschafft.

Die Lehrlinge von Co+Hu hatten mit einer solidarischen Aktion den Leistungslohn umgangen! ...

Rotstift, Informationsorgan der Jungbuchdruckergruppe Zürich, 1972.

[1] *Ursache für diesen Kampf ist der Versuch, den Leistungslohn für Lehrlinge einzuführen, vgl. 197.*
[2] *Jungbuchdrucker.*

205 Vom Klassenkampf und «bedingten» Arbeitsfrieden*

Nach dem Zweiten Weltkrieg standen die Arbeitgeber den Gesamtarbeitsverträgen noch skeptisch gegenüber. Mit der Zeit lernten sie aber die Verträge als nützliche Instrumente zur Sicherung eines ungestörten Wirtschaftsablaufes schätzen und wurden zu entschiedenen Verteidigern der Vertragspolitik.

Der in der Schweiz bestehende Arbeitsfriede ließ die Vorteile der anhaltenden Konjunktur und der Leistungssteigerung der schweizerischen Wirtschaft wahrnehmen. Daß die Arbeitnehmer ganz besonders in den Genuß dieser sozialwirtschaftlichen Vorteile gelangten, ist für jedermann klar ersichtlich: Nicht nur erhöht sich laufend der Anteil des Einkommens der Unselbständigerwerbenden am Bruttosozialprodukt; auch der Staat erhielt genügend, um bisher alle seine gesteigerten Aktivitäten zugunsten der breiten Volksschichten finanzieren zu können. Die Realeinkommen der Arbeiter und Angestellten wuchsen Jahr um Jahr an, meist rascher als das gesamte Bruttosozialprodukt.

Die sichtbar werdende rasche Steigerung der Wohlfahrt scheint aber manchen politischen und wirtschaftlichen Dogmatikern ein Balken im Auge zu sein. Ihre Ideologien des Klassenkampfes und der gewalttätigen Konfrontation würden nämlich auf dem Boden der Armut und der Unzufriedenheit besser gedeihen. Diese neuen Linksgruppierungen wissen dies, und deshalb versuchen sie immer wieder, unter *Scheingründen* die Arbeitnehmer aufzuhetzen und in einen «proletarischen Kampf» zu stoßen, der erst einmal heissen würde: Proletarisierung des von den Arbeitnehmern erreichten Wohlstandes, Verschleuderung der sorgfältig geäufneten sozialen und wirtschaftlichen Güter, damit Armut und, als Folge davon, Arbeitslosigkeit und neues Elend. Mit Flugblättern, die vor und manchmal in den Betrieben verteilt werden, wollen diese Links-Links-Gruppen den Arbeitsfrieden um jeden Preis stören und zum Arbeitskampf, zum Streik aufrufen.

Der Klassenkampf ist in manchen aufgehetzten Gemütern wieder salonfähig geworden. «La lotta proletaria» wirbt dafür vor manchen Fabriktoren, glücklicherweise vergebens. Da die Schweizer Arbeiter ihren Bonsens, der im Arbeitsfrieden ausmündet, noch keineswegs verloren haben und die Attacken der Ultralinken mit Gelassenheit abweisen, versuchen die Klassenkampfideologen, namentlich die *ausländischen Arbeiter* zu verhetzen, die mit unseren Gepflogenheiten nicht so vertraut sind und wegen ihres kurzen Aufenthaltes in unserem Land die stillen Vorteile des Arbeitsfriedens noch nicht so zu schätzen wissen.

Bedauerlich ist, daß die klassenkämpferischen Hitzköpfe auch bei manchen *Gewerkschaften* und bei gewissen sozialistischen *Lokalparteien* etwelches Gehör zu finden beginnen. Der Arbeitsfrieden gilt bei manchen Gewerkschaften nur noch «bedingt», als ob der Frieden überhaupt je bedingt sein könnte. Unter dem lautstarken Druck von Minderheiten und bei schweigenden Mehrheiten ducken sich manche Gewerkschaftsführer sichtlich nach links und liebäugeln mit Gewalt in sozialen Konflikten. Es ist Zeit, daß ihnen der schweizerische Weg gewiesen wird.

Schweizerische Arbeitgeber-Zeitung, Nr. 23, 30.5.1972.

206 SGB und absolute Friedenspflicht

Interview der Schweizerischen Handelszeitung mit Ezio Canonica, Präsident des SBHV und des SGB, 1973.

... *SHZ:* Es war gerüchtweise zu vernehmen, daß Sie das Friedensabkommen nicht mehr einhalten möchten. Trifft dies zu?

Canonica: Das bekannte Friedensabkommen von 1937 wurde zwischen dem SMUV (Schweizer Metall- und Uhrenarbeitnehmer-Verband) und seinen Partnern auf der Arbeitgeberseite vereinbart. Somit ist auch die Erneuerung dieses Abkommens einzig und allein eine Angelegenheit des SMUV.

SHZ: Halten Sie es trotzdem in seiner grundlegenden Form für revisionsbedürftig und wenn ja, warum?

Canonica: Es steht mir, wie bereits gesagt, nicht zu, zum Friedensabkommen direkt Stellung zu nehmen. Hingegen vertrete ich offen meine persönliche Meinung hinsichtlich einer Relativierung der Friedenspflicht im allgemeinen. Eine absolute Friedenspflicht, wie sie heute in einer Reihe von Verträgen besteht, stellt die Gewerkschaften vor rechtliche und praktische Schwierigkeiten. Rechtlich werden sie durch die absolute Friedenspflicht auch in Situationen gebunden, die nicht vertraglich geregelt sind. Wenn man jedoch das Streikrecht als ein Individualrecht betrachtet, läßt sich eine so weitgehende Bindung nicht aufrecht erhalten. Praktisch haben sich schon wiederholt diese Schwierigkeiten bei «wilden Streiks» gezeigt, die von nicht organisierten Arbeitnehmern aus sachlich gerechtfertigten Gründen ausgelöst wurden, so zum Beispiel bei Proteststreiks ausländischer Arbeiter gegen unwürdige Unterkünfte. Soll es in einem solchen Fall den organisierten, an die Friedenspflicht gebundenen Arbeitern verwehrt sein, sich mit ihren Kollegen zu solidarisieren?

Aus diesen Erfahrungen heraus vertrete ich die Ansicht, daß Gesamtarbeitsverträge nur eine relative Friedenspflicht vorsehen sollten, die auf den Zeitraum und Inhalt des Vertrages begrenzt ist und das individuelle Streikrecht in anderen als den vertraglich geregelten Materien nicht einschränkt.

SHZ: Welche Arten von Abkommen schweben Ihnen daher vor oder ziehen Sie sogar lieber einen vertragslosen Zustand vor?

Canonica: Grundsätzlich streben die Gewerkschaften die vertragliche Regelung der Lohn- und Arbeitsbedingungen an. Ein vertragsloser Zustand ist ihnen nicht erwünscht und tritt praktisch auch nur dort ein, wo wegen der Haltung der Arbeitgeber keine Einigung möglich ist. Indessen gibt es zwischen einem Streik oder einem vertragslosen Zustand einerseits und dem absoluten Arbeitsfrieden andrerseits eine ganze Skala von Möglichkeiten der freien Vereinbarung, die ausgeschöpft werden können.

SHZ: Sie sprachen vorhin von Streikrecht als Individualrecht. Wollen Sie künftig auch Lohnforderungen in der Schweiz wenn notwendig mittels Streik durchsetzen?

Canonica: Der Streik ist die letzte und schärfste Waffe der Arbeitnehmer in einem Arbeitskonflikt. Er soll deshalb für Forderungen von grundsätzlicher Bedeutung vorbehalten sein und nur dann angewandt werden, wenn alle anderen Verständigungsversuche gescheitert sind. Im Bereiche der Lohnpolitik war glücklicherweise seit vielen Jahren eine Verständigung ohne Streiks möglich, und ich hoffe, daß sich dies auch in Zukunft so verhalten wird. Sollten allerdings den Arbeitnehmern reale Lohnverbesserungen oder sogar – wie dies in den letzten Monaten in der Presse angedeutet wurde – der bloße Teuerungsausgleich verweigert werden, könnte durchaus eine Situation eintreten, bei der Streiks für Lohnforderungen nicht mehr auszuschließen wären. ...

Schweizerische Handelszeitung, Nr. 21, 17.5.1973.

207 PdA: Die Volkspensionsinitiative bringt die Lösung!

Die PdA-Initiative forderte eine einheitliche staatliche Altersvorsorge, welche allen Pensionierten eine Rente in der Höhe von 60% des Einkommens der fünf besten Jahre gebracht hätte, wobei jedoch die höchsten Renten nicht mehr als das zweifache der niedrigsten hätten betragen dürfen. Mit diesem Artikel kritisierte die PdA am bundesrätlichen Gegenvorschlag vor allem die sogenannte Zweite Säule.

Wer als Lohnabhängiger im 50. Altersjahr steht und noch keiner finanziell gut fundierten Pensionskasse angehört, hat von der «2. Säule» nichts zu erwarten. Er kann nur Prämien zahlen und erhält bestenfalls abgewertete Franken als minimale Rente. Alle anderen Behauptungen sind üble Roßtäuscherkniffe.

Die jugendlichen Arbeiter, für die öfterer Stellenwechsel zur beruflichen Ausbildung geradezu eine Notwendigkeit ist, erhalten, wenn sie weniger als fünf Jahre im selben Betrieb sind, bei Austritt nur ihre eigenen, mit guten Franken einbezahlten Prämien plus Zins zurück, nicht aber die Unternehmerbeiträge[1]. Sie füttern mit ihren Beiträgen die Pensionskasse, ohne selbst etwas davon zu haben. Zwangsweise machen sie dem Unternehmer ein Geschenk, weil sie ihm den Firmenbeitrag ersparen.

Von den heutigen AHV/IV-Rentnern und denen, die bis zum Jahre 1975 AHV-Rentner werden, wird niemand etwas von der fragwürdigen «2. Säule» sehen. Für diese Million Betagter gibt es nur die staatliche AHV/IV und etwa noch die Ergänzungsleistungen, aber keine «2. Säule».

Auch die Lohnerwerbenden mit niedrigen Einkommen von weniger als 12000 Franken im Jahr sind nach des Bundesrates Willen zum vorneherein von der «2. Säule» ausgeschlossen. Brutal erklärt der Bundesrat: Diese Bevölkerungskreise sollen ihre «gewohnte Lebensweise» allein mit AHV und Ergänzungsleistung fortführen.

Die zu garantierende «Freizügigkeit» steht nur auf dem Papier. Wer als älterer Arbeiter die Stelle wechseln möchte, hat bei Bestehen der «2. Säule» schwer, wieder eine gleich gute oder besser bezahlte Stelle zu finden. Als einer der nur noch wenige Jahre Prämien bezahlt, gilt er als «schlechtes» Risiko für die neue Pensionskasse. Das bedeutet, daß ältere Arbeiter auf dem Arbeitsmarkt diskriminiert werden. Also: statt wirklicher Freizügigkeit goldene Fessel.

Allein die Volkspensionslösung ermöglicht eine fortschrittliche Altersvorsorge. Sie sichert allen Arbeitenden im Alter eine sechzigprozentige Rente. Sie nötigt nicht zum Zwangssparen zugunsten der großmächtigen Banken und Lebensversicherungsgesellschaften. Sie fesselt den Lohnverdiener nicht an das Unternehmen, weil der Stellenwechsel ohne Nachteile möglich ist. Für Junge und Betagte, Unselbständig- und kleine Selbständigerwerbende, Frauen und Männer, kann die Parole für den 3. Dezember nur lauten:

Initiative für wirkliche Volkspensionen: JA!

Vorwärts, Nr. 45, 9.11.1972.

[1] *Die betrieblichen Pensionskassen sollten paritätisch durch Lohnprozente und durch Unternehmerbeiträge gespiesen werden.*

208 Die Zweite Säule als Sparsammelbecken für die Privatwirtschaft

Der Gegenvorschlag des Bundesrates zur Volkspensionsinitiative der PdA erklärte die «betriebliche» oder «berufliche» Vorsorge (2. Säule) für alle unselbständig Erwerbenden neben der AHV (1. Säule) als obligatorisch. Daneben sollte individuelles Sparen durch Steuererleichterungen gefördert werden (3. Säule). Alle drei Säulen zusammen sollten eine Fortsetzung der «gewohnten Lebenshaltung» im Alter ermöglichen. Die Einrichtung der 2. Säule lag im Interesse der Privatwirtschaft, welche damit Verfügung über enorme Spargelder zu Investitionszwecken erhielt.
Die «Wirtschaftsförderung» (wf), von der die folgende Quelle stammt, ist eine Propaganda- und Dokumentationsagentur der Privatwirtschaft.

Sparsammelbecken

Die Ergebnisse der amtlichen Statistik zeigen ..., daß die beruflichen Vorsorgeeinrichtungen der *schweizerischen Volkswirtschaft* regelmäßig ganz erhebliche Summen für Investitionszwecke zur Verfügung stellen. Vor allem kommen dem *Wohnungsbau* in Form von Hypothekardarlehen, Liegenschaften, Obligationen von Hypothekardarlehensbanken und von Pfandbriefanstalten Milliardenbeträge direkt oder indirekt zugute. Neben der Wohnbaufinanzierung profitiert insbesondere auch der *Ausbau der Infrastruktur* von dieser bedeutenden Spar- und Finanzierungsquelle über das Mittel von Obligationen der öffentlichen Hand in hohem Masse. Es sind *Milliarden von Franken,* die von den beruflichen Vorsorgeeinrichtungen *Jahr für Jahr* als Sparkapital zurückgelegt und für Investitionszwecke bereit gestellt werden.

Die Bedeutung dieser Institutionen als *Sparsammelbecken* und *Träger der Investitionsfinanzierung* in weiten Bereichen hat im Laufe der Jahre ständig zugenommen. Im Jahre 1969 – neuere Ergebnisse sind wegen der Schwierigkeiten bei der Erstellung der Nationalen Buchhaltung einstweilen nicht vorhanden – machte die Sparkapitalbildung der beruflichen Vorsorgeeinrichtungen (zusammen mit der zahlenmäßig unbedeutenden Spartätigkeit anderer privater Sozialversicherungen) rund 25 Prozent der gesamtwirtschaftlichen Nettoinvestitionen der Schweiz aus gegenüber z.B. 15 Prozent im Jahre 1961. In der zweiten Hälfte der sechziger Jahre betrug diese Quote 23,5 Prozent (Durchschnitt der Jahre 1965–1969), wogegen sie sich in der ersten Hälfte auf nicht ganz 18 Prozent belaufen hatte. Die hervorragende Stellung der Pensionskassen in der Sparkapitalbildung beruht darauf, daß sie meistens das *Kapitaldekkungsverfahren* anwenden, während bei der Staatsversicherung vorwiegend nach dem Umlageverfahren gearbeitet, d.h. der größte Teil der Einnahmen eines Jahres im gleichen Jahr wieder ausgegeben und folglich praktisch kein Kapital angesammelt wird. Die Aufrechterhaltung und der Ausbau der zweiten Säule des schweizerischen Vorsorgesystems sind daher auch durch *volkswirtschaftliche Bedürfnisse* gegeben. Die Expertenkommission des Bundesrates für die Förderung der beruflichen Alters-, Invaliden- und Hinterlassenenvorsorge (Zweite Säule: Pensionsversicherung) hat in ihrem Bericht vom 16. Juli 1970 denn auch zu bedenken gegeben:

«Diese Hinweise zeigen, daß es unter dem Gesichtspunkt der Kapitalbildung nicht gleichgültig ist, in welcher Form das Vorsorgeproblem gelöst wird. Eine hohe Sparquote erleichtert eine rege Investitionstätigkeit, die ihrerseits zu einem steigenden realen Sozialprodukt führt. Zur Sicherung des langfristigen Wirtschaftswachstums muß man an einer starken Spartätigkeit interessiert sein. Die Volkswirtschaft bedarf somit einer ausreichenden Kapitalbildung, zu der auch die Sozialversicherung beiträgt, und umgekehrt hat eine ausgebaute Sozialversicherung eine gesunde und leistungsfähige Volkswirtschaft zur Voraussetzung.»

Die *PdA-Initiative für eine «wirkliche Volkspension»* hätte im Falle ihrer Verwirklichung über kurz oder lang den *Untergang* oder die *Verstaatlichung der Mehrzahl der Vorsorgeeinrichtungen der Betriebe, Verbände und Verwaltungen* sowie das Verschwinden der zu Vorsorgezwekken reservierten Kapitalien zur Folge. Die praktische Konsequenz davon wäre, daß unserer Volkswirtschaft für ihren Investitionsbedarf *in großem Umfange Mittel entzogen* würden, nämlich der privaten Wirtschaft für ihre durch Obligationen finanzierten Investitionen, insbesondere aber für den Wohnungsbau sowie dem öffentlichen Bereich für den Ausbau der Infrastruktur. Dieser Gefahr ist durch die *Zustimmung zum Gegenvorschlag der Bundesversammlung* zu begegnen, denn dieser bringt eine *Verstärkung der zweiten Säule* und bietet damit Gewähr dafür, daß die beruflichen Vorsorgeeinrichtungen ihren Beitrag zu dem auch auf weitere Sicht beachtlichen Finanzbedarf des Infrastrukturausbaus und des Wohnungsbaus künftig weiter leisten können, was sowohl unter *sozialpolitischen Aspekten* als auch im Hinblick auf *gesicherte Anlagen der Pensionskassen in Realwerten* nur von Vorteil ist.

wf Dokumentationsdienst, Nr. 44, 30.10.1972.

209 Der SGB nimmt Rücksicht auf Bestehendes

Die sozialdemokratische Tageszeitung «Zürcher AZ» (Ende 1973 aufgegeben) brachte vor der Abstimmung über die Volkspensionsinitiative und den bundesrätlichen Gegenvorschlag ein Interview mit dem SGB-Sekretär Fritz Leuthy. Dieser drückte die Position der Mehrheit der Gewerkschaften aus, welche teilweise die gleichen Argumente wie die Unternehmer vorbrachten: Sicherung des Wirtschaftswachstums durch Förderung der Privatinvestitionen.

Gründe für den Gegenvorschlag

Rücksicht auf Bestehendes

... AZ: Stichwort Deckungskapital. Herr Leuthy, es geht hier um Milliardensummen. Man hörte immer wieder den Einwand, die privaten Versicherungen würden hier Milliarden scheffeln, die dann der Industrie, der Wirtschaft zugute kämen. Und für die Versicherungen würde das Ganze ein Bombengeschäft.

F. Leuthy: Das Finanzierungsgeschäft gibt tatsächlich sehr viel, wenn nicht sogar am meisten zu reden. Wir müssen aber auch hier das Ganze sehen. Die staatliche Versicherung, also die eigentliche AHV, oder eben die erste Säule, beruht auf dem Umlageverfahren. Das bedeutet, die AHV nimmt auf der einen Seite Beiträge ein und gibt diese auf der anderen Seite in Form von Renten wieder ab. Sie sammelt also kein Kapital an.

Im Gegensatz dazu müssen die Pensionskassen, also Träger der zweiten Säule, auf dem Kapitaldeckungsverfahren aufgebaut werden.

Sie sammeln Kapital an und zahlen daraus die Renten. Dabei spart dann im Grunde genommen jeder Einzelne seine Rente selbst zusammen. Im Alter baut er dieses von ihm angesammelte Kapital wieder ab. Beide Systeme, das Umlage- sowie das Kapitaldeckungsverfahren, haben Vor- und Nachteile.

Die Belastung des Einzelnen

Wichtig scheint mir beim Umlageverfahren der folgende Nachteil zu sein: es ist sehr anfällig in Bezug auf Schwankungen der Bevölkerungsstruktur. Wir müssen davon ausgehen, daß heute in der Schweiz vier Erwerbstätige für einen Rentner aufkommen, daß es 1985 nur noch drei Aktive auf einen Rentner geben wird und daß im Jahre 2000 gar nur noch zwei Erwerbstätige auf einen Rentner kommen. Es ist klar, daß die vergleichsmäßig immer weniger Aktiven die zu erbringenden Leistungen nur über steigende Prämien aufzubringen vermöchten. Das bedeutet, jeder Einzelne würde immer stärker belastet.

Von solchen Schwankungen nun ist das Kapitaldeckungsverfahren unabhängig. Hier spart jede Generation für sich selbst. Deshalb scheint es mir vernünftig, daß wir eben ein gemischtes System aufbauen, ein System, das flexibel ist und eben doch die Möglichkeit enthält, daß auch die staatliche Versicherung weiter ausgebaut werden kann und werden muß.

AZ: Die staatliche AHV soll doch wohl auch weiterhin die stärkste Säule der sozialen Sicherung bleiben?

F. Leuthy: Auf jeden Fall. Die staatliche Versicherung wird weitaus die stärkste Säule bleiben. ...

Zur Finanzierung wäre übrigens noch zu sagen, daß wir einfach realistisch feststellen müssen: unsere Wirtschaft braucht eben Kapital. Sie setzt die Existenz von angesammeltem Kapital nicht nur zur Weiterentwicklung von Industrie und Betrieben voraus, sondern auch zur Bewältigung von Problemen wie Wohnungsbau, Ausbau der Infrastruktur, Umweltschutz usw. Und schließlich kann ja auch nur eine gute und gesunde Volkswirtschaft eine gute soziale Sicherung garantieren.

Autonome Kassen und Mitbestimmung

AZ: Sicher, aber es ist doch kaum anzunehmen, daß die privaten Versicherungen ihre Kapitalien freiwillig in diese finanziell wenig attraktiven Dinge investieren werden.

F. Leuthy: Freiwillig sicher nicht. ...

Paritätische Verwaltung

Was uns aber sehr wesentlich scheint, ist die Tatsache, daß durch die Vorlage der Bundesversammlung die Mitbestimmung der Arbeitnehmer in allen Belangen gesichert wird. Das heißt, die betrieblichen Pensionskassen müssen paritätisch verwaltet werden. Aber auch über jenen

Teil der durch private Versicherungen angesammelten Gelder, die über das Obligatorium der zweiten Säule in die Kassen gelangten, haben die Versicherten paritätisch mitzubestimmen. Zum erstenmal können also die Arbeitnehmer über die Anlage großer Summen mitbestimmen. Daß sie dafür sorgen werden, daß diese Gelder dort angelegt werden, wo der Schuh drückt, zum Beispiel im Wohnungsbau, das ist sicher. ...

Zürcher AZ, 28.11.1972.

210 Die Fremdarbeiter fordern eine Volkspension

Die Fremdarbeiter, also gerade ein sehr wesentlicher Teil der von der Altersversicherung erfaßten Bevölkerung, waren von der Beschlußfassung über die PdA-Initiative und den Gegenvorschlag ausgeschlossen. In einer Petition mit über 50000 Unterschriften forderten sie die Volkspension und ein Mitentscheidungsrecht in dieser Frage.

Nationale Petition der emigrierten Arbeiter zur Reform des schweizerischen Vorsorgesystems

«Wenn sich das Volk bewußt wird, daß die private Versicherung, die auf dem Kapitaldeckungsverfahren beruht, prämienmäßig dreimal mehr kostet als die Volksversicherung, dann wird das Drei-Säulen-System nicht mehr zu verkaufen sein.» (Robert Eibel, freisinniger Nationalrat, Mitglied des Vorstandes des «Redressement National»[1].)

Warum müssen wir nun gezwungen werden, eine Lösung anzunehmen, welche die Zweite Säule zum Obligatorium macht, wenn die Unternehmer nicht nur zugeben, daß die Zweite Säule für die Arbeiter nachteilig ist, sondern auch, daß die Verstärkung der Volkspension (AHV) die beste Lösung für alle Arbeiter ist?

Aus diesen Gründen unterschreiben wir diese Petition zur Reform der schweizerischen Altersvorsorge.

Wir Emigranten, d.h. ungefähr die Hälfte der in der Schweiz beschäftigten Arbeiter, drücken mit dieser Petition den Willen aus, an der Bestimmung des Inhaltes und der Ziele der Reform, welche uns direkt betrifft, teilzunehmen.

Deshalb verlangen wir:

1. Daß die Reform der Altersvorsorge eine einzige öffentliche und allgemeine Volksversicherung vorsehen soll, die durch den Ausbau der AHV/IV zu verwirklichen ist und Renten erlaubt, welche bei Pensionierung oder bei anderen versicherten Arbeitsunterbrüchen das Lebensniveau der fünf besten Verdienstjahre gewährleisten.
2. Daß die Fremdarbeiter das Recht erhalten, über den Inhalt der Reform der Altersvorsorge und über alle Fragen, welche sie direkt betreffen, mitzuentscheiden.

3. Daß bei der Einführung des Verfassungsartikels über die Altersvorsorge auf die Interessen und die geforderten Garantien der Fremdarbeiter Rücksicht genommen wird.

Zürich, Juli 1972

Federazione delle Colonie Libere Italiane in Svizzera — Asociación de Trabajadores Emigrantes Españoles en Suiza

Nationale Petition der emigrierten Arbeiter zur Reform des schweizerischen Vorsorgesystems, Unterschriftenbogen, Zürich 1972. (Übersetzung aus dem Italienischen; das Eibel-Zitat wurde unter Verwendung des ungekürzten Originalzitates übersetzt.)

[1] *Das Redressement National ist eine von der Privatwirtschaft unterstützte Propagandaorganisation, die sich hauptsächlich in Wahl- und Abstimmungskämpfen mit «vaterländischen» und antikommunistischen Parolen für die Interessen ihrer Auftraggeber einsetzt. Gegründet 1937.*

211 Zweite Säule – Das Geschäft des Jahrhunderts

... Alle drei Großbanken, neun Privatbanken und sogar die Kantonalbanken haben je ihre hauseigene Stiftung zur Sammlung und Anlage der jährlichen Milliarden der «Zweiten Säule» bereit. Die Bankgesellschaft und die Kantonalbanken haben zusätzlich noch getrennte Beratungsfirmen auf die Beine gestellt.

Privatwirtschaft sucht Finanzquellen

Seitdem Professor Kneschaurek[1] die These aufstellte, die schweizerische Industrie müsse künftig nicht nur über 27 Prozent, sondern über 32 Prozent des jährlichen Volkseinkommens zu Investitionszwecken verfügen können, um weiterzuwachsen, ist dies zur Forderung aller Industriellen geworden, und der Bundesrat schloß sich ihr in seiner Botschaft zur «Zweiten Säule» sogar ausdrücklich an.

Da es nicht gleichgültig ist, wer diese Gelder liefert, fand man in den Geldern der Altersvorsorge eine reichliche und billige Quelle – sofern sie auf dem Kapitaldeckungsverfahren aufbaut.

Während die AHV ihre Einnahmen fast ganz gleich als Renten wieder ausbezahlt, häufen die Pensionskassen der «Zweiten Säule» Gelder an, welche die späteren Renten des einzelnen decken sollen.

Bankkreise sehen nicht nur die von Kneschaurek an die Wand gemalte allgemeine Finanzierungslücke voraus, sondern befürchten auch ein Absinken der bisherigen, fast vollständigen Selbstfinanzierung[2] der einzelnen schweizerischen Industrieunternehmen. Diese werden daher gezwungen sein, Geld aufzunehmen. ...

Kult der «institutionellen Anleger»

Auch dafür bietet sich der schnell wachsende Kapitalstock der Pensionskassen an. Heute schon werden 44 Prozent aller Ersparnisse des Landes in den Unternehmen und in den paar

DIE 3 VERSICHERUNGSSÄULEN

Versicherungen erzielt (ungefähr je 22 Prozent), und die zwei Millionen Haushalte teilen sich in ganze 31 Prozent der Sparsumme.

In den USA, wo die Versicherungen und Pensionskassen schon ein viel größeres Gewicht haben, ist der Anteil und das Gewicht dieser Großanleger auf dem Kapitalmarkt noch bedeutender.

Diese Großanleger nennt man die «institutionellen Anleger», weil es ihre Aufgabe ist, Kapital zu investieren. Sie wickeln in den USA bis zu 50 Prozent der Börsenkäufe ab und halten selbst bei Großfirmen schon bis zu 20 Prozent des Aktienkapitals.

In der Schweiz besitzen die Versicherungen etwa 55000 Wohnungen und die Großbankenfonds nochmals gegen 60000, was fast 6 Prozent aller Schweizer Wohnungen ausmacht.

Die Pensionskassen haben 40 Milliarden Franken in ihren Kassen, und bis 1999, also in 25 Jahren, sollen es 250 Milliarden werden. Alle an der schweizerischen Börse gehandelten Aktien sind heute «nur» 50 Milliarden Franken wert. ...

Das Bank- und Versicherungssystem in der Schweiz hat also durchgesetzt, daß diese Finanzierungslücke der Industrie durch private Kassen und Kanäle mittels Zwangssparen in der Altersvorsorge geschlossen werden kann.

Schon bei der Äufnung des AHV-Fonds bangten sie um ihre Vermittlungsspesen und um ihren Einfluß, wenn der öffentliche Fonds direkt mit den Schuldnern verkehrte und Geld direkt auslehnte. Sie forderten damals – vergeblich –, daß die AHV die Gelder über das Banksystem anlege. Denn außer bei Darlehen plaziert die AHV alle Kapitalien durch die Nationalbank, die Verwaltungskosten der AHV sind daher exemplarisch niedrig geblieben und betrugen 1969 nur 0,64 Prozent der Leistungen.

Bei der den Privatbanken gehörenden Investmentstiftung für Personalvorsorge dagegen machten die Kosten 10 Prozent des Bruttoertrages aus (1972).

Zum Teil befindet sie sich allerdings noch im Aufbau. Aber der Vergleich ist trotzdem typisch. Denn von den 16000 schweizerischen Kassen der «Zweiten Säule» sind die wenigsten groß genug, ihre Gelder selbst anzulegen und auch noch dabei die Risiken zu verteilen.

Nach Einführung des Obligatoriums (etwa 1975 bis 1977) werden noch viel mehr solche Kleinkassen entstehen. Sie werden sich gezwungenermassen einer Einrichtung der Großbanken und Versicherungen zuwenden müssen, welche die Errichtung einer von Gewerkschaftsseite geforderten öffentlichen Auffangkasse als Konkurrenz bereits bekämpfen. ...

Gesamthaft wird also ein solchermassen angelegtes Kapital im Banksystem um bis zu 8 Prozent geschröpft. Der jährliche Ertrag wird dann noch zusätzlich, wie bei der erwähnten Investmentstiftung, mit Verwaltungskosten und Spesen belastet, die auf den Erträgen des Fonsa-Fonds[3] weitere drei Prozent jährlich ausmachen. Ähnliche Proportionen gelten auch in den Immobilienfonds.

Die Banken und Versicherungen mögen darauf hinweisen, daß diese Spesen und Unkosten nicht mehr als kostendeckend seien. Man weiß, daß Versicherungen bis zu sieben Prozent ihrer Prämieneinnahmen für ihre Vertreter ausgeben. Wenn man ihre Inserate für die Einstellung gutbezahlter Pensionskassenberater sieht, erscheint dies nicht unwahrscheinlich.

Die Schlußfolgerung daraus aber ist dann erst recht die Feststellung, daß die Einrichtungen der «Zweiten Säule» einen unverhältnismäßig großen Aufwand zu Lasten der Versicherten und ihrer Renten darstellen. (Von der Entwertung der Kapitalien durch die Inflation ganz zu schweigen.)

Es wird in der «Zweiten Säule» ein gigantischer bürokratischer Stab von Beratern, Vermittlern, Börsenjongleuren, Treuhändern, Immobilienverwaltern und Werbeleuten aufgebaut. Dessen Last trägt der Beitragszahlende und der Rentner, dessen Zweck ist die reibungslose Finanzierung der Großindustrie unter Vermittlung des Bank- und Versicherungssystems.

Beat Kappeler, in: Zürcher AZ, 24.12.1973.

[1] *Francesco Kneschaurek, leitete eine Arbeitsgruppe, die im Auftrag des Bundes Perspektivstudien über die Wirtschaftsentwicklung anstellte.*

[2] *Vollständige Finanzierung der Investitionen durch eigene Gewinne, d.h. ohne Kapitalaufnahme außerhalb des Unternehmens mittels Aktien, Obligationen etc.*

[3] *Der Fonsa-Fonds der Schweizerischen Bankgesellschaft soll die Kapitalien kleiner Pensionskassen anlegen.*

212 Der SGB für die wirtschaftliche Einigung Europas 1960

Gewerkschaften und SPS waren – entsprechend ihren wirtschaftspolitischen Maximen – schon früh entschiedene Befürworter der europäischen Integration vor allem auf wirtschaftlichem Gebiet. Die «gegenwärtige wirtschaftliche Spaltung Europas», welche der SGB in der folgenden Resolution bedauert, meint freilich nicht die Spaltung in sozialistische und kapitalistische Länder, sondern jene in EWG und EFTA.

Resolution zur europäischen Integration

Der Schweizerische Gewerkschaftsbund unterstützt die Bestrebungen zur wirtschaftlichen Einigung Europas. Wirtschaftliches Wachstum, Vollbeschäftigung, soziale Gerechtigkeit in Freiheit sollen ihr Ziel sein.

Zusammen mit den ihm verbundenen gewerkschaftlichen Landesorganisationen setzt sich der Gewerkschaftsbund für die Überwindung der gegenwärtigen wirtschaftlichen Spaltung Europas ein.

Die Gewerkschaften verlangen ein Mitspracherecht in den europäischen Organisationen und Institutionen. Diese sollen nicht Organe einer blossen Kabinettspolitik sein, sondern einer demokatischen Kontrolle unterstehen.

Der Gewerkschaftsbund tritt für eine solidarische Beteiligung der Schweiz an der europäischen und internationalen wirtschaftlichen Zusammenarbeit ein. Ihre Neutralität muß dabei aber gewährleistet bleiben.

Um nachteiligen Auswirkungen der Integration entgegenzuwirken und die Arbeitsplätze der einheimischen Arbeitnehmer besser zu sichern, fordert der Gewerkschaftsbund Behörden und Arbeitgeber auf, rechtzeitig Hand zu bieten zu einer großzügigen Förderung der beruflichen Weiterbildung und Umschulung.

Der Gewerkschaftsbund verlangt die Schaffung eines Solidaritätsfonds. Bei notwendigen Umstellungen und eventueller Arbeitslosigkeit soll dieser bedrohten Wirtschaftszweigen und Landesteilen ohne Verzug Hilfe leisten können.

Protokoll des 36. ordentlichen Kongresses des SGB 1960 in Basel, S. 222.

213 Die SPS und das Abkommen Schweiz–EWG

Am Parteitag 1972 der SPS begründete die Parteileitung ihre Zustimmung zum Assoziierungsabkommen Schweiz–EWG und auch zu einem späteren Vollbeitritt unter anderem mit folgenden Überlegungen:

1. Stellt man das Wohl des einzelnen Menschen, seine wirtschaftliche und soziale Sicherheit sowie seine freie Entfaltungsmöglichkeit ins Zentrum der Politik, so darf der Mensch nicht mehr

länger dem wirtschaftlichen und technischen Fortschritt untergeordnet werden. Bleibt das wirtschaftliche Wachstum oberste Maxime, dann wird unser Land in wenigen Jahrzehnten nur noch aus Wirtschaft bestehen und es wird kaum mehr Lebensraum für den einzelnen geben. Ein wirtschaftliches Gebilde in der Größenordnung der erweiterten EWG kann durch wirtschaftliche Umstrukturierungen im Sinne der Arbeitsteilung und durch Massenproduktion dank des vorhandenen Marktpotentials zweckmässiger und günstiger wirtschaften. Mit rationalisierenden Strukturveränderungen ist es möglich, Kostensenkungen zu erzielen, die dem Arbeitnehmer und dem Konsumenten zugute kommen, ohne daß sie dafür den hohen Preis der wirtschaftlichen Zersiedlung ihres Lebensraumes berappen müssen.

2. Die EWG kann heute – pointiert ausgedrückt – das Europa der Händler und Krämer genannt werden. Was die Schweiz betrifft, so müssen wir, wie bereits erwähnt, feststellen, daß die wirtschaftliche Integration respektive Verflechtung bereits einen hohen Grad erreicht hat. Kapital und Wirtschaftsmacht der Unternehmungen, vor allem der großen internationalen Gesellschaften, zirkulieren heute schon über die Grenzen hinweg. Dieser Mobilität der Profitinteressen steht die Standortgebundenheit der Arbeitnehmer gegenüber. Werden die Arbeitsmarktkosten für den Großunternehmer im einen Land zu hoch, so verlegt er seine Tätigkeit in ein anderes mit tieferen Lohnkosten. Beispiele von derartig motivierten Betriebsschließungen gibt es auch in der Schweiz. Die erleichterte Mobilität der Arbeitnehmer ist keine Lösung, wie die gewaltigen Probleme deutlich zeigen, welche mit den Gastarbeitern entstanden sind. Es gibt nur einen Ausweg, nämlich den, daß die Arbeitsbedingungen, die Löhne und Sozialleistungen europäisiert werden. Es braucht beispielsweise europäische Gesamtarbeitsverträge, einheitliche Berufsausbildungsnormen und eine harmonisierte Sozialgesetzgebung. Diese wichtigen Probleme lassen sich schwer über die Grenzen hinweg lösen, jedoch einfacher, wenn die Grenzen weg sind. Es ist übrigens anzunehmen, daß sich der Ausgleich in den einzelnen Teilbereichen nach dem höchsten Stand des sozialen Fortschritts richten muß, da die Länder, welche auf der obersten Stufe stehen, kaum einem Rückschritt zustimmen wollen und können.

Die zwei soeben genannten Thesen mögen spekulative Aspekte beinhalten. Dennoch darf angenommen werden, daß die skizzierte Entwicklung kommt. Die sozialdemokratischen Parteien und die Gewerkschaften der EWG-Staaten marschieren jedenfalls auf diesem Weg: sie wollen das Europa der Kapitalisten in eine soziales Europa hinüberführen. ...

Walter Renschler, Die Schweiz und das EWG-Freihandelsabkommen, Neue Schriftenreihe der SPS Nr. 7, o.O. o.J. (1972).

214 PdA: Gleichschaltung mit dem Europa der Trusts?*

Die Weiche wird gestellt

Nun wird auf Beschluß der Mehrheit der eidgenössischen Räte doch abgestimmt. Das ist das indirekte Eingeständnis dafür, daß im scheinbar harmlosen Vertrag mit der EWG eben mehr steckt als der darin vorgesehene Abbau der Zölle für industrielle Produkte zwischen der Schweiz und den EWG-Staaten bis zum 1. Juli 1977. Es handelt sich um eine Weichenstellung, durch die Wirtschafts-, Innen- und Außenpolitik der Schweiz mit der Zeit immer mehr betroffen werden. Nicht der Inhalt des Vertrages ist entscheidend, sondern seine Konsequenzen sind es. ...

Die Schweiz soll EWG-Satellit werden

Die Befürworter des EWG-Vertrages brüsten sich damit, daß die Schweiz keine Souveränitätsrechte preisgeben müsse. In Brüssel setzt man auf den mit der Zeit durch immer engere Verflechtung der schweizerischen mit der EWG-Wirtschaft wirkenden Zwang zur Anpassung. Wir werden zwar in der EWG nicht mitbestimmen, aber zum Nachvollzug der Brüsseler Beschlüsse gezwungen sein. Die Schweiz wird ein Satellitenstaat der EWG werden.

Das Musterbeispiel eines solchen «Sachzwangs» ist die Mehrwertsteuer. Der Zollabbau wird dem Konsumenten nichts bringen, sondern höchstens die Gewinnmargen des Handels erhöhen. Für den Einnahmenausfall in der Bundeskasse bezahlt der Konsument, indem die gegenüber der gegenwärtigen Umsatzsteuer Waren und neu auch Dienstleistungen erheblich höher belastende Mehrwertsteuer eingeführt wird, genau nach EWG-Vorbild. ...

Was ist die EWG?

Mit dem EWG-Vertrag tritt die Schweiz keine Fahrt ins Blaue an. Aber auch die glühendsten «Europäer» wagen nicht, offen einzugestehen, daß das Endziel Vollmitgliedschaft in der EWG heißt, weil sie befürchten, daß das Volk nicht in diesen Zug steigen würde. So wird EWG-Europa dem Schweizer in Dosen verschrieben; die Integration in Raten ist das Berner Rezept.

Die EWG ist das Gegenteil einer demokratischen Gemeinschaft freier Nationen. Sie ist weder aus dem freien Willen der Völker entstanden, noch sind ihre Institutionen demokratisch. Sie dient der Stärkung der Herrschaft des Großkapitals über die Arbeitenden aller Mitgliedstaaten. Auf diesen Zweck zugeschnitten sind ihre Organe. Die EWG ist der Volkskontrolle entzogen. Ihr Parlament ist ein Scheinparlament, dessen Vertreter ernannt und nicht gewählt werden und das über keines der grundlegenden Rechte eines Parlamentes verfügt. Es hat keine Kompetenz zur Genehmigung völkerrechtlicher Verträge der EWG, es verfügt über keine Rechtssetzungskompetenz, sein Konsultationsrecht ist unvollständig und unverbindlich, es hat kein Investiturrecht und die Exekutivorgane sind ihm weder zur Berichterstattung, noch zur Auskunft verpflichtet. ...

In der EWG herrschen die Monopole

In diesem undemokratischen EWG-Europa bestimmen die großen multinationalen Konzerne. Eine immer kleinere Zahl mächtiger, einander teilweise konkurrenzierender, gleichzeitig aber auch oft zusammenarbeitender Kapitalistengruppen beherrschen und lenken entscheidende Gebiete der wirtschaftlichen Tätigkeit und schränken die Bewegungsfreiheit der Regierungen auf handels-, finanz- und währungspolitischem Gebiet ein.

Dieses Europa wird immer mehr von den USA abhängig. ...

Die EWG, das darf nicht vergessen werden, ist das wirtschaftliche Rückgrat der Nato. Das Freihandelsabkommen verstärkt die Gefahr, in den Militärblock einbezogen zu werden. Nicht zuletzt dieser Umstand verbietet einem neutralen Staat, in den EWG-Zug einzusteigen.

Die Folgen: Betriebsschließungen

Wie wirkt sich das von Zollschranken geräumte EWG-Europa auf die Schweizer Wirtschaft aus? Es ist vorauszusehen, daß die wirtschaftlich starken noch stärker werden. Der Bundesrat hat diesen Tatbestand in seiner Botschaft in die einfachen Worte gekleidet:

«Zweifellos wird der freie Warenverkehr in Europa den Konzentrationsprozeß begünstigen.»

Was von Bundesrat Brugger als harmlose «westeuropäische Flurbereinigung» hingestellt wird, bedeutet schlicht und einfach, daß der «Strukturbereinigung» in rascherer Folge weitere Betriebe zum Opfer fallen und daß der Abstand zwischen den entwickelteren und den weniger entwickelten Gebieten des Landes noch größer wird. Dies könne «für den einzelnen Arbeitnehmer Arbeitsplatz- und Wohnortwechsel sowie Umschulungsprobleme mit sich ziehen», meint Christoph Eckenstein, Sprecher der schweizerischen Verhandlungsdelegation in Brüssel («neutralität», September 1972). ...

Die Lohnverdiener müssen entscheiden!

Die Partei der Arbeit ist sich bewußt, daß für die Lohnabhängigen die wesentlichen Probleme mit oder ohne EWG-Vertrag die gleichen bleiben. Mit dem Freihandelsvertrag erhalten die Konzerne und besonders die multinationalen Gesellschaften bessere Möglichkeiten, wirtschaftliche Macht immer rascher in immer weniger Händen zu konzentrieren.

Die Arbeitenden stehen dieser Entwicklung nicht machtlos gegenüber, wenn sie erkennen, daß es nicht mehr genügt, nur bis zur eigenen Landesgrenze zu sehen und im eigenen Bereich nicht mehr als den Teuerungsausgleich und bestenfalls eine dem Produktivitätszuwachs entsprechende Reallohnerhöhung zu verlangen.

Die Beispiele Akzo und Dunlop-Pirelli

Der Akzo-Konzern konnte seinen Betriebschließungsplan nur teilweise – ausgerechnet nur in der Schweiz bei der Feldmühle Rorschach[1] – durchführen, weil die holländische, belgische und westdeutsche Akzo-Belegschaft solidarisch waren. Die Arbeiter der Dunlop-Pirelli-Gruppe streikten in Großbritannien und in Italien gleichzeitig. Was gestern und heute im nationalen Rahmen von den Arbeitenden gefordert wurde und wird, dafür müssen die Werktätigen heute und morgen in ganz Westeuropa koordiniert kämpfen. Diese Aufgabe steht mit oder ohne EWG-Vertrag vor der schweizerischen und der gesamten westeuropäischen Arbeiterbewegung.

Mehr Rechte den Werktätigen!

In erster Linie müssen sich die Lohnverdiener vor den Folgen der kapitalistischen Konzentration schützen. Sie können dies um so besser, je mehr Rechte sie besitzen, je mehr das freie Verfügungsrecht der Unternehmer über die Produktionsmittel eingeschränkt und je mehr Kontrollrechte sie über den Produktionsprozeß erkämpft haben.

Wie weit das Monopolkapital seine Pläne verwirklichen kann, hängt in erster Linie von den westeuropäischen Werktätigen ab. In der Schweiz und im erweiterten EWG-Raum wird die Arbeiterbewegung sich nicht damit begnügen können, gegen die negativen Folgen der Integration zu kämpfen, sondern sie wird national und übernational Alternativen gegen die Herrschaft des Monopolkapitals entwickeln müssen.

Vorwärts, Nr. 41, 19.10.1972.

[1] *Betriebsschliessung 1973, rund 350 Entlassungen.*

215 Jugendbewegung gegen die Atombewaffnung – Ostermarsch 1963

Die Anti-Atombewegung entfaltete sich in der Schweiz teils innerhalb, teils neben der SP und der PdA. Die beiden unter dem Einfluß dieser Bewegung lancierten Initiativen gegen die atomare Bewaffnung der Schweiz wurden 1962 und 1963 verworfen. Sie war eine der Wurzeln der schweizerischen Neuen Linken. Typisch bei diesem Aufruf für den Ostermarsch 1963 ist die noch stark moralisierende Argumentation.

Die Wachenden am Einschlafen hindern und die Schlafenden wieder aufwecken! *Henri Dunant*

Um gegen die Gefahr der atomaren Bewaffnung zu wirken!
Um die Pläne zur allgemeinen und kontrollierten Abrüstung zu unterstützen!
Um die öffentliche Meinung aufzurütteln!

Welches auch immer Euer Alter und Eure Nationalität ist, beteiligt Euch am
Marsch gegen die Atombewaffnung – für den Frieden
Lausanne–Genf, Ostern 1963 (12./13./14. April)

Genf, die Stadt der Abrüstungsverhandlungen und internationaler Sitz des Roten Kreuzes, dessen hundertster Geburtstag in unserem Land mit einer Aktion für den Frieden begangen werden sollte. ...

Angesichts der Abstimmung vom 25. und 26. Mai[1] kann die schweizerische Bewegung gegen die atomare Bewaffnung die Organisation eines pazifistischen Marsches nicht auf sich nehmen, ohne ihre Kräfte zu zersplittern.

Trotzdem beschloß sie, einige ihrer jungen Mitglieder zu ermutigen, eine neue Gruppe zu gründen, die sich mit diesem Problem befassen kann. ...

Die neue Gruppe hat folgenden Namen angenommen:
Jugendbewegung gegen die atomare Bewaffnung

Diese Bewegung hat die Aufgabe, der Jugend der Welt zu zeigen, daß die jungen Schweizer die Kriegsvorbereitungen mißbilligen. Die Bewegung wird mit dem Ostermarsch die Neugruppierung der pazifistischen Kräfte einleiten.

Verbreitet den Gedanken vom Marsch Lausanne–Genf:

60 Kilometer, die von den Teilnehmern eine Anstrengung und ein Opfer fordern, in einer brüderlichen Umgebung vollbracht.

Das wird der Beweis all jener sein, die für eine Welt ohne Krieg kämpfen. ...

Unser Aufruf richtet sich an alle:

Burschen, Mädchen, Männer, Frauen, Familien aller Nationalitäten und Konfessionen, gründen wir überall Aktionsgruppen für den Erfolg des Marsches!

Flugblatt der Jugengbewegung gegen die Atomare Bewaffnung, 1963 (Übersetzung aus dem Französischen).

[1] *Abstimmung über die «Atomverbotsinitiative II».*

216 Für eine neue revolutionäre Organisation

In den späten 60er Jahren war die Junge Sektion der PdA eines der Zentren der Jugendbewegung. Die hier abgedruckte Presseerklärung zu ihrem Austritt aus der PdA faßt mit ihrer Kritik des bürokratischen Kommunismus sowjetrussischer Prägung die wichtigsten Gedanken der Revisionismuskritik zusammen, mit der sich die meisten Gruppen der Neuen Linken seitdem beschäftigen.

Am 4./5. Oktober 1969 trafen sich in Zürich über hundert Mitglieder der jungen Sektion der Partei der Arbeit Zürich, der Tendence de gauche der Parti ouvrier et populaire vaudois und Mitglieder einiger anderer Organisationen, die mit den Oppositionsgruppen der PdAS zusammenarbeiten.

Das Ziel dieser Konferenz war vorerst, die Trennung der Oppositionsgruppen von der Partei der Arbeit zu vollziehen. Die Teilnahme von zahlreichen Nichtmitgliedern der PdA gab dieser Zusammenkunft den Sinn, die Grundlagen für eine zukünftige Zusammenarbeit zu schaffen.

Die Strategie des PdAS erschöpfte sich in der Teilnahme an Wahl- und Abstimmungskämpfen sowie der Aktivität im Parlament. Diese Strategie soll erlauben, eine Übergangsgesellschaft, eine «wahre Demokratie» zu verwirklichen. Diese Strategie zeigt, daß die PdAS die Natur des bürgerlichen Staates vollständig verkennt. Sie schafft und unterhält auf diese Weise die verhängnisvolle Illusion, der Sozialismus sei auf parlamentarischem Wege zu erreichen. Seit über 25 Jahren ruft die PdAS vergeblich zu einer «Volkssammlung» auf, die Arbeiter, Angestellte, Bauern, Gewerbetreibende, Intellektuelle und Kleinindustrielle zur Verteidigung ihrer gemeinsamen Interessen verbinden soll. Sie verläßt dadurch eine klare proletarische Klassenposition. Die PdAS hat sich als unfähig erwiesen, die Veränderungen im kapitalistischen System und die integrierende Rolle der Sozialdemokratie zu analysieren. Sie ist nicht mehr in der Lage, ihren Mitgliedern eine politische Linie zu vermitteln, die es ihnen ermöglicht, den Klassenkampf am eigenen Arbeitsplatz zu führen, ihre ganze Politik sowie ihre Aktivität wird der parlamentarischen Strategie untergeordnet. Die Partei der Arbeit vernachläßigt die marxistisch-leninistischen Prinzipien, zu denen sie sich noch offiziell mit revolutionären Phrasen bekennt.

Indem sie die sowjetische Bürokratie als «rechtmäßige Erbin der Oktoberrevolution von 1917» betrachtet, sieht die PdAS in der Sowjetunion «das erste große Beispiel des Aufbaus einer sozialistischen Gesellschaft»; das Modell des Sozialismus. Der Internationalismus der PdAS besteht einerseits in der praktisch bedingungslosen Unterstützung der Sowjetunion und andrerseits in formalen Solidaritätserklärungen mit nationalen Befreiungsbewegungen.

Die praktisch bedingungslose Unterstützung der UdSSR, die in großem Masse dazu beitrug, die sozialistischen Ideen in den Augen des schweizerischen Proletariats zu desavouieren, wird heute durch eine opportunistische und rein verbale Verurteilung der Intervention in der CSSR verschleiert. Die PdAS weigert sich jedoch, die sowjetische Gesellschaft und Bürokratie kritisch zu analysieren und kann somit die wahre Natur und die Funktion der UdSSR innerhalb der internationalen kommunistischen Bewegung nicht erkennen.

Diese hier kurz zusammengefaßte Kritik der Partei der Arbeit wird von Dokumenten untermauert, die von den Oppositionsgruppen in der letzten Zeit herausgegeben wurden. Konsequenterweise mußte diese Auseinandersetzung zu einem Bruch zwischen den Oppositionellen und der Partei der Arbeit führen, ein Bruch, der an der Konferenz vom 4./5. Oktober definitiv vollzogen wurde.

Für die Teilnehmer an dieser Konferenz handelt es sich darum, die damit begonnene politische Klärung und Gegenüberstellung zusammen mit bereits bestehenden Gruppierungen durchzuführen, mit der *langfristigen Perspektive* des Aufbaus einer neuen proletarischen revolutionären Organisation.

Agitation Nr. 7, 1969.

217 Solidarität mit den unterdrückten Völkern der Dritten Welt

Der Mitte der 60er Jahren wieder aufflammende Krieg in Vietnam und seine ständige Verschärfung durch die USA, führte auch in der Schweiz zu großen Solidaritätskampagnen, die meist von Gruppen der Neuen Linken getragen wurden. Wie das Faksimile zeigt, drückten sie ihre Sympathien mit dem vietnamesischen Volk und der Nationalen Befreiungsfront Südvietnams (FNL) teilweise mit neuen Mitteln der Agitation aus.

Bresche, Organ der Revolutionären Marxistischen Liga Nr. 2, Dezember 1971.

218 Frauen-Befreiungs-Bewegung

Im Gegensatz zu bürgerlichen Frauenrechtsbewegungen, die hauptsächlich die politische und rechtliche Gleichberechtigung der Frau fordern, sieht die FBB die Diskriminierung der Frau nicht nur als juristisches Problem, sondern führt sie auf tiefere gesellschaftliche Zwänge zurück.

Natürlich sagen wir «ja» zum Stimm- und Wahlrecht der Frauen. Aber wir feiern kein Freudenfest, weil es uns endlich zugestanden ist. Es ist eine Selbstverständlichkeit, die heute keinen etwas kostet; es ändert nichts an den bestehenden Machtverhältnissen in unserer Gesellschaft, von denen die Mehrheit sowohl der Männer wie der Frauen betroffen ist. Die wichtigen Entscheidungen werden auch jetzt ohne Mitwirkung der Stimmbürger von Banken und Industrie gefällt. Die gleichen sind es auch, die von der Frauenarbeit am meisten profitieren.

Frauenarbeit ist billig zu haben: die Kosten für unsere Ausbildung sind gering. Unsere Arbeitsleistungen im Beruf werden schlecht bezahlt. Und vor allem: wir sorgen so gut wie gratis (bis 100 Arbeitsstunden pro Woche) dafür, daß die benötigten Arbeitskräfte erhalten und erneuert werden, indem wir den Haushalt führen und die Kinder erziehen.

Wenn sich an unserer tatsächlichen Lage in der Gesellschaft etwas ändern soll, müssen wir mehr fordern als das Stimm- und Wahlrecht.

Wie ist es mit der Frau im Beruf?

Bekommt sie gleichen Lohn für gleiche Arbeit? Daß Frauen nur 70% des entsprechenden Männerlohnes beziehen, ist durchaus normal. Die Chance, wie ihre männlichen Kollegen im Beruf voranzukommen, womöglich in leitende Positionen aufzusteigen, hat sie allenfalls in der Damenwäscheabteilung. Neben den Vorurteilen gegen weibliche Führungseigenschaften sorgt schon die Ausbildung dafür, daß dies nicht zur Regel werden kann – statt Naturwissenschaft und Mathematik: Handarbeiten; statt einer Berufsausbildung gemäß Eignung und Fähigkeiten: irgend eine vorläufige Tätigkeit mit dem Ziel zu heiraten. Wir sollten daher fordern:

Gleicher Lohn für gleiche Arbeit
Gleiche Grundausbildung und Bildungschancen für Mädchen
Abschaffung des obligatorischen Handarbeitsunterrichtes und Hauswirtschaftskurses
Aufklärende Berufsberatung nach Eignung, nicht nach Geschlecht
Bessere Weiterbildungsmöglichkeiten für Berufstätige

Wie steht es mit der Hausfrau?

Sie sorgt dafür, daß die benötigte Arbeitskraft erhalten bleibt. Aber damit sie nicht auf den Gedanken kommt, daß sie demnach eine für den Wirtschaftsprozeß wichtige und notwendige Arbeit leistet, die selbstverständlich bezahlt werden müßte, erklärt man ihre Arbeit zur Privatsache. Man gesteht ihren Leistungen keinen eigenen Wert zu. Ihre gesellschaftliche Stellung ist die des Mannes, mit dem sie verheiratet ist. Den Lohn für ihren 12-Stunden-Tag im Käfig des Privatlebens darf sie sich in den Luftschlössern der Illustriertenwelt suchen.

Und wenn sie Kinder hat? Bekommt sie eine hinreichende Ausbildung für die schwierige Aufgabe der Kindererziehung, die für die gesamte Gesellschaft von entscheidender Bedeutung ist? Findet sie Unterstützung, Rat und Entlastung durch das bestehende System der Kinderkrippen und -gärten?

Es wird ihr nur die Verantwortung dieser Tätigkeit gepriesen. Aber in Wirklichkeit legt man einer vernünftigen Kindererziehung alle erdenklichen Hindernisse in den Weg: durch kinderfeindliche Wohnbaupolitik und Mietverträge, durch autoritäre Vorschriften über Anstand, Sauberkeit und Ordnung, die der Mutter die Rolle des ständigen Aufpassers aufzwingen ... Der Lohn für ihre verantwortungsvolle und aufreibende Arbeit? «Mutterglück»! Und für Glück muß man bekanntlich zahlen.

Wenn dann die Rolle als Kindererzieher ausgespielt ist, hat eine Frau gewöhnlich nur die Wahl zwischen einem dequalifizierenden Arbeitsplatz in den untersten Lohngruppen, bei Teilzeitarbeit unter Verzicht auf angemessene Sozialleistungen – und einer leeren Haushaltroutine. Wir sollten daher fordern:

Fortschrittliche Ausbildung und Beratung in den wichtigsten Fragen der Kindererziehung für alle Mütter *und Vater*

Mehr, billigere und kinderfreundliche Kinderkrippen und -gärten

Kinderfreundliche Wohnbaupolitik und Regionalplanung

Ein Gehalt für Mütter von Kindern (auch unehelichen) mindestens bis zur Schulreife

Bessere Weiterbildungsmöglichkeiten für Hausfrauen

Günstigere Bedingungen für die Wieder- und Neueingliederung von Hausfrauen ins Berufsleben

Bessere Sozialleistungen bei Teilzeitarbeit

Und die Frau als Geschlechtspartner?

Durch die Angst vor unerwünschten Kindern und durch eine lustfeindliche Sexualaufklärung wird ihr die sexuelle Befriedigung – in freier Entscheidung nach Lust und Neigung – weitgehend verwehrt. Durch die ökonomische Abhängigkeit und die Tatsache, daß ihre gesellschaftliche Stellung von der des Mannes abhängt, hat sie (berechtigte) Angst vor dem Sitzenbleiben und der gesellschaftlichen Isolation. Wir wiederholen daher die Forderungen nach gleichen Bildungs- und Berufschancen, nach mehr und besseren Kinderkrippen und nach einem Gehalt auch für ledige Mütter. Wir sollten daher fordern:

Eine umfassende sexualfreundliche Aufklärung in der Schule

Abschaffung des Konkubinatsverbots

Einführung der legalen Schwangerschaftsunterbrechung nach freier Entscheidung der Frau

Haben wir eine reale Chance, auch nur einen kleinen Teil dieser Forderungen durchzusetzen, wenn wir uns mit dem Gang zur Wahlurne begnügen?

Sicher nicht, aber wir können am Arbeitsplatz und Wohnort über dies Problem diskutieren und uns mit Gleichgesinnten zusammenschließen. Die Frauenbefreiungsbewegung ist eine Gruppe von Frauen, die sich organisiert haben.

Flugblatt der Frauen-Befreiungs-Bewegung, Zürich, November 1969.

219 Alle Arbeiter sind Fremdarbeiter

1. Mai
Alle vereint,

weil wir alle Arbeiter sind, ob Schweizer oder Ausländer. Und weil der 1. Mai der Tag der Arbeiter ist.

Arbeiter sein heisst: arbeiten ohne mitentscheiden zu können, was hergestellt wird und wofür produziert wird, ohne am Gewinn beteiligt zu sein.

Arbeiter sein heisst: den Lohn wieder abliefern an die gleichen, für die wir arbeiten, die die Fabriken besitzen, in denen wir arbeiten, die die Geschäfte besitzen, die unser Geld wieder kassieren und die die Häuser besitzen, in denen wir wohnen. Sogar das Land, das wir mit unserer Arbeit aufbauten, der Boden, auf dem wir stehen, gehört ihnen.

Arbeiter sein heisst: geduldet sein, solange wir gebraucht werden. Fremder sein am Arbeitsplatz, Fremder sein in der Mietwohnung, Fremder sein im Land, das unser eigenes sein sollte.

Alles gehört denen, die von unserer Arbeit profitieren, den Kapitalisten. Gegen sie müssen wir zusammenstehen, für die Rechte der Arbeiter. Alle,

denn alle Arbeiter sind Fremdarbeiter

FASS (Fortschrittliche Arbeiter, Schüler und Studenten)
Besammlung: 9.30 Uhr
Helvetiaplatz, Zürich

Postcheckkonto: 80-16118

Fortschrittliche Arbeiter, Schüler und Studenten (FASS), 1. Mai 1970, aus: Margadant, für das Volk – Gegen das Kapital S. 80.

Viele Zahlen, die in diesem statistischen Anhang über die Beschäftigungsstruktur in der Schweiz, die Streikhäufigkeit und die Stärke der Arbeiterorganisationen angegeben werden, sind nicht gesichert. Für eine ganze Reihe von Zahlen über die Mitgliederentwicklung und die Streikhäufigkeit sind oft widersprüchliche Angaben vorhanden. Wir entschlossen uns in solchen Fällen dazu, jene Zahlen auszuwählen, die uns am richtigsten und sinnvollsten erschienen. Viele Angaben beruhen auf verschiedenen Erhebungsgrundlagen, so daß eine Vergleichbarkeit innerhalb einer Entwicklung nur noch schwer gewährleistet ist. Trotzdem wurden solche Angaben aufgenommen, um Tendenzen einer längeren Entwicklung sichtbar machen zu können. Auf einen Anmerkungsapparat, in dem genau aufgeführt würde, welche Zahlen im Einzelfall als Grundlage zu unserer statistischen Zusammenstellung gedient haben und welche Abweichungen in der Art der Erhebung eingetreten sind, wurde im Interesse der Übersicht und der Lesbarkeit verzichtet. Die einzelnen Quellen wurden gesamthaft am Schluß der jeweiligen Statistiken vermerkt.

Die Zusammenstellungen über die Streikhäufigkeit in der Schweiz und über die Entwicklung der Mitgliederzahlen der Arbeiterorganisationen weisen noch große Lücken auf. Diese Lücken sind nichts anderes als ein deutliches Abbild des momentanen Forschungsstandes über die Geschichte der schweizerischen Arbeiterbewegung.

Auch die Angaben über die Entwicklung der Beschäftigungsstruktur in der Schweiz seit 1800 weisen Mängel auf. Insbesondere die Zahlen der Beschäftigten für die Jahre 1800, 1820 und 1850 sind äußerst problematisch, da sie auf sehr groben Schätzungen und nicht auf genauen statistischen Erhebungen beruhen. Neuere Forschungen haben gezeigt, daß diese Schätzungen z.T. Fehler aufweisen.

Trotz all dieser Fehlerquellen und Mängel, die durch das Fehlen von Zahlenmaterial oder durch die Ungenauigkeit der Angaben vorhanden sind, haben wir uns zu einem statistischen Anhang entschlossen. Grundlegende Veränderungen in der Entwicklung der schweizerischen Wirtschaft, der Größe der Arbeiterorganisationen und der Kampftätigkeit dieser Organisationen können durch diese Zahlen zweifellos sichtbar gemacht werden. Angaben über die zahlenmäßige Entwicklung der Arbeiterorganisationen während des 1. Weltkrieges und nach der Spaltung in den 20er Jahren sind illustrative Beispiele hierzu. Uns ging es denn auch in erster Linie darum, Material über die Geschichte der Arbeiterbewegung vorzulegen, das zusätzlichen Einblick gewährt in die Entwicklung der Arbeiterklasse und ihrer Organisationen.

Die Entwicklung der Beschäftigungsstruktur in der Schweiz seit 1800

	Absolut			
	1800	1820	1850	1880
Wohnbevölkerung	1 680 000	1 956 000	2 392 740	2 831 787
Erwerbstätige	760 000	890 000	1 080 000	1 316 766
Land- und Forstwirtschaft	500 000	555 000	620 000	557 739
Private und öffentliche Dienstleistungen	60 000	80 000	110 000	208 208
Industrie	200 000	255 000	350 000	550 824
Davon				
Heimindustrie	120 000	125 000	130 000	120 000
Handwerk und Industriegewerbe (ohne Baugewerbe)	64 000	92 500	143 000	210 824
Baugewerbe	15 000	22 500	35 000	70 000
Fabrikunternehmungen (inkl. Verwaltungs- und Verkaufspersonal)	1 000	15 000	42 000	150 000
Dem Fabrikgesetz unterstelltes Betriebspersonal	—	—	—	137 500
	Prozent der Erwerbstätigen			
Land- und Forstwirtschaft	65,8	62,3	57,4	42,4
Private und öffentliche Dienstleistungen	7,9	8,9	10,1	15,8
Industrie	26,3	28,8	32,5	41,8
Heimindustrie	15,8	14,0	12,0	9,1
Handwerk (ohne Bau)	8,4	10,4	13,2	16,0
Baugewerbe	2,0	2,5	3,2	5,3
Fabrikunternehmungen	—	1,7	3,9	11,3
	Prozent der Erwerbstätigen in der Industrie			
Heimindustrie	60,0	49,0	37,1	21,7
Handwerk (ohne Bau)	32,0	36,3	40,9	38,2
Baugewerbe	7,5	8,8	10,0	12,7
Fabrikunternehmungen	0,5	5,9	12,0	27,4

[1] 1901 [2] 1911 [3] 1923 [4] 1929

1888	1900	1910	1920	1930	1941	1950	1960
2 917 754	3 315 443	3 753 293	3 880 320	4 066 400	4 265 703	4 714 992	5 429 061
1 304 834	1 555 247	1 783 195	1 871 725	1 942 626	1 992 487	2 155 656	2 515 000
488 530	481 649	477 118	482 758	413 336	414 936	355 427	292 000
273 235	375 401	494 920	568 831	669 398	709 556	795 925	948 000
543 069	698 197	811 157	820 136	859 892	867 995	1 004 304	1 275 000
110 000	100 000	70 104	39 344	25 865	12 154	12 000	10 000
188 260	223 083	229 635	279 696	201 297	206 044	217 040	195 000
64 809	98 114	131 418	110 096	152 730	149 797	175 264	240 000
180 000	277 000	380 000	391 000	480 000	500 000	600 000	830 000
159 543	242 534[1]	328 841[2]	337 403[3]	409 083[4]	436 493	492 563	666 676
37,4	31,0	26,8	25,8	21,3	20,9	16,5	11,7
20,9	24,1	27,6	30,4	34,4	35,6	36,9	37,9
41,7	44,9	45,6	43,8	44,3	43,5	46,6	50,4
8,4	6,4	3,9	2,1	1,3	0,6	0,5	0,4
14,4	14,3	12,9	14,9	10,4	10,3	10,0	7,7
5,0	6,3	7,5	6,0	7,9	7,5	8,1	9,5
13,8	17,8	21,3	20,9	24,7	25,1	27,8	33,0
20,3	14,3	8,6	4,8	3,0	1,4	1,1	0,6
34,7	31,9	28,3	34,1	23,4	23,9	21,6	15,6
11,9	14,1	16,3	13,4	17,7	17,2	17,5	18,8
33,1	39,7	46,8	47,7	55,9	57,5	59,8	65,1

Francesco Kneschaurek, Wandlungen der schweizerischen Industriestruktur seit 1800, in: Ein Jahrhundert schweizerischer Wirtschaftsentwicklung 1864–1964, Bern 1964, S. 139.

Mitgliederbestände des SGB, CNG, SVEA, LFSA

	SGB	CNG	SVEA	LFSA
1881	450			
1884	522			
1888	3350			
1890	3460			
1893	9495			
1896	9203			
1901		40		
1902		80		
1903	16593	158		
1905	50257	742		
1906	68535	2870		
1907	77619	3828		
1908	69250	3610		
1909	66174	3809		
1910	75344	3278		
1911	78119	3200		
1912	86313	3198		
1913	89398	3293		
1914	65177	1592		
1915	64972	1568		
1916	88628	2705		
1917	148946	4620		
1918	177143	8158		
1919	223588	16069		
1920	223572	16677		
1921	179391	14827	2883	2700
1922	154692	12475	3433	2800
1923	151401	11030	3746	2800
1924	151502	10211	4018	2900
1925	149997	9755	4120	2870
1926	153797	14037	5327	3200
1927	165547	18093	6233	3400
1928	176438	18842	6290	3300
1929	186651	21339	6266	3350
1930	194041	23488	6510	4100
1931	206874	33577	8836	4500
1932	224164	38592	10664	7050
1933	229819	40471	11635	7500
1934	223427	41305	11982	8050
1935	221370	40570	12729	8500

	SGB	CNG	SVEA	LFSA
1936	218387	39539	12996	8500
1937	222381	38435	12583	8500
1938	225530	39910	12750	8500
1939	223073	39712	12525	8500
1940	212582	36787	11482	8500
1941	217251	36118	11557	8500
1942	231277	38188	12025	8500
1943	250204	42348	10634	10000
1944	267606	42500	10500	10174
1945	312935	46667	11195	12667
1946	367119	44720	13368	15492
1947	381561	47245	13780	15523
1948	376436	48217	15098	15159
1949	380904	48125	15537	15330
1950	377308	49583	16556	15563
1951	382819	50124	16890	15784
1952	389178	64251	16425	16010
1953	393073	64218	16200	16034
1954	400929	70483	16255	17094
1955	404022	73177	15596	17167
1956	414294	75152	15351	17277
1957	426497	78016	15092	17781
1958	430243	77927	15078	18219
1959	431383	78007	14579	18275
1960	437006	79652	14700	18169
1961	445393	84039	15008	18866
1962	451001	89855	14876	18468
1963	451102	93397	13840	18723
1964	450682	92580	14991	18424
1965	449604	92537	14824	18692
1966	444198	92696	14625	18186
1967	441203	91636	14225	18227
1968	436010	90479	14078	18457
1969	434806	92924	13911	18141
1970	436669	93680	13943	18209
1971	437396	94825	13790	18207
1972	441405	97816	13868	18411
1973	446382	98851	13754	19872

Statistische Jahrbücher der Schweiz.
Jakob Fritschi, Handbuch der Schweizerischen Arbeitnehmerverbände, Zürich 1951.

Die Mitgliederbestände der wichtigsten Verbände des SGB

	SBHV	SMUV	VHTL	VPOD	SGB total
1880					
1881					450
1884					522
1888					3 350
1890	688	708	518		3 460
1893	1 206	4 020	405		9 495
1896	1 434	4 750	140		9 203
1903	4 333	3 932	1 045		16 593
1905	13 854	18 387	3 194		50 257
1906	18 277	26 040	4 234	1 649	68 535
1907	20 728	28 395	5 350	1 701	77 619
1908	15 690	27 489	5 282	1 813	69 250
1909	15 395	24 649	5 338	2 500	66 174
1910	15 979	22 223	4 328	2 578	75 344
1911	15 022	24 625	5 097	2 655	78 119
1912	14 906	29 756	5 975	2 992	86 313
1913	14 142	32 473	6 586	2 634	89 398
1914	6 306	20 904	4 824	2 422	65 177
1915	6 278	21 321	5 452	2 389	64 972
1916	8 376	35 730	7 622	2 908	88 628
1917	14 878	62 826	10 090	5 310	148 946
1918	21 085	74 366	13 193	7 116	177 143
1919	24 995	84 847	19 043	7 765	223 588
1920	23 399	82 699	19 492	10 229	223 572
1921	17 842	55 017	15 290	10 505	179 391
1922	15 232	42 745	13 800	10 416	154 692
1923	16 081	41 669	11 889	10 526	151 401
1924	17 560	43 331	11 217	11 001	151 502
1925	17 753	42 709	11 602	11 331	149 997
1926	18 278	44 424	11 824	11 886	153 797
1927	21 212	50 099	12 875	12 578	165 547
1928	25 897	56 575	12 709	13 122	176 438
1929	32 816	57 850	13 967	13 789	186 651
1930	32 353	61 126	15 627	16 140	194 041
1931	33 973	65 301	18 295	18 006	206 874
1932	42 319	66 610	23 271	19 502	224 164
1933	42 258	66 926	23 358	19 864	229 819
1934	41 933	64 566	22 140	19 479	223 427
1935	42 352	63 756	22 573	20 004	221 370

	SBHV	SMUV	VHTL	VPOD	SGB total
1936	42 011	61 855	23 317	20 010	218 387
1937	42 523	65 662	24 043	19 202	222 381
1938	43 238	68 322	24 402	19 089	225 530
1939	41 421	67 679	23 645	18 979	223 073
1940	35 101	65 824	22 796	18 505	212 582
1941	33 865	69 045	23 367	18 159	217 251
1942	35 275	75 021	25 074	19 111	231 277
1943	42 288	80 371	27 022	21 084	250 204
1944	46 477	83 495	28 706	22 478	267 606
1945	56 786	93 086	33 831	24 408	312 935
1946	71 507	102 931	40 085	27 498	367 119
1947	75 657	105 423	41 247	29 615	381 561
1948	71 978	103 610	40 977	30 756	376 436
1949	65 279	102 239	40 065	31 135	380 904
1950	65 720	101 479	39 393	31 096	377 308
1951	66 483	105 150	39 546	31 623	382 819
1952	66 710	110 368	39 654	32 348	389 178
1953	67 254	113 088	39 773	32 741	393 073
1954	71 813	115 944	39 750	33 065	400 929
1955	71 960	120 174	39 962	33 668	404 022
1956	74 544	124 853	40 813	34 820	414 294
1957	79 982	128 606	41 166	35 728	426 497
1958	79 917	129 344	42 001	36 654	430 243
1959	79 206	129 469	42 013	36 970	431 383
1960	83 304	130 306	42 012	36 898	437 006
1961	87 607	134 532	41 313	37 172	445 393
1962	91 678	135 825	41 351	37 788	451 001
1963	90 917	136 049	41 264	38 216	451 102
1964	89 971	135 377	41 161	39 080	450 682
1965	90 401	134 835	40 622	39 013	449 604
1966	90 493	132 704	39 334	38 853	444 198
1967	90 518	131 445	38 167	39 079	441 203
1968	89 592	129 405	36 895	39 338	436 010
1969	91 992	127 806	35 494	39 216	434 806
1970	98 480	126 283	33 844	39 310	436 669
1971	104 571	124 833	32 059	39 082	437 396
1972	110 993	120 629	31 279	39 157	441 405
1973	116 668	120 376	30 449	39 215	446 382

60 Jahre Mitgliederstatistik des Schweizerischen Gewerkschaftsbundes, in: Gewerkschaftliche Rundschau, Nr. 10, Oktober 1942, S. 303.
Statistische Jahrbücher der Schweiz.

Streiks und Aussperrungen in der Schweiz

	Zahl der Streiks und Aussperrungen	Beteiligte Arbeiter	Streik-tage
1800–1819	1		
1820–1829	–		
1830–1839	5		
1840–1849	2		
1850–1859	15		
1860	3		
1861	1		
1862	–		
1863	–		
1864	–		
1865	1		
1866	3		
1867	2		
1868	12	4146	52740
1869	10	1020	20090
1870	9	3336–5336	122100
1871	9	589	12300
1872	15	945	28220
1873	16	2870	60680
1874	7	391	12910
1875	9	1780	6890
1876	7	810	10630
1877	3		
1878	4		
1879	–		
1880	1		
1881	4		
1882	–		
1883	3		
1884	2		
1885	18		
1886	22		
1887	23		
1888	15		
1889	46		
1890	53		
1891	65		
1892	39		
1893	24		
1894	37		
1895			

	Zahl der Streiks und Aussperrungen	Beteiligte Arbeiter	Streik-tage
1896			
1897	182		
1898			
1899			
1900			
1900	29		
1901	26		
1902	26		
1903	38		
1904	58		
1905	119		
1906	189		
1907	197		
1908	99		
1909	72		
1910	89		
1911	85	4 020	55 870
1912	66	5 007	108 878
1913	64	5 980	102 537
1914	31	3 138	255 284
1915	12	1 547	
1916	35	3 330	
1917	140	13 459	
1918	268	24 382	
1919	237	22 137	
1920	184	20 803	
1921	55	3 705	
1922	104	12 100	
1923	44	3 602	
1924	70	8 642	
1925	42	3 299	
1926	35	2 745	
1927	23	2 023	33 929
1928	44	5 339	95 855
1929	37	4 644	99 211
1930	30	6 362	265 625
1931	25	4 746	73 975
1932	36	5 027	157 898
1933	34	2 642	64 403
1934	20	2 763	33 309
1935	16	866	15 135

	Zahl der Streiks und Aussperrungen	Beteiligte Arbeiter	Streik-tage
1936	37	3225	25673
1937	36	6035	115392
1938	17	706	16299
1939	7	238	4046
1940	6	578	1480
1941	15	722	14311
1942	9	822	4030
1943	19	1069	12050
1944	18	1324	17690
1945	35	3686	37187
1946	55	15173	184483
1947	29	6963	102209
1948	28	4277	61408
1949	17	853	41113
1950	6	288	5447
1951	8	985	8469
1952	8	1207	11588
1953	6	2079	61124
1954	6	2997	25963
1955	4	430	1036
1956	5	286	1439
1957	2	71	740
1958	3	815	2127
1959	4	126	1987
1960	8	214	1016
1961	–	–	–
1962	2	163	1386
1963	4	1120	70700
1964	1	350	4550
1965	2	23	163
1966	2	38	62
1967	1	65	1690
1968	1	70	1785
1969	1	33	231
1970	3	320	2623
1971	11	2267	7491
1972	5	526	2002

Erich Gruner, Die Arbeiter in der Schweiz im 19. Jahrhundert, Bern 1968.

Statistische Jahrbücher der Schweiz.

Bericht des schweizerischen Arbeitersekretariates an das schweizerische Industriedepartement über seine Beteiligung an der Landesausstellung Zürich 1914.

Lohnbewegungen und Streiks in der Schweiz seit dem Jahre 1860, im 8. Jahresbericht des leitenden Ausschusses des Schweizerischen Arbeiterbundes und des schweizerischen Arbeitersekretariates für das Jahr 1894, Zürich 1895.

Alfred Schaffner, Wirtschaftslage, Gewerkschaftliche Organisation, Streikhäufigkeit und ihre Beziehung zueinander; Eine Untersuchung am Beispiel der Stadt Zürich 1900–1910, Lizentiatsarbeit an der Universität Zürich 1973.

Mitgliederbestände SPS

1904	11 605	1921	41 802	1938	42 973	1956	55 580
1905		1922	34 061	1939	37 129	1957	57 037
1906		1923	32 623	1940	32 842	1958	57 677
1907	20 430	1924	30 742	1941	31 742	1959	57 310
1908	21 132	1925	31 252	1942	32 995	1960	57 412
1909	22 366	1926	32 748	1943	34 606	1961	57 949
1910	24 987	1927	36 072	1944	37 540	1962	57 151
1911	ca. 25 000	1928	41 076	1945	40 956	1963	57 034
1912	ca. 27 500	1929	43 356	1946	47 662	1964	57 082
1913	31 384	1930	46 453	1947	51 342	1965	57 242
1914	33 236	1931	50 722	1948	52 705	1966	56 965
1915		1932	55 186	1949	52 983	1967	55 551
1916		1933	57 227	1950	53 697	1968	54 651
1917	31 307	1934	55 571	1951	53 852	1969	54 287
1918	39 765	1935	52 881	1952	53 911	1970	53 889
1919	52 163	1936	50 599	1953	54 346	1971	53 452
1920	53 910	1937	45 037	1954	54 111	1972	55 614
				1955	54 906	1973	55 704

Geschäftsberichte SPS
Jahresberichte des Schweizerischen Grütlivereins.

Wahlstimmenanteile
SPS und PdA (KPS) (in Prozenten)

	SPS	PdA (vor 1945 KPS)
1919	23,5	
1922	23,3	1,8
1925	25,8	2,0
1928	27,4	1,8
1931	28,7	1,5
1935	28,0	1,4
1939	25,9	2,6
1943	28,6	—
1947	26,2	5,1
1951	26,0	2,7
1955	27,0	2,6
1959	26,3	2,7
1963	26,6	2,2
1967	23,5	2,9
1971	22,8	2,5

Sitze im Nationalrat
SPS und PdA (KPS)

	SPS	PdA (vor 1945 KPS)
1890	1	
1893	1	
1896	2	
1899	4	
1902	7	
1905	2	
1908	7	
1911	17	
1914	19	
1917	22	
1919	41	
1922	43	2
1925	49	3
1928	50	2
1931	49	2
1935	50	2
1939	45	–
1943	56	–
1947	48	7
1951	49	5
1955	53	4
1959	51	3
1963	53	4
1967	50	5
1971	46	5

Statistische Jahrbücher der Schweiz.
Erich Gruner, Die schweizerische Bundesversammlung 1848–1920, Bd. II, Bern 1966.

Zeittafel

1801	Erste mechanische Spinnerei der Schweiz nimmt in St. Gallen den Betrieb auf
1813	Erster Fabrikarbeiter-Streik in Niederlenz (AG)
1815	Erste Gesetze zur Reglementierung der Fabrikarbeit der Kinder in den Kantonen ZH und TG
1818	Typographen errichten in Aarau Kranken- und Hilfskasse
1825	Erste mechanische Weberei in Rheineck (SG)
1830	Juli-Revolution in Frankreich – Einsetzen der kantonalen Regenerationsbewegungen, Errichtung liberaler Verfassungen
1832	Heimarbeiter zünden mechanische Weberei in Uster an
1833	Schreinerstreik in Genf: erster gewerkschaftlich geführter Lohnkampf
1834	«Junges Deutschland» gegründet
1836	«Flüchtlingshatz», Verhaftungs- und Ausweisungswelle gegen deutsche Flüchtlinge und Handwerker
1838	Gründung des Grütlivereins in Genf
1845	J.J. Treichler gibt das «Allgemeine Noth- und Hülfsblatt», die erste Arbeiterzeitung in der Schweiz, heraus Repressions- und Ausweisungswelle gegen die deutschen Arbeitervereine
1846	Gesetz gegen die kommunistischen Umtriebe in Zürich erlassen («Maulkrattengesetz»)
1847	Sektionen des «Bundes der Kommunisten» werden in der Schweiz gegründet
1848	Glarner Landsgemeinde verabschiedet erstes Schutzgesetz für erwachsene Fabrikarbeiter Europäische Revolutionen Gründung des schweizerischen Bundesstaates Marx und Engels verfassen das Kommunistische Manifest Wirtschaftliche Aufschwungsphase
1850	«Murtentag»: Ausweisung der deutschen Handwerksgesellen aus der Schweiz
1851	Gründung des Zürcher Konsumvereins durch J.J. Treichler und Karl Bürkli
1858	Entstehung des Schweizerischen Typographenbundes
1864	Gründung der I. Internationale
1868	Bauarbeiterstreik in Genf löst Streikwelle in der ganzen Schweiz aus
1870	Erster Versuch zur Gründung einer sozialdemokratischen Partei durch Herman Greulich Erstmaliges Erscheinen der «Tagwacht» in Zürich Gründung des Handels- und Industrievereins («Vorort»)
1871	Commune: Aufstand der Pariser Bevölkerung gegen das Bürgertum
1872	Ausschluß der Anarchisten aus der I. Internationale Faktisches Ende der I. Internationale Gründungskongreß der antiautoritären Internationale in St. Imier
1873	Beginn der Großen Depression Vereinigung der Arbeiterorganisationen auf nationaler Ebene im Alten Arbeiterbund
1874	Revision der Bundesverfassung
1877	Annahme des Eidgenössischen Fabrikgesetzes: Verankerung des 11-Stunden-Tages

1879	Gründung des Schweizerischen Gewerbeverbandes
1880	Gründung des Schweizerischen Gewerkschaftsbundes Erscheinen des SGB-Organs «Arbeiterstimme» (ab 1909 «Gewerkschaftliche Rundschau»)
1886	Allgemeine Schweizerische Reservekasse gegründet Gründung des Schweizerischen Holzarbeiterverbandes
1888	Gründung der SPS Schweizerischer Metallarbeiterverband gegründet
1889	Gründungskongreß der II. Internationale
1894	Initiative «Recht auf Arbeit» abgelehnt
1895	Beginn des konjunkturellen Aufschwungs
1897	Der Bauernverband wird gegründet
1898	Das «Volksrecht», sozialdemokratische Tageszeitung, erscheint
1900	Initiative über Proporzwahl des Nationalrates verworfen
1901	«Solothurner Hochzeit», Zusammenschluß des Grütlivereins mit der SP
1904	Die SP gibt sich ein neues Programm
1905	Beginn der Tarifvertragsbewegungen (erstes Gesetz in Genf 1900) Gründung der antimilitaristischen Liga Aufschwung der Jungburschenbewegung
1906/7	Höhepunkt der Streikwelle
1907	Christlich-nationaler Gewerkschaftsbund gegründet
1908	Antistreikgesetz in Bern, Zürich und Graubünden
1912	Zürcher Generalstreik Bundesgesetz über Kranken- und Unfallversicherung angenommen Gründung des Schweizerischen Arbeiterbildungsausschusses Basler Kongreß der II. Internationale («Friedenskongreß»)
1914	Ausbruch des 1. Weltkrieges – Arbeitslosigkeit, Lohnabbau, Preissteigerungen Generalmobilmachung – Zustimmung der SPS zu Militärkrediten (Burgfrieden)
1915	Sozialistenkonferenz in Zimmerwald
1916	Internationale Sozialistenkonferenz in Kiental
1917	Die SPS spricht sich an ihrem Parteitag gegen die Landesverteidigung aus Februar- und Oktoberrevolution in Rußland Novemberunruhen in Zürich
1918	Gründung des Oltener Aktionskomitees Teuerungsdemonstrationen im ganzen Land Initiative für Nationalratsproporz wird angenommen Ende des 1. Weltkrieges Generalstreik Gründung der Kommunistischen Partei der Schweiz (Altkommunisten)
1919	Generalstreiks in Zürich und Basel Gründung der II. Internationale in Moskau

1920/22	Schwere Wirtschaftskrise: Lohnabbau, Unternehmeroffensive gegen den 8-Stunden-Tag
1921	KPS wird gegründet von der SP-Linken und den Altkommunisten Ausschluß von Kommunisten aus dem SMUV
1922	Lex Häberlin («Zuchthausgesetz») verworfen SP-Initiative für eine Vermögensabgabe verworfen
1924	Ablehnung der Lex Schulthess
1925	Verfassungsgrundlage für die AHV angenommen
1929	Die KPS verschärft – den Beschlüssen des VI. Weltkongresses der Komintern folgend – den Kampf gegen die Sozialdemokratie Die SPS beschließt die Aufstellung eines Kandidaten für den Bundesrat Beginn der Weltwirtschaftskrise
1931	Verwerfung der AHV-Bundesvorlage
1932	Militäreinsatz gegen Arbeiterdemonstration in Genf (13 Tote)
1933	Die Nationalsozialisten ergreifen die Macht in Deutschland – Erstarken der Fronten Gründung des Schweizerischen Arbeiterhilfswerks
1934	Ablehnung des Bundesgesetzes über den Schutz der öffentlichen Ordnung (Lex Häberlin II)
1935	KPS gibt die «Sozialfaschismus»-These auf und beteiligt sich an der Volksfrontpolitik Programmrevision und Anerkennung der Landesverteidigung durch die SPS Kriseninitiative verworfen
1936	Beginn des spanischen Bürgerkrieges. Schweizer kämpfen als Freiwillige in den Internationalen Brigaden Richtlinienbewegung
1937	Friedensabkommen
1939	Landesausstellung als Symbol der nationalen und sozialen Versöhnung Kriegsmobilmachung
1940	Verbot der KPS
1943	SP-Erfolge bei den Nationalratswahlen – Nobs wird Bundesrat «Neue Schweiz»: Wirtschaftskonzeption der SPS
1944	Gründung der Partei der Arbeit
1945	Kriegsende Beginn des kalten Krieges
1946	Recht auf Arbeit (LdU-Initiative) abgelehnt
1947	Die Initiative «Wirtschaftsreform und Rechte der Arbeit» der SPS und des SGB wird abgelehnt Wirtschaftsartikel der Bundesverfassung knapp angenommen AHV-Gesetzesartikel hoch angenommen
1949	Sieg der Chinesischen Revolution Einsetzen der Hochkonjunktur
1955	SGB-Initiative für den Schutz der Mieter und Konsumenten durch Ständemehr verworfen
1956	XX. Parteitag der KPdSU (Entstalinisierung) Ungarn-Aufstand mit sowjetischer Intervention
1957	Gründung der EWG

1959 Neues Programm der SPS
Wahl Tschudis und Spühlers (SP) in den Bundesrat (Zauberformel)
Neues Programm der PdA

1960 Neues Arbeitsprogramm des SGB

1963 I. Ostermarsch der Atomwaffengegner, Lausanne-Genf
Betriebsplafonierung der Fremdarbeiter durch den Bundesrat

1965 Einleitung der neuen Phase der staatlichen Wirtschaftsintervention; Kredit- und Baubeschlüsse

1966 Neues Arbeitsgesetz verankert 46-Stunden-Woche für Industrie und Verwaltung

1968 Demonstrationen der Neuen Linken in Zürich, Basel, Genf, Lausanne
Massive Polizeieinsätze

1970 Gesamtplafonierung der ausländischen Arbeitskräfte durch den Bundesrat
Schwarzenbach-Initiative knapp abgelehnt
Initiative «Recht auf Wohnung» abgelehnt

1970/71 Fremdarbeiterstreiks im Tessin und in Genf

1971 Einführung des Frauenstimmrechts

1972 Waffenausfuhrverbots-Initiative knapp abgelehnt
Freihandelsabkommen Schweiz-EWG in der Volksabstimmung angenommen
PdA-Volkspensionsinitiative abgelehnt
8. AHV-Revision

Ausgewählte weiterführende Literatur

Allgemeine Literatur

Bodmer, Walter, Die Entwicklung der schweizerischen Textilwirtschaft im Rahmen der übrigen Industrien und Wirtschaftszweige, Zürich 1960 — I–VII

Braun, Rudolf, Sozialer und kultureller Wandel in einem ländlichen Industriegebiet (Zürcher Oberland) unter Einwirkung des Maschinen- und Fabrikwesens im 19. und 20. Jahrhundert, Erlenbach/Zürich 1965 — I–VII

Gitermann, Valentin, Geschichte der Schweiz, Thayngen 1941 — I–VI

Glaus, Beat, Die Nationale Front, Zürich/Einsiedeln/Köln 1969 — VI

Gruner, Erich, Die Parteien in der Schweiz, Bern 1969 — II–VII

Gruner, Erich (Hg.), Die Schweiz seit 1945, Bern 1971 — VII

Rappard, William, La Révolution industrielle et les origines de la protection légale du travail en Suisse, Berne 1914 — I–III

Ein Jahrhundert schweizerischer *Wirtschaftsentwicklung,* Festschrift zum hundertjährigen Bestehen der Schweizerischen Gesellschaft für Statistik und Volkswirtschaft 1864–1964 (hg. v. d. Schweiz. Gesellschaft für Statistik und Volkswirtschaft), Bern 1964 — II–VII

Internationale Arbeiterbewegung

Abendroth, Wolfgang, Sozialgeschichte der europäischen Arbeiterbewegung, Frankfurt am Main 1965, 8. erweiterte Auflage 1972 — I–VII

Braunthal, Julius, Geschichte der Internationale, 3 Bde., Hannover 1961–1973 — I–VII

Hofmann, Werner, Ideengeschichte der sozialen Bewegung des 19. und 20. Jahrhundert, 4. Auflage, Berlin/New York 1971 — I–VII

Schweizerische Arbeiterbewegung

Bigler, Rolf, Der libertäre Sozialismus in der Westschweiz, Köln/Berlin 1963 — II

Bodenmann, Marino, Zum 40. Jahrestag der Gründung der Kommunistischen Partei der Schweiz, Zürich 1961 — V–VII

Brupbacher, Fritz, 60 Jahre Ketzer, Selbstbiographie, Zürich 1935 (Neuauflage: Zürich 1973) — III–IV

Egger, Heinz, Die Entstehung der Kommunistischen Partei und des Kommunistischen Jugendverbandes der Schweiz, Zürich 1952 — III–V

Gautschi, Willi, Der Landesstreik 1918, Zürich 1968 — IV

Gautschi, Willi (Hg.) Dokumente zum Landesstreik 1918, Zürich 1971 — IV

Gridazzi, Mario, Die Entwicklung der sozialistischen Ideen in der Schweiz bis zum Ausbruch des Weltkrieges, Diss., Zürich 1935 — I–III

Grimm, Robert, Geschichte der sozialistischen Ideen in der Schweiz, Zürich 1931 — I–V

Gruner, Erich, Die Arbeiter in der Schweiz im 19. Jahrhundert, Bern 1968 — I–II

Hardmeier, Benno, Geschichte der sozialdemokratischen Ideen in der Schweiz 1920–1945, Winterthur 1957 — V–VI

Heeb, Friedrich, Der Schweizerische Gewerkschaftsbund 1880–1930, Denkschrift zum fünfzigjährigen Jubiläum, Bern 1930 — III–V

Humbert-Droz, Jules, Mémoires, 4 Bde., Neuchâtel, 1969–1973 — IV–VII

Die Geschichte der *Kommunistischen Partei der Schweiz* 1921–1931, hektographiert, Zürich 1972 — V

Kull, Ernst, Die sozialreformerische Arbeiterbewegung in der Schweiz, die römisch-katholische, die evangelisch-soziale und die liberal-nationale Arbeiterbewegung, Zürich 1930 — III–V

Margadant, Bruno, Für das Volk – Gegen das Kapital, Plakate der schweizerischen Arbeiterbewegung von 1919–1973, Zürich 1973 — VI–VII

Materialien zur Intervention, Arbeitskämpfe in der Schweiz 1945–1973, Die Entstehung einer multinationalen Arbeiterklasse, Zürich 1974 — VII

Mattmüller, Markus, Leonhard Ragaz und der religiöse Sozialismus, Eine Biographie, 2 Bde., Zürich 1957–1968 — III–V

Mühlemann, Hans E., Anfänge der schweizerischen Konsumgenossenschaftsbewegung, Diss. Bern, Affoltern am Albis 1940 — II–III

Münzenberg, Willi, Die dritte Front, Aufzeichnungen aus 15 Jahren proletarischer Jugendbewegung, Berlin 1929 (Neuauflage: Frankfurt am Main 1972) — III–IV

Festschrift zum 75. Geburtstag von Hans *Oprecht,* Unterwegs zur sozialen Demokratie, Hg. Ulrich Kägi, Zürich/Wien/Frankfurt a. Main 1969 — VI–VII

Schieder, Wolfgang, Anfänge der deutschen Arbeiterbewegung, Die Auslandsvereine im Jahrzehnt nach der Julirevolution um 1830, Stuttgart 1963 — I

Siegenthaler, Jürg, Zum Lebensstandard schweizerischer Arbeiter im 19. Jahrhundert, in: Schweiz. Zeitschrift für Volkswirtschaft und Statistik 1965, S. 423 ff. — I–III

Siegenthaler, Jürg, Die Politik der Gewerkschaften, Eine Untersuchung der öffentlichen Funktionen schweizerischer Gewerkschaften nach dem 2. Weltkrieg, Bern 1968 — VII

Steiger, Emma, Geschichte der Frauenarbeit in Zürich, Zürich 1964 — I–VII

Ragaz, Christine, Die Frau in der schweizerischen Gewerkschaftsbewegung, Diss., Zürich/Stuttgart 1933 — II–VI

Abbildungsverzeichnis

Pressestimmen

Mehr als ein Lesebuch: ein herausforderndes Arbeitsmittel. Es ist ein markanter Stein auf dem Weg schweizerischer Geschichtsschreibung ... ein Buch, das in Zusammenhängen zu lesen und zu studieren fasziniert.

Die Quellen provozieren, indem sie durch ihre Reihenfolge Kontraste schaffen, zur Parteinahme stimulieren und oft zu Verwunderung oder Empörung aufreizen. Das gehört, im guten Sinne, zum «Agitatorischen» der Quellenwahl: Ihre Lektüre lässt einen nicht in Ruhe; Fragen, kaum beantwortet, rufen neue hervor, drängen notwendig auf die Suche und Erklärung der Zusammenhänge.

Luzerner Neueste Nachrichten

Doch die Gegner dieses Buches haben – wenn auch ungewollt – mitgeholfen, das Werk in einer Zeit erscheinen zu lassen, die manchen zwingt, sich der Geschichte der schweizerischen Arbeiterbewegung, ihrer Siege und Niederlagen wieder zu erinnern. Haben gewisse Kreise Angst, die jungen Lohnverdiener lernten etwa aus den Erfahrungen der älteren Generation? – Ja, dieser Dokumentenband gehört in die Hand eines jeden aktiven Gewerkschafters!

Der öffentliche Dienst

Dieses Buch räumt endlich auf mit dem Mythos der «grossen Männer» in unserer Geschichte: Es macht deutlich, welchen Anteil die Arbeiter daran haben.

Leser-Zeitung

... Einer Geschichte, die an den Schulen zwar fast im Übermass die Heldentaten der alten Eidgenossen schildert, aber herzlich wenig oder gar nichts über die Kämpfe der Arbeiterschaft für ihren materiellen und kulturellen Aufstieg zu berichten weiss.

Auch wenn nicht alles, was sich im Dokumentenband vorfindet, neu und einmalig ist, bildet er doch eine wertvolle Ergänzung der bisher vorliegenden Literatur zur schweizerischen Arbeiterbewegung, und es ist ihm eine weite Verbreitung in Gewerkschaftskreisen zu wünschen.

Bau und Holz

Der Dokumentenband ist alles andere als ein trockenes langfädiges Geschichtsbuch. Der Aufbau ist so angelegt, dass auch Leute, die mittlerweile dank Fernsehsessel das Lesen etwas verlernt haben, einen Wiederbelebungsversuch starten können. Die Trennung in Begleitkommentar und einzelnen Quellen erlaubt es, in unregelmässigen Abständen je nach Lust und Laune nach dem Buch zu greifen.

Wenn aber jeder Leser kritisch mitdenkt, so hat dieses Buch ein Ziel schon erreicht: Den Unterprivilegierten dieses Landes bewusst machen, dass auch sie eine Geschichte haben – auch wenn sie von den offiziellen Schulbüchern meist verschwiegen wird, eine

Geschichte, die ihre heutige Situation verständlich und erklärbar macht. Erst dann kann auch deren Veränderung von jedem mitgestaltet werden. Wenn der Dokumentenband in diesem Sinne als Diskussionsgrundlage dienen kann und die Diskussion über unsere Arbeiterbewegung vermehrt unter die Leute trägt, so haben sich die Hunderte von harten Arbeitsstunden der 40 Autoren und ihrer Freunde wahrlich gelohnt.

Basler AZ

Limmat Verlag Genossenschaft, Zürich